傅山的世界

十七世紀中國書法的嬗變

白謙慎

石頭出版股份有限公司
Rock Publishing International

傅山的世界
十七世紀中國書法的嬗變（中譯增訂版）
Fu Shan's World: The Transformation of Chinese Calligraphy in the Seventeenth Century

作　　者：白謙慎
初　　譯：孫靜如、張佳傑
譯稿審訂與改寫：白謙慎
特約編輯：劉　濤
執行編輯：黃思恩
美術設計：李男工作室　黃　俊

出 版 者：石頭出版股份有限公司
原英文出版者：Harvard University Asia Center
發 行 人：龐慎予
社　　長：陳啓德
總 編 輯：洪文慶
行　　銷：李穎松
會計行政：李富玲
全球獨家中文版權：石頭出版股份有限公司
登 記 證：行政院新聞局局版台業字第4666號
地　　址：106台北市信義路三段109號4樓
電　　話：（02）2701-2775
傳　　真：（02）2701-2252
電子郵件：rockintl21@seed.net.tw
網　　址：www.rock-publishing.com.tw
劃撥帳號：1437912-5　石頭出版股份有限公司
印　　刷：利得印刷有限公司
出版日期：2005年1月
定　　價：NT.2400元

First published by the Harvard University Asia Center, Cambridge, Massachusetts, USA, in 2003

Address: 4F, no. 109, Section 3, Xinyi Rd., Taipei 106, Taiwan
Tel: 886-2-27012775
Fax: 886-2-27012252
E-mail: rockintl21@seed.net.tw
Website: www.rock-publishing.com.tw
Price: USD.
Printed in Taiwan

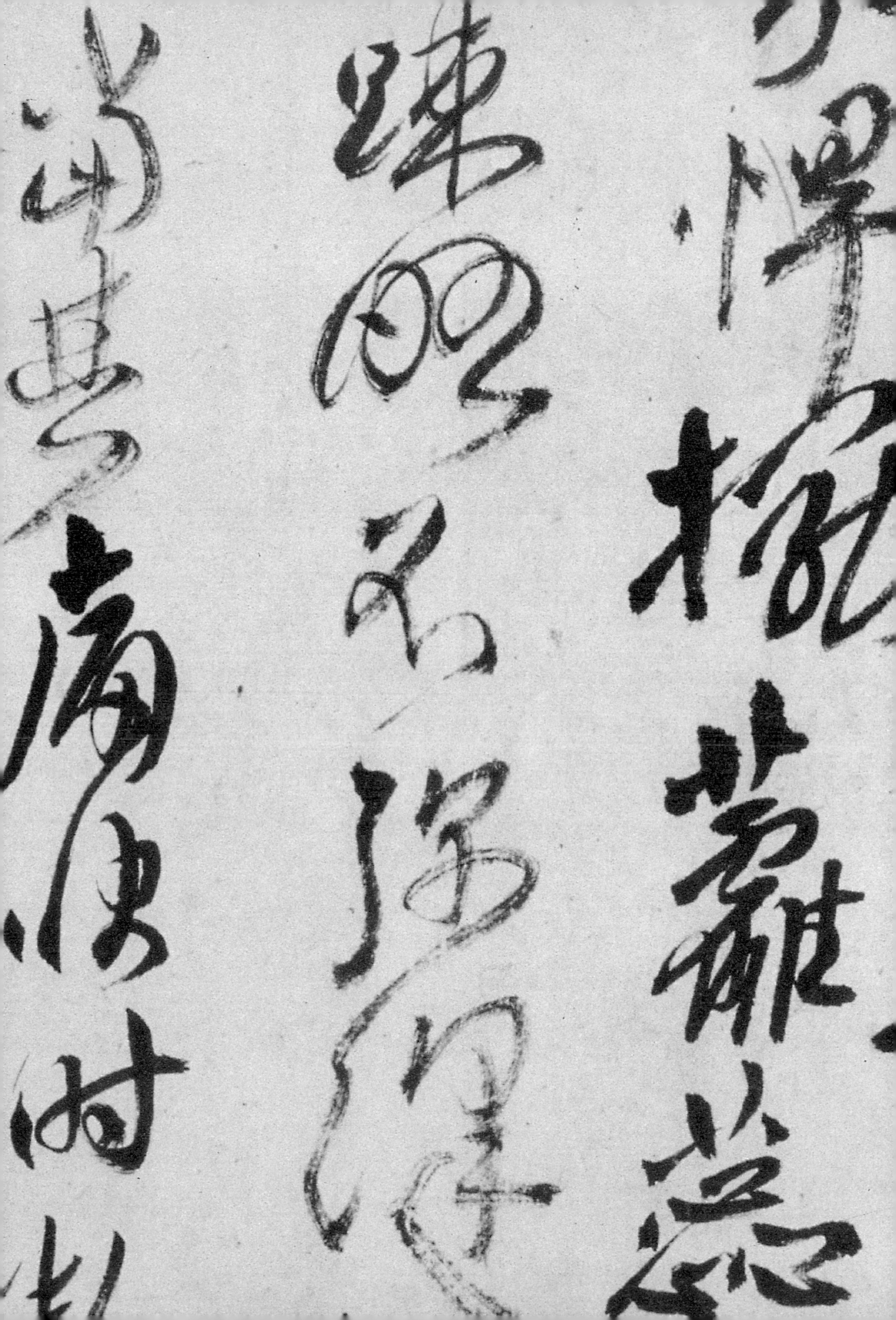

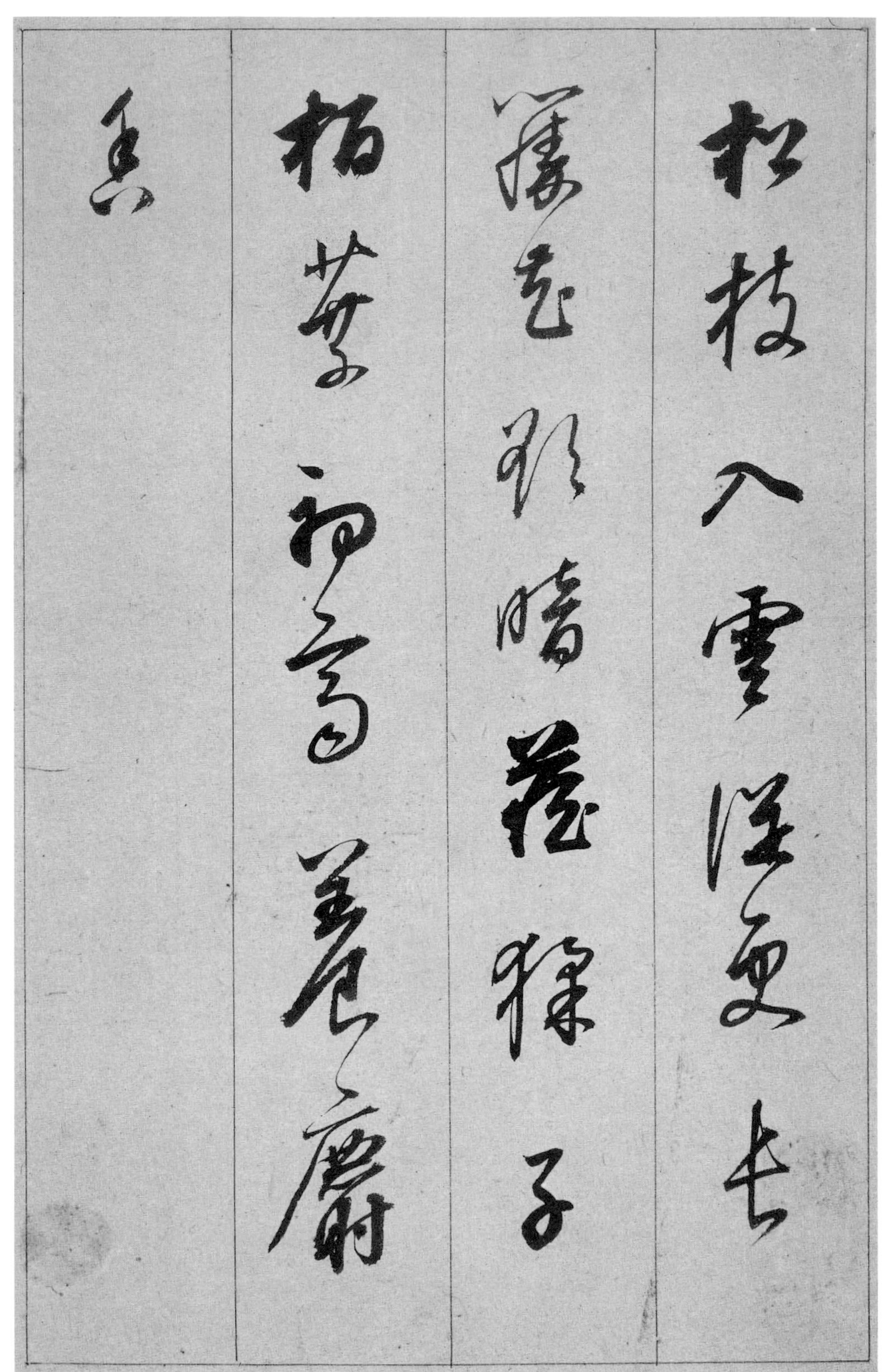

彩圖1
董其昌
《行草詩》
1631 局部
冊頁（全9開）紙本
每開25.1×12公分
台北故宮

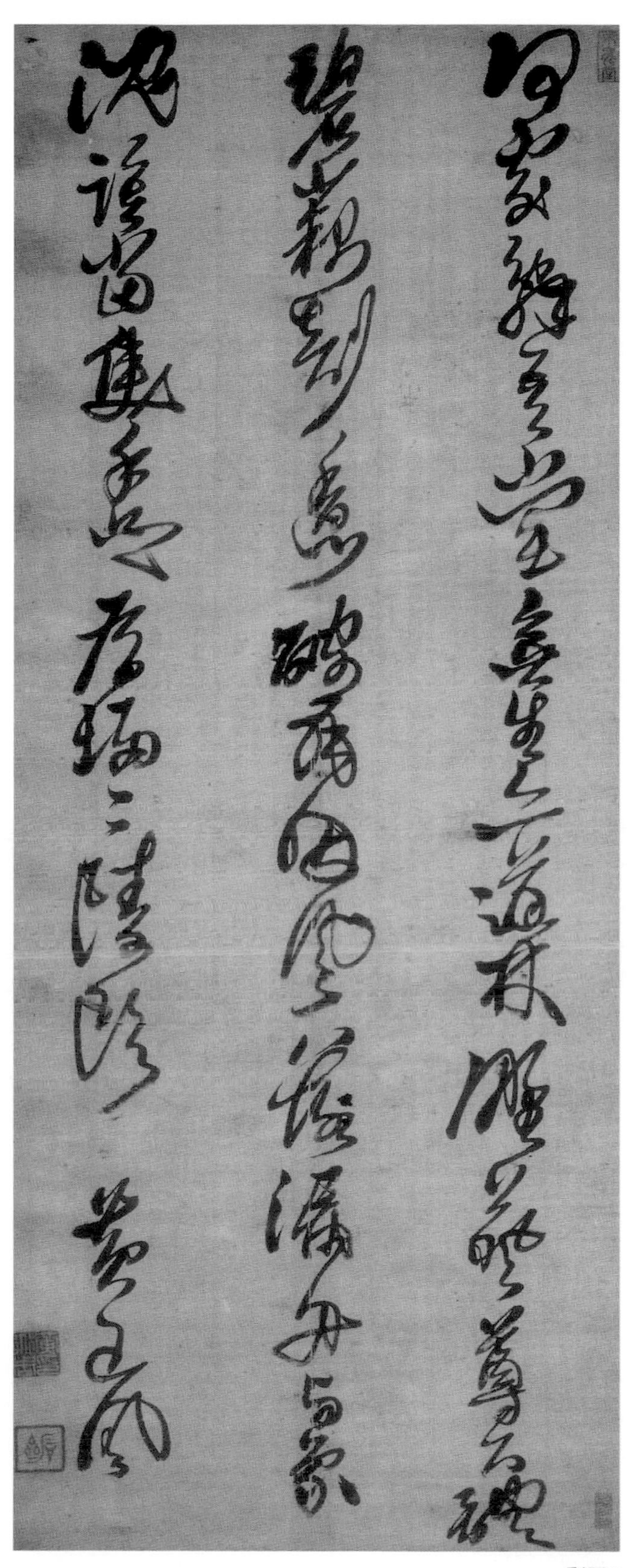

彩圖3
黃道周
《答孫伯觀詩》
軸　綾本
192.6×52.7公分
日本澄懷堂

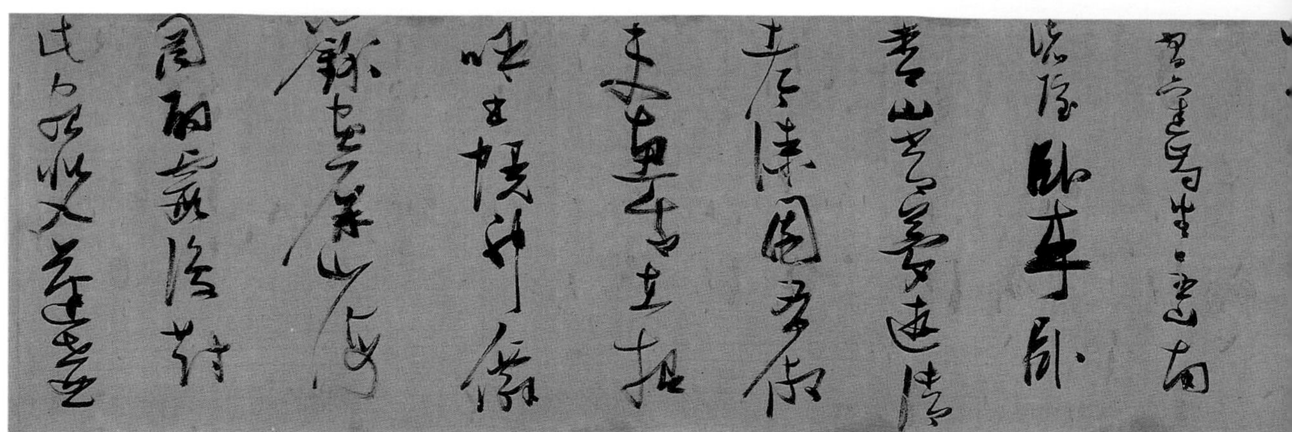

彩圖2
張瑞圖
《孟浩然詩》
1625　局部
卷　綾本
26×520公分
台北私人收藏

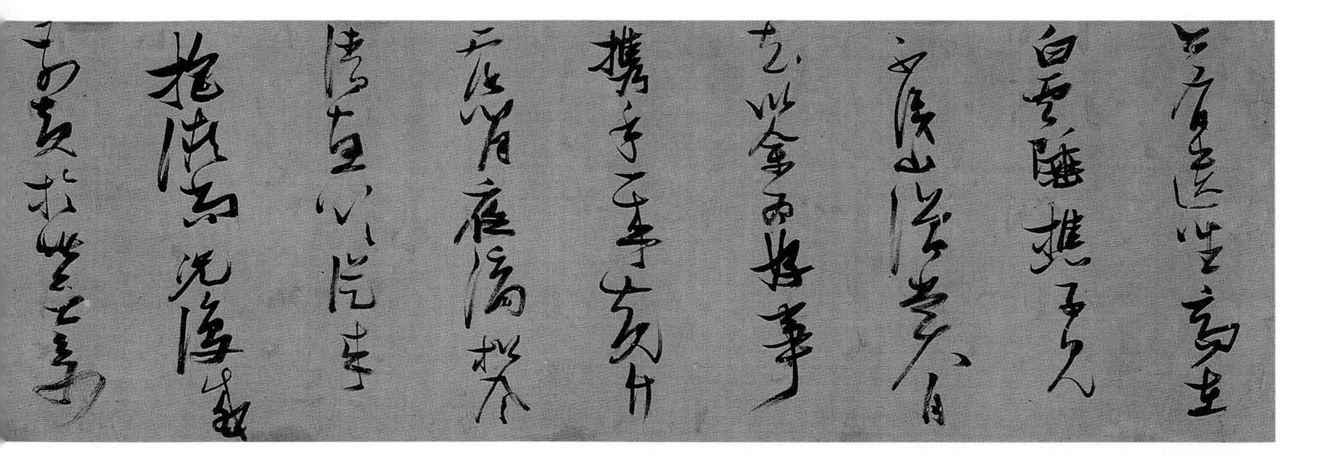

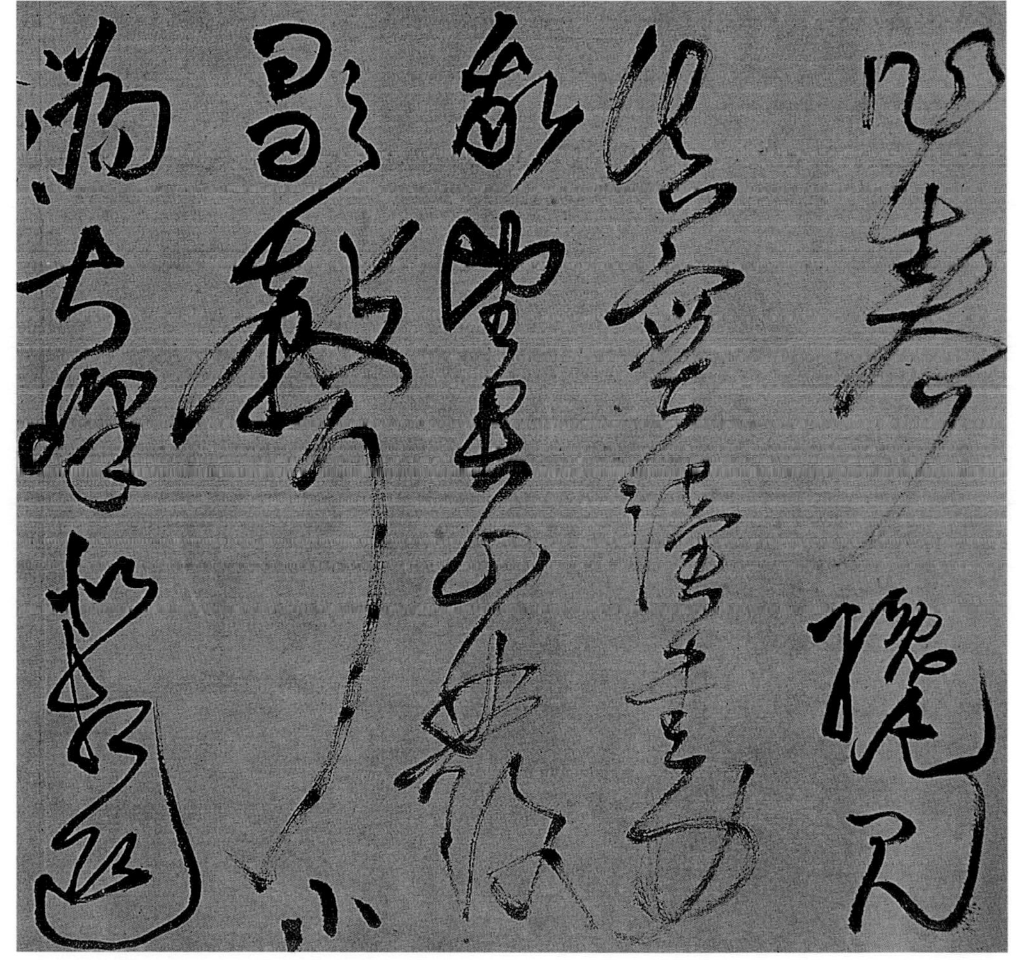

彩圖4
王鐸
《贈郭一章詩》
1650　局部
卷　綾本　32.1×496.6公分
美國紐約路思客先生收藏（Collection of H. Christopher Luce, New York）

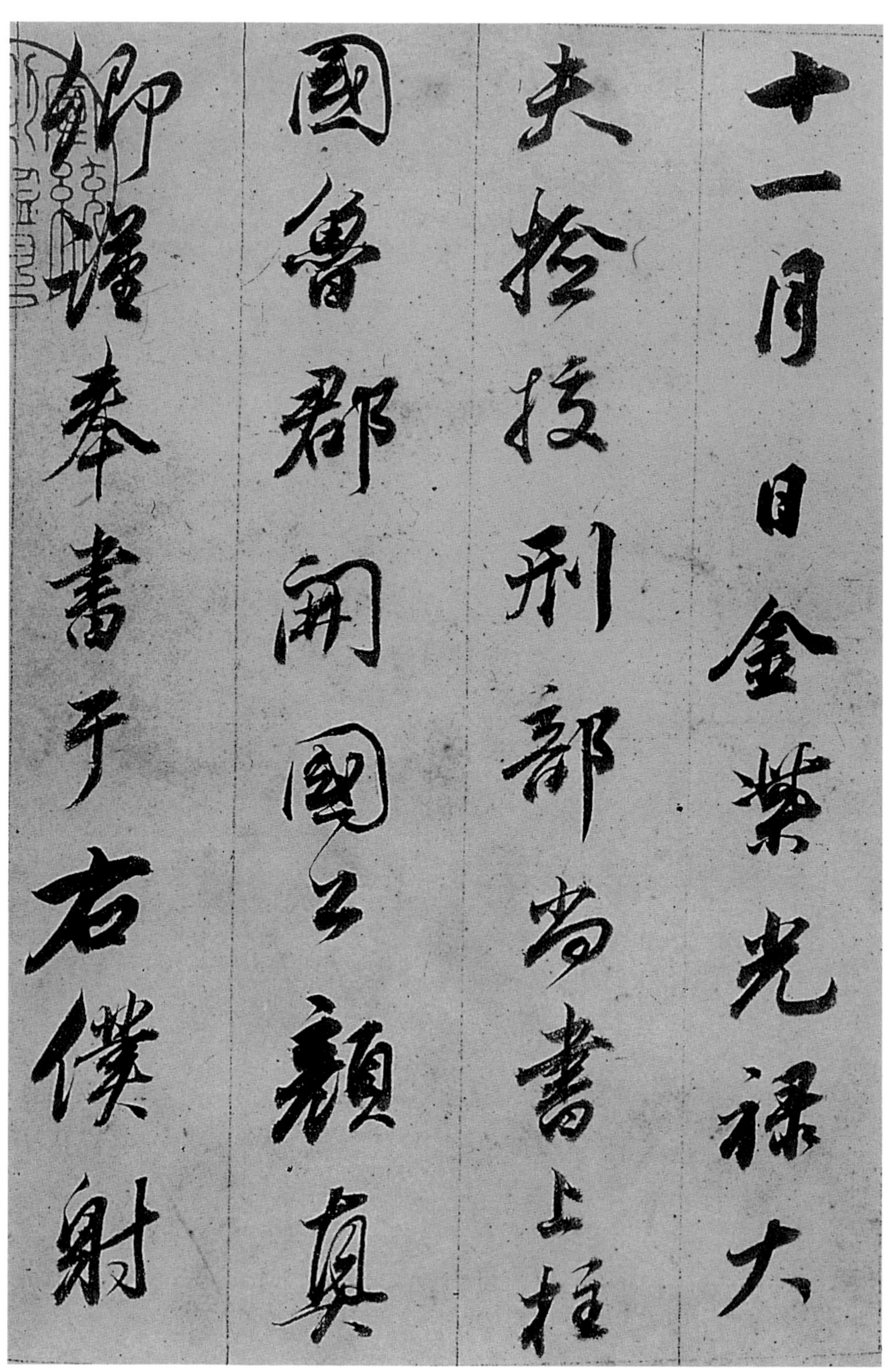

彩圖5
董其昌
《臨顏真卿爭座位帖》
1632　局部
冊頁（全34開）紙本
每開32×29.7公分
台北故宮

本在操舟方有舵本迷亂國為無君
只飜誠意一鎔簡滌蕩青霄萬頃雲
知本緜來義最深須從物理細推尋
一竅克塞皆為物萬象森羅總是心
心正涓流俱倒海身修點鐵悉成金
細窮物理無多事只在兢兢顧影衾
不將一字掛胷中蕩蕩乾坤在此躬

彩圖6
蔡玉卿
《山居漫詠》
局部
卷　絹本
23.7×210公分
上海博物館

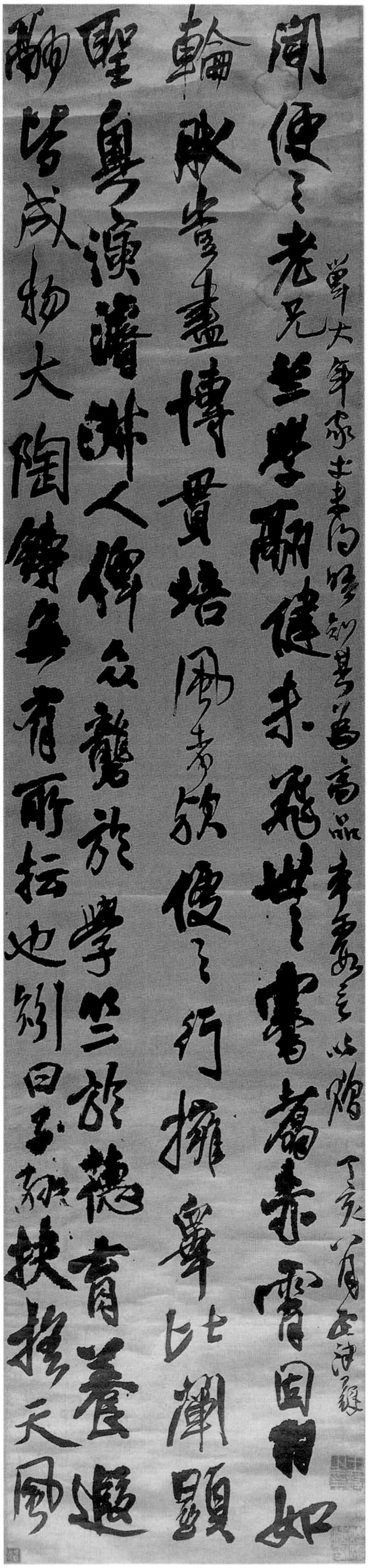

彩圖7
王鐸
《贈單大年》
1647
軸　綾本
237×56公分
台北何創時書法藝術基金會

慶用垂頌聲永和十二年五月十三日書與王[illegible]

有唐撫州南城縣麻姑山仙壇記顏真卿撰并書
麻姑者葛稚川神仙傳云王遠字方平欲東之括蒼山過吳蔡
經家教其尸解如蛇蟬也經去十餘年忽還語家言七月七日王君
當来過到期日方平乘羽車駕五龍各異色旌旗導從威儀赫
奕如大將也既至坐須臾引見經父兄因遣人與麻姑相聞亦莫知
麻姑是何神也言王方平敬報久不行民間今来在此想麻姑能
蹔来有頃信還但聞其語不見所使人曰麻姑再拜不見忽已五

彩圖8
傅山
《臨顏真卿麻姑仙壇記》
約1650年代　局部
冊頁（全12開）　紙本
每開23.5×13.5公分
香港黃仲方先生收藏

彩圖9
傅山《嗇廬妙翰》中的楷書部分

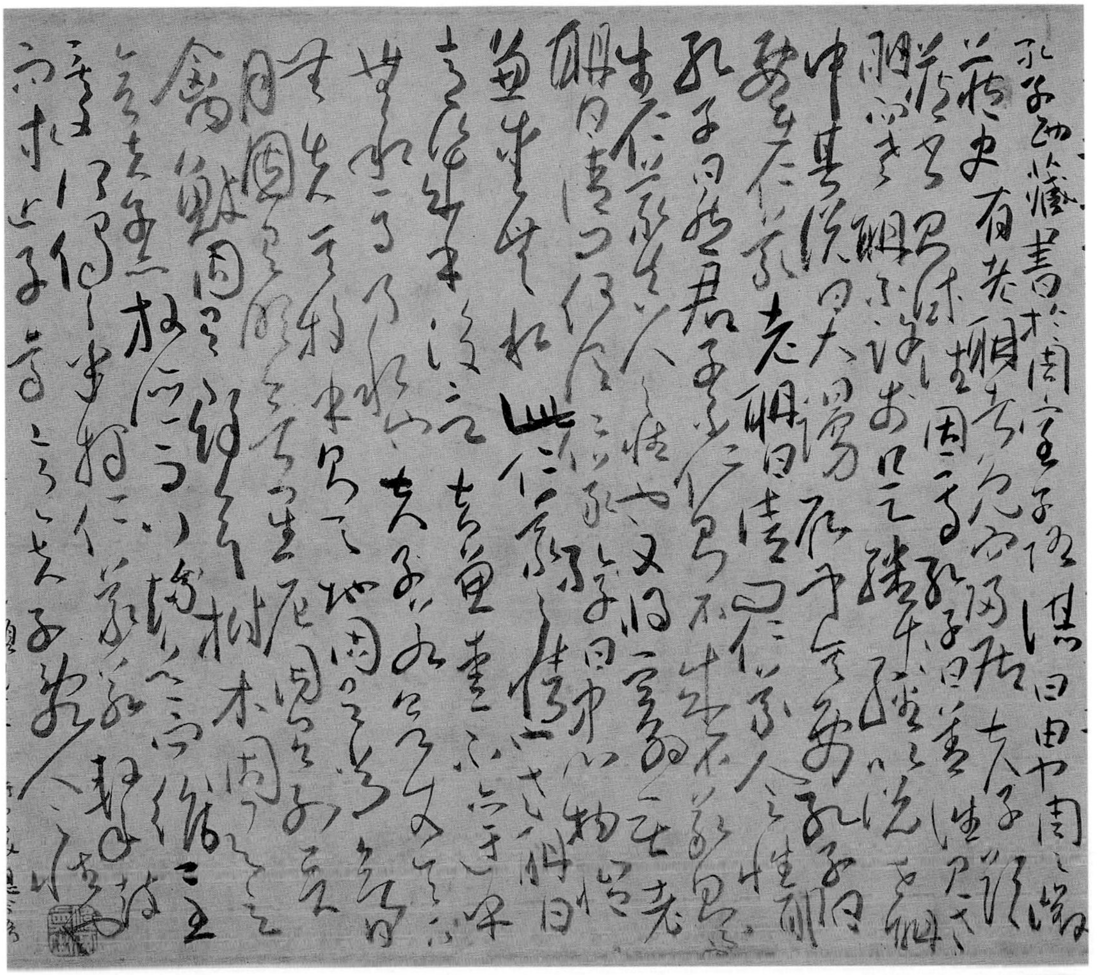

彩圖10
傅山《薔廬妙翰》中的草書部分

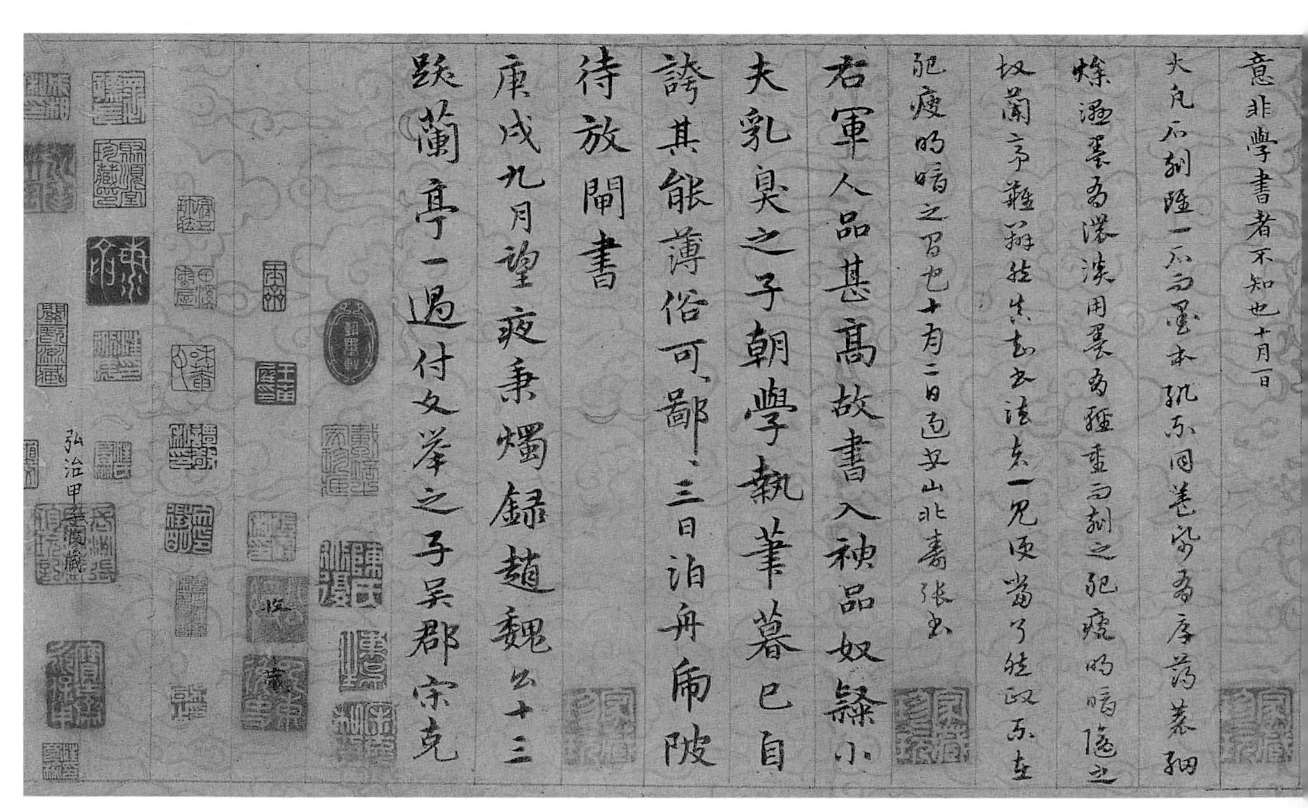

彩圖11
宋克
《趙孟頫蘭亭十三跋》
1370
卷　紙本　25.5×160公分
私人收藏

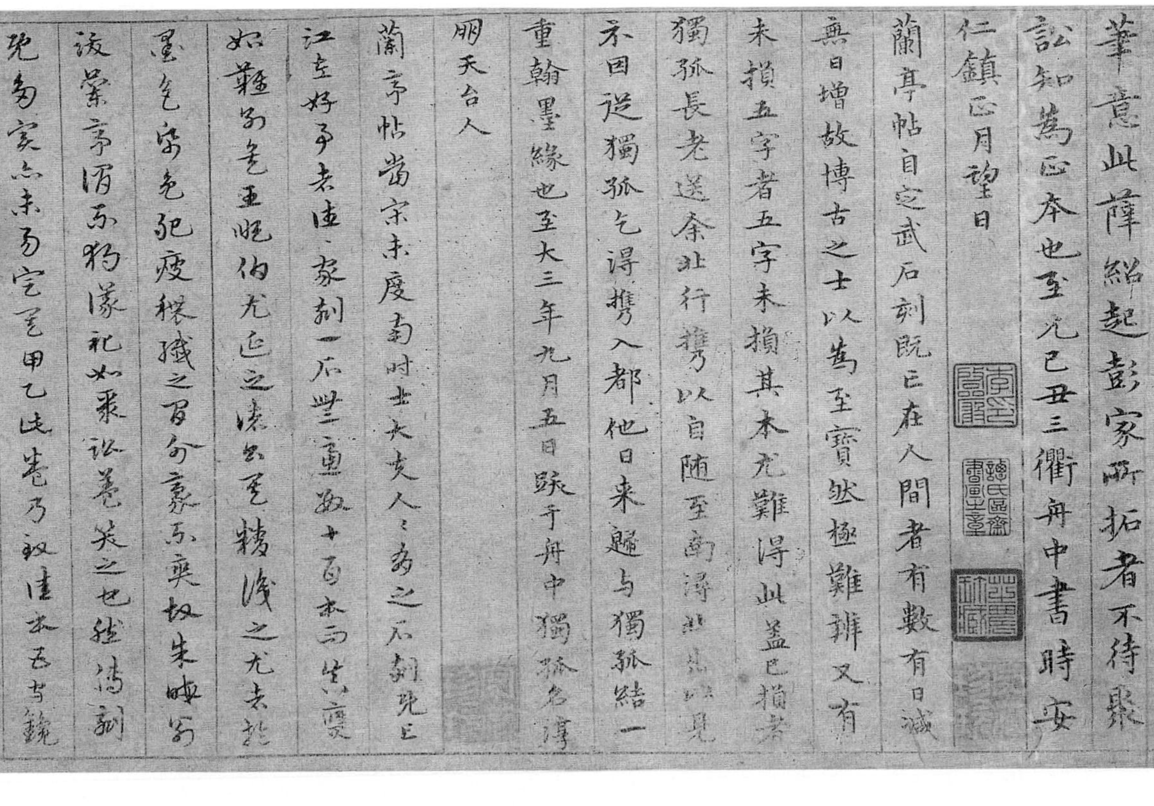

蘭亭墨本最多惟定武刻獨全右軍
筆意此碑紹起彭家所拓者不待聚
訟知為正本也至元己丑三衢舟中書時安
仁鎮正月望日

蘭亭帖自定武石刻既亡在人間者有數有日減
無日增故博古之士以為至寶然極難辨又有
未損五字者五字未損其本尤難得此蓋已損者
獨孤長老送余北行携以自隨至南潯北出以見
示因從獨孤乞得携入都他日來題與獨孤結一
重翰墨緣也至大三年九月五日跋于舟中獨孤名淳
朋天台人

蘭亭帖當宋未度南時士大夫人人有之石刻既亡
江左好事者往往家刻一石無慮數十百本而真贋
始難別矣王順伯尤延之諸公其精識之尤者於
墨色紙色肥瘦穠纖之間分豪不爽故朱晦翁
跋蘭亭謂不獨議禮如聚訟蓋笑之也然傳刻
既多實亦未易定其甲乙此卷乃致佳本五字雖

梁山舟題

學書在玩味古人法帖悉知其用筆之意乃為
有益右軍書蘭亭是已退筆因其勢而用之
無不如志茲其所以神也昨晚宿沐陽廿六
日早飯罷題

書法以用筆為上而結字亦須用工蓋結字因時相
傳用筆千古不易右軍字勢古法一變其雄秀之
氣出於天然故古今以為師法齊梁間人結字非
不古而乏俊氣此又存乎其人然古法終不可失也廿
八日濟南待閘題

廿九日至濟州遇周景遠新除行臺治
書侍御史自都下來因得盤礴人以
紙素求書于景遠者衆而乞余書者
亦如雲集殊無少暇盡北登舟解纜乃得
俟是晚至濟州北卅里重展此卷
再題

天際碧可能無夢到
江南

倪雲林寫寒楕二樹又一小虬枝伍
蘧一層露白見沙影下層淺瀨砂
磦極荒寒之趣題云寓舘風雨秋
閒門草苔蘚懷人思舊飛攜書此
留滯玉琴和幽吟竹牖聊静憩
八月二日寫懶瓚
又一幀寫踈林遠岫題云
已從漚鳥狎雲深老我無機似
漢陰采々菊花猶滿地蕭々霜
髮不勝簪南遊阻絕傷多壘北
望艱危折寸心好在吳淞江水
上清猿啼處有楓林
歲癸丑七月既望子素徵君
以此索畫因寫以贈　十八日瓚

顏魯公餌道士陶八八刀圭碧霞
丹自此不衰陶云公於七十後有大
厄當會我於羅浮山盧杞陷公遣
使李希烈行至汜水遇陶曰吉々栢
嵩少而去公死賊中啓棺狀如金
色爪髮俱長如生人盖尸解云
吳興向氏宋時三世好古多蓄法

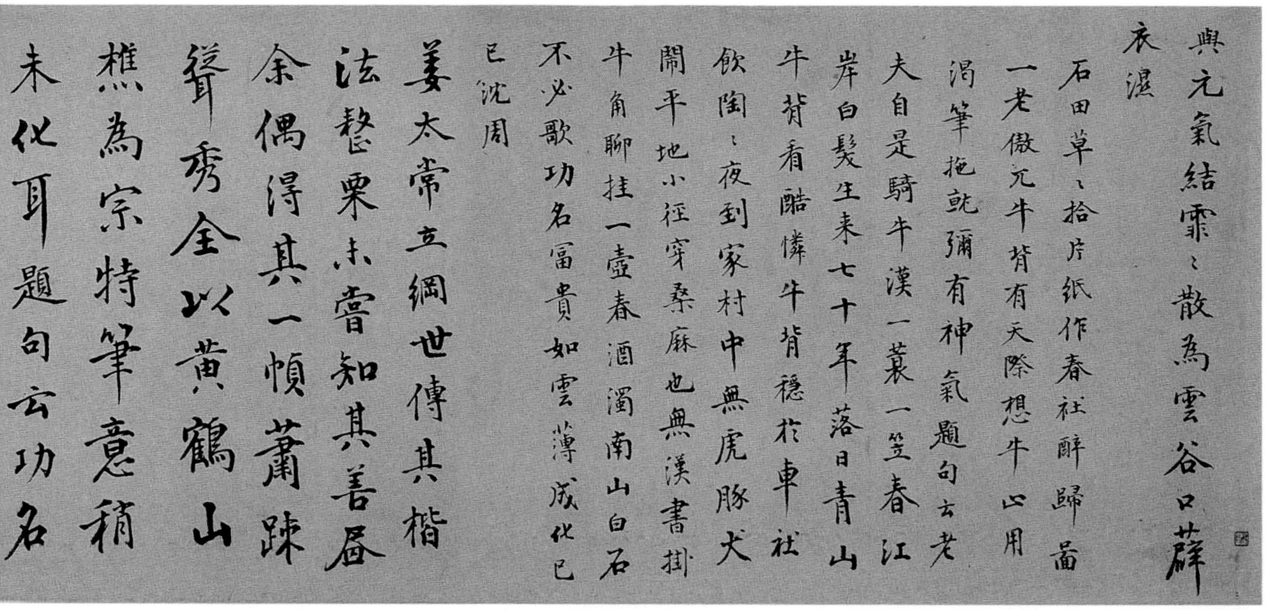

彩圖12
李日華
《行楷六硯齋筆記》
1626 局部
卷 紙本 23.5×550公分
王南屏家族收藏

彩圖13　王鐸《贈愚谷詩》1647
局部　卷　綾本　25.6×271.7公分
台北何創時書法藝術基金會

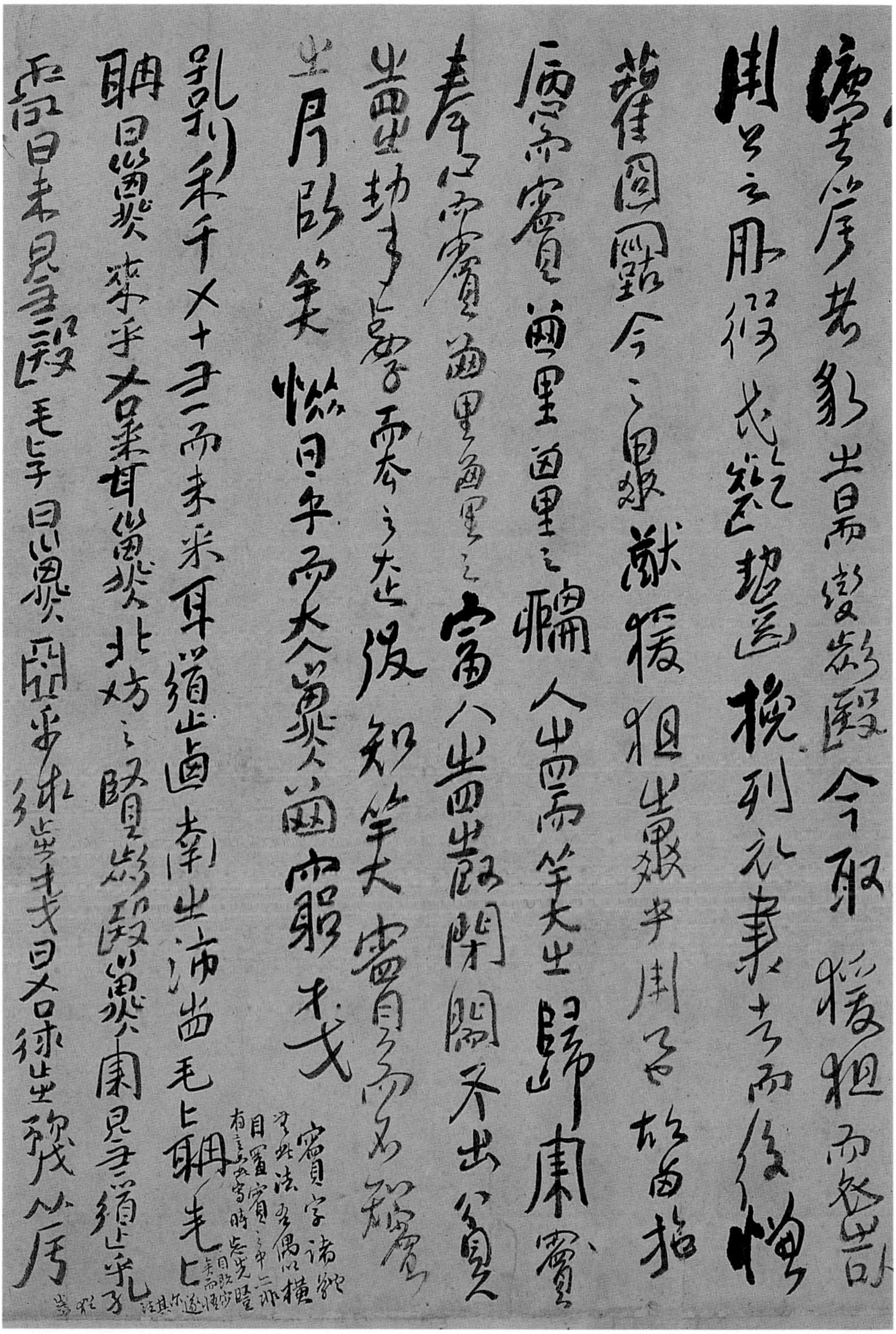

彩圖14
傅山《嗇廬妙翰》中包含其造字「[illegible]」的部分

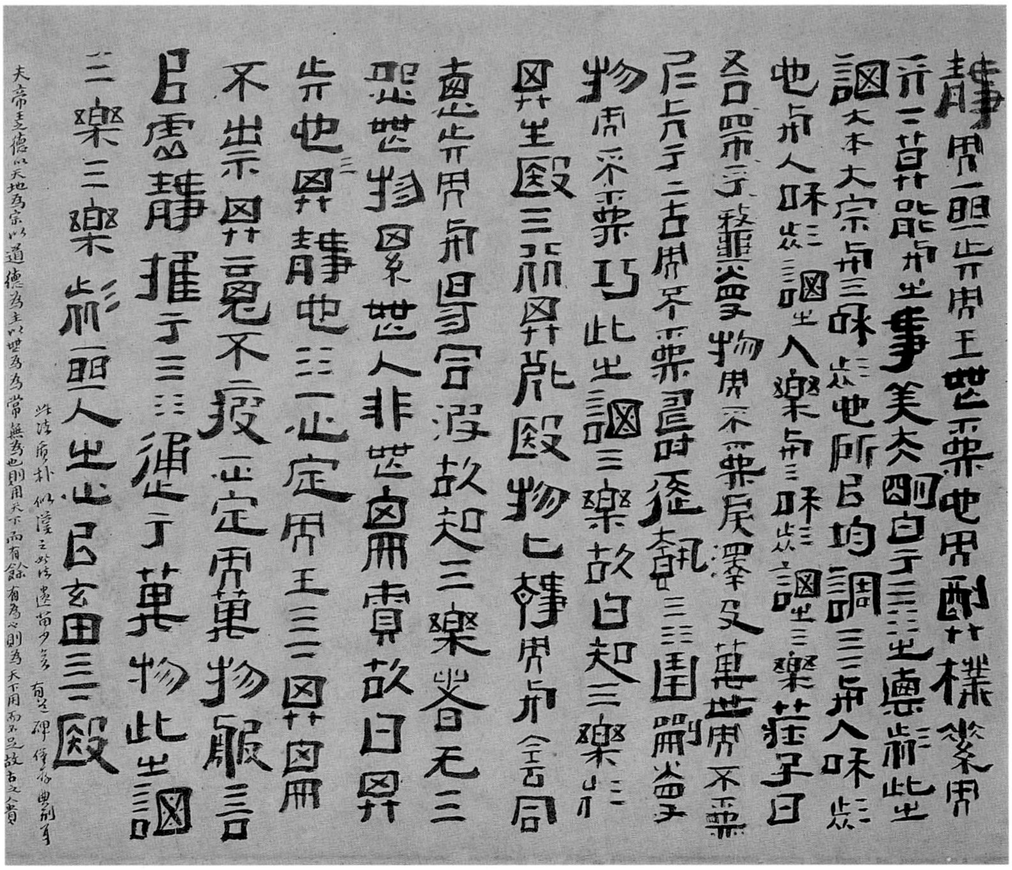

彩圖15
傅山《嗇廬妙翰》中的隸書部分

彩圖16
傅山《嗇廬妙翰》中的大篆部分

彩圖17
孫克弘
《銷閒清課圖》
局部　卷
紙本　設色
27.9×1333.9公分
台北故宮

彩圖19
傅山《遊仙詩》
約1670年代
（右）第十一條屏　（左）第十二條屏
十二條屏　綾本　每軸 252.1×48.8公分
日本澄懷堂

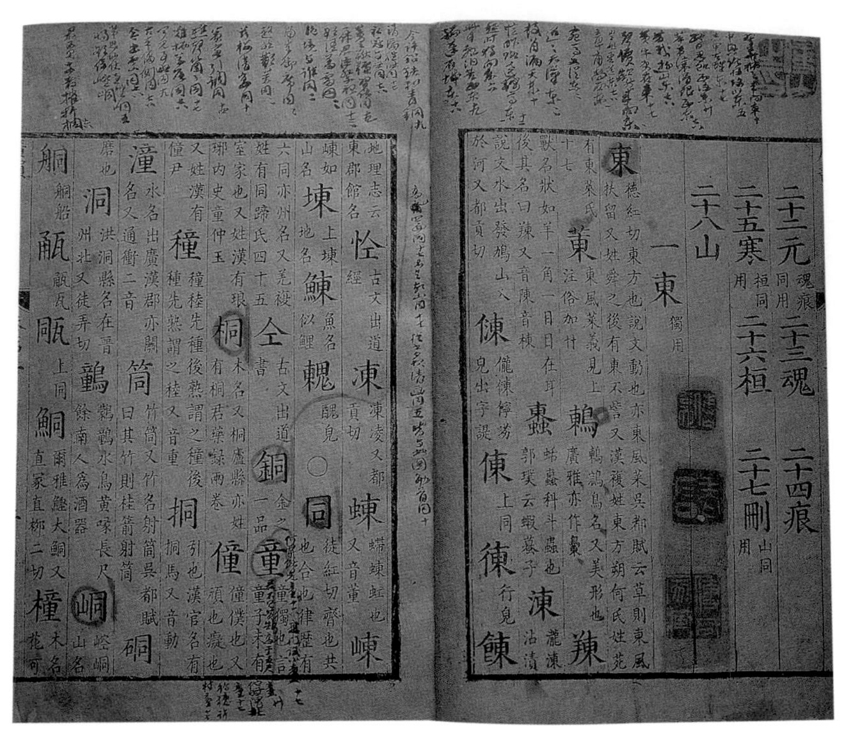

彩圖18
陳彭年
《廣韻》
1011
顧炎武1667年重印本
1667年後傅山在此版本上批註
中國國家圖書館

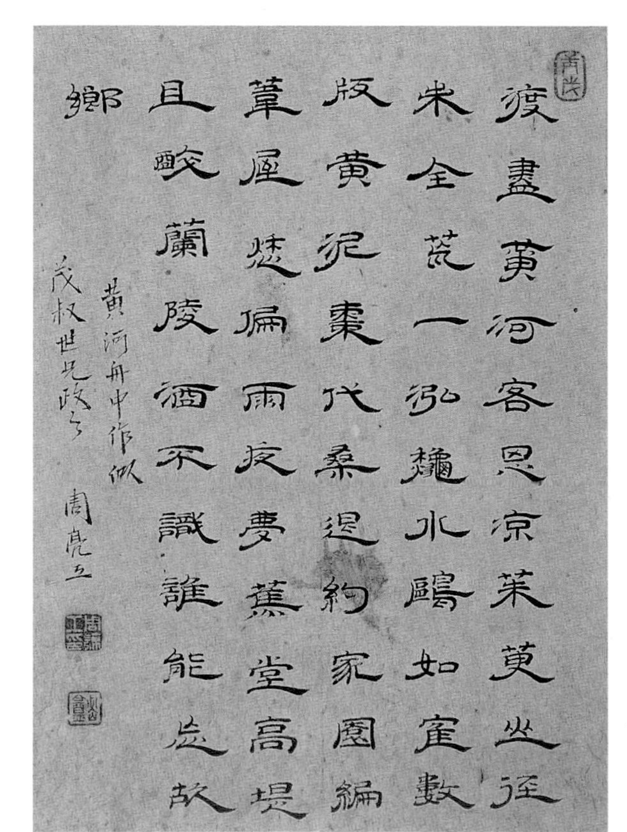

彩圖20
周亮工
為茂叔書《黃河舟中作》
《清初金陵名家山水花鳥書法》
1660年代
冊頁（共26開）
紙本　25.3x17公分
私人收藏

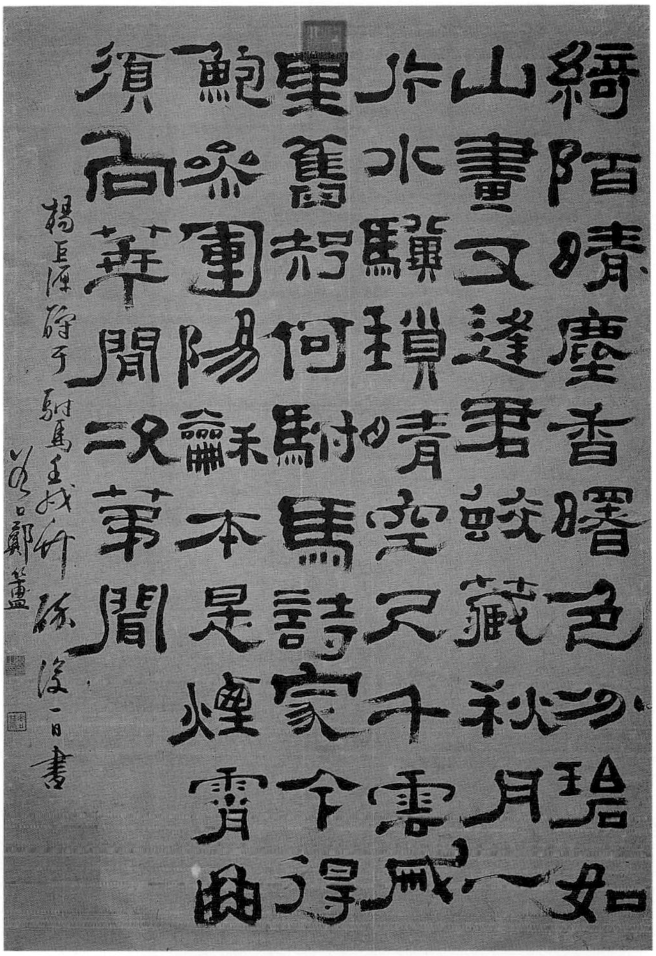

彩圖21
鄭簠
《楊巨源詩》
1682
軸　材質、尺寸不詳
台北故宮

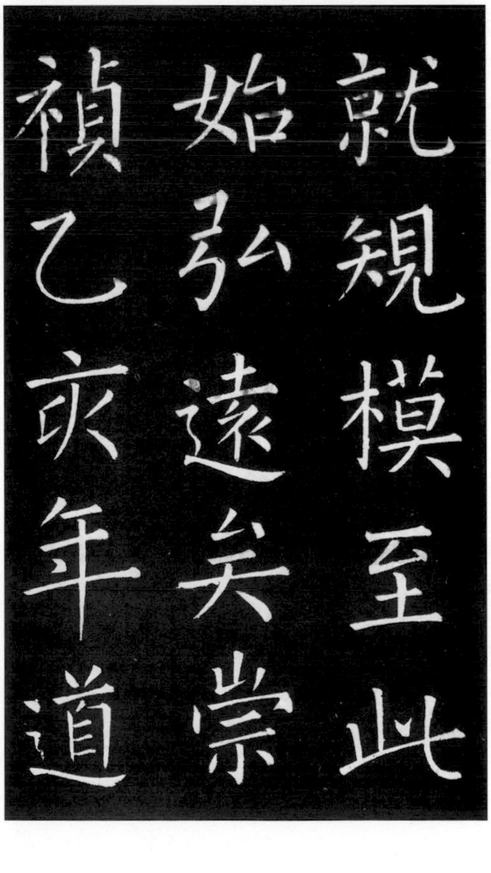

彩圖22
王鐸
《延壽寺碑》
局部 楷書
拓本　冊頁
紙本　尺寸不詳
引自王鐸　《擬山園帖》　頁197

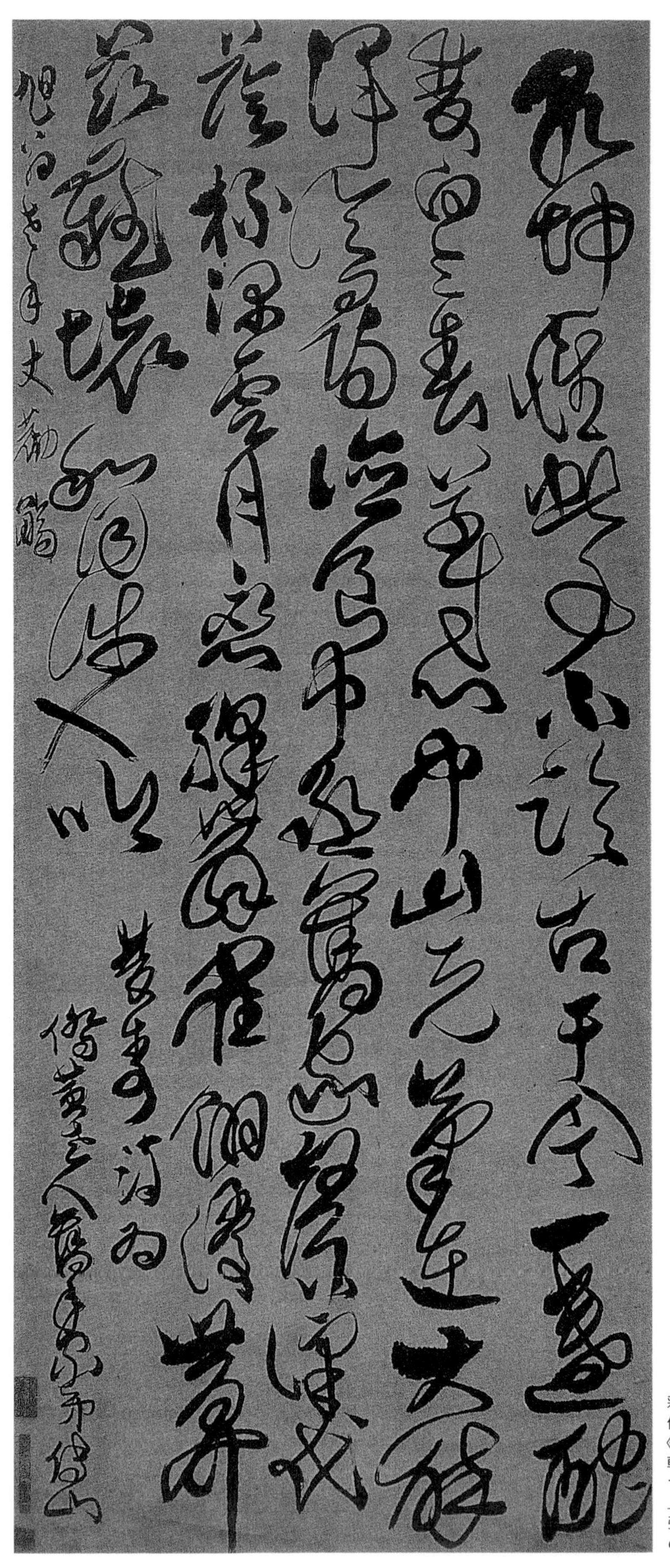

彩圖23
傅山
《草書雙壽詩》
軸　紙本
112.4×51.4公分
上海博物館
引自*Shanghai Museum Chinese Painting and Calligraphy Exhibition*　p. 41

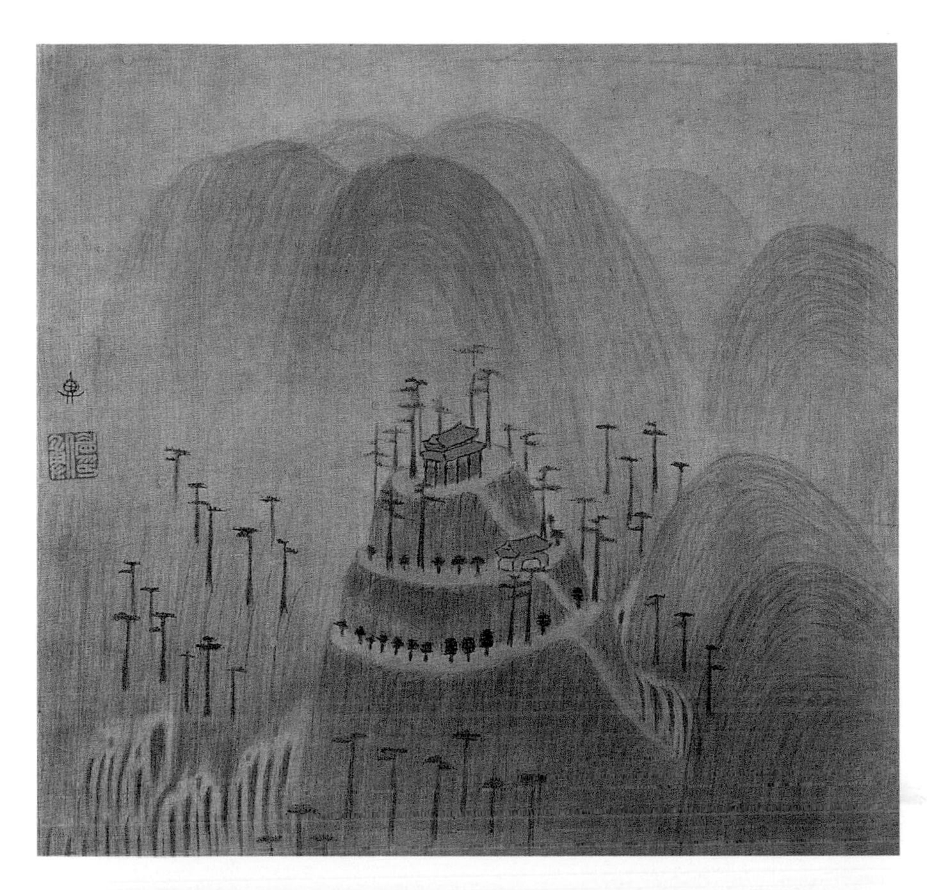

彩圖24
傅山、傅眉
《山水花卉》 其中二開
（上）傅眉山水作於1650年代中期（下）傅山山水作於1657年
冊頁（共6開[不含題跋]）
絹本　水墨設色　26.7×25.4公分
私人收藏

（1）

（2）

彩圖25
傅山
《哭子詩》
1684
卷　紙本
27.6×559.5公分
台北石頭書屋

（3）

（4）

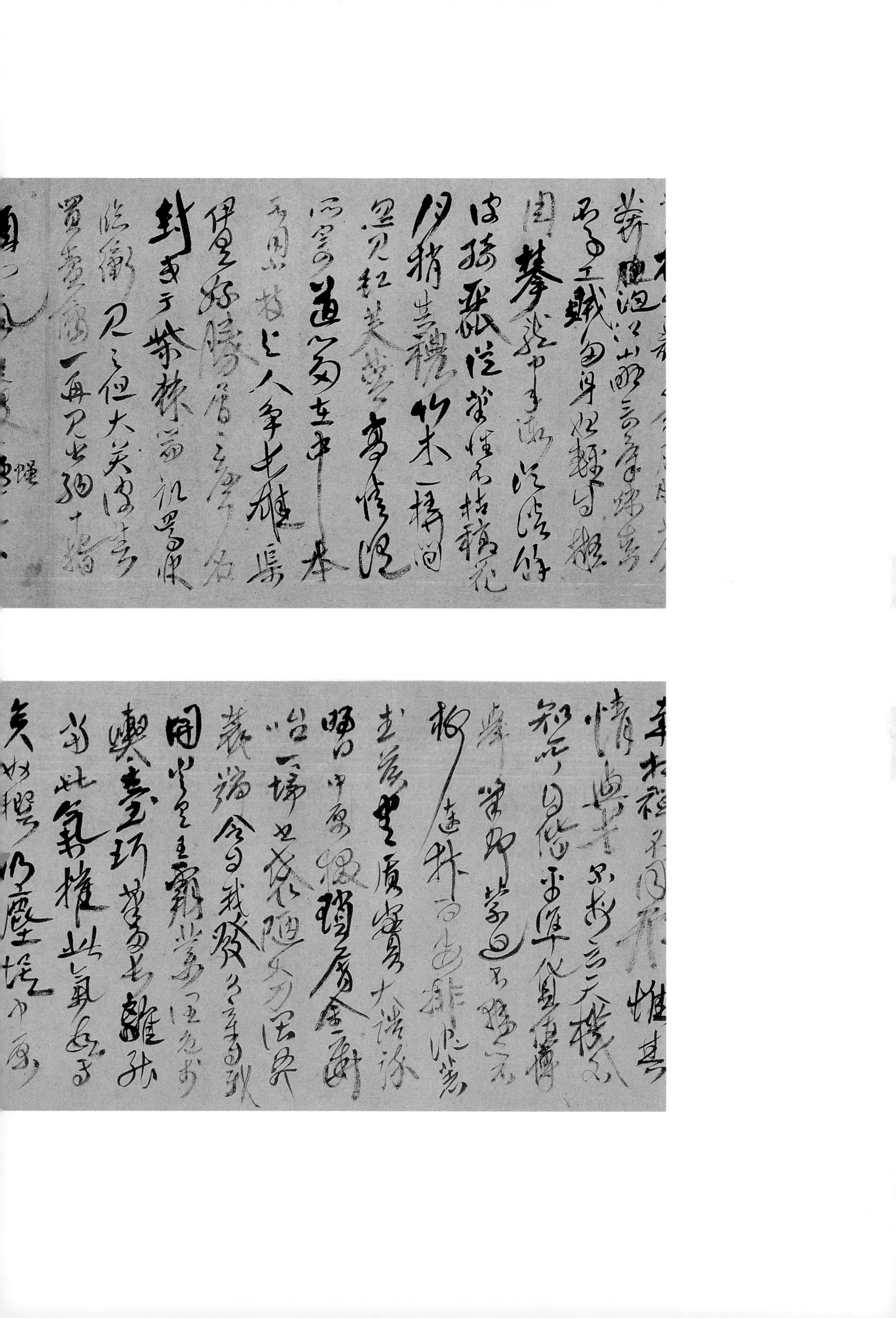

（5）

霜紅龕集哭子詩十四首前三首渾淪弟四首以後各有小題曰哭忠哭孝哭才哭志哭幹力哭文章哭賦哭詩哭書哭字哭畫此卷蓋隨意摘錄乃哭忠哭孝哭賦哭詩哭文章哭志哭書哭字哭畫九首也與集中次第既不盡同所遺者除前三首外惟哭才哭幹力兩首不錄蓋愛慟壽髦仍於文字結習最深耳竹朋見示謹占一絕

踈爽虬髯與瘦肩文章忠孝更通禪何堪泣奠護靈日愴讀真山哭子篇

己未嘉平五日道州何紹基

（6）

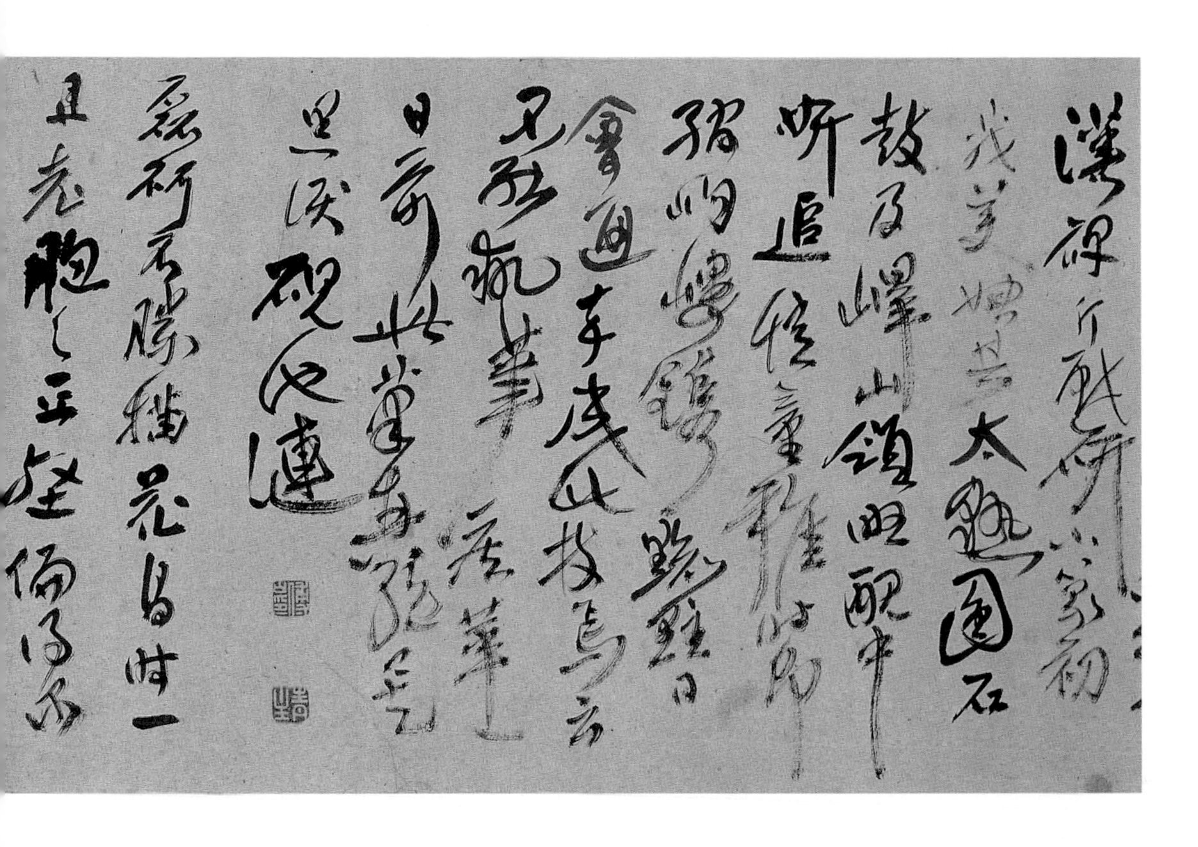

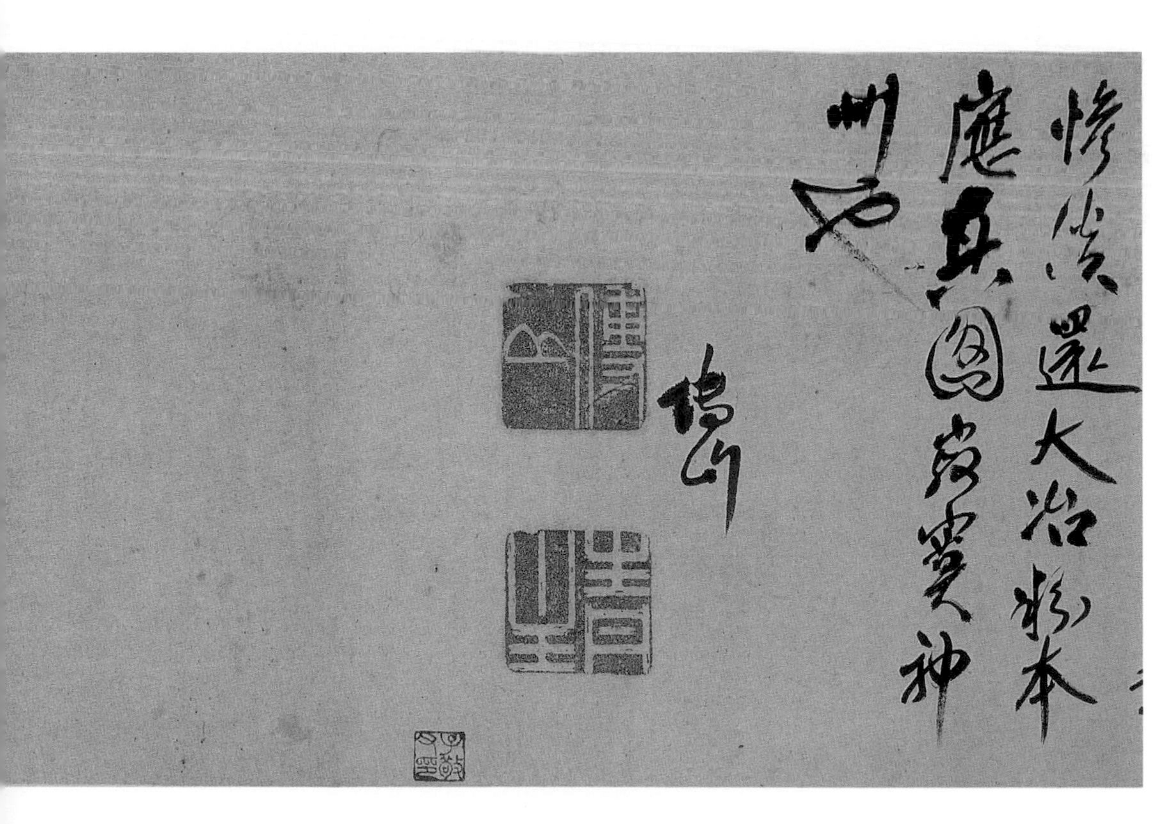

壽豈在血胤餘況君父子身
鄉駱詛嗷與君猶東南文亦作
西北書〻如百鍊金人如運人璵
劉君陸堂以傅青主處士哭子
詩稾草見示處士父子事蹟詳見
全紹衣所作傳略予往歲嘗藏霜
紅龕集刊本既而失之去冬復見于
衖中其哭子題六皆有子目不與此
合覃溪學士跋中尚為疑詞豈
未見集本耶詩首所云四十者乃
處士自謂所疑亦似誤也予向有喪
子之痛讀處士詩慨然有感才不
才亦各言其子後之覽者當鑒此
言耳道光戊子仲〔秋〕春十日姚椿記

（7）

傅生古逸士奇氣虹霓攄卓
犖夷齊心抗手謝徵車有子

右太原傅青主哭子詩九首嘗有六
紙今僅存五紙失其第七首及六篇
之下半八篇之上半也第一首四十年云云
語意不甚了了然以與壽髦不合於亂
其後數篇所云者實壽髦也第三
篇云十八嘗己酉則壽髦生於明崇
禎元年戊辰青主喪偶時年二十七
時壽髦有五齡誓不再娶也是為崇
禎五年壬申則青主生明萬曆三十四年
丙午也青主舉鴻詞科在康熙十八
年己未歸後六年卒其卒當
在康熙二十四年乙丑年八十此詩云
垂今以八十蓋在前一二歲壽髦
之卒年五十六七也青主晚年書
筆力直瀉頹頑矣此蹟為
秋曹所藏出以見眎因題
其後 丙申九月北平翁方綱

謝辭

本書的英文版是根據我1996年在耶魯大學完成的博士論文改寫而成。我在耶魯大學的導師班宗華教授（Richard Barnhart）和我博士論文委員會的史景遷（Jonathan Spence）、喬迅（Jonathan Hay）、石慢（Peter Sturman）教授的建設性意見已為本書所採納。

哈佛大學藝術史系的汪悅境教授首先建議我將書稿投哈佛大學。哈佛大學亞洲研究中心的John Ziemer先生對本書英文版的出版付出了很多的心血。在本書的寫作過程中，方爾義兄（Matthew Flannery）和李慧聞女士（Celia Carrington Riely）曾先後修改了我的文稿。

台北何創時書法藝術基金會、美國蓋梯基金會（Getty Foundation）、日本Metropolitan Center遠東藝術研究基金會贊助了和本書相關的研究工作。一些博物館和私人收藏家為本書提供了他們藏品的照片。波士頓大學人文與科學學院院長Jeffrey Henderson教授和Metropolitan Center遠東藝術研究基金會資助了本書圖版購買和製作的部分費用。

台北石頭出版社社長陳啓德先生雅好中國書畫，在他的領導下，石頭出版社出版了許多有品味的中國書畫學術著作。拙著在哈佛大學通過審核並納入出版計劃不久，陳先生即向我表示了由石頭出版社出版中譯本的願望，並囑咐當時在出版社工作的黃逸芬小姐和我接洽翻譯事宜。孫靜如小姐、張佳傑道兄承擔了全書的翻譯工作。老友劉濤兄擔任本書的特約編輯，在百忙之中仔細潤色了文稿。繆哲兄審讀了書稿，薛龍春兄仔細閱讀了全書的校樣。一年多來，石頭出版社的黃思恩小姐做了大量細緻的編輯工作，使本書得以順利出版。

多年來，我的研究得到許多師長、朋友、同道的幫助。我於1986年秋負笈美國，最初在羅格斯大學（Rutgers University）攻讀比較政治博士學位。1989年夏秋之際，我在考慮轉行時，是張充和先生和王方宇先生推薦我到耶魯大學學習中國藝術史。我在耶魯大學學習期間，經常向張先生請教。而我對十七世紀中國藝術的興趣，則受到了八大山人專家王先生的啓發和鼓勵。十多年來，我在收集明清藝術史資料的過程中，得到汪世清先生的指導和幫助最多。

此外，我還得到以下諸位前輩、師友、同道的指導和幫助：翁萬戈、劉先、張子寧、沈津、何慕文（Maxwell Hearn）、艾思仁（Sören Edgren）、路思客（H. Christopher Luce）、Stephen Addiss、韓文彬（Robert Harrist, Jr.）、John Curtis夫婦、Randy Smith夫婦、林秀槐、巫鴻、熊存瑞、王如駿、楊曉能、龔繼遂、馮象、商偉、劉和平、陳維剛、劉皓明、王樸仁、高翔、傅申、何國慶、朱惠良、王正華、吳展良、何傳馨、李郁周、陳維德、蔡明瓚、張建富、陳瑞玲、杜三鑫、吳國豪、葉承耀、黃仲方、劉九庵、趙寶煦、林鵬、陳梧桐、方德楨、李德仁、姚國瑾、華人德、曹寶麟、叢文俊、潘良楨、黃惇、穆棣、沈培方、劉恆、唐吟方、余正、黃南平、祁小春。

我在波士頓大學藝術史系的同事對我的研究工作一直予以熱情的鼓勵。

多年來，我的妻子王瑩和兒子白睿一直和我同甘共苦。妻子承擔了大部分的家務和教育孩子的工作，使我得以專心研究、寫作。

我是在上世紀七十年代初亦即文化大革命中在上海開始學習書法的。最初由我在上海財貿學校的語文老師任珂先生介紹認識了我的書法啓蒙老師蕭鐵先生。以後我還先後在王弘之、鄧顯威、金元章、章汝奭諸先生的指導下學習書法。在上世紀的七十、八十年代，除了老師的教導外，我的父母和許多前輩、朋友們也都曾經給予我各種各樣的教誨和幫助。儘管其中有些師友和我已多年沒有聯繫了，但他們對我的教誨、幫助、期望一直深藏在我的心中。

值此中文版《傅山的世界》出版之際，我懷著感激之情，向所有教導和幫助我研究中國書法藝術的人們表示誠摯的謝意。

白謙慎

2004年7月14日於波士頓

致中文讀者

2002年夏，我在台北訪問石頭出版社，觀賞陳啓德社長的書畫收藏。聽說英文版《傅山的世界》出版在即，陳啓德社長表示了出版中文版的願望。最初我並沒有同意，主要有兩個原因：第一個原因是，近十年來，我用中文發表了十幾篇關於十七世紀中國書法的論文，這些論文對相關問題的討論比較具體豐富，我一直計劃將它們結集出版。另一個原因是，英文版《傅山的世界》是直接用英文寫的，英語的寫作，講究敘述的線性流動，有時反不如中文那樣具有包容性。而且，由於中國書法在西方仍然是一個相當生疏的話題，為了照顧西方讀者，我在書中要介紹許多十分基礎的背景知識。把它譯成中文，我總擔心會比較單薄。但後來覺得，作為一本書，《傅山的世界》雖不如我的論文在討論相關問題上那樣具體深入，但它卻可以向讀者提供一個比較完整的敘述，這是論文所不能替代的。加之石頭出版社反覆敦請，我盛情難卻，最終同意出此書的中文版。

在台北方面完成了翻譯後，我花了近一年的時間對譯稿進行校訂和改寫。改寫時，我儘量刪去那些對中文讀者不太必要的文字，並增補了一些新的內容。但是，為了保持文氣的連貫，我仍然保留了原著中少數對中國學術意義不大的討論。改寫後的中文版本和英文原著相比，基本的結構和觀點沒變，但篇幅大約增加了五分之一。

為了方便西方一般讀者，英文版《傅山的世界》在徵引他人的學術成果時，儘量引用西方學者的著作。中文版做了相應的調整，盡可能多引用中文學術成果，但也保留了一些英文著作。由於研究中國文化的中文學術成果很多，我本人在海外，疏漏在所難免，還望學者們原諒。

有一個技術問題請讀者注意。本書以西曆紀年。如康熙十八年轉換成1679年。但讀者們都知道，中國農曆的某年十二月中下旬，很可能是西曆下一年的一月或二月了。用西曆的方法來紀年，是為了使那些對明末清初歷史不太熟悉的讀者，能有一個清楚的時間框架。但是，本書在處理月日時，仍保留農曆的月日。如歷史上的康熙十八年三月一日，書中寫為1679年三月一日。請注意，這是農曆的三月一日，若轉換成西曆，則是1679年4月11日。這樣做是因為農曆的月日在中國的文化語境中，有時有特殊的意義，如農曆三月三日是修禊日、四月八日是浴佛日等。

我對傅山的研究始於1992年，至今已有十二年。用十二年來研究一個藝術家，時間不能算很短。但傅山是一個非常複雜的人物，我們對明末清初的許多藝術現象，實際上還缺乏細緻的研究。雖然，十二年來，我已經盡了自己的努力，但我深知本書對史料的發掘、解讀，對歷史現象的闡釋，都難免有錯誤之處。本書的第三章在討論十七世紀下半葉學術風氣的轉向時，曾引用清初大儒顧炎武寫給友人的一通信札，顧炎武這樣寫道：

> 《日知錄》初本乃辛亥年（1671）刻。彼時讀書未多，見道未廣，其所刻者，較之於今，不過十分之二。非敢沽名衒世，聊以塞同人之請，代抄錄之煩而已。……《記》曰：「學然後知不足。」信哉斯言！今此舊編，有塵清覽。知我者當爲攻瑕指失，俾得刊改以遺諸後人，而不當但爲稱譽之辭也。

顧炎武寫此信時，已是近七十的老人了。那時，他早已是清初士林公認的學術領袖，但他對自己最主要的著作，依然抱著近乎苛刻的嚴謹態度。先賢的這種學術精神，我十餘年來不敢忘懷。値此中文版《傅山的世界》出版之際，敬請知我者與不知我者，攻瑕指失，今後若有再版機會，當予以修正。對你們的指教，我在此先致謝意。

白謙慎

2004年7月10日於波士頓

目錄

彩　　圖
謝　　辭 32
致中文讀者 34

導　　言 37

第一章　晚明文化和傅山的早年生活 42
晚明：一個多元的時代 44／尚「奇」的晚明美學 48／董其昌和晚明書家 58
／古代經典權威的式微 66／文人篆刻對書法的影響 84／日益緊迫深重的危機感 107
／傅山在明代的生活 109

第二章　清代初年傅山的生活和書法 128
動亂的年代 130／傅山同仕清漢官的關係 133／歷史記憶的典藏 143／顏真卿的感召力 146
／支離和醜拙 163／晚明文化生活的遺響 171

第三章　學術風氣的轉變和傅山對金石書法的提倡 206
1660至1670年代山西的學術圈 208／學術的新趨勢 212／學術思潮對書法的影響 222
／清初的訪碑活動 226／碑學思想的萌芽 237／打破唐楷圖式 244／南方的回應 255

第四章　文化景觀的改變和草書 270
傅山的晚年生活 272／博學鴻詞特科考試 276／傅山的行草與草書 284

結　　語 334

圖版目錄 342
參考書目 348
索　　引 372

導言

以王羲之（約303-361）精緻優雅的書風爲核心的中國書法名家經典譜系——帖學傳統，發軔於魏晉之際，在唐初蔚然成爲正統。此後的一千年，其獨尊的地位不曾受到嚴重挑戰。[1]然而，在十七世紀，隨著一些書法家取法古拙質樸的古代無名氏金石銘文，書法品味發生了重要變化。新的藝術品味在十八世紀發展成碑學傳統，帖學的一統天下不復存在。[2]在過去的三百年中，碑學對中國書法產生了極其深遠的影響，它對中國書法史的重要性，相當於印象派繪畫在西方藝術史上的地位。

雖然治中國書法史的學者都承認碑學的重要性，但相關的系統研究卻寥若晨星。關於這個課題的中文學術成果，筆者目前所見的僅有廖新田《清代碑學書法研究》一書，和爲數不多的一些散見於書刊中的論文或章節。[3]在西方藝術史界，雷德侯（Lothar Ledderose）的《清代的篆書》（*Die Siegelschrift (chuan-shu) in der Ch'ing-Zeit: Ein Beitrag zur Geschichte der chinesischen Schriftkunst*）是唯一詳細研究碑學的西文著作。[4]中西學者以往的研究，從政治社會的變遷到學術風氣的轉變，從晚明書風的影響到書寫工具的變化，探討了碑學形成的多種原因，對我們了解碑學的緣起和發展貢獻良多。[5]然而，對碑學在十七世紀開始萌芽的複雜過程，至今仍缺少細緻的描述和分析。

本書旨在通過對明末清初的學者、書法家傅山（1607-1684或1685）的研究，對促成十七世紀書法品味轉變的諸多因素，作一歷史分析。傅山在生前就以學術成就和書畫造詣聞名。[6]他生活的年代不但正當碑學思潮開始萌芽的關鍵時期，更重要的是，他和十七世紀所有和碑學萌芽相關的政治文化事件皆有密切關係，明末清初書法中的種種藝術嘗試，也都能在他的作品中找到：他寫連綿狂草、作草篆、刻印、玩異體字，他訪碑、收藏碑拓、研究金石文字、攻隸書、留心章草，並留下不少頗能反映當時文化趣味的雜書卷冊。由於傅山的書法作品同時呈現出兩個歷史時期的特徵，因而成爲我們觀察中國書法在十七世紀嬗變的最佳窗口。

本書對十七世紀中國書法的探討，涵蓋了相當廣泛的社會文化現象和問題，例如：當教育在晚明得到發展，一般城市居民的識字率提高，出版業以前所未有的規模大量印刷書籍，導致了上層文化、下層文化之間更爲頻繁的互動後，人們對書法經典的態度發生了哪些變化？明清鼎革後，明遺民的藝術是如何回應了當時的政治情勢？政治環境和藝術品味之間有著何種關係？學術風氣的改變又是怎樣地影響了清初美學觀念的形成？在回答上述問題時，本書除了採用藝術史研究最常用的風格分析外，還借鑒了物質文化（material culture）、印刷文化、學術思想史等領域的理論研究方法和成果。

本書雖然是一本藝術史的著作，但它也爲其他學科的讀者而作。本書在努力吸收其他領域的學術成果的同時，也期望它的問世能爲其他學科的學者提供一些參考。對社會文化史的研究而言，本書所論晚明大眾娛樂活動和通俗讀物對書法經典觀念的影響是一個相關的學術課題。在中國歷史上，文人階層是創作、欣賞及收藏書法的主體，從這個意義上來說，書法主要是文化菁英的藝術。[7]當晚明社會發生劇烈變化之際，上層文化與下層文化、雅與俗的界線變得模糊，即使是書法這種高雅精緻的上層藝術，也受到通俗文化的影響。

對學術思想史的研究而言，本書在探討清初書法中的追本溯源的現象和學術界的考據風氣的關係時，花了相當的篇幅描述了十七世紀山西學術圈的成員及其學術活動，以及傅山和陝西、河北等地學術領袖的交往。這對清初學術思想史的研究或許也能有所裨益。

對清史研究而言，本書探討的不僅僅是晚明清初社會中的視覺文化，它同時也對明清易代之際明遺民的實際生活狀況作了細緻的描述。本書以傅山與仕清漢官的交往爲個案，探討了明遺民和仕清漢官之間複雜的互動關係。筆者指出，在清初的政治情景中，許多漢族官員都渴望成爲遺民的友人或弟子；而明遺民們也在漢官的保護和幫助下，度過了最爲艱難的歲月。而仕清漢官的贊助也成爲明遺民的藝術與學術活動得以展開的重要條件。

傅山的一生可以由明清鼎革的1644年劃分爲時間長度大致相當的兩個階段：晚明和清初。晚明是一個商品經濟急劇擴張、思想與宗教生活走向開放、城市文化繁榮、社會階層的界線浮動消融的時代。社會巨變促成了一個蓬勃多元的文化環境。在鼓吹探索內在眞實自我的心學的鼓勵以及鋒芒畢露的城市文化的刺激下，晚明的一些書法家努力在藝術中追求「奇」的特質，使這一時期的一些書法作品具有表現性、戲劇性、娛樂性。隨著石材的引進，文人篆刻在晚明蔚然成風。文人篆刻又刺激了書法家書寫異體字的風尚。受通俗文化的影響，晚明書法家對古代書法經典的調侃和戲擬，也動搖了帖學傳統的嚴肅性。伴隨著傳統經典光環的銷蝕，晚明藝術潮流的多元化爲一些潛流開啓了發展的機會，儘管哪種潛流最終可能發展成與帖學爭鋒的流派在當時並不清晰。

1644年明朝的傾覆並沒有令晚明的藝術實踐與風格戛然終止，在新的政治環境中，晚明文化的遺響持續了一段時期。然而，重要的變化也開始出現。朝代覆沒的悲劇使許多遺民文化領袖開始思考明代滅亡的原因，他們將注意力轉向經史的研究，以期獲得對古代典籍和歷史更爲準確的理解。學術風氣開始發生變化。這一變化給予書法藝術以意義深遠的影響。學者們因考證經史而研究古代的金石銘文，訪碑與收集金石銘文成爲學術生活的重要部分。書法家們也開始激賞金石文字的古拙質樸，晚明人士已有的對古印破損印文的興趣，這時發展成對古代金石文字殘破古樸的書風的效仿追求。隨著碑學在清代中期成爲新的書法範式，晚明張揚的狂草也終於消失在已然改變的文化世界中。

傅山是兼具晚明和清初藝術風格的書法家。一方面，他是求「奇」最爲激進的藝術家，是那個時代最後一位狂草大師；另一方面，他是碑學思想最早的雄辯鼓吹者。傅山一生與明末清初的政治、學術、藝術的重要事件和潮流密切相關，本書將其近八十年的生涯分成四個時期，以此爲基礎分析書法和當時政治、學術思想的關係。雖然這一分期方法並沒有嚴格地以傅山書法作品的編年爲敘述順序，但是並不妨礙我們有效地描述和闡釋十七世紀中國書法的嬗變。

需要指出的是，過去人們在討論碑學和帖學的關係時，受晚清碑學的重要鼓吹者康有爲的影響很大。康有爲認爲碑學的興起是「乘帖學之壞」。[8]其實，這只是一種想當然的說法。最近的一些書學研究說明，不但在傅山生活的清初，帖學的傳統十分活躍，[9]在康有爲生活的晚清，帖學書法也依然不衰。[10]本書的中心人物傅山雖爲清初碑學思想的主要倡導者，但一生都在臨《淳化閣帖》，他在晚年還囑其弟子翻刻《淳化閣帖》，稱此爲「必傳之業」。[11]碑學的興起，固然打破了帖學的一統天下，但絕不是取而代之的關係。在十七世紀以後的三百多年中，兩者的關係既有競爭的一面，又有交融的一面。治書法史者於此不可不辨。

註釋

1. 關於王羲之的書法以及中國書法經典譜系建立的研究甚多，此處僅列舉一二。劉濤，《中國書法史・魏晉南北朝卷》；朱關田，《中國書法史・隋唐卷》。西方學界的研究，見*Ledderose, Mi Fu and the Classical Tradition of Chinese Calligraphy*。關於中國古代書法的經典（或稱楷模）的形成的討論，還可見叢文俊，《中國書法史・先秦、秦代卷》，頁1-17。
2. 書法意義上的「碑學」一詞起源甚晚，它有狹義、廣義兩種用法。狹義的用法僅指晚清以後取法北魏碑版的書法。廣義的用法指清初以後取法唐以前二王體系以外的金石文字以求古樸稚拙意趣的書法，如何紹基、吳大澂學鐘鼎文字，也屬碑學的創作實踐。而出於名家之手的唐碑，則不被列爲碑學系統的書法資源。關於帖學和碑學比較清晰的定義，見華人德，〈評帖學與碑學〉。
3. 如華人德，〈清代的碑學〉；王南溟，〈清代碑學興起時期的漢碑隸書創作及其美學意義〉等。筆者對碑學的研究興趣，就是受了老友華人德〈清代的碑學〉一文的啓發。
4. Ledderose, *Die Siegelschrift (chuan-shu) in der Ch'ing-Zeit: Ein Beitrag zur Geschichte der chinesischen Schriftkunst*。雷德侯的研究主要著重於十八、十九世紀的篆書，而篆書正是碑學的主要書體之一。
5. 在上引著作中，以廖新田對碑學的論述最爲全面。
6. 關於近一、二十年來的傅山研究，見郝樹侯，《傅山傳》；魏宗禹，《傅山評傳》；林鵬，《丹崖書論》；林鵬等，《中國書法全集》，冊63，《清代編：傅山卷》；明清文人研究會，《傅山》；山内観，《傅山の書法》。
7. Ledderose, "Chinese Calligraphy: Art of the Elite."
8. 康有爲，《廣藝舟雙楫》，〈尊碑二〉，載於《歷代書法論文選》，下冊，頁755。雖說康有爲所說的「碑學」應爲狹義的「碑學」，但他的這一觀點還是影響了人們對廣義的碑學興起的看法。
9. 見劉洋名，〈笪重光（1623-1692）及京口地區的收藏與書風研究〉，台灣大學藝術史研究所碩士論文，2004年。
10. 見曹建，〈晚清帖學研究〉，南京藝術學院博士論文，2004年。
11. 北京故宮博物院藏傅山致其弟子段叔玉信札云：「寄將《淳化閣帖》七冊，前面背後字上加紅圈或一或兩不等。勞叔玉兄過朱石上，徐徐勒之。此必傳之業，故相煩也。（無紅○者不可）。弟山頓首。」傅山還稱褚本《蘭亭序》是「飛行自在，彬蔚陸離，徑神物也」。見傅山贈其友人古古之雜書冊，載於《書法叢刊》，1997年，第1期，頁57。

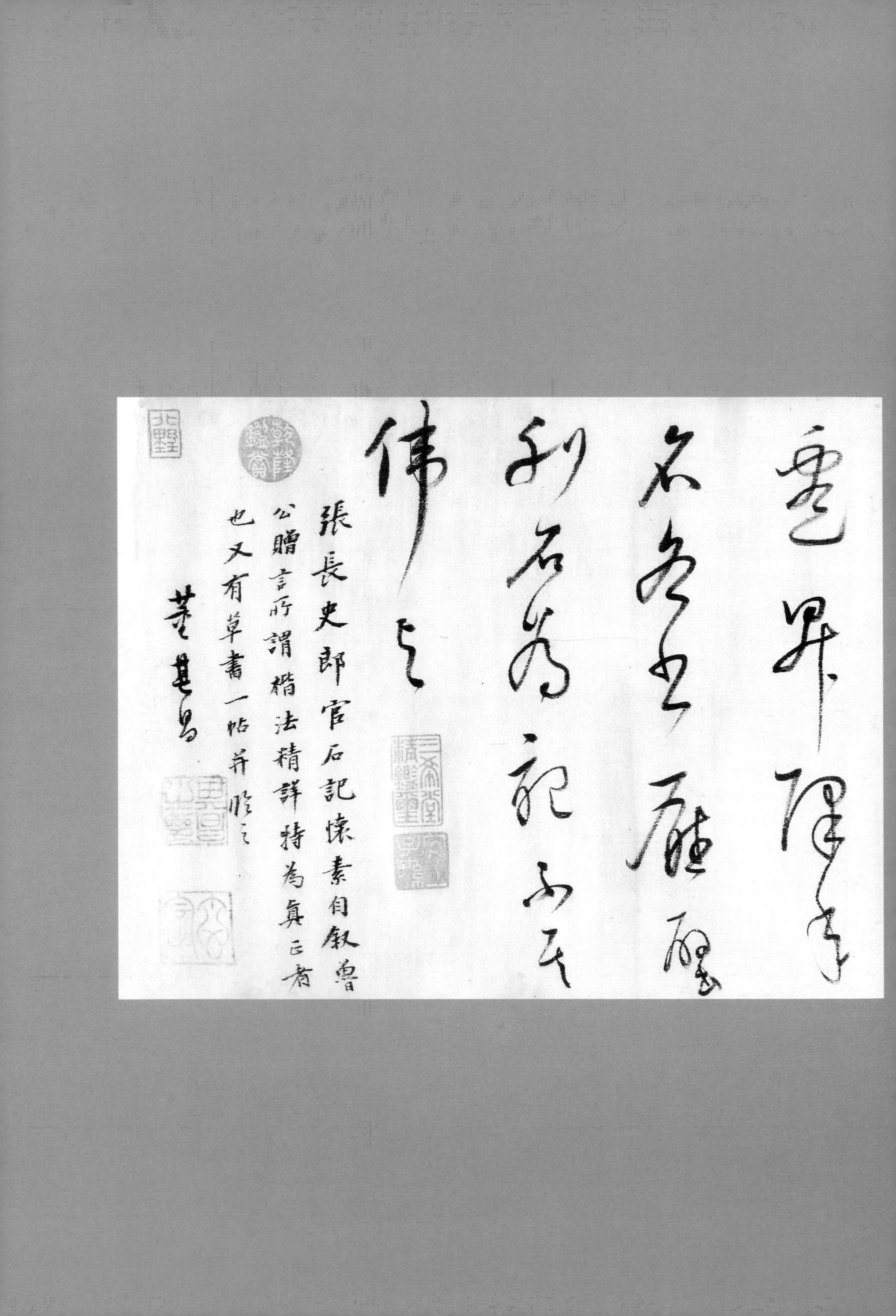

張長史郎官石記懷素自叙魯公贈言所謂楷法精詳特為真正者也又有草書一帖并臨之

董其昌

第1章

晚明文化和傅山的早年生活

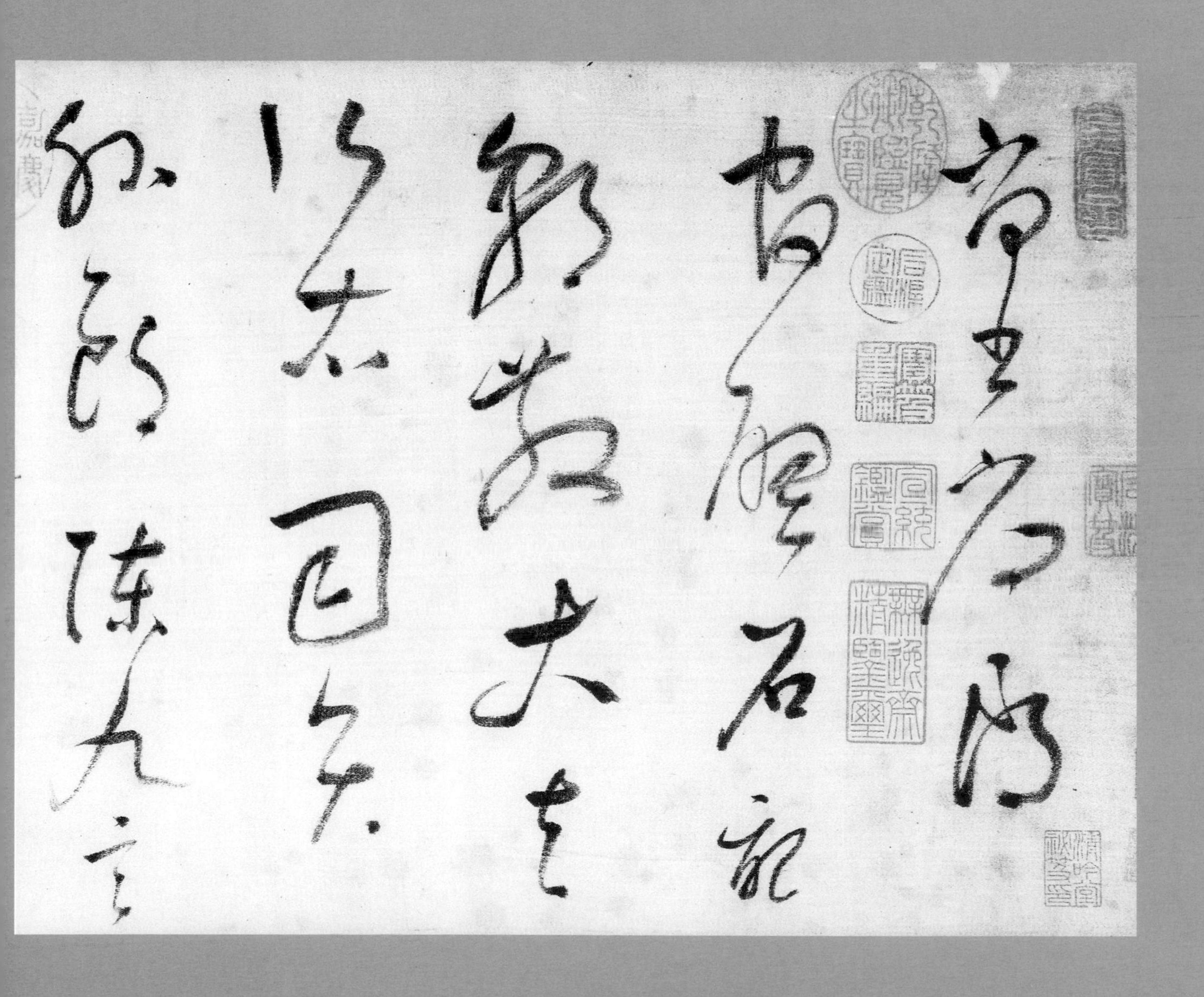

晚明：一個多元的時代

十七世紀中葉，江西文人徐世溥（1608-1658）在給朋友的一通信札中，[1]以無比依戀的懷舊心情回顧起萬曆年間（1573-1620）文化事業的繁榮輝煌，並且羅列出一批那個時代的傑出人物及其成就。即使在今天，徐世溥的這通信札仍可以被視爲對晚明文化成就的簡要概括：

> 當神宗（1573-1620在位）時，天下文治嚮盛。若趙高邑（趙南星，1550-1627）、顧無錫（顧憲成，1550-1612）、鄒吉水（鄒元標，1551-1624）、海瓊州（海瑞，1514-1587）之道德風節，袁嘉興（袁黃，1533-1606）之窮理，焦秣林（焦竑，1541-1620）之博物，董華亭（董其昌，1555-1636）之書畫，徐上海（徐光啓，1562-1633）、利西士（利瑪竇，Matteo Ricci，1552-1610）之曆法，湯臨川（湯顯祖，1550-1616）之詞曲，李奉祠（李時珍，1518-1593）之本草，趙隱君（趙宧光，1559-1625）之字學。下而時氏（時大彬）之陶，顧氏（名不詳）之冶，方氏（方于魯，約1541-1608）、程氏（程君房，1541-1610後）之墨，陸氏（陸子剛）攻玉，何氏（何震，1535-1604）刻印，皆可與古作者同敝天壤。而萬曆五十年無詩，濫於王（王世貞，1526-1590）、李（李攀龍，1514-1570），佻於袁（袁宏道，1568-1610）、徐（徐渭，1521-1593），纖於鍾（鍾惺，1574-1624）、譚（譚元春，1586-1637）。[2]

徐世溥的概括雖簡短乃至不甚周全，卻頗能代表明、清交替之際的文人對於標誌著晚明起始的萬曆時期文化成就的基本評價。從道德風節到學術思想，從書畫藝術到文學、戲曲，從天文曆算到傳統醫學，從文字學到刻印，從冶煉到琢玉，徐世溥一一列舉了代表人物的卓越成就，並相信他們堪與古代的英傑媲美。

徐世溥的名單包含著多層的意義，它是對一個在社會、經濟、政治、哲學及藝術各方面都發生巨變的時代作出的概括。這個令人振奮或戰慄的時代，並非完全由偉大的成就及高尚的動機所造就，它還和普遍的政治腐敗和道德淪喪攜手並行。當明王朝因國內擾攘及八旗兵的入侵而覆滅後，這個充滿蓬勃生氣的「文治嚮盛」的時代，亦隨之告終了。

在晚明日漸不安的政治局勢中，政治腐敗和道德淪喪扮演著重要的角色；而政局的不穩定，正是明代衰亡的一個關鍵。政治腐敗和道德淪喪在晚明業已成爲有志之士關注的焦點，在清初又成爲反省晚明文化的一個重要課題，所以，徐世溥回顧萬曆年間的文化成就時，首先列舉了趙南星、顧憲成、鄒元標及海瑞作爲道德風節的典範。值得注意的是，把正直、敢諫的海瑞列在這一名單中，在時間的序列上多少顯得有些彆扭，因爲海瑞不像其他三人那樣，政治生涯皆始於萬曆年間（其中顧憲成的官宦生涯亦終於萬曆晚期）。海瑞主要任職於嘉靖（1522-1566）、隆慶（1567-1572）兩朝，1570年辭官退隱，直到萬曆十三年（1585）才復出爲官，但兩年後便與世長辭。所以說，他在萬曆年間的政壇上並沒有多少作爲。但他勇於打擊貪官污吏，贏得了全國性的聲譽。海瑞雖然晚年辭官，無所作爲，卻享有不朽的美譽清名，被視爲晚明的道德楷模與和社會良知的象徵。[3]

作爲道德楷模的其他三位人物，則與萬曆、天啓（1621-1627）年間的政治情勢有著不解之緣。[4]萬曆皇帝幼年即位，內閣首輔張居正（1525-1582）掌握了當時朝政的實權，強力推行改革，造就了萬曆朝最初十年的繁榮安定。張居正1582年過世後，宮廷內的政治情勢迅速惡化，持續的激烈黨爭導致晚明政治瀕臨崩潰。各種黨爭之中，以始於十六世紀末葉的東林運動最爲著名。[5]面對政治腐敗，以顧憲成爲領袖的東林黨在1590年代發起了道德改良運動。趙南星是東林運動的堅定擁護者，鄒元標則對其深予同情。在1620年代初期，東林黨人在政爭中一度得勢而受到重用，貶謫了一些貪官污吏。然而此後東林運動卻遭到宦官魏忠賢（1568-1627）及其黨羽的極力打壓。趙南星和鄒元標因爲勇於揭露弊端而遭遇降職及放逐的厄運。1627年魏忠賢被迫自殺，但東林黨人與閹黨之間的衝突及鬥爭依舊持續著。黨爭加速了政治的惡化，最終促使明朝走向衰亡之途。徐世溥將上述四人奉爲道德英雄，不只顯露出他個人的政治立場，同時也反映了東林運動對晚明政治所產生的重大影響。

在政治擾攘的環境中，晚明的文化和藝術卻表現出驚人的創造力和豐富性。因此，徐世溥信札提到的人物就特別值得我們關注。

袁黃（1586年進士）是趙南星的朋友，但他很少捲入政治鬥爭。[6]袁黃出身醫學世家，因爲熟稔占卜、相面及道家思想等，使他成爲晚明道教復興的重要人物。然而袁黃的造詣並不僅限於道教方面。他在一本廣爲流傳的訓子書中，詳細論及自己的精神理念與道教、佛教義理的相互契合。[7]這個作品所傳達的觀念和其他同時代的士大夫的觀念如出一轍，即將儒家學說與道教、佛教平等看待，是爲儒、釋、道「三教合一」，而這是當時普遍流傳的思潮。

學者焦竑被徐世溥認作萬歷朝博學的代表人物。他擅長經史，是思想家羅汝芳（1515-1588）的學生。在當時學術思想界頗具影響力的羅汝芳，屬於王陽明（1472-1529）心學羽翼下的泰州學派。王陽明的心學統領著十六世紀的思想界，[8]他提出「心即是理」，即本心就是通向眞理和賢哲的根本之道。這一強調本心和個人直覺的理論，爲晚明的泛神論和個人主義的發展開啓了無限的可能性。

人們通常在很大程度上把晚明文化生活的多樣性歸功於王陽明提倡的主觀個人主義的心學。也有學者認爲，王氏理論的流行本身不過也是晚明多元文化的結果而非原因，它是那個時代在哲學形式上的一種表現。[9] 而焦竑的老師羅汝芳亦追隨王氏的學說，鼓吹用「赤子之心，不學不慮」的方式致良知，在王學中最近禪宗。[10]徐世溥把焦竑作爲萬曆朝文化成就的代表，雖然主要原因在於其淵博的學識，但焦竑與當時學術思想界影響廣泛的泰州學派的密切關係，或許也是一個重要的因素。

徐世溥名單上唯一的外國人——義大利耶穌會傳教士利瑪竇，值得我們特別注意。徐世溥僅提及利瑪竇在天文曆算方面的造詣，對其不辭艱辛來到中國傳教一事卻隻字未提。利瑪竇對晚明上層知識界的影響甚大。在儒、釋、道三教之外，天主教在晚明宗教和知識生活中也扮演了一個有趣的角色。[11]從萬曆到崇禎（1628-1644）年間，不少重要的政府官員成爲耶穌會士的友人，有些則皈依天主教。鄒元標和袁黃都是利瑪竇的朋友，鄒元標曾經寫信給利瑪竇，提到他在研究基督教教義時，發現基督教教義與中國傳統有很多相通之處。[12]

來華的耶穌會士將西洋曆法、數學、地圖學和語音學介紹到中國，因而引起許多中國學者研究曆法、數學、地圖學和語音學的興趣。其間，隨著國際貿易的發展，中國人與外國人之間也有了更多的接觸機會，對世界的認知因而擴展，不再自限於天朝境內。由耶穌會士和國外貿易傳入中國的基督教和西方物質文化，對晚明知識界和文化景觀所造成的影響程度究竟如何，尙需進一步的研究，然而，西方文化對晚明形成的尙「奇」風氣所起的推波助瀾的作用，則毋庸置疑。

徐世溥的名單並沒有顯示出十分嚴格的等級序列。例如，他在提及董其昌的書畫之後，才列舉徐光啓和利瑪竇的曆算之學。很多學者可能會顚倒這個次序，因爲在傳統中國，曆法的制訂和修正向來極其鄭重，由奉爲 「天之子」的帝王親自督行。但徐世溥在名單中將文人菁英列在職業藝術家和工匠之前，可見他在大的方面並沒有違背現存的意識形態和社會等級結構。不過，他把陸子剛和時大彬等社會地位低微的工匠列入他的名單並讚譽他們的成就，這一舉動本身，就頗能說明當時文人藝術家和工匠之間的社會分野已不再壁壘森嚴了。雖說很多晚明文人對於上流階層和卓越的工匠間的親近關係感到不安，但和工匠交游並推崇他們成就的菁英卻逐日增多。[13]晚明是不同社會階級之間互動十分頻繁的時期，菁英文化和通俗文化之間的界限也不斷遊移且變得相當模糊。

近幾十年來，許多學者已指出，晚明時期的中國經歷著巨大的社會和文化變遷。[14]至萬曆時期，明朝已經享有兩個世紀的和平與繁榮。當政府減弱了對經濟的干預，商品經濟就不只在城市和鄉鎮持續擴張發展，同時也蔓延到鄉村地區。伴隨經濟成長而來的是教育的發展，一般民眾的識字率也為之提高。而教育發展又促進了印刷文化的勃興。由於對書籍的需求增多，出版商和私家刻書業為了滿足各種讀者群的需求，便傾其全力出版各式各樣的印刷品，結果就出現了中國印刷史上由講求書籍質量到注重書籍數量的轉變。[15]資訊以史無前例的速度流動著，人們的閱讀習慣遂由偏重精讀轉向泛讀。

這些變化對書法藝術來說極為重要。讀寫能力的增加，意味著有更多的人能夠從事書寫和欣賞書法——這種傳統上以文化菁英為主體的藝術。[16]而隨著一般民眾讀寫能力的提高和上下階層之間互動的加劇，一般民眾的書寫和閱讀習慣不但會擴大對書法的需求，甚至還有可能影響書法創作和欣賞本身，某些菁英的書法內容和形式也會投合新的觀眾群的品味。

商業貿易促進了城市化，一種具有鮮明特色的城市文化在晚明形成，它充滿活力並具有擴張力。高彥頤（Dorothy Ko）指出，這種城市文化的特質在於：士紳和工商、男性和女性、道德和娛樂、公眾和私人、哲學和行動、虛幻和眞實這種傳統的二元性區分變得模糊不清，二者之間的界限不斷遊移。[17]那些與城市文化相關的藝術，更傾向於訴諸感官的刺激，具有娛樂性、戲劇性和商業性。擁有較多休閒時間的城市居民發展出自己的娛樂需求，戲曲、小說、江湖切口、笑話以及消遣性讀物變得日益流行。晚明的文人固然繼續作詩，但鮮有驚人的成就，正如徐世溥所言：「萬曆五十年無詩」。這不是一個詩的時代。

雖然商業活動使地區之間產生了更為密切的聯繫與互動，但並未減少各地區的區域特色。從某些意義來說，它賦予了保存區域特色一種新的價值。例如，改良「地方特產」使其精美，是在激烈的市場競爭中贏得勝算的策略。同時，認同特定的區域文化的興趣亦與日俱增。正是現實利益和道德價値之間的矛盾、不同文化相互競爭時的多層次碰撞、本土文化與舶來品的衝突，爲晚明增添了眩人耳目的複雜性和多樣性。吳訥孫（Nelson Wu）曾這樣描述晚明的社會文化景觀：

晚明的中國展現的圖景是如此地錯綜複雜，以至於連「錯綜複雜」這個詞在這一特定的時間框架外都將失去其所特有的意義。在地域之間呈現出豐富差異的背景下，政治運動與學術思潮的多元性，以及人們對生活、對朝廷所持的各種不同態度，產生出由多種異質所構成的現象。我們姑且稱之爲「晚明現象」。[18]

正是在這種錯綜複雜、千變萬化的社會文化背景下，晚明特殊的美學於焉誕生。

尚「奇」的晚明美學

在徐世溥的名單中，有一個重要的名字被忽略，那就是具有叛逆精神的思想家李贄（1527-1602）。李贄是焦竑的朋友，且同爲羅汝芳的學生。徐世溥沒有把李贄列在名單上是可以理解的，因爲李贄受到多項指控：顛覆對歷史與儒家經典的正統闡述，蠱惑地方士紳，挾妓女白晝同浴等，他最後在獄中自殺。[19]雖然李贄的著作和那些假託其名的書籍在其身後依然廣爲流傳，但是，對於很多晚明和清初的儒家學者而言，他的名字是一種詛咒。

姑且不論李贄生前死後的榮辱毀譽，李贄對晚明社會的影響，遠遠超過當時文人圈中的任何人。是李贄（而非他的朋友焦竑）以激進的方式，把王陽明和羅汝芳的學說推向極端。李贄揭示人的內在本性是純良的，有著一顆天生能夠洞徹、理解道德方法的童心。僅由死記硬背而得來的道德訓誡可能使人喪失童心。眞誠是李贄最主要的關懷，他認爲一個人不應該欺騙自己，應該忠實於內在自我對事物最直覺的反應，並以此來實現自我。[20]李贄所鼓吹的內在眞實的自我，對晚明藝術產生了深遠的影響。徐世溥所列舉的戲劇家湯顯祖和書畫家董其昌，皆與李贄有所交往，而且讚賞他的學說，這應該不只是巧合。[21]

但人如何能達到眞正的自我實現呢？它難道僅僅是一種自我宣示嗎？其他人又如何得知這一宣示的可靠性？他們有必要知道嗎？當某人宣稱自己實現了自我時，他自己又如何能夠確定，這並非在自欺欺人？自我實現不只是抽象的哲學觀念，在理論上討論一個人眞實地對待內在自我是一回事，把這種理念付諸實踐卻是另一回事。假如忠實於直覺便可發現眞實的自我，爲什麼李贄自己還要通過著書、講學的方式來闡釋它呢？

李贄之所以通過著書、講學來闡發他的理論，正是因爲自我可能隱晦不明，必須去追尋、闡明。即使頓悟可能達到，一個大徹大悟的人，仍需以文字、行爲、形象或其他可以感知的表現形式，使眞實的自我獲得顯現。因此，對實現自我的追求，實際上就轉換成了一個如何來表現的問題。既然童心可能失去，道德訓誡可能阻礙自我實現，李贄的理論便鼓勵人們（包括藝術家在內）在直覺的引導下，實現並表達其眞實的自我。

李贄的朋友和追隨者在文化領域大力宣揚自然流露的表現。湯顯祖在爲丘兆麟（字毛伯，1572-1629）的文集所作〈合奇序〉中寫道：「予謂文章之妙，不在步趨形似之間。自然靈氣，恍惚而來，不思而至。怪怪奇奇，莫可名狀。」[22] 湯顯祖主張，優秀的藝術作品不應以「步趨形似」爲指歸。他的這一主張，似乎是直接針對明代中晚期的「文必秦漢，詩必盛唐」的文學復古運動。湯氏拒絕模擬，提倡由個人的直覺生發而來的表現。他在這篇短文中指出了三個相互關聯的觀點：第一，優秀的文學作品不應步趨形似他人的作品（即使是古代大師的作品亦然）。第二，這些作品是「不思而至」的自然表現。第三，自然表現的結果「怪怪奇奇」，不可預測。

在另篇序中，湯顯祖更進一步地在作品與作者之間建立了具體聯繫：「天下文章所以有生氣者，全在奇士。士奇則心靈，心靈則能飛動，能飛動則下上天地，來去古今，可以屈伸長短生滅如意，如意則可以無所不如。」[23] 把上述兩段論述合在一起，湯顯祖的觀點可以概括爲：文章之妙，在怪怪奇奇，不可名狀，而能臻此境界，全在創作者爲奇士。湯氏相信，當一個作家是奇士時，其作品自然會出類拔萃。他的這一理論，和李贄的「童心」說有很大的相似之處。李贄鼓吹「天下之至文，未有不出於童心者也。」[24] 如果湯氏同意李贄的「童心」說，那麼他所說的奇士，自然就是那些童心未泯的人。湯顯祖和李贄的友人袁宏道也有類似的言論。袁宏道認爲文章應以新奇爲要，而「文章新奇，無定格式，只要發人所不能發，句法、字法、調法，一一從自己胸中流出，此眞新奇也。」[25] 湯顯祖等人的議論雖看似激進，但它並沒有、也不可能眞正突破以人論藝（如「言爲心聲」、「書爲心畫」）的儒家傳統文藝觀。

但是，我們可以將這一理論觀點反過來論證嗎？亦即：當一件作品是優秀的且「怪怪奇奇」時，它的作者就一定是奇士嗎？湯顯祖也許會不得不說「是」，因爲如果優秀的作品並非出自於某位奇士，這一理論即使還未因此而崩潰，它也受到了嚴重損害。而且這個理論並沒有給那些看似雄辯，卻並未揭示眞理的「修辭」留下任何空間。[26] 我們不妨進一步問，是否有這種可能性：有些人毫無僞飾地、自然地表現了內在眞實的自我，但這種表現出來的自我卻由於沒有「怪怪奇奇」的特質而無法被他人辨識出來？不過，這對湯顯祖來說是不可能的，即使這種情況出現，也不會嚴重傷害其理論，因爲他可以簡單地辯稱，一個人的作品若沒有引人注目，那是因爲他並非奇士，其赤子之心早已被蒙蔽。若此，我們或許會這樣追問，失去童心的人是否還可以自發地表現他們自己？假如他們不能，就與最初的前提——人具有自發性的表現能力——相違背。對湯氏理論可能造成更大損害的，是其本身的循環論證方式，因爲這一推論的潛在危險在於，誰是奇士最終將由結果來證明。亦即，著名的文學或藝術作品是創作者內在價値的證明。這樣一來，原本對內在的心智狀態的關注就轉向了對外在標準的關心，人們可以放棄探討主體的內在世界，如童心與自發表現力，並視其爲無關緊要。如果外在的優秀作品成爲內在優秀品質的標誌，人們就毋需再作更爲深層的探索了。

值得注意的是，湯顯祖在這兩段序言中重覆使用「奇」這個字。第一篇序言中，他將「自然靈氣」描述爲「怪怪奇奇」及某種「恍惚而來，不可名狀」之物。第二篇序言中，他認爲「天下文章所以有生氣者，全在奇士」。無論是優秀的文章還是傑出的作者，湯顯祖使用的形容詞都是「奇」。晚明時期，藝術家之間、出版商之間都存在著激烈的競爭，序文的寫作成爲推薦藝術家和藝術作品的重要手段。湯氏在序中使用「奇」作爲關鍵字來讚許丘氏的作品，正可說明「奇」在晚明批評界的重要性。崇禎年間，錢塘人陸雲龍在翠娛閣刻本中評湯顯祖的序時這樣寫道：「序中是爲奇勁、奇橫、奇清、奇幻、奇古，其狂言嵬語不入焉，可知奇矣。」陸雲龍一連用了六個「奇」字來描述湯顯祖的序，湯顯祖這篇鼓吹「怪怪奇奇」的序言本身就成了一個「奇」的傑作。如同Katharine Burnett所指出，十七世紀的評論家使用的「奇」具有十分積極的涵義，它是原創力的代稱，對藝術家和批評家而言，被稱爲「奇」的作品正是代表這一時期審美理想的佳作。[27]

作爲晚明藝術理論中的一個重要概念，「奇」和當時思想界鼓吹的追求眞實的自我密切相關。如上文所述，當實現自我轉換成爲如何表現自我時，我們就會面臨這樣一個具有挑戰性的問題：即使一個人在直覺的導引下作自然的表現，依然無法保證其作品（更進一步說，其自我）必定會與他人不同。一旦藝術中的自我實現成爲一種可以爲人感知的具體表現形式，則判定作者是否具有「奇」的特質的標準就不再是純主觀的，「奇」的標準已成爲外在的、客觀的。在日常實踐中，他人在判定一個人是否已經發現眞實的自我，是根據其自我的外在表現，如藝術作品或個人言行，亦即那些與他人發生關聯的東西，而不是那個人聲稱他實現的自我。從理論上來說，雖然人們的判斷是主觀的，但在藝術方面，人們判斷的對象（亦即判斷存在的基本條件）則是那些藝術作品——即可以在同他人的作品的比較參照中予以評價的客體。假設一個人的藝術作品竟無法與別人的區分開來，那麼這個人又如何能被斷定爲已臻眞實自我的境界？他很可能被認爲不過是個「步趨形似」的追隨者而已。

這裡的悖論是，一個人的自我，只有在反觀與他人的關係時才能顯現出來，而且必須經由可感知的具體形式來顯現，否則，他人又如何知道一個人的自我具有獨特處？當然，一個人也可以退隱到徹底的主觀世界中，自由自在地表現自己，毋需介意他人的反應。但是，當追尋眞實的自我成爲文學和藝術的重要話語時，就很容易導致這樣一種強烈的興趣：如何在形式上表現自我。

當然，最爲理想的狀況應該是，這種表現是自然的，作者和觀眾都認爲它是自然的流露。但表現自我的一種簡便的方式就是作出與他人不同的行爲，而且這種不同又必須達到足以令他人能夠感知到「不同」的程度。由於「奇」通常需有一種特殊的外表（否則就不能稱之爲「奇」），他人可以感知的「不同」，就成爲論證「奇」、乃至內在自我的先決條件。因此，實現自我理論的衷心信奉者和那些盲目的類比者都必須表現出「奇」，即使前者是眞誠地將「奇」視爲實現眞實自我的必然結果，而後者只是在爲表現而表現的層面上創作出有特色的作品。這自然引發出這樣的問題：何爲眞實的表現與非眞實的表現；如何區別這兩者的眞僞。由於本書關心的並不是如何去辨析「奇」的表現是否眞實，我們可以暫且將這個問題擱置一旁。我們這裡關心的問題是，晚明時期關於「奇」的話語是如何發展並對書法藝術產生影響。

「奇」雖然在晚明已被廣泛且頻繁地使用，但很少有人清晰地界定過這個詞。在晚明出版的一些字書中，「奇」被簡略地定義爲一個寬泛多義的詞，其含意常隨語境的變化而變化。[28] 上引湯顯祖序言中使用的「奇」字，只是晚明諸多文本中對「奇」字的一種使用而已。由於文化知識界領袖人物的鼓吹倡導，「奇」成爲晚明文藝批評中最爲重要的概念和品評標準。在當時的著作中，我們經常可以看到文學家和藝術家們用「奇」來評論他們所首肯和讚揚的文藝作品。如書法家王鐸（1593-1652）在其文論中，也多次用「奇」字作爲批評語彙，如奇曠、奇怪等。[29]這一風氣也一直延續到清初，如稍晚於王鐸的戲曲家李漁（1611-1680）便公開主張，文學作品「非奇不傳」，並曾屢屢用「奇」、「奇幻」、「奇絕」、「大奇」、「奇文奇事」等批評語彙。[30]不過，只有在對晚明大量使用「奇」字的現象作一基本描述後，我們才會眞切地理解這個概念在當時的文學藝術領域和日常生活中是多麼時髦，又多麼具有影響力。

讓我們從文人使用「奇」這個詞入手。萬曆年間何鏜輯錄《高奇往事》一書，書前有何鏜自己的題辭，云：

> 山居多暇，時時散帙，一對古人，遇所會心事，輒以片楮札記，久之盈笥。每籍手以拜曰：往哲精靈不在是耶？遂區分類聚，概以高苑、奇林二類，類各五目，又使事從其目，共得十卷，統題其端曰：《高奇往事》。[31]

此書高苑類共有五目，分別爲高行、高節、高論、高致及高義；奇林類的五目爲奇行、奇言、奇識、奇計及奇材。雖然何鏜宣稱，他輯錄古代奇人、奇事只是爲了自娛，「以蓄其德」，但從更爲廣闊的文化背景來看，把它印刷出版，公之於眾，也是晚明文人追尋「奇」的行爲方式。對何鏜而言，這些故事的刊行正可爲他帶來「高奇」的美名，一般的讀者也可以在這些奇人異事中得到娛樂。這類書籍應有相當可觀的讀者群。欣賞古人的高，嚮往古人的「奇」，模仿他們的言行，可能當時就被視爲一種奇行。

如果說古代的習俗和事物由於和晚明讀者之間隔著久遠的年代，已不再是晚明日常生活經驗的一部分，因此容易產生「奇」的效果，那麼，中國和外國之間的空間距離也具有類似的功能。異國的自然地理環境、人種、文化習俗、物產都能激發晚明人的好奇心。如上所述，耶穌會在晚明的傳教活動相當活躍，當時的士大夫對傳教士帶到中國的天文儀象、望遠鏡、噴泉、稜鏡、自鳴鐘等表現出極大的好奇心和羨慕。利瑪竇《中國札記》便生動地記載了他帶到中國的世界地圖、日晷、鐘錶等物品，是如何引起皇室、菁英階層和普通民眾的巨大好奇心。例如，萬曆皇帝對西方鐘錶十分著迷，一些官員甚至要求利瑪竇繪製世界地圖，作爲分贈好友的珍貴禮品。[32]由利瑪竇和其他耶穌會士傳入的世界地理知識也衝擊了中國傳統的地理觀念，接觸這一部分西方文化的中國文人，拓展了自己的世界知識。[33]西方舶來品在明末清初文人中引起的好奇心，還可以由一些文人記述他們與傳教士交往的詩歌中略見一斑，如王鐸曾有「過訪道未湯先生，亭上登覽，聞海外諸奇」一詩贈湯若望（Johann Adam Schall von

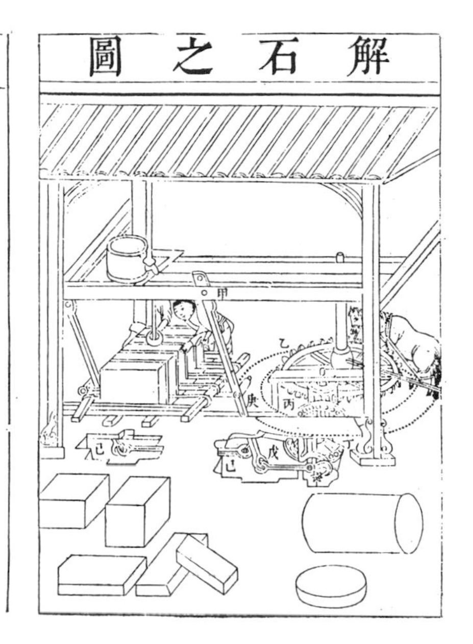

解石圖說

解石

說

假如有石欲解成幾板則有架如甲于架近一頭處安立軸上安有齒平輪如乙平輪轉旁燈輪如丙燈輪又轉小立輪上如丁小立輪軸外有曲拐如戊曲拐之端貫直鐵杆兩端有環如己一端環貫曲拐之末一端之環則貫曳鋸之長木杆下端長木杆上端有軸可轉木杆立貫鋸于兩頭活滑車榍轆中如庚鋸或二或三俱精鐵爲之第無齒耳兩曳鋸長木杆下端連以鐵杆兩端有環如辛以一馬轉立軸平輪則曲拐往來鋸自行矣

圖1.1 《遠西奇器圖說錄最》 插圖
引自鄧玉函 《遠西奇器圖說錄最》 頁302-313

Bell，1592-1666）。[34]終晚明之世，人們對西方物品的好奇心一直不衰。

天啓年間，義大利傳教士艾儒略（Giulio Aleni，1582-1649）著《職方外紀》（1623年刊印），這是西方傳教士用西方宗教地理學觀點寫成的第一部中文版世界地理書籍。全書共有六章，分述五大洲的地理、物產、文化、風俗。其中所載的奇人奇事，乃中國士大夫聞所未聞，故引起他們高度的興趣。皈依天主教的士大夫王徵（1571-1644）讀了《職方外紀》所載「奇人奇事」後，極爲興奮。他在《遠西奇器圖說錄最》一書的序言中寫道：

> 丙寅冬（1626年末至1627年初），余補銓如都，會龍精華（龍華民，Niccolo Longobardi，1566-1655）、鄧函璞（鄧玉函，Johann Terrenz，1576-1630）、湯道未（湯若望）三先生，以候旨修曆寓舊邸中，余得朝夕晤請教益，甚讙也。暇日因述《外紀》所載質之。三先生笑而唯唯，且曰：「諸器甚多，悉著圖說見在，可覽也。奚敢妄言？」余亟索觀，簡帙不一，第專屬奇器之圖說者，不下千百餘種。……諸奇妙器，無不備具，……種種妙用，令人心花開爽。

在王徵的要求及協助下，鄧玉函完成了《遠西奇器圖說錄最》這部書（圖1.1）。[35]雖然科學技術是此書的主題，但書中所附西方奇器的插圖當能吸引不少讀者，因爲它迎合了當時人們對於異國風物的好奇心。

鄧玉函這本目錄的書名中包含了「奇器」這個詞，而晚明的學者和文人通常還使用一個相似的詞「海外諸奇」去描述西方輸入中國的器物。「奇」字的這類使用，也對「奇」字在晚明的流行起到了推波助瀾的作用。儘管「海外諸奇」並沒有在晚明大量出現，但它們是當時物質文化的一部分，特別是對於那些能夠直接接觸或從書本上了解到海外諸奇的菁英們而言，這部分物質文化對他們的世界觀應有所影響。

「海外諸奇」在形成晚明尚「奇」的美學觀念中所扮演的角色，更是討論這一時期的藝術所不應忽視的內容。石守謙曾撰文討論當時的文化中心金陵對「奇」的狂熱，認為金陵畫壇的尚「奇」風氣多少和傳教士有關，而生活在金陵的藝術家也有更多的機會接觸外國文化，這種經驗會激發藝術家在作品中注意「奇」的追求。石守謙特別指出，吳彬（約1543-約1626）早期人物畫中奇特怪異的五官特徵和服裝，很可能和他早年在對外貿易的重要港口城市泉州的生活經歷有關。例如吳彬1591年所畫的一個羅漢圖手卷（圖1.2），人物有歐洲人的特徵，很可能是他在泉州與荷蘭、葡萄牙商人或其他外國人接觸中獲得靈感後創作的結果。[36] 異國元素造就了吳彬作品中的戲劇效果及視覺的複雜性。另一位從「海外諸奇」中汲取靈感的是製墨專家程君房。[37] 為了增加讀者的好奇心，程君房在其所刻墨譜《程氏墨苑》中，收入了由利瑪竇傳入的《聖經》插圖。他還將傳教士發明的羅馬拼音刻到自己的墨譜中，以增加「奇」的意趣，使之具有更廣泛的公眾訴求力。

文人們對奇器奇事的癖好，還可以在當時的通俗文化中找到相應的回聲。如果說上層文化菁英對「奇」有著他們特定理解的話，那麼，一般市民和那些為他們寫作的文人則有著使用「奇」字的不同手法。晚明通俗小說常見以「奇」為標題者，如《拍案驚奇》、《古今奇觀》等。流風所被，連當時出版的某些「萬寶全書」之類的指導日常生活的日用類書，如《繪入諸書備採萬卷搜奇全書》（又名《新刻眉公陳先生編輯諸書備採萬卷搜奇全書》），也在書名中以「奇」字標榜，吸引買家。如果我們把晚明出版的書籍中帶有「奇」字的書名作一統計的話，不難看出「奇」這個詞在晚明是多麼時髦，使用得又是多麼廣泛。

不獨書名用「奇」字招徠顧客，晚明的通俗娛樂書籍中也充滿著種種奇聞異事。《拍案驚奇》的作者凌濛初（1580-1644）在該書序中即稱其書是「取古今來雜碎事可新聽睹、佐談諧者，演而暢之，得若干卷。其事之眞與飾，名之實與贋，各參半。文

圖1.2　吳彬　十六羅漢　1591　局部　卷　紙本　水墨設色　32×414.3公分
美國大都會美術館（Metropolitan Museum of Art,The Edward Elliott Family Collection,Gift of Douglas Dillon,1986 [1986.266.4]）

白猿　狒狒　猩猩　乘黃
不死國　穿胸國　焉耆國　扶桑國

圖1.3 《萬曆全補文林壬子刊妙錦萬寶全書》 插圖
卷4　頁19b-20a
美國哈佛大學哈佛燕京圖書館

不足徵，意殊有屬。凡耳目前怪怪奇奇，當亦無所不有。」值得注意的是，他所用「怪怪奇奇」這個詞，和前文所引湯顯祖在丘兆麟文集的序言中所說如出一轍。

除了奇聞異事外，晚明的許多日用類書都包括〈諸夷門〉和〈山海異物類〉這兩章，內容則為描述「域外」奇人奇事的圖文。這兩章的內容來源甚為龐雜（圖1.3），一般來說，〈諸夷門〉尚能提供一些眞實存在之國家的地理資訊，但通常簡短且有誤導之嫌。如日本被描述成一個以海盜為生的蠻夷之地（這或與當時沿海地區的倭寇之禍有關），反之，朝鮮因與明朝關係親善，被描述成一個文明國度。而《山海經》中所載傳說中的國家，如「不死國」和「三首國」等亦被刊入書中，其中許多奇異事物的圖像大概也取自當時流行的插圖本《山海經》。Richard Smith指出，明清之際許多通俗且具影響力的家庭日用類書的一個重要特徵是，眞實與幻想的形象在這些書中被摻雜在一起，[38]使兩者相得益彰：眞實的使幻想的具有信服力，而幻想的增加了眞實的娛樂性。這些書所描述的異國風土人情，對於晚明時期一般民眾的「常識」到底形成多大影響，尚有待進一步研究。但毫無疑問，這類書籍的廣泛流傳，有助於創造一個鼓勵標新立異的文化氛圍。

晚明城市文化為尚「奇」的美學提供了豐富的土壤，而追尋「奇」本身就是當時城市文化中不可或缺的要素。在商業活動集中的城鎮，競爭促使商人和藝術家製作新產品和獨具地方風味的物品來迎合時尚、吸引顧客。城鎮市民因而逐漸發展出欣賞戲劇性、追求感官刺激的品味。但是，當大眾對原本奇特而罕見的事物熟悉起來之後，商人和藝術家就必須玩出新花樣去迎合變動中的趣味。凡能製造具有刺激性的奇特作品之藝術家，常能挾一技而走紅金陵這一晚明最繁華的城市。[39]

人們一旦開始熱情地追尋「奇」，其勢幾不可遏。根據前文的分析，無論「奇」是個人內心的自然流露還是刻意模仿他人的結果，一旦「奇」成為表現的形式，它也就具有社會性並成為必須在與他人的互動關係中來界定的東西。「奇」的悖論在於，「奇」可能會被他人模仿，一旦模仿成風，原本人們不熟悉的東西變得熟悉起來，見多不怪，「奇」也就不再「奇」了。但是，「奇」的標準總是相對的、流動的。這意味著，當某一事物不再被視為擁有「奇」的特質，不願落伍的人們必須創造出新的事物來表現「奇」。因此，「奇」的流向又不可預測。知性上的好奇心、商業上的貪婪、對文藝名聲的渴望、對藝術原創力的探求、菁英和平民們對花樣翻新的企求……，在種種動機的驅使下，人們熱烈地追求「奇」，這就導致了激烈的競爭，「奇」的形式和內涵也因此迅速變更。

當不甘落後的人們競相加入爭奇鬥妍的角逐時，就出現了藝術史家貢布里希（Ernst Hans Gombrich）在討論藝術和時尚的「名利場邏輯」（Logic of Vanity Fair）中所描述的「競爭膨脹」現象：

> 如果一種炫耀競賽在發展，那麼在其他競賽者面前的選擇，顯然是要麼把這種特別的行動作爲一種無效的怪癖而予以忽視，聽憑它去；要麼竭力仿效它並且蓋過它。……只要這些「勝人一籌的本事」的競賽在一小部分人當中比試起來，而這些人除了互相超越以外，便別無好事可做，那麼其起伏波動便一定十分迅速，或許其波動的速度之快使社會的其餘部分都來不及捲入那些飄浮的漣漪。但是，偶爾這種競賽會變得流行起來，並且達到了全體參與的臨界規模。[40]

雖然晚明的中國還很難說是貢布里希所說的那種「開放社會」，但曾經目睹了萬曆年間競相標新立異之風的金陵著名文人顧起元（1565-1628）在〈金陵社草序〉中有一段描述，正可印證晚明文化中存在著貢布里希所說的這種「名利場邏輯」。顧起元這樣寫道：

> 十餘年來天網畢張，人始得自獻其奇。都試一新，則文體一變，新新無已，愈出愈奇。[41]

「新新無已，愈出愈奇」恰恰說明了「奇」本身不斷變動的性質，這使得人們很難爲「奇」尋找一個清晰的定義。蔡九迪（Judith Zeitlin）在討論《聊齋志異》中的「異」（「奇」的同義字）這一概念時認爲，「異」是「一個文化結構，透過寫作和閱讀被創造及不斷地更新」，「一種經由文學或藝術的方式製造出的心理效應」。她還提出了這樣一個值得思考的問題：「異」是可以定義的嗎？[42] 對本書來說，蔡九迪提出的問題似乎可以改爲：那些生活在晚明的人們有必要去爲「奇」下定義嗎？事實上，晚明人在使用這個具有寬泛的文化內涵的字眼時，並不關心如何去界定它，使用得相當隨意。正因爲其寬泛性和含糊性，這個字眼可以開拓出無限的可能性，任何商業和文化藝術領域內的革新，都可能用「奇」來爲之尋求合理性並加以宣揚。

概言之，「奇」在晚明的文化中具有多重的意義和功能，並且可以涵括不同的文化現象。它既可以是文人的理想人格，一種高雅不俗的生活形式；或是社會上下關係浮動時代的菁英分子用以重新界定自己社會身份與眾不同的行爲；或是知性上的好奇心和追求，文藝批評中使用的一個重要美學概念；它還可以是奇異新穎的物品，大眾對異國風土人物的好奇心；或是印刷業用以招徠顧客的廣告性語言，通俗文化的製作者用來製造大眾娛樂生活中的戲劇性效果……。不管是具有明確的哲學思潮或文藝觀爲基礎的執著追求，還是對時尚的盲目模仿；不管是湯顯祖所謂「不思而至」的自然流露，還是刻意地嘩眾取寵；總之，來自不同社會背景的人們懷著不同的目的，用不同的語言，從多種角度來談論和使用「奇」，「奇」於是成爲人們關注的重點和議論的中心，這就造成了一種社會語境，處於這種語境中的人們，好奇也獵奇，驚世駭俗的標新立異之舉受到鼓勵和激揚。正是在這個尚「奇」的時代，以董其昌爲領袖的晚明書法家掀起了一場張揚個性的藝術運動。

董其昌和晚明書家

晚明書壇祭酒董其昌1555年生於松江，他在萬曆十七年（1589）考中進士後成爲政府官員，官至禮部尙書。[43]董其昌生性謹愼，在官場左右逢源，與東林黨成員及其政敵同時保持著友好的關係。1589至1599年間，董其昌在北京擔任翰林院編修時，成爲包括焦竑、湯顯祖、袁氏三兄弟（袁宏道、袁宗道[1560-1600]、袁中道[1570-1623]）、李贄在內的文化圈中的一員。[44]雖然深受這個圈子的影響，但董其昌在對待古代經典方面，並不像袁氏兄弟和湯顯祖那樣激進。從少年時代起，董其昌便大量臨摹古代法書名蹟，唐代歐陽詢（557-641）和顏眞卿（709-785）的書法是他初學楷書的範本。在行、草方面，董其昌追隨王羲之、王獻之（344-388）父子創立的「二王」傳統，此外，他對北宋米芾（1052-1108）的行草書法也很有研究。至於大草，董其昌深受唐代狂草大師僧懷素（725-785）的影響。

董其昌一生的書法實踐非常豐富，本書不可能對其書學淵源和成就予以全面的論說，這裡僅就他的書法與晚明尚「奇」美學相關的方面作一些討論。作爲一個具有強烈理論意識的藝術家，董其昌建構了自己的書學體系，並且以一種簡潔有力的方式來陳述自己的藝術見解。「生」是董其昌書學理論的一個關鍵概念。[45]他認爲：「畫與字各有門庭，字可生，畫不可不熟。字須熟後生，畫須熟外熟。」[46]繪畫是再現藝術，一個畫家可以將自然界雄渾或秀麗的景色繪入畫中。[47]書法則不同，它是非再現性的。雖然古代流傳著一些書法家由自然景物激發出藝術靈感的故事，但書法中並無「寫生」，臨摹古代大師的法書一直是學習書法的不二法門。書家可能會在努力學習古代大師作品後獲得技法，但是成法終究可能會壓抑書法家的創作能力。因此董其昌認爲，書法必須「由熟再到生，才得擺脫古人成法的束縛。」，[48]寫出新意。

董其昌不但在理論上提出「生」與「熟」的概念，他還舉出具體例子說明什麼是「生」什麼是「熟」。董其昌總是把元代書法家趙孟頫（1254-1322）視爲自己競爭和超越的對象。他承認自己的技法不如趙孟頫純熟，但宣稱自己的書法更「生」，而正是這「生」使他的書法比趙書更有秀色而無俗態：

吾于書似可直接趙文敏（趙孟頫），第少生耳。而子昂（趙孟頫）之熟，又不如吾有秀潤之氣，惟不能多書，以此讓吳興（趙孟頫）一籌。[49]

趙書因熟得俗態，吾書因生得秀色；趙書無不作意，吾書往往率意。當吾作意，趙書亦輸一籌。[50]

把趙孟頫與董其昌的書法作一比較，我們可以對董其昌關於「生」與「熟」的論點有更爲清晰的認識。美國普林斯頓大學美術館所藏趙孟頫書《湖州妙嚴寺記》是一件楷書精品（圖1.4）。此作用筆乾淨俐落，結體勻稱謹嚴，趙孟頫紮實的功力和深厚的學養顯而易見，但卻很難反映出藝術家的想像力。相反地，董其昌的書法時常可以見到枯筆和破筆，甚至在一些楷書作品中，也會發現「生」的地方。在1636年書寫的《自書誥命》（圖1.5）中，董其昌以謹嚴的楷書鈔錄這一政府頒發給他的正式文件，每個字都被寫在界格內，如同趙孟頫的《湖州妙嚴寺記》那樣鄭重。然而，即使是在這樣正式場合書寫的楷書，董其昌還會在某些地方留下「生」的痕跡，如作品中的「璧」字向右上方傾側，「箴」字中亦留有一破筆（圖1.6）。

董其昌興來一揮的大草作品中也經常出現意想不到卻自然天成的效果。書於1603年的一件行草手卷的卷尾（圖1.7），董其昌的大草題款極爲精彩。款云：

癸卯三月，在蘇之雲隱山房，雨窗無事，范尒子、王伯明、趙滿生同過訪，試虎丘茶，磨高麗墨，並試筆亂書，都無倫次。[51]

起始兩行平淡無奇，從第三行開始逐漸出現戲劇性的變化，有些行，大字幾乎完全佔據一整行。全篇筆劃瘦勁流暢，墨色隨著毛筆蓄墨量漸次遞減、運筆著力和速度的不同而顯出微妙的變化。[52]董其昌的「試筆亂書」，賦予這件作品「生」的特質。

如上所引，董其昌聲稱，如果他作意於書，即使趙孟頫也不能與之抗衡。但是董其昌卻又認爲，不經心的書寫可以帶來自然流露的、具有偶然性的「生」。對他而言，作意能熟，率意出「生」，熟近俗態，「生」得秀色。董其昌關於書法中「生」的論說，和李贄的「童心」說應有關聯。從「童心」說來推理，事物的原始狀態是

「生」且純眞的。純眞的內在世界，可以透過其藝術上的「生」眞實地表露並保存下來。從這個意義上說，董其昌的書法理論、實踐與當時的哲學思潮相通。

書法中的「生」和率意、直覺相關，因此具有「奇」的特質。董其昌又寫道：

> 古人作書，必不作正局，蓋以奇爲正。此趙吳興所以不入晉、唐門室也。……予學書三十九年見此意耳。[53]

「以奇爲正」是這段敘述中的關鍵。誠如何惠鑑所云：「『奇』是明代對『自然』的新標準，是對古老的文學觀念『以正爲雅』的拓展。」[54]如上所述，隨著文人對眞實自我的熱切追求，尚「奇」美學觀念在晚明風靡一時，董其昌正是這一美學觀在書法領域中的代言人。

雖然董其昌提倡「生」和「奇」的觀念，但若從更爲宏觀的書法史框架來觀察，其書法仍未偏離帖學傳統。他臨摹的範本均來自帖學譜系，他本人的書法也相當典正優雅。例如，其行書作品的章法受到五代書家楊凝式（873-954）的啓發，字距寬鬆，表現出一種閒適的氣息（彩圖1）。同時，流暢的筆勢也使其作品簡約優雅。以今天的觀點看來，董其昌的書法未脫帖學窠臼，既無強烈的「生」，也沒有戲劇性的「奇」（即使如前文所述，其書作有時呈現出這些特質的跡象）。因此，董其昌依然被視爲帖學傳統的最後一位大師。[55]

然而，董其昌清醒地意識到書法的一個重要變革正在發生，他自負地宣稱：「書法至余，亦復一變。」[56]他對「生」和「奇」審美理想的鼓吹，啓發了一些更爲激進的晚明書法家，他們正準備偏離帖學正統，走向極端。因此，從某種意義來說，董其昌是十七世紀書法變遷的預言家，儘管他還無法看見這個轉變將會走向何方。董其昌的意義在於，他並沒有在技法層面上闡述書法的前景，而是爲晚明書法家提供了一種新的思考方式，這種思考方式無疑是在鼓勵其他藝術家以董其昌本人未能採用的方式去超越傳統的限制。

董其昌在晚明書壇執牛耳長達數十年，至天啓朝，新一輩的書法家發展出一種個性更爲張揚的新書風。來自福建晉江的張瑞圖（1570-1641），可能是第一位在書法風格上與董其昌形成強烈對比的書法家。[57]張瑞圖作於1625年的草書《孟浩然詩》手卷（彩圖2），用筆迅捷，在生絹上留下不少枯筆，轉折頓挫突兀有力，橫折帶有向上翻轉留下的棱角，予人一種桀驁不馴的印象。

與董其昌上下字距寬疏造成的空靈相反，在張瑞圖的書法（特別是他的行草書）

圖1.6 《楷書自書誥命》中之「璧」、「箴」二字

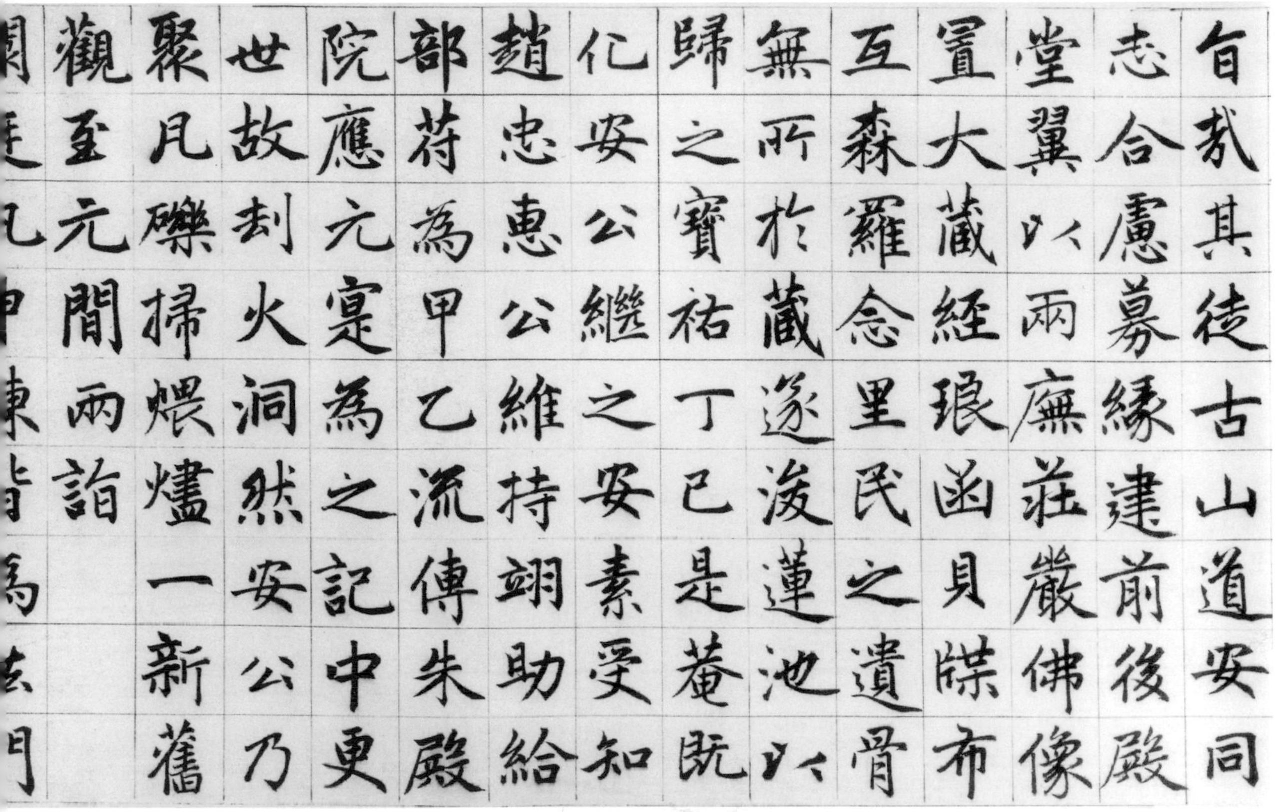

圖1.4
趙孟頫
《湖州妙嚴寺記》
約1309-1310 局部
卷 紙本
34.2×364.5公分
題跋34.2×206.7公分
美國普林斯頓大學美術館
（Art Museum, Princeton University,
Bequest of John B. Elliott, Class of 1951,
Photograph by Bruce M. White. 1998-53）

圖1.5 董其昌 《楷書自書誥命》 1636 局部
冊頁（全16開）紙本 每開29.9×30.8公分
上海博物館

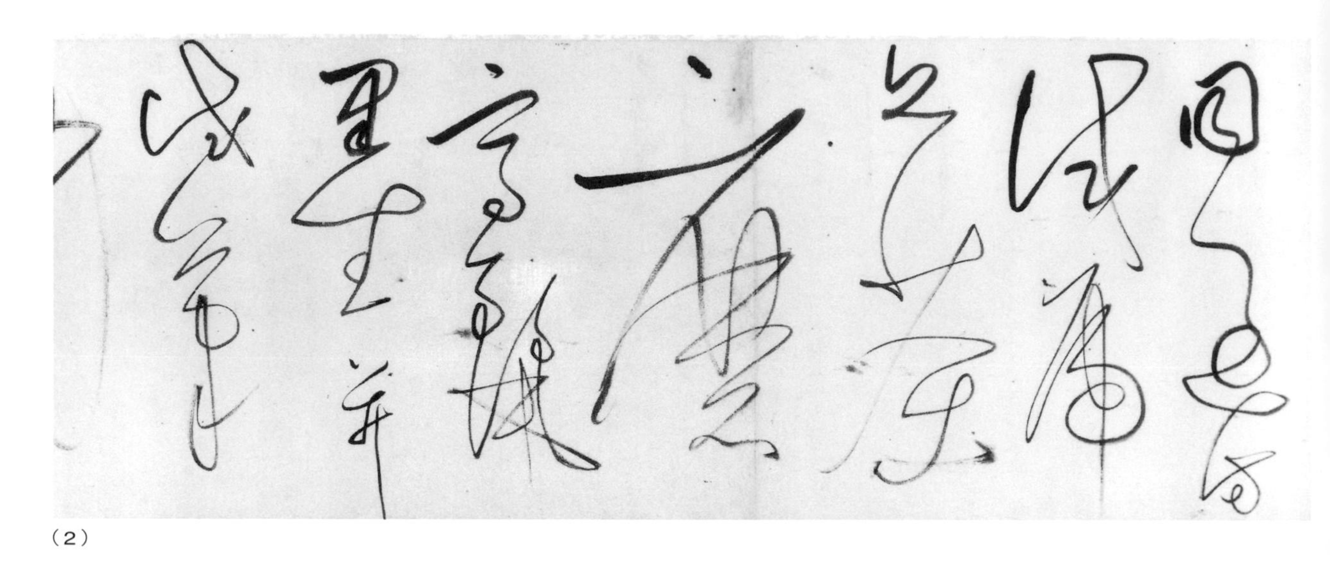

（2）

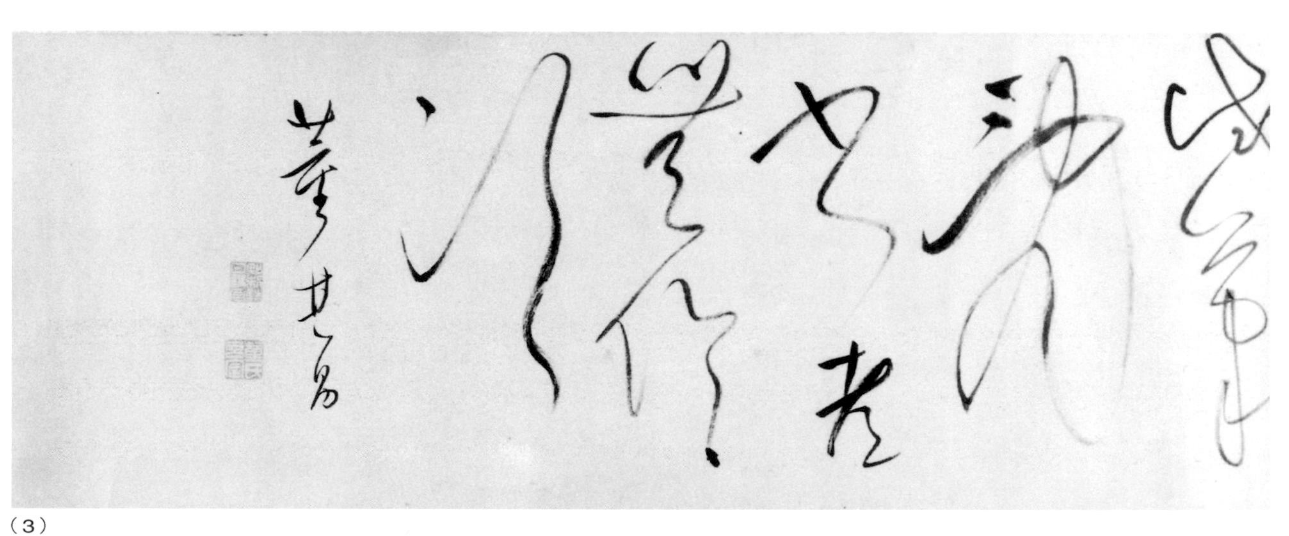

（3）

中，行距寬鬆，字距緊湊，每一行的字似乎連接盤纏在一起。這種獨特的空間佈局，強化了縱勢。但張瑞圖吸收了章草的元素，在書寫橫折筆劃時，筆先向右上傾斜，然後再突然翻轉下折，使筆劃的右上方呈現銳角式的轉折，這種用筆方式減弱了行草書的流暢感，在筆劃的形態和筆勢的基本走向之間造成了張力，與董其昌用筆的閒適舒緩形成了鮮明的對比。

研究書法史的學者們在分析一件藝術品時，常常會追溯其風格來源。張瑞圖與眾不同的書法，迫使我們重新思考這種習以爲常的形式分析方法是否總是有效。張瑞圖書法的標新立異，很可能來自於他在研習書法時發展出的一種既不尋常卻符合他本人

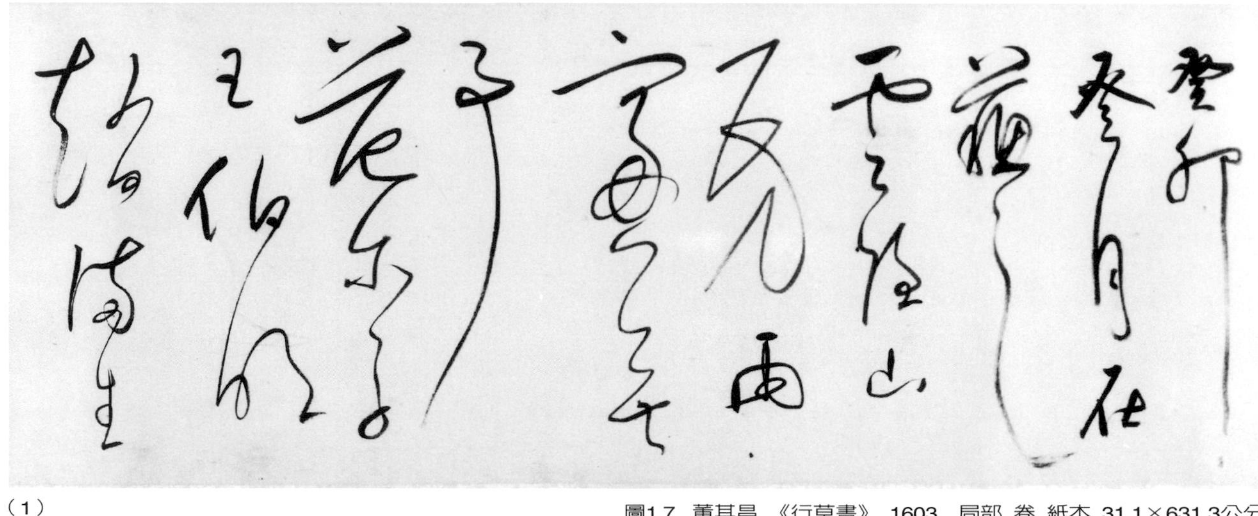

（1）

圖1.7 董其昌 《行草書》 1603 局部 卷 紙本 31.1×631.3公分
東京國立博物館 TB 1397

圖1.8 《答孫伯觀詩》（彩圖3）中之「落」字

肌肉生理特點的書寫習慣。他很可能不曾刻意臨摹古人，而是根據自己獨特的書寫方式逐漸發展出一種反映自己審美理想的風格。[58]

1629年，張瑞圖因與宦官魏忠賢閹黨之間的干係而被貶斥爲民。與此同時，朝臣中另外三位具有創造力的書家黃道周（1585-1646）、倪元璐（1594-1644）、王鐸則異軍突起。[59]書法上的天賦，加之政治上的地位，使他們成爲新一代書法家中的代表人物。他們與張瑞圖一樣，都和當時的政治發生了密切的關係，不同的是，他們三人都和東林黨有著更深的淵源。

黃道周是福建漳浦人，漳浦和張瑞圖的家鄉同在閩南，相距不遠。黃道周的書法在章法方面和張瑞圖的書法類似，字距狹窄，行間寬博。相比之下，黃道周的筆法較爲圓潤（彩圖3）。就整體而言，黃道周的筆劃也常反覆地穿插盤繞，他的字右上角轉折處，也像張瑞圖的字一樣並不尋常。以我們在這裡展示的日本澄懷堂所藏的行草條幅第二行的「落」字來說（圖1.8），最上方兩點之下的橫劃，其最右端出人意料地先向上繞了一下後再翻轉向下，使毛筆穿過橫劃，以不可預期的走勢造成「奇」的效果。

來自河南孟津的王鐸是董其昌的下屬和忘年交。和他的前輩相比，王鐸更爲激進，他把董其昌在書法上開啓的一些風氣推向極端。作爲晚明書法中最有表現力的書法家，王鐸喜愛充滿運動感和表現力的行、草書，他曾作〈草書頌〉謳歌草書：

草書之始，本篆所爲。鳥跡穗象，施張有宜。簡安飛揚，規動萬隨。

握固深柢，寧極劃劙。左之勿殊，右焉勿卑。縮於內轂，馳騾鬱紆。

間演隸波，元氣周回。迅發機赴，絕無閃揄。高望崎嶽，垂抱龍珠。

擴於鷥折，睽以虵瞿。似譎仍正，疑傾終夷。將犇姑留，黈黇難尼。

獅呞猊怒，頓挫于諸。密闊有位，部厥㧛師。縱橫顯伏，斷絕屹岬。

亂怫勾連，制勝扼攲。勿魔勿癖，緣墟臨危。尋測無端，妙寓莊虒。

斂魄歸寂，包元一之。張芝羲獻，餘鏟邪枝。考古工深，襲取蹈謀。

骨脈凝神，妍皮罔臻。達以天機，法忘乎法。庶無誇毘，匆匆奚暇。

精味椒糈，勿曰幻化。空懣五悲，霧合星開。地乳天眉，冥賞神合。

略毛駉驪，大哉斯道，孚實毋虛。怡此皓首，娶與松期。

解者熟後，靈通經奇。浩唱舉概，幽奧難知。[60]

這首四言銘贊體詩歌有六十三行，[61]無疑是自唐代以後讚頌草書藝術最偉大的作品：從天地之間的萬千氣象到揮寫時的筆歌墨舞，從漢字的起源到草書大師的出現……王鐸不僅僅把草書視爲抒情寫意的藝術，還把它視作一個可以凝眸的微觀世界。「尋測無端，妙寓莊虒」，不禁令我們想起湯顯祖對文學傑作的描述：「怪怪奇奇，莫可名狀」。而王鐸的頌歌反映出晚明書家對草書藝術的鍾愛和珍視。

王鐸的〈草書頌〉充滿了典故和隱喻，多涉「徵引迂遠，比況奇巧」的溢美之辭，增添了草書的神秘色彩。不過，王鐸本人的某些文論，卻對我們了解他理想中的草書很有助益，由於這些文論簡直就像對草書而發，讀者不妨把以下兩段引文中的「文」字換成「草書」，似乎王鐸在撰寫這些文論時腦際間就曾浮現出草書的形象。他這樣寫道：

文須嶔崎歷落，錯綜參伍。有幾句不齊不整，草蛇灰線、藕斷絲連之妙。[62]

文要一氣吹去，欲飛欲舞，捉筆不住。何也？有生氣故也。[63]

「不齊不整」、「欲飛欲舞」正可在王鐸的行草作品中得到驗證。在一件書於1639年的行書軸中，字忽左忽右地敧側，字與行的中軸線不時傾斜（圖1.9）。這種章法並非王鐸首創。傅申在研究黃庭堅的書法時，已注意到了黃庭堅（1045-1105）行草作品中這種沒有單一中軸線的章法特點，[64]如存世黃庭堅的草書名作《廉頗與藺相如傳》的章法即有這種特點（圖1.10）。但在黃庭堅的草書中，偏離中軸線的幅度要比王鐸來得小一些。邱振中在仔細分析了從東晉到清代草書的章法構成後指出，王鐸草書偏離每行中

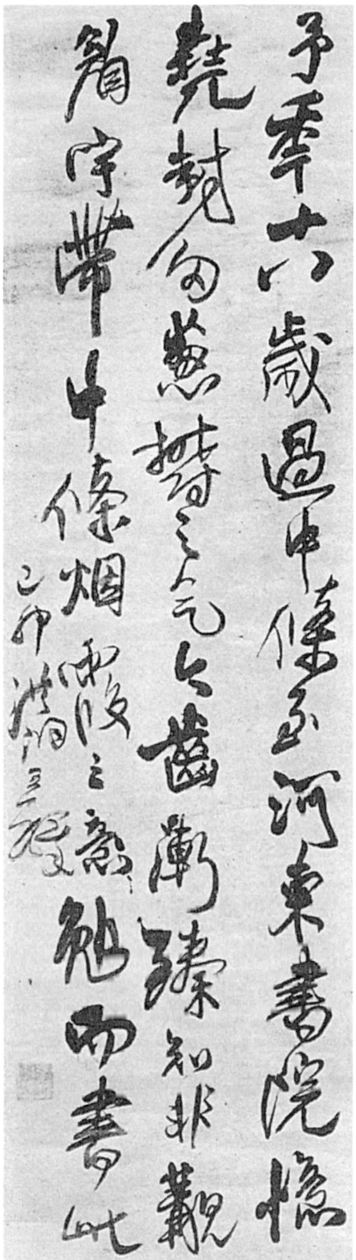

圖1.9 王鐸《憶過中條語》 1639
軸 綾本 252×55公分 藏地不明
引自劉正成、高文龍
《中國書法全集》 冊61 頁148 圖版30

軸線的程度，在中國書法史上比任何人都大。[65]

王鐸的用筆也同樣桀傲不羈。王鐸的草書名作《贈郭一章詩》（彩圖4），用筆迅捷，但點劃的提按幅度卻很大。王鐸在筆劃的起始、轉折、和某些筆劃微度調整走向時，常加重筆的停頓感。例如，卷中「聲」字最後向下的那筆，筆勢在運行時有數次遇阻停駐的痕跡。由此造成了一種張力，豐富了草書的觀賞性。

這種由矛盾而產生的張力在王鐸的草字結體中也顯而易見。一般說來，爲了加快書寫速度，草書中的大部分字都被高度簡化。但在王鐸的《贈郭一章詩》中，「聲」的結構雖比楷書的「聲」字有所簡化，但比通行的草書「聲」字的寫法複雜。王鐸在書寫行、草字時，有時還引入一些結構比較繁複的異體字，如《贈張抱一行書》中的「謂」字，比標準行書或楷書複雜（圖1.11）。王鐸以此來增加其作品形態的複雜性。

雖說張瑞圖、黃道周、王鐸及倪元璐的書法與風格是如此的不同，但是，當我們將他們的作品與董其昌試作比較，張黃王倪之間的相似性則顯而易見。董其昌的行草書字距疏朗，這四位書家書寫的巨幛條幅（此爲明末清初的風尚）卻字距緊湊，筆勢奔瀉不斷。董其昌的書法優雅流暢，此爲帖學書法的基本特徵，而他的後輩們的書法卻更爲跌宕、張揚、奇崛。

但這並不意味著年輕一代沒有受惠於董其昌。董其昌在實踐與理論上的創新啓發了年輕一代的藝術家，[66]他們的一些藝術嘗試爲更激進的變革埋下了伏筆，成爲日後突破帖學美學架構的濫觴。

古代經典權威的式微

董其昌對晚明書法的一個重要貢獻，是將「臨」這一學習書法的傳統方法轉變成創作的手段。千百年以來，臨摹古代大師的作品已經成爲學書的基本門徑，誠如雷德侯（Lothar Ledderose）所言：

> 就其本質而言，書法必須臨摹。每個書寫者都必須遵循「預設」的形式。在這方面，書家所處的情景和再現外在世界各種事物的畫家相當不同。當然，一個畫家也受到他所看到和所承襲的繪畫傳統的制約，從這種意義上來說，他也在臨摹前輩的藝術家。但是外在世界的現象爲他提供了一個勘比繪畫傳統的參照和進行藝術上新探索的刺激。相反地，一位書法家必須在封閉的形式系統中運作，除了前輩藝術家的作品，他沒有任何東西可以比較他的創作。[67]

雖然書法家在臨摹古代名作時總會有些自由發揮的空間，但十七世紀以前的書家，在臨摹時通常儘量忠實於原作。

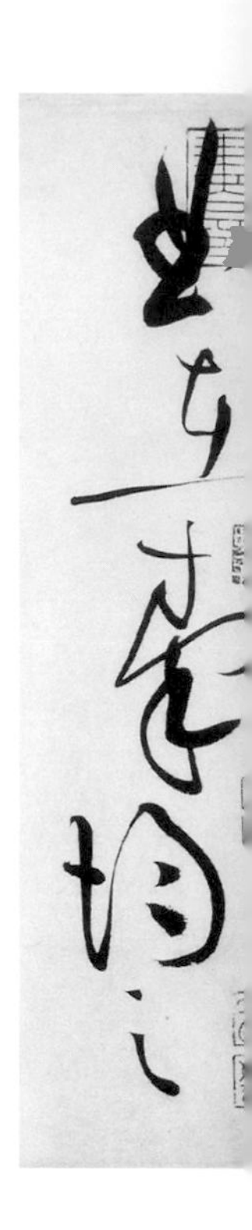

晚明是中國書法臨摹史上的一個轉捩點，臨摹的觀念在這時出現了重要的變化：臨摹不再僅僅是學習和繼承偉大傳統的途徑，它還成爲創作的手段，換言之，它本身就可以是一種創造。董其昌便是這一重要轉變的先驅。朱惠良曾撰文論述董其昌的「臨古」觀和影響。她指出，在中國書法史上，以臨書而論，董其昌是一個重要的分水嶺。在董其昌之前，書法家和鑒賞家的臨古觀念是保守的，他們討論的通常只是臨摹中究竟應以形似還是神似爲主要目的。在他們看來，臨古不過是書法學習的一個途徑而已。但對董其昌來說，臨書不僅是學書的途徑，還被作爲自我發揮的契機。由於臨書已被視爲一種創作，董其昌和晚明的書家常以臨作饋贈友人。董其昌的一些臨摹作品，和他創作的作品一樣，在風格上具有原創力。不像先前的書法家，由於把臨摹作爲學習書法的一種手段，儘量求其形似，董其昌認爲臨摹應該神似重於形似。這一觀念使他敢於對古代範本作主觀性和表現性的詮釋。他在臨摹古代作品時，較少關注是否與範本的外形相似。[68]他甚至提出，有創造力的書法家應該與古代的大師拉開距離。在談及唐代書家柳公權（778-865）的一則題跋中，董其昌寫道：「柳誠懸書極力變右軍法，蓋不欲與《禊帖》面目相似。所謂神奇化爲臭腐，故離之耳。」[69]「離」是這段文字的一個關鍵字。在董其昌看來，即使是學習書聖王羲之的作品，都可能因不假思索地反覆臨摹而失去原創力，需要「離之」。因此，董其昌對古代大師作品的

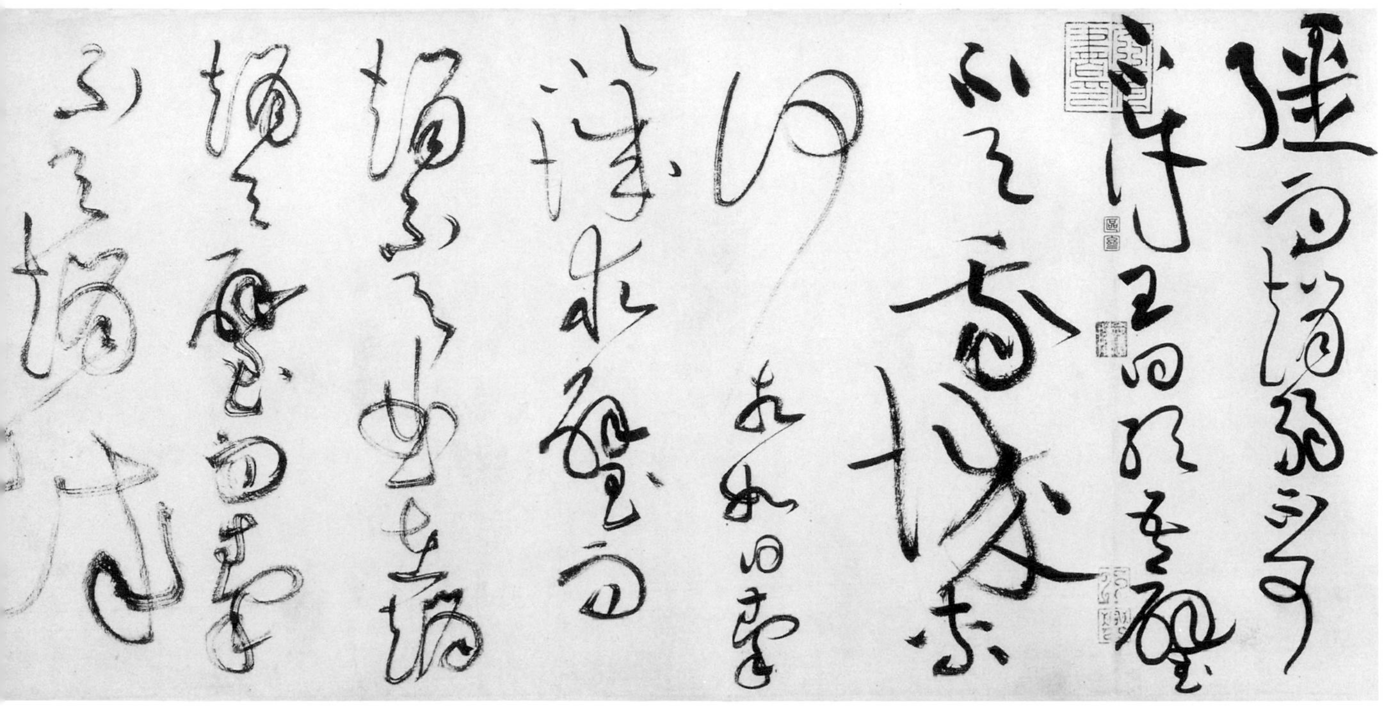

圖1.10 黃庭堅 《廉頗與藺相如傳》 約1095 局部
卷 紙本 32.5×1822.4公分
美國大都會美術館
（Metropolitan Museum of Art, Bequest of John M. Crawford Jr.,1988 [1989.363.4]）

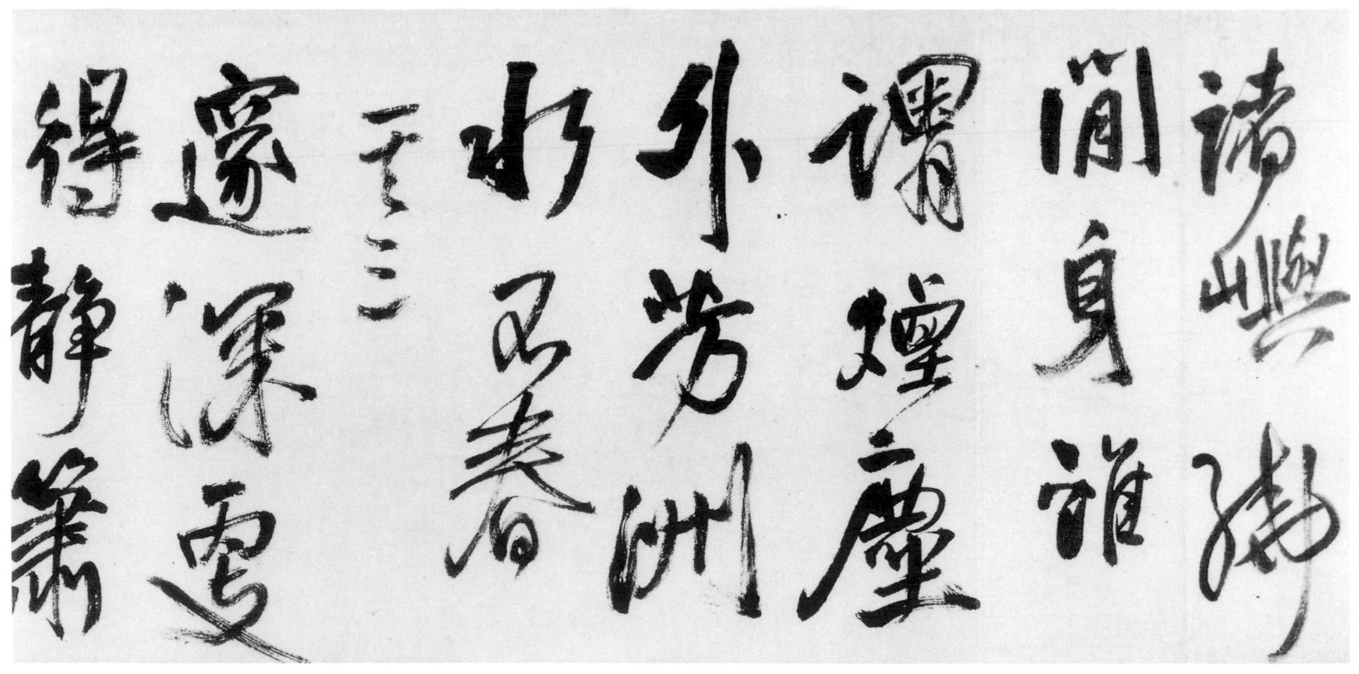

圖1.11 王鐸 《贈張抱一行書》 1642 局部
卷 綾本 26×469公分
東京國立博物館

「臨」作常展現出和範本的顯著差異。以台北故宮所藏董其昌臨顏眞卿《爭座位帖》冊頁爲例（彩圖5），如果我們將其同《爭座位帖》的拓本相比較，兩者的差異顯而易見。顏書筆劃厚重圓勁，豎劃呈外向的弧度，字與字大小錯落，字距甚小（圖1.12）。而董其昌的臨本則清秀飄逸，豎劃弧度向內，有米芾的風采；字距疏朗，又帶有楊凝式《韭花帖》的遺韻。臨本和原拓之間的差異，足以證明董其昌這裡所謂的「臨」不過是借題發揮而已。[70]

朱惠良對董其昌及其以後清代的臨書現象的觀察無疑是相當準確且很有價值的。但她的討論尚未涉及晚明「臨」這一概念的寬泛內涵及其涵蓋的種種現象，以及產生這些現象的文化背景。這裡，我們通過對一種可以稱之爲「臆造性的臨書」的觀察，來探討晚明「臨書」所涵括的書法現象，以及這些現象和當時的文化風氣的內在關係。我們的討論將從朱惠良稱爲臨書史的分水嶺——董其昌開始。

美國底特律藝術中心（Art Institute of Detroit）藏有一件相當精彩的草書手卷，署款爲董其昌（圖1.13），這件作品可以視爲晚明「臨書」新趨勢的標誌。手卷的文字內容爲唐代書法家張旭（約700-750）的《郎官壁石記》。張旭的原蹟不傳，但其碑拓被歷代書家認爲是代表唐代楷書成就的名作之一（圖1.14）。雖然張旭以他的「狂草」書法聞名，但《郎官壁石記》的拓本卻顯示了他在楷書方面的傑出成就：點劃謹嚴，結字均衡，氣息莊重、高貴。但董其昌的「臨本」竟是唐代草書大師懷素的大草書風，與原拓的字體、風格完全不同。而按照傳統「臨」的觀念看來，更令人困惑的是手卷後署名爲董其昌的題款：「張長史（張旭）《郎官石記》，懷素《自敘》魯公（顏眞卿）贈言所謂『楷法精詳，特爲眞正者』也。又有草書一帖，並臨之。董其昌。」[71] 在題款中，董其昌明言他的這一手卷爲「臨」作。但這一題款開啓了後世學者的疑竇。不但董其昌臨本的字體和原拓的字體完全不同，底特律手卷的文本和原拓的文本相較，還有誤字、脫字、脫句。有的學者據此而認爲這一手卷爲僞作，雖然他們認爲這是以董氏草書風格書寫的作品，並且承認其書法本身有很高的水準。[72]

然而，對董其昌一生所使用的印章有極爲細緻和深入研究的李慧聞（Celia Carrington Riely）指出，這一手卷上的兩方印章爲董氏的印章無疑。她在仔細地研究了存世鈐有這兩方印章的董其昌的作品後，更進一步認爲底特律手卷的書寫日期大約在1608至1609年之間。[73] 如果李慧聞的觀察是正確的話（正如筆者所認爲的那樣），我們將如何解釋僞作上鈐有眞印這一矛盾的現象呢？難道有人有機會接近董其昌的印章

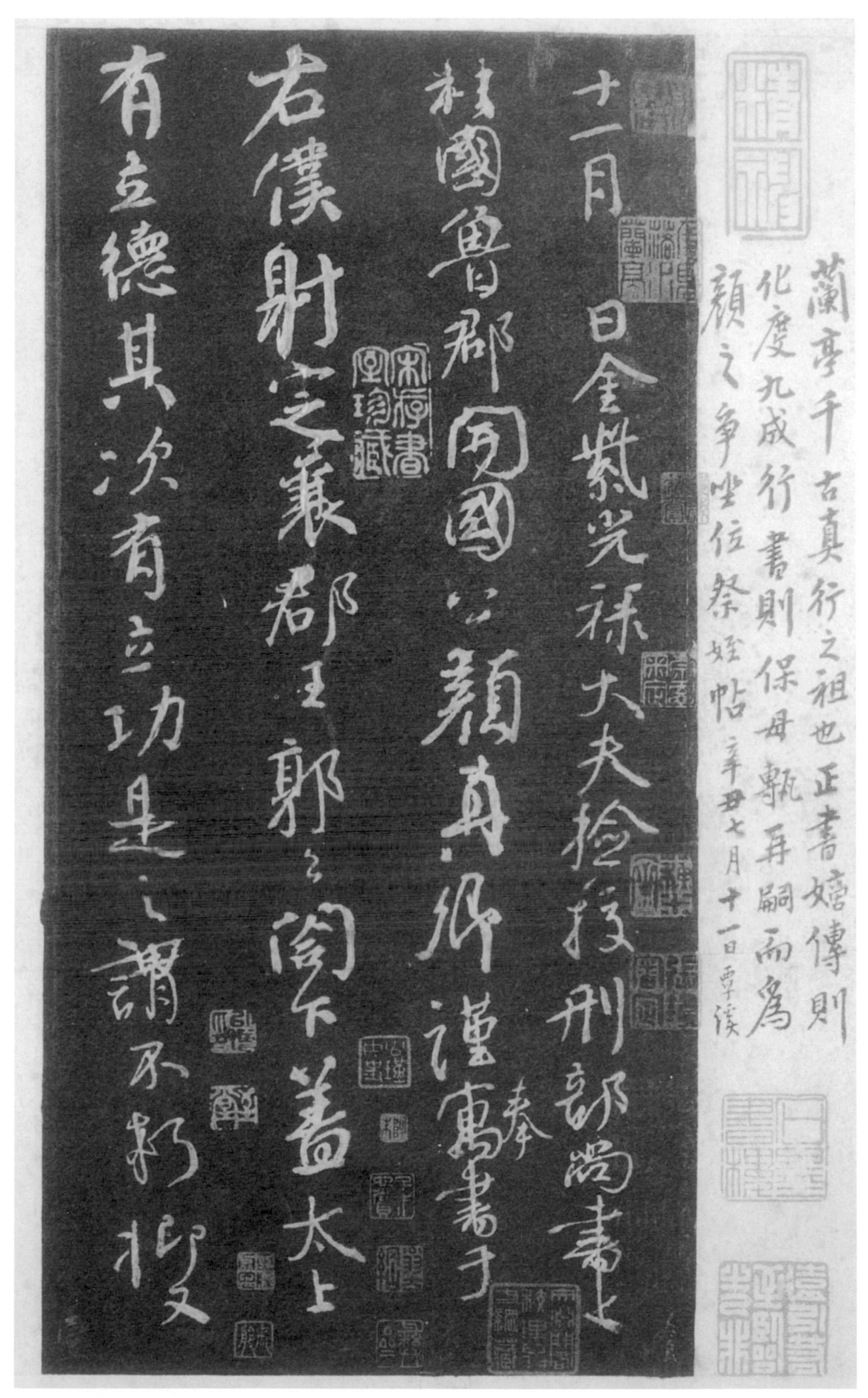

圖1.12
顏真卿 《爭座位帖》
764 局部
拓本 冊頁 紙本 尺寸不詳
北京故宮
引自楊仁愷 《中國美術全集》 冊3 頁146 圖版65

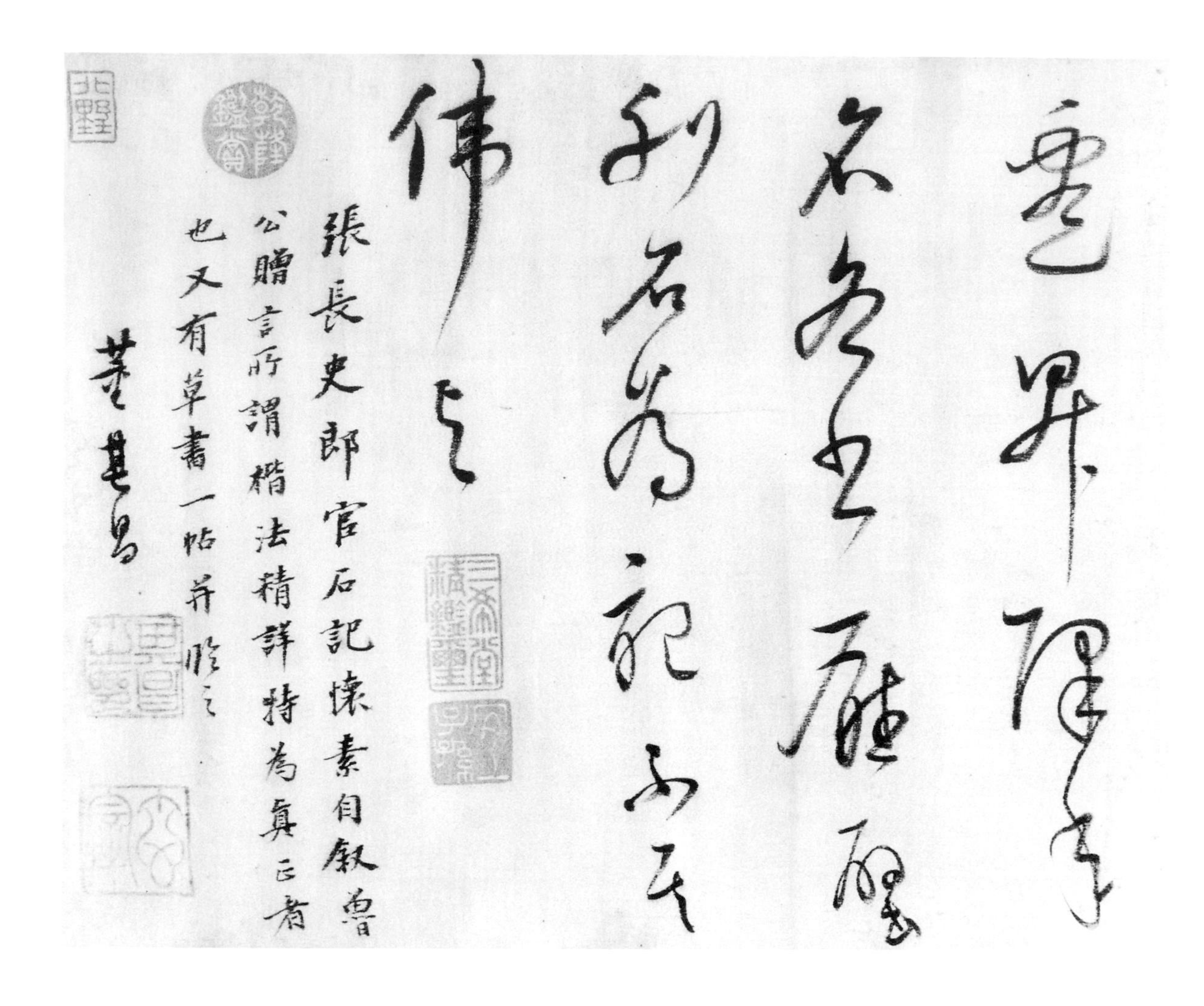

並把它們蓋在一件僞作上？假如這是一件僞作，爲何作僞者竟會無知到把歷代書家所熟知的一件赫赫楷書名蹟臨摹成草書？如果底特律的手卷不是僞作，爲何董其昌要在題款中使用「臨」這個字呢？在董其昌之前，中國書法史上從未如此寬鬆地使用過這個字。

但只要我們把董其昌所謂的「臨」理解爲比十七世紀之前和之後都更爲寬泛意義上的「臨」，這些表面上看似難解的矛盾便可以化解了。既然董其昌可以在臨摹範本時並不嚴格拘泥其風格形式，他又爲何不可以更進一步，使用與範本不同的字體去書寫範本的文字，而繼續把它稱爲「臨本」或「臨」呢？這個假設可由董其昌的其他作品得到印證。在存世的董其昌的作品中，有好幾個例子是董其昌以不同於原作的字體去臨摹範本，雖然在這些作品中他並沒有使用「臨」這個詞。例如董其昌就曾用行書來

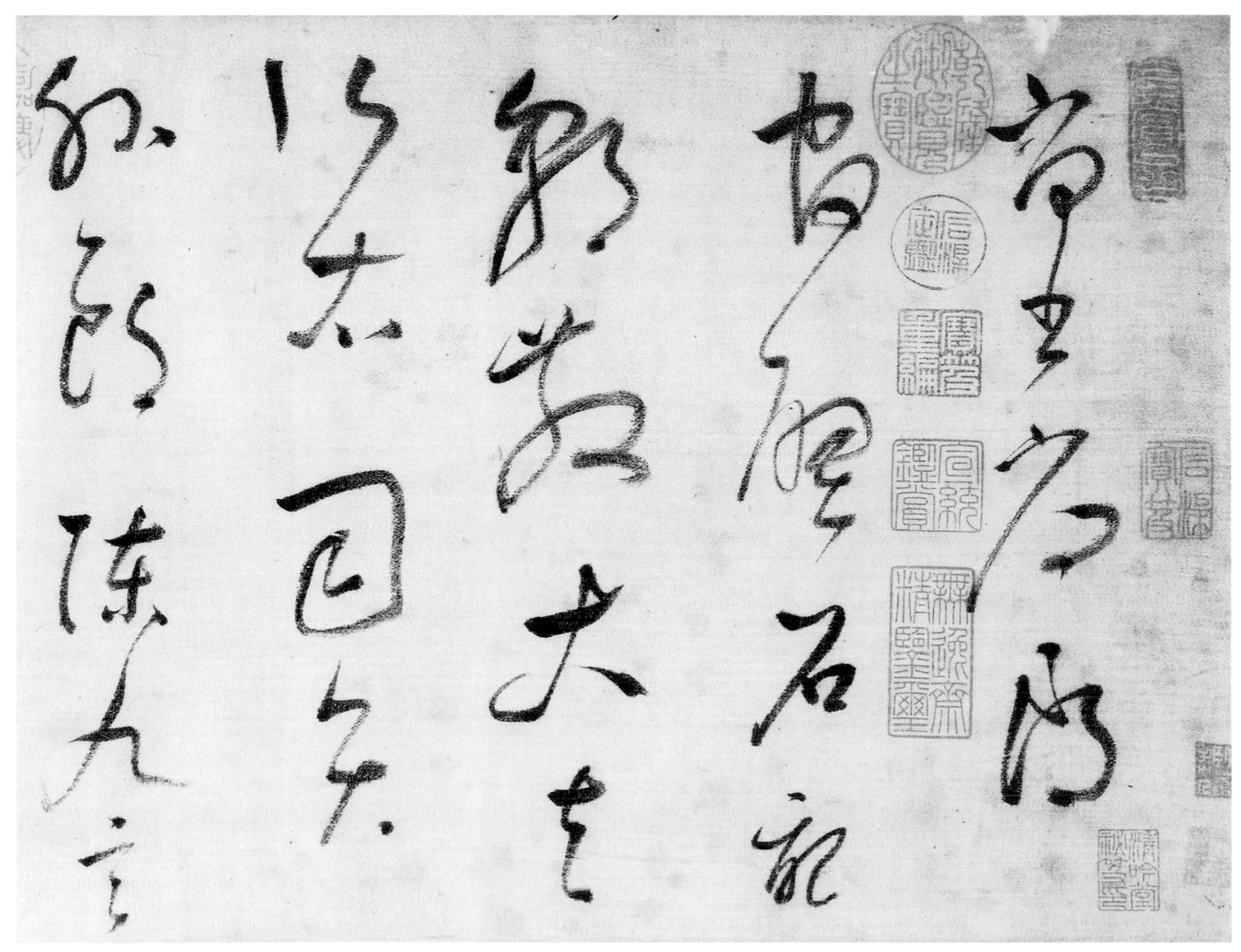

圖1.13
董其昌
《臨張旭郎官壁石記》
1622
（左）卷尾 （右）卷首
卷 綾本
26.7×328.3公分
美國底特律藝術中心
（Founders Society Purchase, Henry Ford II Fund. Photograph (c) 1980 Detroit Institute of Art）

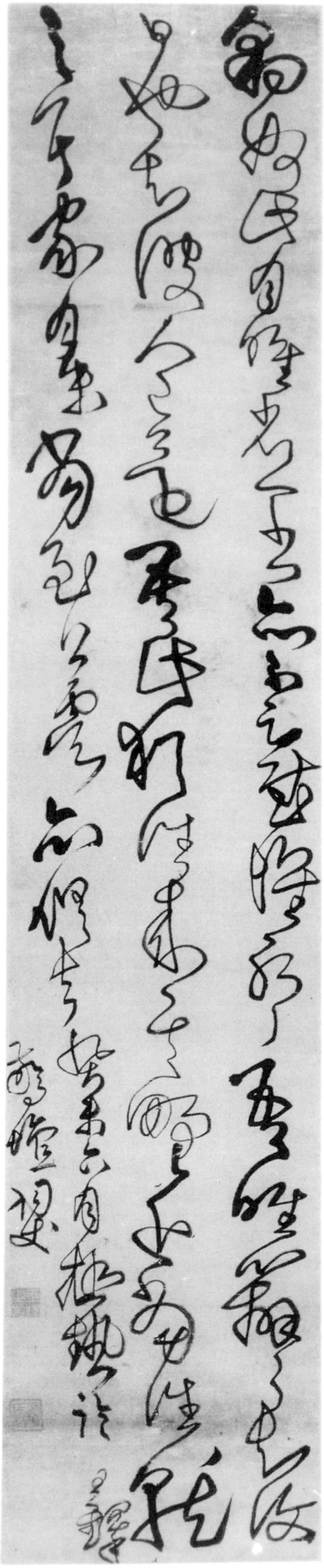

鈔錄楊凝式的草書作品《神仙起居法》，由於他在題款中寫明「楊少師《神仙起居法》，仿《韭花帖》筆意」，所以從來沒有人懷疑它是僞作。[74]

在中國書法藝術中，人們把摹、臨、仿作爲對範本忠實程度不同的「複製」手段。將紙覆蓋在原作上進行雙鉤廓填或摹寫，自然是最爲忠實的複製；臨則通常指對著案上的範本進行模仿，因此臨作在字體上也應該和範本的字體一致；而仿雖與臨有相通之處，但卻有更大的自由度，它可以指用某一範本的筆法書寫不同的文本。像上述董其昌以《韭花帖》的筆意來書寫楊凝式的草書作品《神仙起居法》即爲一例。董其昌還曾使用行楷書去鈔錄顏眞卿的楷書名作《大唐中興頌》。[75]因此，底特律手卷的問題就出在那個「臨」字上。如果董其昌自稱是以懷素筆意仿之，學者們對此將不會存在任何疑問。

因此，我們需要看看晚明其他的書法家怎樣使用「臨」這個概念。如果我們承認底特律手卷是董其昌的「臨」古之作，那麼，儘管這種臨摹充滿創意，但董其昌並未戲劇性地改變原作的文本。然而，晚明「臨」的概念到了王鐸那裡卻得到更進一步的拓展。王鐸一生臨摹了許多古代名作，特別是北宋的《淳化閣法帖》。[76]有些臨本和範本很相似，顯示出他仍然承襲傳統的臨摹觀念，將臨摹作爲學習的手段。[77]但是王鐸其他的臨摹，特別是有些巨幅掛軸，常把「臨」作爲一種創造。高文龍指出，王鐸在書寫所謂的「臨」作時，常會割取數

圖1.15 王鐸 《臨二王帖》 1643
軸 絹本 尺寸不詳 藏地不明
祁小春提供照片

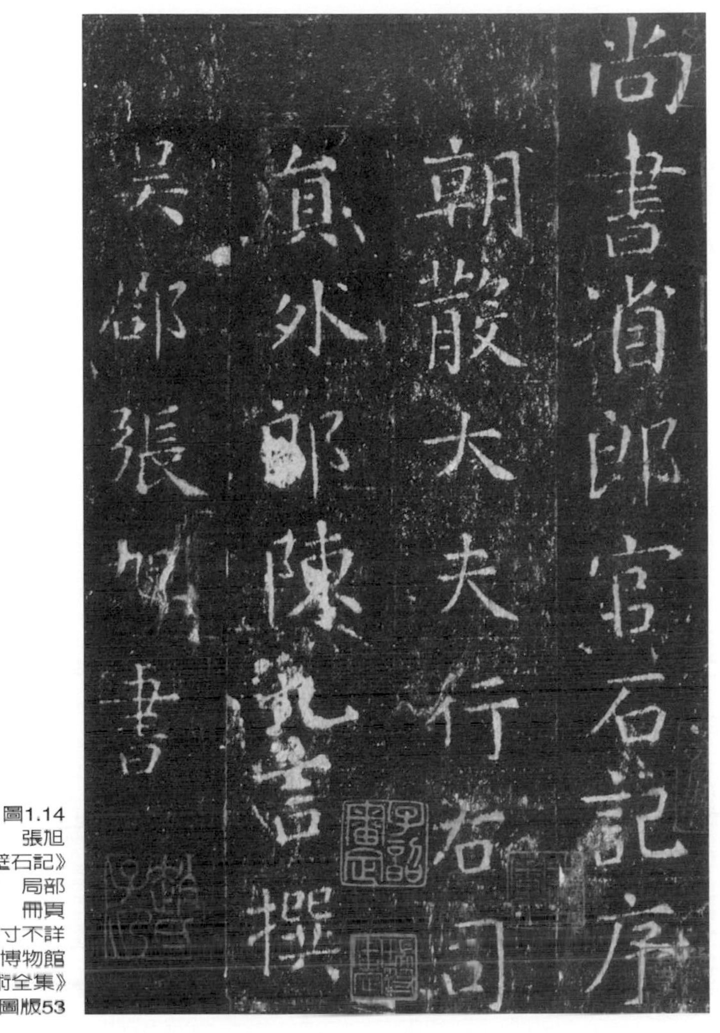

圖1.14
張旭
《郎官壁石記》
741 局部
拓本 冊頁
紙本 尺寸不詳
上海博物館
引自楊仁愷《中國美術全集》
冊3 頁120 圖版53

帖，拼湊成新的、難以卒讀的「文本」。[78]王鐸於崇禎十六年（1643）六月寫給友人的草書立軸（圖1.15），拼湊了王羲之和王獻之的作品，頗能說明問題。其文本爲：

豹奴此月唯省一書亦不足慰懷耶吾唯辨辨知復日也知彼人已還吾此猶往來其野近當往就之耳家月末當至上虞亦俱去。癸未六月極熱臨。王鐸。鶯壇詞丈

此軸的起始「豹奴」至「慰懷」十三字取自《淳化閣帖》第十卷王獻之《豹奴帖》（圖1.16）。[79]此後的「耶」字爲王鐸所加。自「吾唯」至「就之耳」二十六字出自《淳化閣帖》第八卷王羲之的《吾唯辨辨帖》（圖1.17），但文本和原文略有出入。「月末」以下出自《淳化閣帖》第八卷王羲之《家月帖》（圖1.18）。此軸乃拼湊二王父子書法而成，但王鐸改變了自然順序，先臨王獻之，再臨王羲之。由於是拼湊，即使每個字

都能辨認，全篇的文義依然令人無法理解。而王鐸偏偏在款中加了「臨」字，而正是這個「臨」字說明，這一作品屬於我所說的「臆造性臨摹」。

王鐸這件作品的形式和風格特徵，和他聲稱所臨的範本也極不相同。他所「臨摹」的作品是三通收在刻帖中的短札，原札的每個字不足方寸，他卻寫成巨幅掛軸。Dora Ching指出：「王鐸是最早將私人信札轉換成為巨幅掛軸的書家之一。這種形制在明代尚屬新穎，但以後漸漸普及且廣為流行。」[80] 王鐸所選上述三個法帖，本身就有不同的風格。王獻之的《豹奴帖》為行書，運筆迅捷。王羲之的《吾唯辨辨帖》是小草，字與字間隙清晰，縈帶不多，比《豹奴帖》含蓄。王羲之的《家月帖》則在法度中透露出優雅的氣質。然而王鐸的立軸卻全然看不到這些特質。此軸中，字的最後一筆常常連接著下個字的第一筆，字字相屬，不斷變化的線條穿插迴旋，連綿大草將三個法帖組成一個有機的整體。從運筆的速度和字的連綿之勢來判斷，王鐸在書寫此軸時，絕不可能是一邊翻著法帖一邊書寫。王鐸曾勤奮而又忠實地臨摹過不少古代大師的作品，包括收在《淳化閣帖》中的諸多二王尺牘，[81]既然他曾反覆地臨摹這些尺牘，無疑能記誦整篇或部分文字。當他書寫1643年的掛軸時，因為寫的是收在《淳化閣法帖》中的幾通短札，這幾札的文字內容對他來說頗為熟稔，因此當其書寫時，一些字句在其腦海中跳躍出現，他信筆寫下，就成了一件獨立的作品。因此，王鐸雖在款中明確申明此乃「臨」作，但此處所謂的「臨」最多不過是背臨。雖說王鐸在書寫前就對所寫法帖的「文」和「書」已經了然於胸並多少作了一些構思，他的書法也有機地統一了整個掛軸的風格，但這一掛軸的「文本」卻是一個令人難以卒讀的雜亂拼湊而已。

然而割取、拼湊古帖而成一件令人難以理解的新作，並非王鐸「挪用」古代大師作品的唯一創作方式。王鐸有一件作於1641年的行書立軸（圖1.19），其文字內容取自米芾對唐代書家歐陽詢《度尚帖》、《庾亮帖》所作的跋和贊（圖1.20）。這兩件作品和米芾的跋贊已收在數種刻帖中，包括王鐸的朋友董其昌輯刻的《戲鴻堂法書》，王鐸應該很熟悉。米芾的題跋共一百二十六字，詳述了歐陽詢的這兩件作品如何成為他的收藏，並列出收藏家的印章，和他本人簡略的評語。題跋之後，米氏又書寫了三十二字的銘贊，讚揚歐陽詢及其書法，然後以名款收尾。但王鐸在書錄此文時，隨意刪削，把原來很完整的文本弄得難以讀通。1641年的立軸僅八十一個字，包括米氏題跋、贊語的節錄和王鐸的題款。這個立軸的前二行共三十一個大字，即《度尚帖》中歐陽詢的官職全銜和作品名稱，內容與米芾的題跋差不多，除了缺少頭兩個字「右唐」

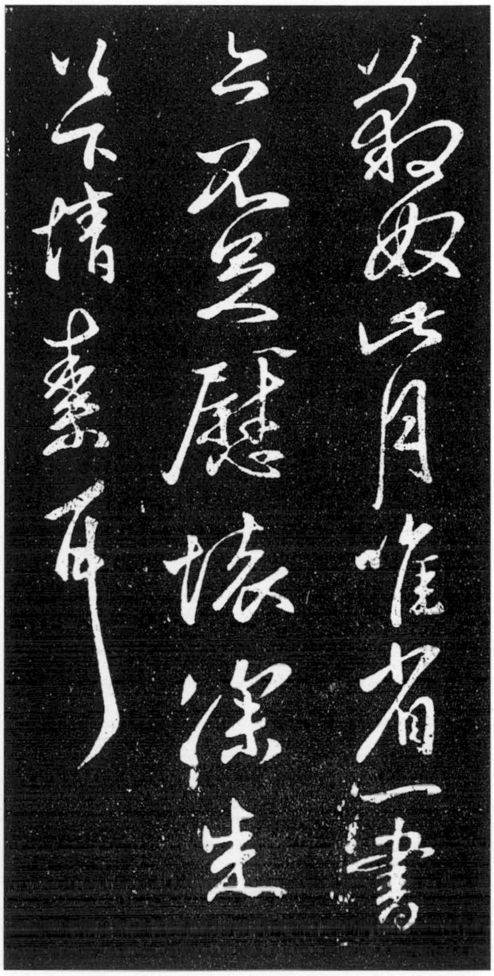

圖1.16
王獻之
《豹奴帖》
拓本　冊頁
紙本　尺寸不詳
引自　《淳化閣帖》　卷10

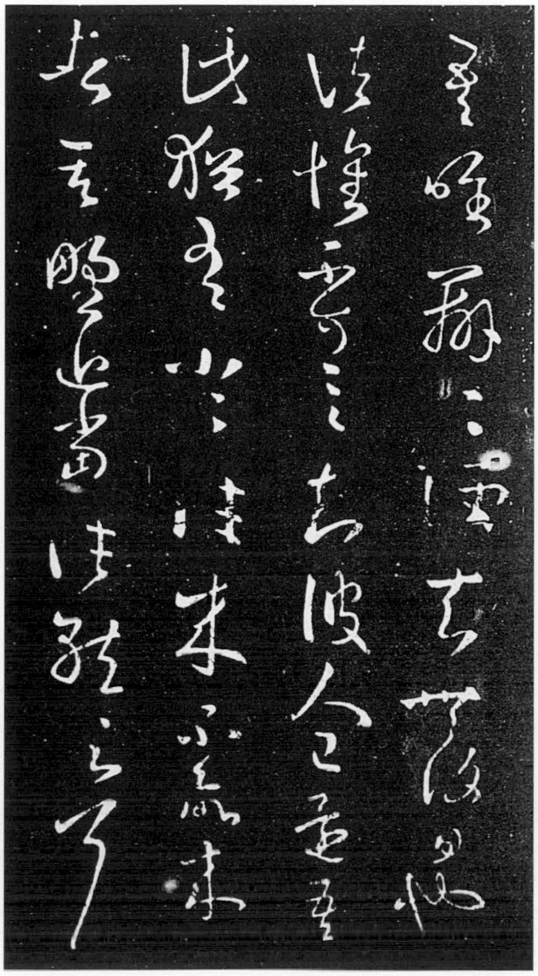

圖1.17
王羲之
《吾唯辦辦帖》
拓本　冊頁
紙本 尺寸不詳
引自　《淳化閣帖》　卷8

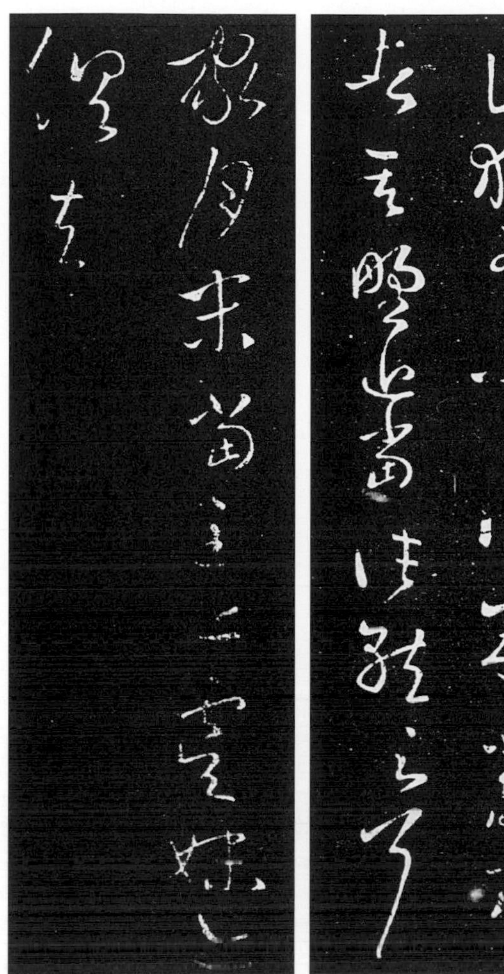

圖1.18
王羲之
《家月帖》
拓本　冊頁
紙本　尺寸不詳
引自　《淳化閣帖》　卷8

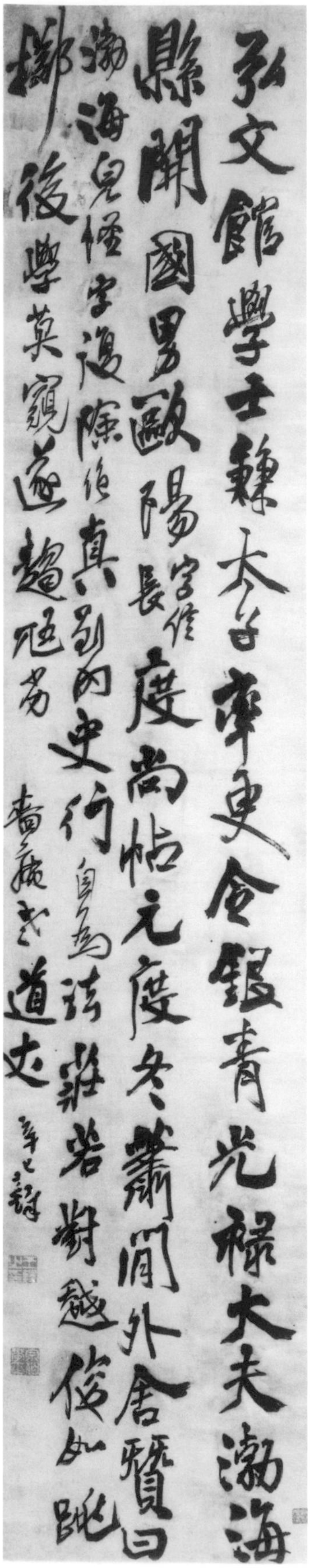

圖1.19 王鐸 《臨米芾跋歐陽詢書法》
1641 軸 絹本 239×37公分
Shiao Hua Collection, Virginia

和署款中「歐陽詢書」之「詢」和「書」二字外，其餘皆非常接近米芾題跋的前兩行。但是接下來王鐸卻省略了米氏題跋的大部分，直接跳到最後兩行「元度冬蕭閑外舍贊曰」。而且他誤將「元祐」（北宋年號，1086-1093）寫成「元度」，令人不知所云。王鐸立軸中的第三、第四行爲米氏的贊，而非米氏題跋的一部分。因爲他省略了米芾的名字，這可能會使不熟悉原文的觀賞者認爲原作爲歐陽詢而非米芾所寫。此外，在米芾的書作中，題跋和銘贊是以同樣大小的字寫出，題跋在前，贊在後，並無明顯的主次之分。但王鐸在此卻以大字書寫題跋，以小字書寫贊，後者看起來就像是附於前者之後的一段跋尾。原作文本之間的關係被改動了，加之題跋部分已被嚴重刪改，令人產生莫名其妙的感覺。

如果把王鐸存世的臨書作一綜合觀察，我們會發現這樣一個有意思的現象：在許多情況下，王鐸手卷、冊頁上的臨作相對來說比較忠於所臨範本，儘管文本中常有脫落的情況發生。上述那種混雜性的拼湊大多發生在立軸上（例如上文所討論的那兩件作品）。手卷適合於個人觀賞或展示給一些親密的朋友觀看。而那些立軸的尺幅通常很大，小者高一點五米左右，大者近三米，這樣的巨幅屏條當是懸掛在廳堂最爲顯眼的地方，供眾人觀覽。由於書風豪放和文本拼湊帶來的戲劇性和荒誕性，其視覺衝擊力當能吸引觀者的注意。由於沒有具體的文字記載，我們已無法確知，當人們面對這

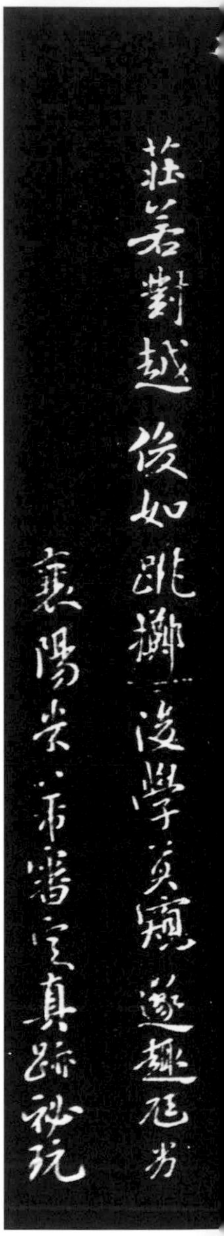

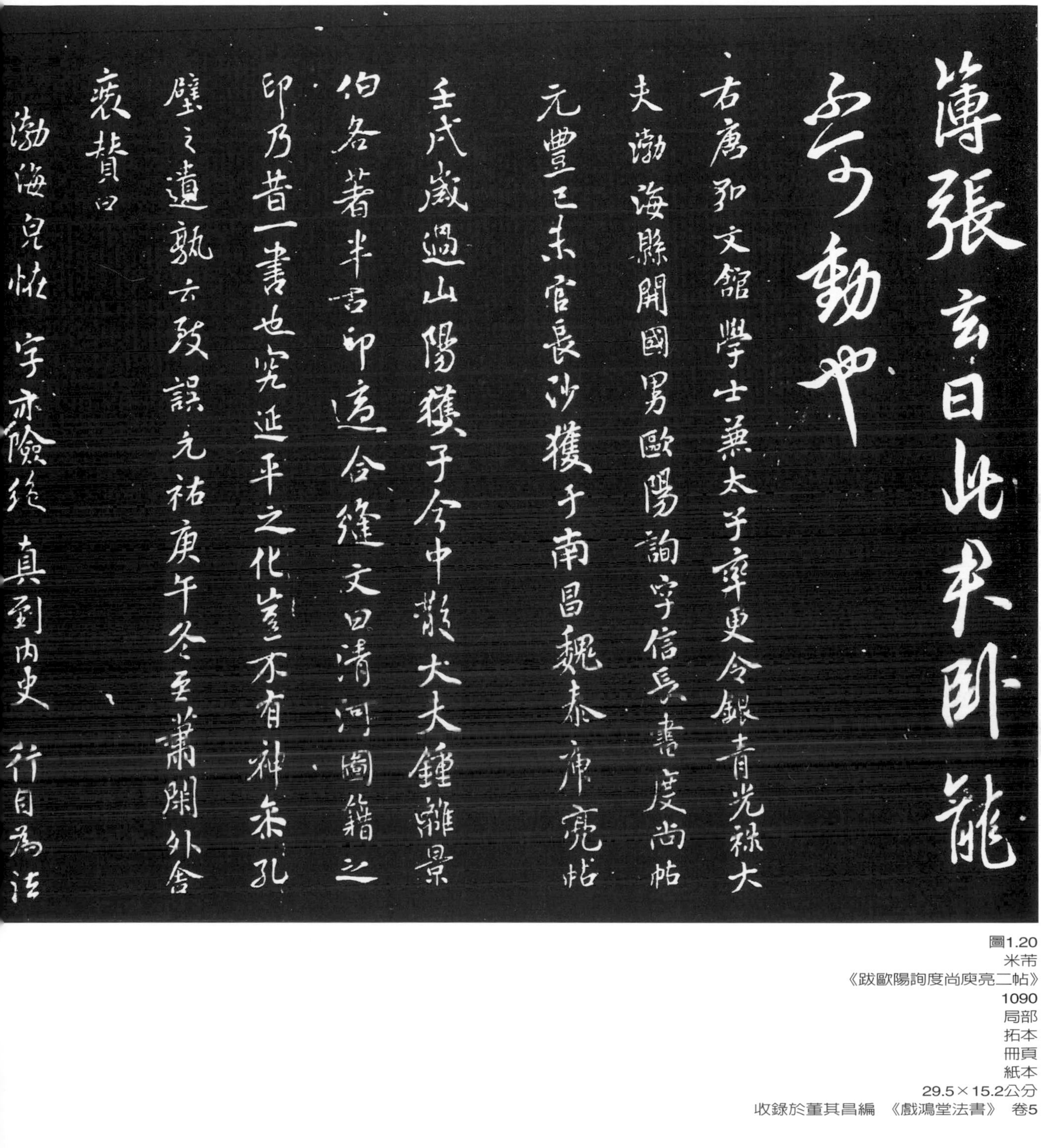

圖1.20
米芾
《跋歐陽詢度尚庾亮二帖》
1090
局部
拓本
冊頁
紙本
29.5×15.2公分
收錄於董其昌編 《戲鴻堂法書》 卷5

樣難以卒讀、卻又氣勢撼人的作品時，會作何等感想。不過王鐸曾在一段跋文中聲稱自己「恒書古帖不書詩」，[82]由此推測，這種臆造性的臨書應頗受時人歡迎，並擁有相當大的觀眾群。[83]

王鐸是崇禎到順治年間最有才華和最有影響的書法家之一，而且是兩朝顯宦。當他的這種臨書作品被堂而皇之地懸掛在廳堂的中央時，主人不但可以向人們顯示他和一位當代大書家之間的關係，或許還可用這難以卒讀的書法考考來客。書法在此已不僅僅是對筆墨、點劃、章法的欣賞，它還是一種可以引納人們參與其中的文字遊戲：來訪的朋友和客人們在欣賞王鐸出色不凡的書法藝術之餘，還可以在探索這種「書法拼貼」的範本淵源和解讀其文字含義中獲得娛樂。凡此種種，都瀰漫著晚明的品味：「奇」。

以上我們對晚明的「臆造性臨書」作了描述。上述例證說明，晚明時期「臨」的概念在內涵上比這之前和這以後（清初以後）「臨」的概念都寬鬆得多。[84]在這些「臨

圖1.22
陳淳（1484-1544）
《仿米氏雲山圖》
1540
局部
卷
紙本
水墨
37×881公分
台北石頭書屋

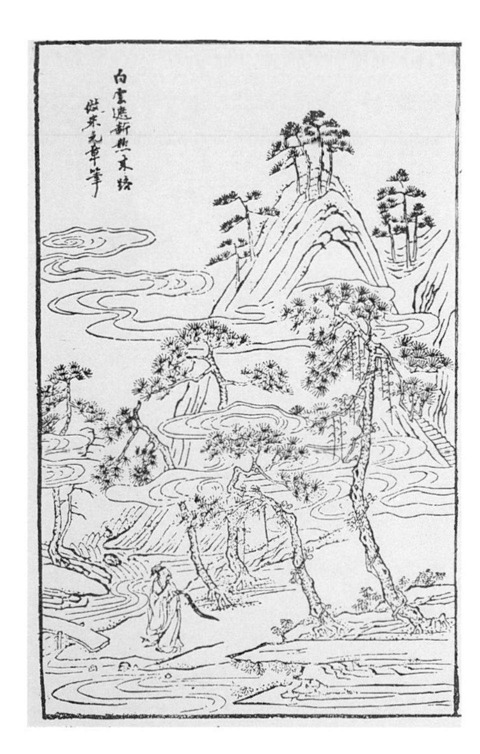

圖1.21
晚明小說《麒麟墜》插圖
引自傅惜華《中國古典文學版畫選集》
冊1 圖版272

書」中，不僅有古代的法帖經典和「臨」書人之間的對話，還有「臨」書人通過恣意改造、肢解、拼湊、假託經典所造成的「文字遊戲」，操縱著與觀書人遊戲的主動權。在看似漫不經心、瀟灑的「臨書」中，出人意料的花樣層出不窮。造謎與猜謎成爲了晚明書法創作和欣賞中一種特有的現象。在這裡，創作者以遊戲的方式對待古代的法帖和自己的筆墨，通過「臨」字把觀者引入自己設置的遊戲之中，觀賞者在面對這樣的書作時，不斷地追尋文本的淵源，並試圖解讀拼湊錯亂的文字，在錯愕、警覺、驚奇中調整自己的注意力，調動自己的知識儲備和想像力，整個解讀和欣賞過程因此充滿了挑戰性和刺激性。

無論是董其昌把楷書範本「臨」成草書，還是王鐸任意割切、拼湊法帖，他們的遊戲都有這樣一個共同特點，既取之經典又調侃經典，在賣弄經典的同時又戲弄觀眾。我們不能不說，晚明書壇是一個時時處處搬出經典、而經典又處於式微的時代。但是，這絕不是發生在書法領域內的孤立現象，而是那個時代文化症候的縮影。當我們從一個更大的文化背景中去考察晚明的「臨摹」現象時，就能感受到經典的尊嚴在晚明的許多文化領域中已經衰落了。

萬曆年間印行的小說《麒麟墜》中有一幅山水畫插圖（圖1.21），款中有「倣米元章筆」五字。米芾（元章）以書法聞名於世，山水畫也很出色。雖說今天並無米芾山水畫的眞蹟存世，但經過古代繪畫著錄和其他著作的描述，米氏風格仍然爲後代藝術家所熟知。而且經由其子米友仁（1074-1151）的存世作品，或許更重要的是經過世代相傳的某種圖像及其表現手法所形成的傳統（姑不論米芾原作的風格特徵是否已經消失），畫界早已存在著被普遍接受的米家山水風格。在這一風格的山水畫中，山巒呈橫勢，由無數的短點暈染而成的山峰，繚繞著雲霧之氣（圖1.22）。然而，《麒麟墜》中的山水畫插圖和人們通常接受的米家山水的基本圖式毫不相類，而刻書人依然稱其爲「倣米元章筆」。這個例子顯示，晚明視覺藝術在詮釋古代經典風格時，不但是自由的，甚至是恣意的。

《麒麟墜》中的山水畫插圖還把我們的注意力引向晚明印刷業在上述自由挪用古代經典的文化氛圍中所扮演的角色。雖然書法與印刷文字非常不同，但兩者都以文字爲基本媒介，且和閱讀相關。因此，晚明書法是否受到當時印刷文化的影響，頗値得探究。其實，晚明經典尊嚴的衰落首先發生在書籍出版領域。明末清初大儒顧炎武（1612-1682）曾這樣痛斥晚明人妄改古書的風氣：

萬曆間，人多好改竄古書。人心之邪，風氣之變，自此而始。[85]

晚明書法中的「臨摹」和當時印刷文化中一些製作和複製的模式頗相類似。當印刷出版業在晚明蓬勃發展之際，新的閱讀群也隨之出現。出版業採取了多種多樣的方式來使用舊的文本（經常表現爲對古代文本擅自剪裁刪改）。一些古代經典作品經過剪裁後，常與當時流行的通俗文本混在一起，編成滿足市場需求的新書籍。有時無名氏的作品被冠以古代或當代文化人物的大名，以增加其銷售量。[86]晚明人在刻書時擅加竄改的例子不勝枚舉。如董其昌的好友、文壇領袖陳繼儒（1558-1639）在他所刻《寶顏堂秘笈》叢書中，對所收書籍任意刪節。董其昌在刻《戲鴻堂法帖》時，也將古人的作品硬行拼湊。[87]更有甚者，在這一時期出版的通俗讀物中，我們常可看到套用前代經典的標題，而徹底地篡改其內容的現象，傳統經典的標題剩下的不過是一個空殼而已。刊行於晚明的小說集《歡喜冤家》中有一段故事頗可和上述的「臨書」媲美。在第九章中有一段講述主角二官如何通過改寫古代《千字文》文本來勾引他的嫂嫂：

……二官道：「原來嫂嫂記得《千字文》的。我如今沒有功夫，今晚空了，把《千字文》顛倒錯亂了，做出一個笑話兒來與嫂嫂看。」……果然到晚上，二官把《千字文》一想，寫在紙上，有一百三十四句。（以下爲二官所做《千字文》，略）……次早，二官叫道：「嫂嫂，昨日《千字文》寫完了，請嫂嫂看一看，笑笑兒耍子。」[88]

《千字文》原文本有二百五十句，一句四字共一千字。二官從中取出一百三十四句，打亂原有的秩序，在每句的前面加三字，按照自己的思路編成了一個帶有色情內容的順口溜。如《千字文》原文中的第一句爲「天地玄黃」，被二官加了「同到老」三字，改成「同到老天地玄黃」，並放在其順口溜的結尾，暗示他期望能和嫂嫂作一對天長地久的情人。有趣的是，二官不僅僅把古代的名篇機智地刪改成勾引嫂嫂的順口溜，而且他仍稱之爲《千字文》，儘管他的順口溜和《千字文》原文在內容上大相徑庭，字數也僅有九百三十八字。這種對知名作品的「戲擬」，無疑增加了小說的戲劇性，用二官的話來說，這是「笑笑兒耍子」。

雖然《千字文》不像《禮記》、《論語》等著作那樣具有正統儒家經典的地位，但它對中國社會產生的影響不應忽視。明清之際，《千字文》和《三字經》、《百家姓》一樣，是最流行的啓蒙讀物，[89]其內容涉及自然、社會、文化諸多方面，並充滿著道德訓誡的意味，所以堪稱一種不同於四書五經的字書「經典」，歷代的著名書法家（如宋徽宗[1101-1125在位]、趙孟頫、文徵明[1470-1559]等）都有書錄《千字文》的書法作品傳世。而這一具有說教意味的啓蒙讀物在二官的篡改下，不但面目全非，而且原有的教化功能也喪失殆盡。把經典作品改造成順口溜以達到娛樂效果，這個現象反映出晚明人對待古代經典的態度發生了重大變化。

類似的例子在晚明的小說中更多。例如，晚明流行的短篇小說集《警世通言》中，超脫玄遠的莊子（西元前約369至西元前286）竟被描寫成一位追逐名利和肉慾的凡夫俗子。[90]當時玩弄經典最極端的例子，便是把儒家經典四書五經中的言詞改成飲酒時行的酒令或打情罵俏的打油詩、甚至赤裸裸地描述男女性交過程的黃色笑話，正統經典的內容全然被改造成低級的搞笑娛樂。[91]

刪削古書、拿古代經典開玩笑，在當時翕然成風，以至晚明流行的短篇小說集《拍案驚奇》的作者凌濛初（1580-1644）在其序中這樣寫道：

> 近世承平日久，民佚志淫。一二輕薄惡少，初學拈筆，便思污蔑世界，廣摭誣造，非荒誕不足信，則褻穢不忍聞，得罪名教，種業來生，莫此爲甚。而且紙爲之貴，無翼飛，不脛走。[92]

凌濛初生動地指出，「污蔑世界，廣摭誣造」，把玩弄和詆毀古代經典作爲一種獲得名聲的方式，是當時普遍存在的文化現象。這一切都說明，晚明時代，古代經典的權威性不僅爲人們所懷疑，甚至受到褻瀆和挑戰。

晚明的印刷業也曾大量出版儒家經典以及《千字文》那樣帶有儒家道德內容的作品，這使得許多學者相信，日漸蓬勃的印刷文化使儒家思想廣泛地深入社會各階層，強化了儒家思想在這一時期的統治地位。[93]但這一觀點忽略了印刷業發展的另一側面，即印刷技術雖可以大量出版古代經典，但量的增加反而可能引起人們對唾手可得的經典失去往日的敬重。上述對古代經典擅加篡改歪曲的例子說明，古代經典的光環正逐漸銷蝕，戲擬經典在晚明十分流行，誠如凌濛初所說，這種文化遊戲是「無翼飛，不脛走」，成爲當時文化風氣的一道奇特景觀。書法領域中的「臆造性臨摹」正是這一風氣下的產物。

有人可能會提出這樣一個問題：一般說來，書法是中國傳統文化菁英的藝術，而上述屬於晚明通俗文化的一些現象，是否能用來比類文化菁英書法中的臆造性臨書？答案是肯定的。在晚明，上層菁英文化和通俗文化之間的互動十分活躍，兩者之間的界限有時相當模糊。何惠鑑和何曉嘉在一篇討論董其昌的文章中指出：「董其昌是一位鮮爲人知的元劇、散曲及明代白話小說的收藏家。近年的研究發現，他極有可能還是小說鉅著《金瓶梅》的最早發現者。他的早年好友當中有幾位是俗文學的領袖人物，其中包括湯顯祖和梁辰魚（約1520-約1580）。董其昌一度曾擁有迄今所知最爲重要、收集最廣的元代戲曲集，即首由趙琦美（1568-1624）結集、今藏北京圖書館的《也是園古今雜劇》，加上他向晚明知識界如公安三袁介紹小說《金瓶梅》所起的文化媒介作用，單是這些貢獻就足以使他在中國文學史上佔有榮耀的一席之地。所以他既是美術中文人趣味無可爭議的仲裁者，同時也是文學中通俗趣味之默不作聲的旗手，這亦表明他對十七世紀雅、俗這兩個傳統的由分而合具有獨到的銳識和洞察。」[94]

本節所論文化菁英們的臆造性臨書，固然不能和晚明市民文化中對古代經典玩世不恭的調侃和肆無忌憚的歪曲完全等量齊觀，但書法家如此隨心所欲地割裂取捨、拼湊竄改歷代奉爲書學經典的古代法帖，和上述風氣不無關係。

除了對古代經典態度的轉變，Harold Bloom所稱的「影響的焦慮」（anxiety of influence）對「臆造性臨摹」的興起也有一定程度的影響。[95]蒲安迪（Andrew Plaks）在討論晚明小說時指出：「這個時期具有高度自覺意識的藝術家，面對文化遺產時，都會因如何爲自己在歷史上定位而感到強烈的壓力，因爲這些文化遺產對任何個人或眞正的大師來說，都已是過於龐大。」[96]晚明的書法家面臨相同的問題：傳統既是他們汲取靈感的豐富遺產，也是焦慮的來源。在董其昌的一些論述中，我們可以感到一種既想忠於傳統、又亟需創造發明的焦慮。董其昌一生致力於研究古代大師的作品，但他又提出，一個傑出的書家應該和古代的大師拉開距離。

當對宣揚自我的追求超過了對繼承傳統的重視，在這樣的時代，一個胸懷大志的藝術家在仰慕前人風範時，也會感到焦慮。和董其昌一樣在藝術上雄心勃勃的王鐸，同樣對活在古代大師陰影之下感到焦慮。王鐸在1646年所書的一個草書手卷的跋文中，自負而又不平地寫道：「吾學書之四十年，頗有所從來，必有深於愛吾書者。不知者則謂爲高閑（九世紀）、張旭、懷素野道，吾不服！不服！不服！」[97]從王鐸鏗鏘有力、再三疾呼的「不服」中，我們聽到了焦慮的聲音。[98]在此，王鐸斷然拒絕的不只是世人對其書法「不公允」的評斷，還在於拒絕被視爲唐代三位草書大師的追隨者。結合著「頗有所從來，必有深於愛吾書者」這句自負的話來看，王鐸隱含著他對自己書法的評價：遙接東晉書法的巨大成就，彷彿唐朝李陽冰所謂「斯翁之後，直至小生」。雖然王鐸從未挑戰王羲之和王獻之的權威地位，且聲稱他的書法源於二王，[99]但他對二王法書的割裂和拼湊，已經改變了（如果不是「顛覆」了的話）他與所「臨」經典之間的關係，從而顯示了自己可以自由地改造古代大師作品的能力，他本人才是創造力的眞正源泉。

總而言之，晚明書法家雖然繼續尊崇古代大師的成就，但他們不再把古代大師視爲必須以敬畏之心來對待的偶像，也不必亦步亦趨地追隨。儘管臨摹古代大師作品依然是學習書法的門徑，但是晚明書法家也在對古代大師的「戲擬」中尋求愉悅。古代經典的絕對權威和約束力衰微了。

經典權威的式微帶來兩個結果：第一，書法家開始在更大的程度上偏離自古以來爲書家所信奉的經典。他們不甘被動地接受偉大而且深厚的傳統，而是更爲積極地去從事創造性的詮釋。第二，古代名家經典的衰微還意味著，書法家的創作不再拘泥於經典，還可能對以二王爲中心的名家譜系以外的書法資源予以關注。正如我們在下面的章節中將會看到的那樣，出自古代無名氏之手的金石文字，終於在清初成爲書法藝術革新的重要資源。

文人篆刻對書法的影響

文人篆刻的興起

在徐世溥的名單中，除了董其昌之外，另兩位文人藝術家是趙宧光和何震，他們的名字與篆刻藝術緊密相連，而篆刻在萬曆年間成爲一項重要的文人藝術。徐世溥把「何氏之刻印」置於所列文化成就之末，大概部分原因是由於何震並非出身菁英階層。無論如何，在中國藝術史上，篆刻被置於重要的文化藝術成就之列，是首見於徐世溥的名單的。多少個世紀以來，書法和繪畫早已成爲文人生活不可或缺的部分，篆刻直到晚明才眞正成爲一種新興的文人藝術。而這一「新興」藝術對書法造成了至關緊要的衝擊。

趙宧光是蘇州人。在當時的文化界，蘇州文人一直操持著藝壇月旦評的大權，對引導文化潮流和品味扮演著重要的角色。趙宧光在蘇州寒山過著隱居的生活，生前就已經成爲文化界傳奇式的人物。他的園林、服裝、舉止、談吐，都爲同代人所仰慕。[100]趙宧光的《說文長箋》刊於崇禎年間，是晚明最重要的文字學著作。作爲一位著名的古文字學家和書法家，趙宧光將書寫草書的方法應用到篆書上，創造了「草篆」（圖

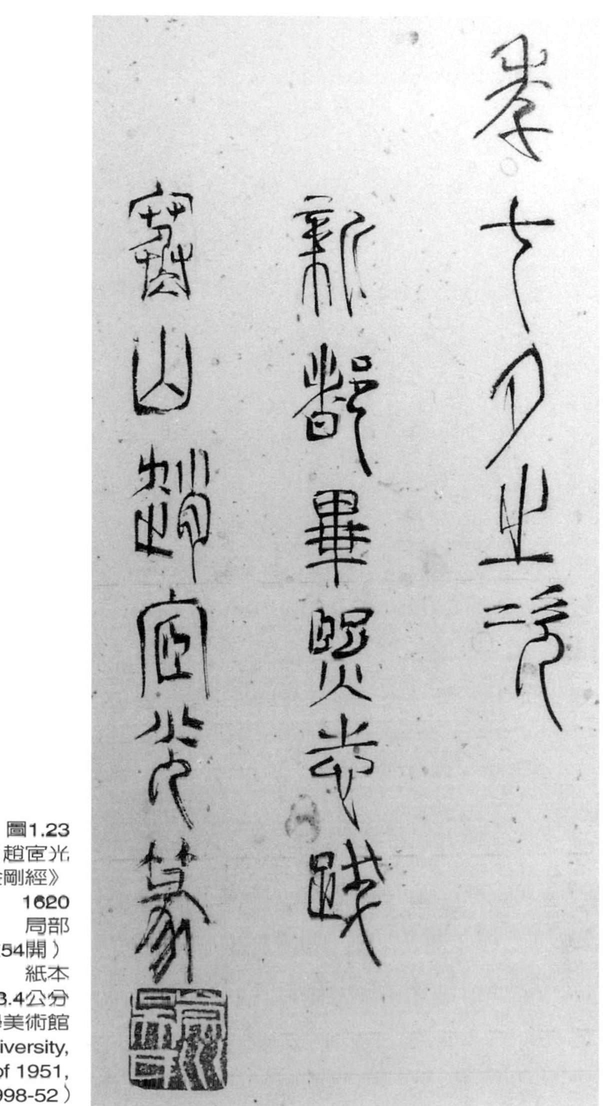

圖1.23
趙宧光
《跋張即之金剛經》
1620
局部
冊頁（全128開，題跋54開）
紙本
每開29.1×13.4公分
美國普林斯頓大學美術館
（Art Museum, Princeton University, Bequest of John B. Elliott, Class of 1951, Photograph by Bruce M. White, 1998-52）

1.23）。這種書法在歷史上並無先例，完全由趙宧光師心自造。而草篆的發明亦展示了晚明書法發展的兩條主要脈絡。一方面，把草書的方法施於篆書這種日常書寫中較少使用的字體，反映了人們對書寫古體字逐漸增長的興趣，並以此作爲標新立異的資源。（在清初，對古體字的興趣更轉變成爲學者對古代名物制度的探究）。另一方面，這種將草書技法運用於篆書的史無前例之舉，亦反映了晚明書法家打破了字體的界限，不循常規來追求藝術上的革新。晚明的藝術家們，常以不尋常的形式和觀念對以往的書法資源進行富於想像力的使用，標新立異的草篆就是一個典範。[101]

趙宧光本人也是一位篆刻家和重要的篆刻評論家，他與晚明繼何震之後最有成就的篆刻家朱簡（字修能，卒於1624年）頗有交往，並對後者影響至深。[102]趙宧光的家鄉蘇州是晚明文人篆刻的發源地，著名吳派書畫家文徵明的兒子文彭（1498-1573）向來被視爲明代文人篆刻之父。[103]文彭對文人篆刻的主要貢獻是重新引入石章，這種印材因易於篆刻，使得更多的文人能夠直接參與治印。以石治印當然可以追溯到更早的時代。根據文獻記載，元代畫家王冕（卒於1359年）就曾用花乳石刻印。[104]晚近的考古發掘也證明，早在文彭之前，就已有人用石材刻印。[105]然而，直到文彭在南京發現大量石材，並開始把它們用於刻印以前，石章似乎並不普遍。[106]確立以石爲篆刻的主要印材，在中國篆刻史上是一大變革，正如屈志仁所指出：「以石治印是促進篆刻作爲一種新的藝術形式誕生（或更確切地說，把篆刻從古代工匠的專擅轉變爲文人藝術表現的形式）的必要條件。」[107]從此，石章迅速取代金、銀、玉、象牙等成爲最爲常用的印材。

根據萬曆年間的記載，當時迅速擴展的印章市場造成一些印石的價格比玉還高昂。晚明篆刻批評家沈野在談及最爲文人珍視的燈光凍時即說:「燈光之價，直凌玉上，色澤溫潤，眞是可愛。」[108]燈光石產地在浙江青田，萬曆年間，此地所產印石最得篆刻家青睞。稍後，福建壽山石成爲可與青田石媲美的石料。許多晚明、清初的學者和藝術家皆極力讚揚來自浙江青田和福建壽山的印石之美，清初詩人王士禛（1634-1711）有如下記載：

> 印章舊尚青田石，以燈光爲貴。三十年來閩壽山石出，質溫栗，宜鐫刻，而五色相映，光彩四射，紅如靺鞨，黃如蒸栗，白如珂雪，時競尚之，價與燈光石相埒。[109]

對印石的眷愛，也和一千多年來文人蓄石和賞石的傳統相接。而蓄石、畫石、刊印石譜，也成爲一種風氣。[110]珍奇之石本身也成爲令人讚美、具有文化象徵意義的物品。[111]

在可人的石章上刻下雋永的詩句、警句格言和高雅的別號齋名，加之邊款、印鈕和人物、山水、花鳥薄意，石章使文人篆刻成爲一種可將書法、文學、繪畫、雕刻等融爲一體的袖珍藝術。印章能在文人中廣爲流傳，還在於印章具有以下幾種物質特徵。首先，石章比紙絹之質的書法繪畫更堅固，更耐久，更便於收藏。其次，印石體積很小，通常在方寸之間，容易攜帶，可以反覆把玩。用手摩挲，可以感受溫潤之質；用眼觀賞，可以欣賞光瑩之澤。晚明人談論印章時，即喜用「玩」、「潛玩」、

「把玩」這樣的辭彙。[112] 再次，治印時左手握石，右手持刀，手和物保持親密無間的接觸，在石章上運刀，或衝或切，崩裂聲中，石花應刀而出，讓中國文人嘗到了親手製作玩物的愉悅。萬曆年間的畫家、篆刻家李流芳（1575-1629）曾經回憶年少時與友人酒後治印的生動情景：

余少年遊戲此道，偕吾休友人競相摹倣，往往相對，酒闌茶罷，刀筆之聲，札札不已，或得意叫嘯，互相標目，前無古人。[113]

晚明文人對物品製作的興趣日益濃厚，沈野更把文人操刀治印和六朝嵇康（224-263）之好鍛、阮孚（活躍於317-329）之好蠟屐相提並論，[114] 強調寄興於物品製作過程的快樂。在晚明的工藝品中，印章似乎還起著一個十分特殊的作用。曾藍瑩曾在一篇書評中指出，晚明一些文玩，如玉雕與製墨，尤其是陸子剛所雕的玉牌，方于魯及程君房所製的墨，都嘗試著在不同材質的平面上，表現清雅的書畫趣味。她以爲，文人的刻印藝術或有可能扮演了火車頭的角色，帶動工藝界發展書畫式的文人品味。[115] 除了玉雕和製墨，晚明的刻竹和陶藝也極具文人意趣。時大彬及其他一些陶工所製紫砂茶壺壺底的銘文、用印都極其精緻，是否出自時氏等陶工之手，不得而知。即使不是陶工所爲，也至少說明當時文人和陶藝家之間的合作關係。而文人篆刻家李流芳也擅長刻竹。在晚明杭州文人張岱（1597-1680?）的筆下，當時蘇州工匠製作的種種工藝品是如此精巧雅致。[116] 難怪徐世溥在評價萬曆年間的文化藝術時，直把何震的刻印、陸子剛的玉器、時大彬的陶藝、顧氏的冶金、方于魯和程君房的製墨，與董其昌的書畫、徐光啓和利瑪竇的曆算之學、湯顯祖的詞曲相提並論，作爲當時文化藝術的傑出成就。石章、玉器、陶壺、墨都是三維立體的物品，它們有一個共同點：把玩性。於是，印章就把中國傳統文人喜歡蓄石、品石的傳統與文學（印文、邊款）、書法（篆書）的創作以及篆刻緊密結合，成爲一種能反映晚明文人理念的藝術。文人們沈溺於篆刻時，也獲得了一個心靈的憩息之處。[117]

值晚明文人篆刻興起之際，收藏古印之風也日益熾盛。古代印章以金、銀、銅、玉和瑪瑙等材料製成，形制多種多樣，被晚明文人視爲珍貴的收藏品（圖1.24）。陝西華陰的收藏家王弘撰（1622-1702）在回憶他的老師郭宗昌（卒於1652年）向他展示所藏古印的場面時曾這樣寫道：

郭徵君好收藏古印，積五十餘年，共得一千三百方。有玉印、銀印各數十方。文皆古健樸雅，非近日臨摹者所能及……每出示之，綠紅如錦，龜駝成群，亦奇觀也。[118]

郭宗昌是晚明研究金石學的知名學者，他收藏古印的熱情和他研究金石學的興趣有關，也是爲了向士林展示他何以「夙稱博雅名流」的。[119] 在上下文化互動異常頻繁的晚明時期，嗜古已從一種個人喜好的高雅文化活動，轉變成爲維持菁英階層之社會「區隔」（distinction）的不可或缺的消費模式。所謂「人無一癖，不可與交」，如果一個文人是古物癖好者，他將更容易爲他的文化階層所認可、稱頌。[120]

圖1.24
龜形鈕官印
六朝　青銅鎏金
高5.2公分
Dr. Paul Singer舊藏
引自Kuo
Word as Image p.65

明代文人篆刻之父文彭在萬曆初年去世，而他的朋友兼弟子何震卻將治印推進到一個新的層次。何震充分利用石章的質地，以一種更加自然流暢的刀法治印，由這種刀法造成的殘破，爲何震的印章增添了樸拙的古意。這種刀法留下的痕跡還足以使觀者追溯其運刀過程，並由此評判和欣賞篆刻家高超的技藝。何震還用單刀來刻邊款（圖1.25），用刀尖來追仿毛筆筆鋒的效果，使邊款風格更有書法的書寫意趣。

文人篆刻在萬曆年間的另一個重要發展，是篆刻家個人印譜的編纂與出版。印譜的出現雖可追溯到唐代，[121] 但晚明以前出版的印譜主要是集古印譜。在宋代，由於古器物學的發展，始於唐代的收集古印的譜錄有了長足的發展，形成了集古印譜的傳統，著名者有宋徽宗時的《宣和印譜》。此時，款印、齋館閣印、道號印、成語印和閒章也發展起來。宋、元、明以降，集古印而成譜者，代不乏人。而編纂彙集篆刻家個人作品的印譜卻是晚明的發明。晚明篆刻家使用印譜來保存與傳播自己的藝術，這在文人篆刻史上是個劃時代的突破。印章體積小，雖有把玩性，但在卷軸書畫上鈐蓋印章時，由於印面面積要遠遠小於書畫，即使是用於引首的詞語印，也不可能佔據主要的地位。而且它們被當作書畫家或收藏家的印記來看待，人們關心的是印章的主人而非印章的作者。儘管許多文人書畫家會對印章的藝術水準十分在意，延請篆刻高手來爲自己治印，但書畫家在自己的書畫作品上並不會標明他用的印是誰刻的。書畫家可以通過署名、鈐打私印（名號印）來確認自己對一件書法或繪畫的著作權，收藏家也可以通過自己的收藏印、自己或他人的題簽與題跋來顯示自己對一件藝術品的所有權。惟獨篆刻家做不到這一點。令每一位篆刻家感到遺憾的是，他在自己的作品上署名時，是把名字刻在印石的側面，爲邊款的一部分。但當他爲書畫家和收藏家刻治的印章鈐在書畫上時，這些書畫家和收藏家並不會在所鈐的印章旁標明刻印的作者。篆刻家的作品隨著他人的作品流通，卻無法在鈐有自己所刻印章的書畫上來申述自己對印章的著作權。篆刻家成了「無名氏」，在自己的作品後面隱而不顯。當然，一方印刻

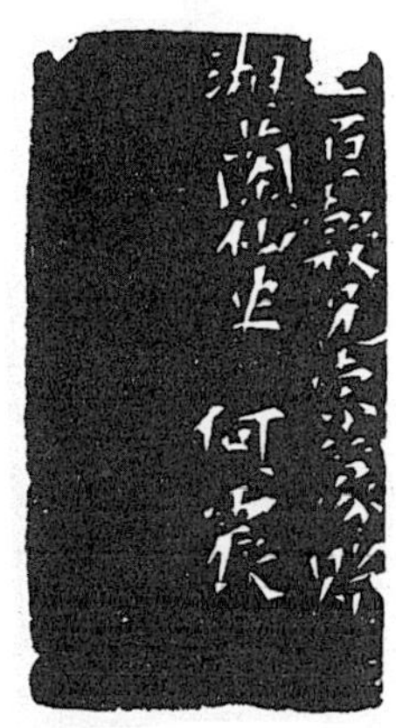

圖1.25
何震
「聽鸝深處」印及邊款
引自方去疾
《明清篆刻流派印》頁6

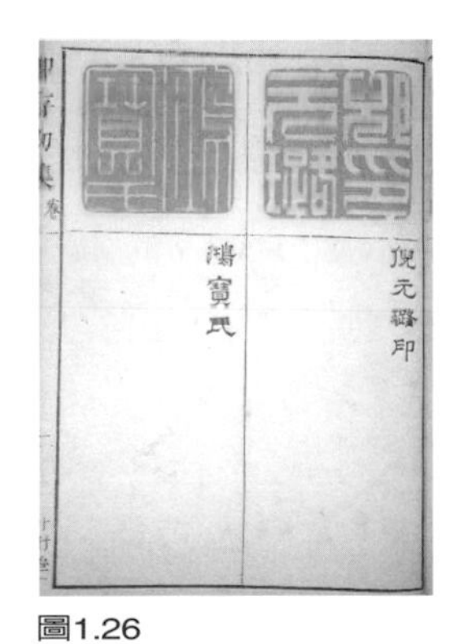

圖1.26
胡正言
「倪元璐印」
「鴻寶氏」
收錄於胡正言
《十竹齋印譜》 卷1 頁2

得好，使用它的書畫家即可告訴他的朋友是誰刻就了這方印。在沒有個人印譜前，人們也可以用印蛻散葉來傳播一位篆刻家的作品。但這樣傳播的範圍和速度會很有限，而且在散葉上很難有其他文人的品評。因此，篆刻家必須借助譜錄這一書籍的形式明確自己的著作權，並獲得發表權。

篆刻家的個人印譜出現後，篆刻的地位發生了重要變化。從此，印章眞正確立自己的獨立地位，可以不依賴書畫的流通而傳播。印譜一旦編成，它的譜名也就記載了作者的姓氏或名字，如《修能印譜》（朱簡的印譜，修能為其字）、《何雪漁印選》（何震的印譜）、《胡氏印存》（胡正言[1584-1674]的印譜），篆刻家的著作權一目了然。借著印譜，篆刻家可以把小小的印蛻彙集起來，使之眞正成為可以容納萬千氣象的「方寸世界」。而私人篆刻印譜也有助於大眾確認篆刻者的個人風格。以出版家和篆刻家胡正言的《胡氏印存》為例，這一印譜收錄了不少胡正言為當代藝術家鐫刻的名章。這些印章，分別為各位書畫家所用時，人們很難知道誰是它們的作者。而這些名章一旦彙錄在一起，就構築了一個完全不同的意義系統。胡正言為晚明著名書法家倪元璐刻的印章出現在倪元璐的書畫作品上，是用來進一步向世人證明這一作品的作者是倪元璐。但同樣一方印出現在胡正言的印譜中，它的功能完全變了。它不僅是倪元璐的「印記」，更是胡正言的「作品」，是他的藝術創作活動的物質載體（圖1.26）。與其他作品一起，它向人們展示胡氏的篆刻風格和水平。《胡氏印存》所收胡正言為同時代名人所鐫名章極多，有董其昌、陳繼儒、鍾惺、譚元春、倪元璐、戴明說（進士1634）、陳明夏（1601-1654）、龔鼎孶、周亮工、……不一而足，似有令天下英才「盡入彀中」的企圖。如果說，書畫家、鑒藏家能通過使用篆刻家為他們鐫刻的印章來確立和強化自己對書畫的著作權和所有權的話，那麼，現在胡正言也可以通過自己的印譜來昭示他和當代文化名人的關係，並以此建立和鞏固自己在文化圈子裡的地位。應該指出的是，為名人刻印本身就可能是自我宣傳的手段。有些著名文人很可能從未用過某位篆刻家為他治的印。但對篆刻家來說，書畫家用不用他刻的印章關係並不大，關鍵是印譜的作者可以顯示自己曾為這些名流刻過印。正是印譜給了篆刻家這種在紙上來構築他與文化界關係的機會。

此外，個人印譜的編纂出版還為篆刻評論開闢了空間。沒有印譜，批評家就不便把一個篆刻家的作品彙集在一起研究、批評。有了印譜，篆刻家還可以邀請當代的文化名人作序、作跋來予以揄揚提攜，以提高他們的知名度和作品的銷路。晚明出版業

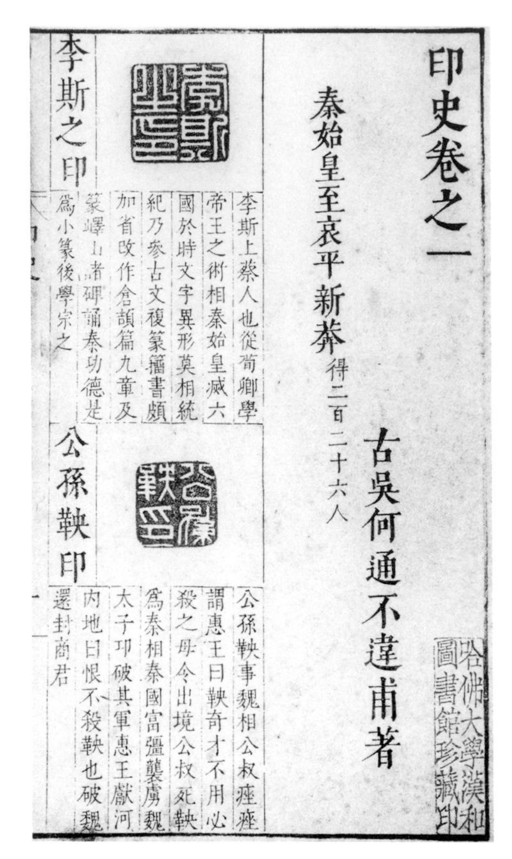

印史卷之一

古吳何通不違甫著

秦始皇至哀平新莽 得二百二十六人

李斯之印

李斯上蔡人也從荀卿學帝王之術相秦始皇滅六國於時文字異形莫相統紀乃參古文複篆籀書頗加省改作倉頡篇九章及篆嶧山諸碑誦秦功德是爲小篆後學宗之

公孫鞅印

公孫鞅事魏相公叔痤痤謂惠王曰鞅奇才不用必殺之毋令出境公叔死鞅爲秦相秦國富彊襲虜魏太子卬破其軍惠王獻河內地曰恨不殺鞅也破魏還封商君

圖1.27
何通
《印史》（1623年刊本）
卷1　頁1
美國哈佛大學哈佛燕京圖書館

非常發達，文化物品在市場上的競爭也相當激烈。在這種情況下，爲擴大影響而尋求名人品評蔚爲風氣。晚明刊印的書中，常常見到一本書中有許多序跋的現象。篆刻家也染有此習。胡正言的《胡氏印存》中有錢應金所撰〈印存初集敘〉，敘云：胡氏「所居白門爲四方賢豪星聚之地，所交皆名公鉅卿。博聞廣見，復有以發其珠聯璧合之彩。遊白門者，不得先生一篆則心恥以爲欠事。」事實上，胡正言在明末清初印壇上雖然很活躍，但成就並不是很高。但錢序卻充溢著讚譽之辭。胡正言讓譜中的序言說出了自己不宜直接說出的話。[122]晚明另一位文人張灝（活躍於十七世紀上半葉）編輯的《學山堂印譜》所收序跋、題記竟多達兩卷，作者包括董其昌、陳繼儒、鍾惺、陳萬言（進士1619）、湯顯祖、徐光啓、譚元春、錢謙益（1582-1664）、吳偉業（1609-1672）等數十人。由於印譜有上述種種功能，編製個人印譜在明末清初篆刻家中風行起來，以致周亮工發出「印至國博（文彭）尚不敢以譜傳，何今日譜之紛紛」的感嘆。[123]

當視國如家
除兇雪耻毋
分門別戶引
類呼朋

儲淚一升悲世事

圖1.28
張灝
《學山堂印譜》 中之兩方印文
（左）「儲淚一升悲世事」（卷2，頁7）
（右）「當視國如家，除兇雪耻，毋分門別戶，引類呼朋」（卷5，頁70） 約1633
美國哈佛大學哈佛燕京圖書館

差不多在篆刻家們開始輯印個人印譜的同時，晚明篆刻的另一個重要發展——主題印譜（亦即圍繞著一個主題來進行篆刻創作並編製的印譜）也開始流行。如篆刻家何通（活躍於十七世紀早期）選擇中國歷史上從秦至元代九百五十二人，將每人的名字製成印章，每一印附一小傳，製成《印史》（圖1.27）。《印史》小傳的字數一般在五十至七十之間，包括傳主的一些重要生平事跡。在這裏，每一方印章實際上成了每個小傳醒目的朱色標題，印文和用藍色油墨印出的小傳相得益彰，非常精美。[124]

詞語印在晚明也有長足的發展。1633年刊行的張灝所編《學山堂印譜》是晚明最重要的詞語印印譜。[125]時值明朝危急存亡之秋，張灝在書的序言中，公開聲明印章具有「興觀群怨」的功能。《學山堂印譜》中，有些印章的印文表達了對當時政治的批評和不滿，其中有兩方印章的印文爲：

1.「儲淚一升悲世事」

2.「當視國如家，除兇雪耻，毋分門別戶，引類呼朋。」（圖1.28）

這些內容幾乎是政治標語，第二方印更是直接表達了對晚明黨爭的失望。

石章的引入對發展文人篆刻雖然起到關鍵的作用，但其他社會和文化的因素對這一藝術的興起的影響也不應忽略。十五、十六世紀的中國（特別是江南地區），經濟的繁榮促進了教育的發展。不少無法通過科舉考試在朝廷中謀得一官半職之人，也成爲一時一地的書法家和畫家，故印章的需求量也在增加，這也促進了一個活躍的印章市場的形成。

這個擴展的印章市場有一個重要標誌，即篆刻家對知名度的渴望。高彥頤指出：「對知名度的追尋是以貨幣經濟爲基礎的城市印刷文化的本質。」[126] 在一個藝術家和工匠都深深地意識到名聲之於藝術市場的重要性的時代，個人印譜無疑成爲提高篆刻家知名度的一個重要媒介。[127]事實上，篆刻之成爲一門受人尊重的藝術（反映在對篆刻家知名度的認同、篆刻家在邊款中署名、個人印譜的刊行、印譜序言以及印評對篆刻家的揄揚等），直接與文人參與篆刻相關。在印章主要由工匠刻治的時代，名氣對一位社會地位不高的工匠來說，並非總是必需的。所以，以工匠爲製作主體的前代，印章藝術是「無名氏」的藝術。直到篆刻成爲文人藝術後，人們對這個領域的宣傳、出版及聲名的追逐才顯示出極高的熱情。

篆刻的迅速發展在很多方面還應歸功於經濟活動的頻繁。明代中葉以後，經濟活動頻繁，印章的使用率提高。印章向來被用於法律文書和契約的認證，[128]例如，當鋪和客戶在簽署當單時大概就會使用印章。此外，印章也頻繁地使用於晚明的商業出版中。晚明書坊刊行的書籍，經常鈐有出版者的印章，其印文或爲出版者的書坊名（如某某堂），或爲關於版本的廣告文字。這些印章通常鈐在扉頁，向購買者和讀者宣示，這是著名書坊所印的正版。而這類印章的藝術品質良莠不齊，其中有些水準很高，說明出版商延請了篆刻高手爲其治印。有些出版商還用圖像印來作爲自己的商標。印刷業和篆刻界的關係值得重視。晚明最優秀的篆刻家大多來自蘇州及其臨近地區、南京、安徽（特別是徽州地區）等地，當非巧合。因爲這些地區的商業和私人印刷業最爲活躍。譬如說，晚明清初的許多知名篆刻家皆來自徽州的歙縣，其中包括何震、朱簡和程邃（1607-1692）等第一流人物在內。而歙縣同時也是生產墨和木刻版畫最重要的地區，這兩種藝術通常都需要精巧的雕刻技術。

經濟活動中，遠方的商行必須保持與總行的聯繫，分隔兩地的家人或朋友也需魚雁往返。[129]經濟活動的發展也促進了人們的旅行活動，而旅行導致了更多的書信寫作。許多晚明書信（包括私人信件）常鈐有印章。[130]哈佛大學哈佛燕京圖書館藏有七百多通的明代書信，大部分書於1550至1590年代，收信人爲儒商方元素（1542-1608）。不少信札上蓋有寫信人的印章，由此證明印章在日常書信中的使用也相當普遍。[131]

在十六世紀晚期，篆刻已經成爲一種成熟而且興盛的藝術。當利瑪竇在萬曆初年來到中國時，印章在中國人日常和藝術生活中的普遍使用情況給他留下了深刻印象。他在那部著名的《中國札記》中有這樣的描述：

> 在物件上用印蓋章是大家都知道的，在這裡也很普遍。不僅信件上要蓋章加封，而且私人字畫和詩詞以及很多別的東西上也都加蓋印章。這類印章上面只刻姓名，沒有別的。然而，作家就不限於一顆印章，而是有很多顆，刻著他們的學位和頭銜，毫不在意地蓋在作品開始和結尾的地方。這種習俗的結果便是上層作家的書桌上都擺著一個小櫃，裡面裝滿了刻有各種頭銜和名字的印章，因爲中國人通例稱呼起來都不止一個名字。這些印章並不是蓋在蠟或任何類似的東西上，而是要沾一種紅色的物質。這種印章照例是用相當貴重的材料製成，例如稀有木料、大理石、象牙、黃銅、水晶或紅珊瑚、或別的次等的寶石。很多熟練工匠從事刻製印章，他們被尊爲藝術家而不是手藝人，因爲印章上刻的都是已不通用的古體字，而凡是表現懂得古物的人總是受到非常尊敬的。[132]

然而，當印章的普遍使用帶來了更爲廣泛的社會參與時，它又會引起那些認爲篆刻應屬於文人領域的文化菁英們的焦慮不安。鄒迪光（1574年進士）在爲金光先（1543-1618後）的《金一甫印選》作的序言中寫道：

> 今之人帖括不售，農賈不驗，無所糊其口，而又不能課聲詩、作繪事，與一切日者風角之技，則託於印章以爲業者，十而九。今之人不能辨古書帖，識周秦彝鼎、天祿辟邪諸物，而思一列名博雅，則託於印章之好者，亦十而九。好者博名，而習者博稭；好者以耳食，而習者以目論。致使一丁不識之夫，取象玉金珉，信手切割，棄之無用。又使一丁不識之夫，舉此無用之物，櫝而藏之，襲以錦繡，纏以彩繒，奉爲天寶。噫，亦可恨甚矣！[133]

鄒迪光的諷刺批評可能誇大了當時篆刻的流行性，但他的文字很清楚地顯示了篆刻在當時被很多人認爲是「列名博雅」的手段，有不少人希望藉此來模仿或躋身菁英階層，廣泛的社會參與使篆刻和使用印章都不再只是文人藝術家和傳統士紳階級專有的特權。

篆刻對書法的影響

圖1.29
古璽
《日庚都萃車馬》
戰國時代
尺寸不詳
引自馮作民
《金石篆刻全集》頁73

篆刻如同書法，是一種基於書寫之上的藝術。由於絕大多數的印章是文字印，只有少數是圖像印，因此，晚明興起的文人篆刻，對當時的書法產生了很大的影響，刺激了人們對古代字體和異體字的興趣。

作為一種古代字體的篆書，自漢代以後就很少用於日常書寫。但是，從春秋晚期至戰國初期印章開始流行後，印章文字總是與篆書關係緊密，很多印章都是用篆書系統的文字刻治（圖1.29）。晚明的文人篆刻也不例外。自從篆書不再作為日常通行的正體字後，人們對它日益生疏，但它和日常書寫之間的距離及其難辨難認，反而為那些常常象徵個人身份和社會政治權力的印章增添了神秘感和權威性。

為了刻印和讀印，明代文人必須學習篆書。中國古代文字悠久的演變史，以及春秋戰國時期各國文字的地域性特點，造成了古代篆書的多種面貌。對一個文人來說，即使僅僅學習一種篆書，也無異於學習一種新的書寫形式。在晚明，刻印和使用印章成為人們接觸和了解古文字一種雖然有限卻很有效的方式。正如十七世紀最重要的篆刻收藏家和批評家周亮工所說：「六書之學亡，賴摹印尚存其一體。」[134]

文人篆刻的興起，刺激了人們關注古文字的熱情，很多書家亦開始練習篆、隸。上文提到的陝西著名金石學家郭宗昌，收藏印章和古代碑刻拓片，同時也致力於研究漢碑上的隸書。[135]萬曆初年，以優美和嫺雅著稱的漢代《曹全碑》出土，1630年代的王鐸將其作為自己學習隸書的範本。

隨著對古體字興趣的提高，一種新的文字遊戲開始在書法界流行。晚明書壇的重鎮如王鐸、倪元璐、黃道周和陳洪綬（1598-1652）等，皆喜歡在其書作中使用異體字。[136]在中國漫長的的文字演變史上，曾經產生了許多不同的字體。隨著時代遷移，一種字體往往取代另一種而成為日常書寫的體式。在國家分裂時期，同一種字體在不同區域會有不同的寫法。即使在社會安定的時代，正體字也有別寫的異體。因此導致一個字在其通用的標準字體之外，可能還有幾種、甚或十數種不同結構的異體字。而這些異體字常常被保存在字書中，北宋杜從古（活躍於1119年）編纂的《集篆古文韻海》中，「國」字就有七種不同的寫法（圖1.30）。字書中的有些古體字很容易辨認，因為它們與通用的字在形體上相似；但有些卻顯著不同，很難解讀。例如，完成於元代的《增廣鐘鼎篆韻》一書中，「風」字有多種寫法，大多與通常人們熟悉的通用的

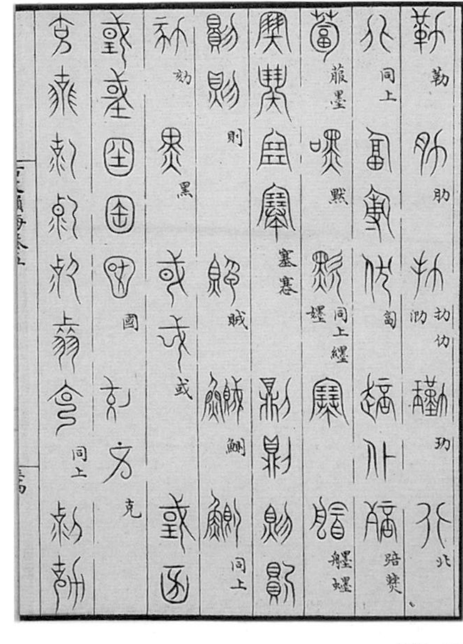

圖1.30
杜從古
《集篆古文韻海》
卷5　頁34a

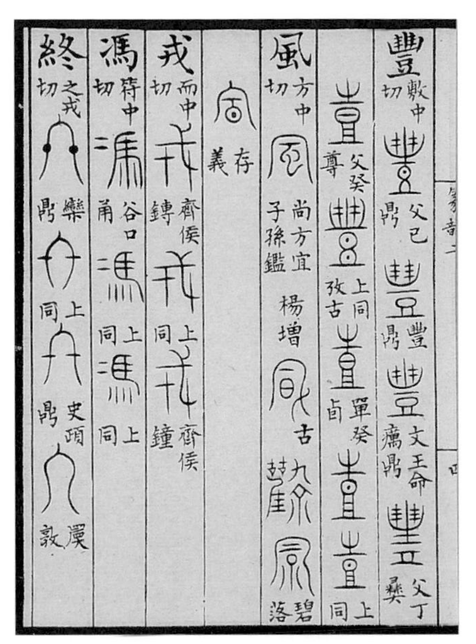

圖1.31
楊銁（活躍於1314年）
《增廣鐘鼎篆韻》
卷2　頁4b

「風」字相仿，但有一個異體字的差異就很大（圖1.31）。

文人墨客書寫異體字，可謂古來有之。劉葉秋先生曾指出，魏晉南北朝之際，由於地方割據、南北阻隔以及使用文字趨於簡易等多方面原因，異體別字，逐漸增多，秦漢以來文字統一的局面不復存在。[137] 北齊的學者顏之推（531-590之後）即抱怨這種異體字造成溝通上的困擾：

大同之末，訛替滋生。蕭子雲改易字體，邵陵王頗行僞字，朝野翕然，以爲楷式，畫虎不成，多所傷敗。至爲「一」字，唯見數點，或妄斟酌，逐便轉移。爾後墳籍，略不可看。北朝喪亂之餘，書蹟鄙陋，加以專輒造字，猥拙甚於江南。[138]

顏之推批評南北朝士大夫作書妄改筆劃，或自造簡字，於是俗訛、異體不斷滋生，成爲風氣，以至經籍的文字都不能入目。即使後來國家再次統一，使用異體字的風氣也並未完全銷聲匿跡，至少在明代有些文人喜好使用異體字。如清代金農（1687-1763）曾在一書法冊頁中鈔錄了一段明代中期文人江暉（1517年進士）書寫古文奇字的逸事：

江暉，仁和人，正德（1506-1521）進士。爲文鉤元獵岦，雜以古文奇字，……令讀者謬根眩霿，至莫能句，隱口汗顔而罷。[139]

江暉的這一嗜好又和明代中期以來刻書中摻入古體字的風氣相吻合。晚清學者葉德輝（1864-1927）在談論明季刻書時指出，明中葉存在書商用古字刻書的現象：「明嘉靖間，閩中許宗魯刻書，好以《說文》寫正楷。」[140]明中葉以後，這一風氣頗爲風行。葉德輝又說：

明中葉以後諸刻稿者，除七子及王、唐、羅、歸外，亦頗有可採取者。然多喜用古體字，即如海鹽馮豐諸人尤甚。查他山先生（查愼行，1650-1727）見之曰：「此不明六書之故。若能解釋得出《說文》，斷不敢用也。」雖然，查氏之說，未免高視明人。有明一代，爲《說文》者，僅有趙宧光一人。所爲《長箋》，尤多臆說。且其人已在末季，其時刻書用古體字之風亦稍衰竭矣。[141]

書寫異體字雖是一種歷時已久的文人遊戲，但晚明書法家、篆刻家甚至出版商對異體字的熱衷，卻把這種遊戲推向一個新的高峰。這種文字遊戲的流行，應當部分地歸結於晚明的尚「奇」風氣，但它的另一個重要原因則是文人篆刻的興起。

在中國文人篆刻史上，晚明的印章最難辨認，這是因爲這一時期的篆刻家最喜歡用冷僻的古體字來刻印。胡正言的《十竹齋印譜》（刊於清初）中也有不少印文十分難讀，如「思在」和「集虛」等印，它們和一般字體的差別如此之大，幾乎不可能被辨認出來（圖1.32）。又如明末清初畫家陳洪綬所用的名號印中，「蓮子」一印（圖1.33）即有數種異體寫法，其中最難解的莫過於出自郭忠恕（約910-977）所編《汗簡》之「蓮」字古體，爲一草頭加一「妾」字（圖1.34）。

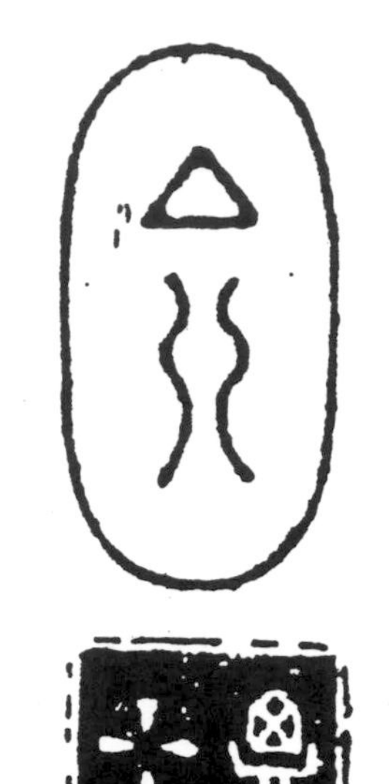
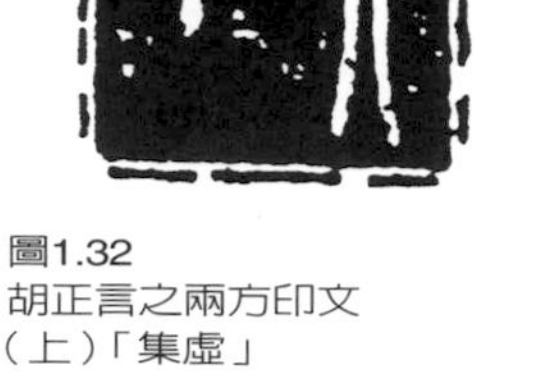

圖1.32
胡正言之兩方印文
（上）「集虛」
（下）「思在」　約1646
收錄於胡正言《十竹齋印譜》

晚明和清初刊行的印譜中，印蛻經常伴有隸書或楷書的釋文（如張灝和胡正言的印譜），對照閱讀，可以幫助讀者辨識。當刻印者選擇冷僻的異體字入印時，他們知道人們將很難辨認印文，這樣的印章即成爲難解的「字謎」。在印譜中，這些印文的釋文即爲這些「字謎」提供了答案。借助釋文，讀者不但可以理解這些奇字印章的涵義，在其他的場合中還可以使用這些冷僻的古文奇字和別人進行文字遊戲。古文字學家兼篆刻家趙宧光的著作《說文長箋》中即採用了相同作法。這本書有許多異體字，並在一些不爲人們熟識的異體字下標出人們熟識的通用字體來幫助閱讀（圖1.35）。人們可以從這種設置異體字謎和答案的博學而優雅的文字遊戲中獲得樂趣。[142] 這種文字遊戲在當時刊行的書籍中並不罕見。包世瀛（活躍於十七世紀上半葉）爲《周文歸》（崇禎年間刊行）所作的序中，就用了不少相當冷僻的異體字（圖1.36），倘若一些冷僻的異

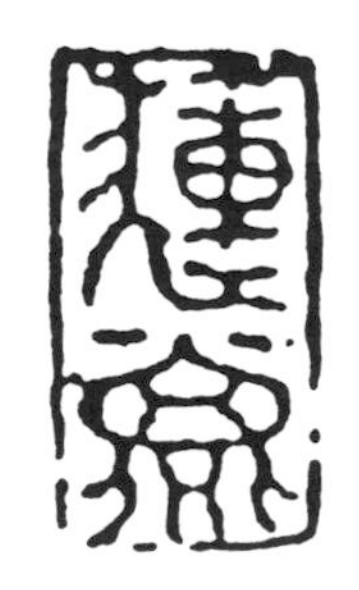

圖1.33
陳洪綬之三方私印
「蓮子」（陳洪綬之號）

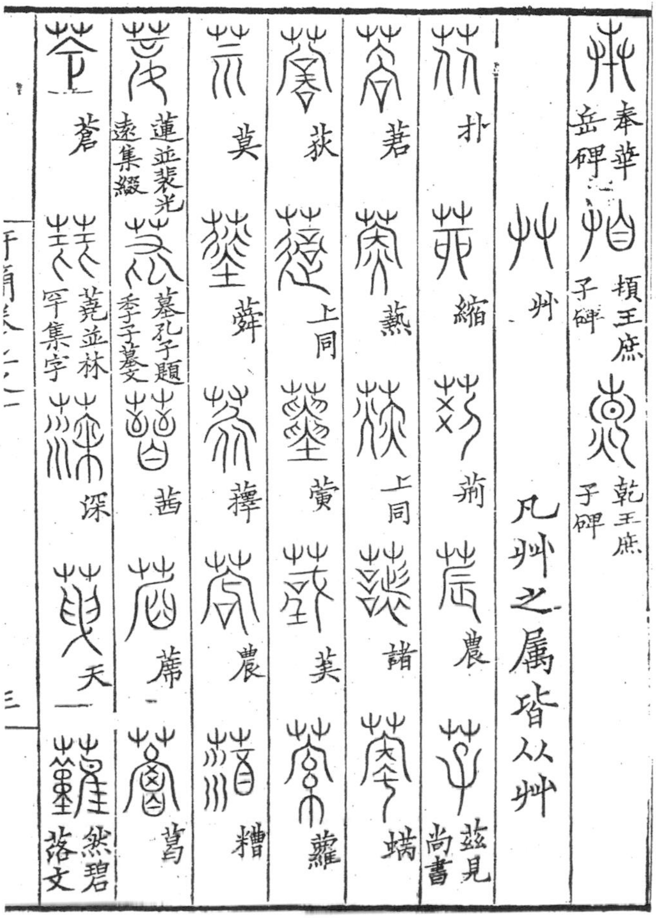

圖1.34
郭忠恕
《汗簡》（1703年刊本）中之一頁
卷1　頁3a
美國哈佛大學哈佛燕京圖書館

字體下沒有標示這些字的通行字體，一般人根本無從辨識。凡此種種，皆爲晚明盛行使用異體字風氣的明證。文人編寫的書籍裡存在這種異體字的「字謎」，也和當時其他出版物中的文字遊戲有異曲同工之妙。在晚明出版的日用類書和戲曲集中，常常摻雜著一些謎語和江湖切口之類的東西。製謎和猜謎成爲晚明娛樂生活的一個組成部分。

晚明的一些書法家也受到這一風尚的浸染，爲了好古炫博，不時在書作中使用比較冷僻的異體字。相對說來，篆刻家只能使用篆書系統的異體字，而書法家可以運用的資源要多得多。篆書之外，書家還可以從古代的楷字體的字書和韻書中擇取異體字，例如南朝顧野王（519-581）編纂的字書《玉篇》、北宋丁度（990-1053）所編的《集韻》和其他字書。書家們還可以把古代篆書字典中收錄的篆字隸古定，然後用楷

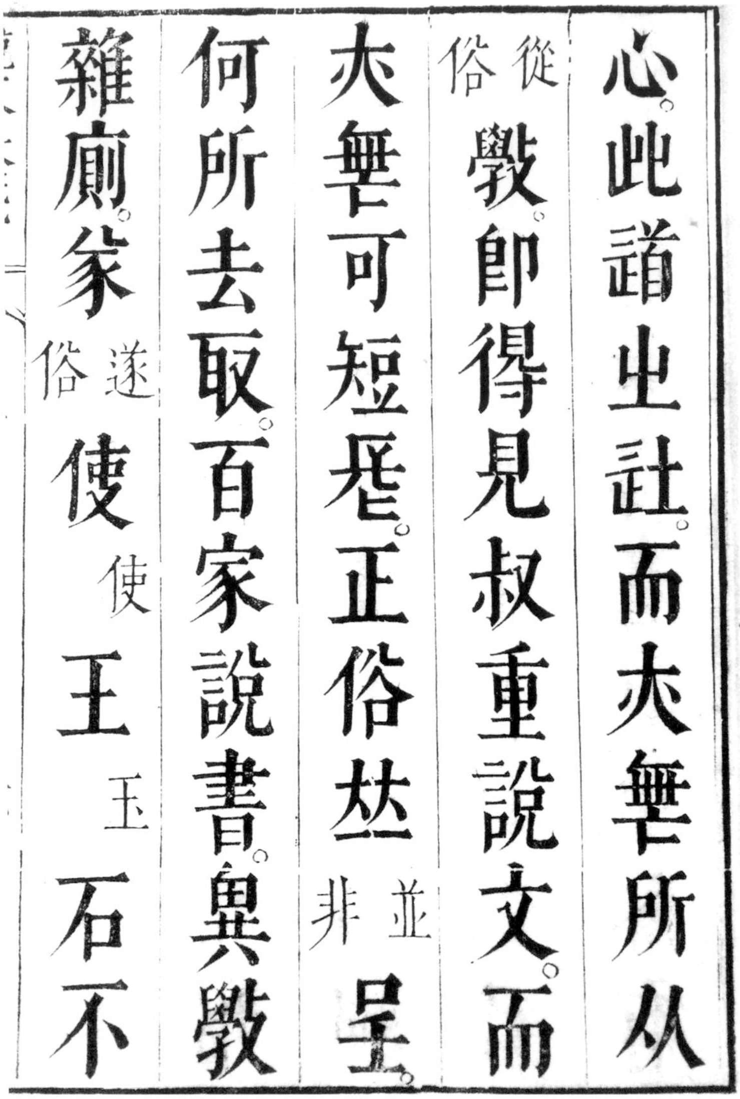

圖1.35
趙宧光
《說文長箋》序
1633
美國哈佛大學哈佛燕京圖書館

書、草書或行書體書寫出來。

在董其昌的書法作品中，我們很少見到異體字。在天啓年間書家的作品中，異體字的使用變得頻繁起來。譬如，倪元璐在一幅立軸中（圖1.37）將「地」寫成〔a〕，這是出自《玉篇》中的異體字（圖1.38）。倪元璐的好友黃道周的作品中，異體字的數量開始增加。在一幅現藏於北京故宮的小楷書手卷中，黃道周將「乎」寫成比原字更爲複雜的〔b〕，將「得」的雙人旁去掉（此乃從「得」的篆字體衍生而來），如〔c〕。其妻蔡玉卿（1616-1698）作小楷也常寫異體字，如上海博物館藏蔡氏所書《山居漫詠》

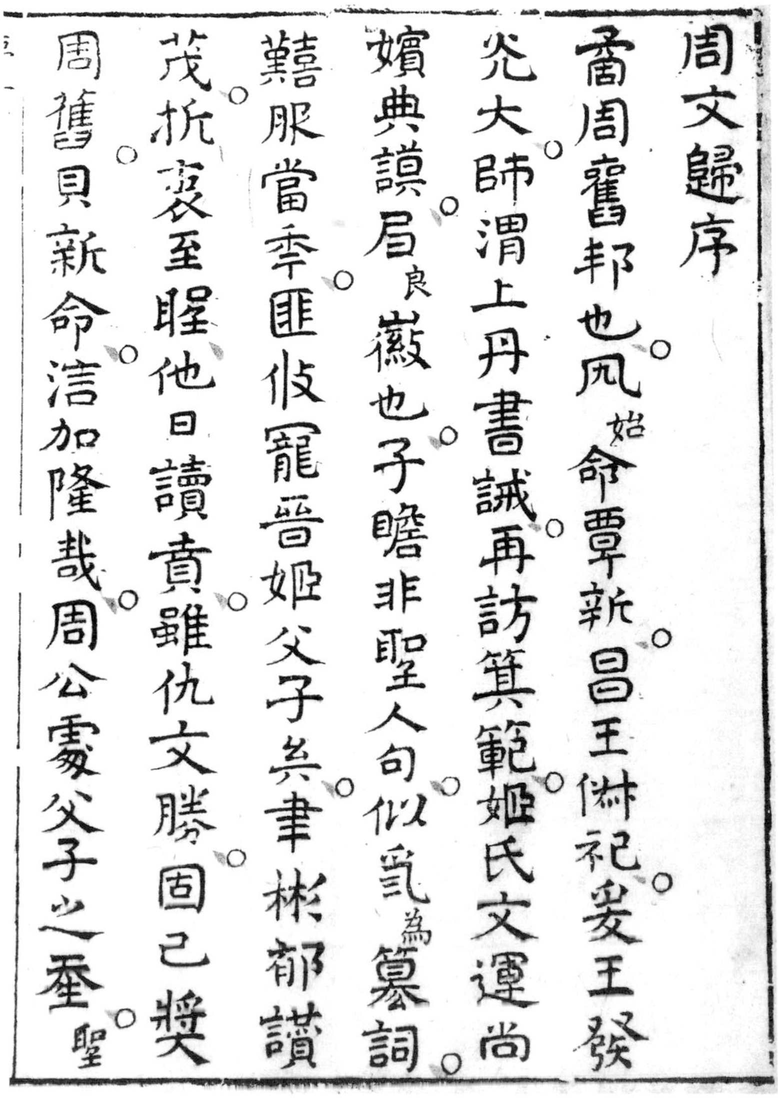
周文歸序
啇周舊邦也凡始命覃新昌王偁祀爰王發
光大師渭上丹書誡再訪箕範姬氏文運尚
嬪典謨皍良巖也子瞻非聖人句似亂為篡詞
鞊服當季匪攸寵晉姬父子兵聿彬郁讚
茂析袠至腥他日讀責雖仇文勝固己獎
周舊貝新命浩加隆哉周公䨑父子之埀聖

圖1.36
包世瀛
《周文歸》序
約1628-1644
美國哈佛大學哈佛燕京圖書館

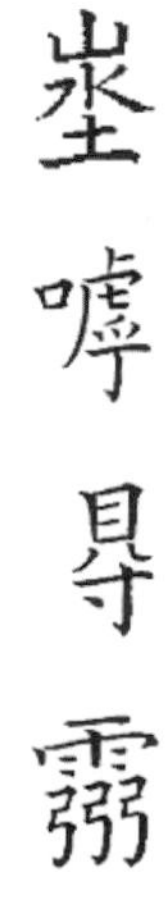
[a] [b] [c] [d]

手卷（彩圖6），其「靈」的書寫即取自《玉篇》中傳世古文的形式，作〔d〕。值得注意的是，《玉篇》在這個字下面註明「霛」爲「靈」之古文形式（圖1.39）。這裡的「古文」是中國古文字和學術思想史中的重要名詞。雖然「古文」的確切涵義尚有爭議，但一般認爲「古文」起源於戰國時期齊文化影響地區的古文字。「古文」和郭忠恕《汗簡》中所收的篆書相關，然而有大量的「古文」被隸古定後收入楷書的字書中。總之，收在字書韻書裡的楷字體的「古文」，是異體字遊戲的重要來源之一。

雖然倪元璐和黃道周參與了這類文字遊戲，但他們對異體字的使用尚能採取克制

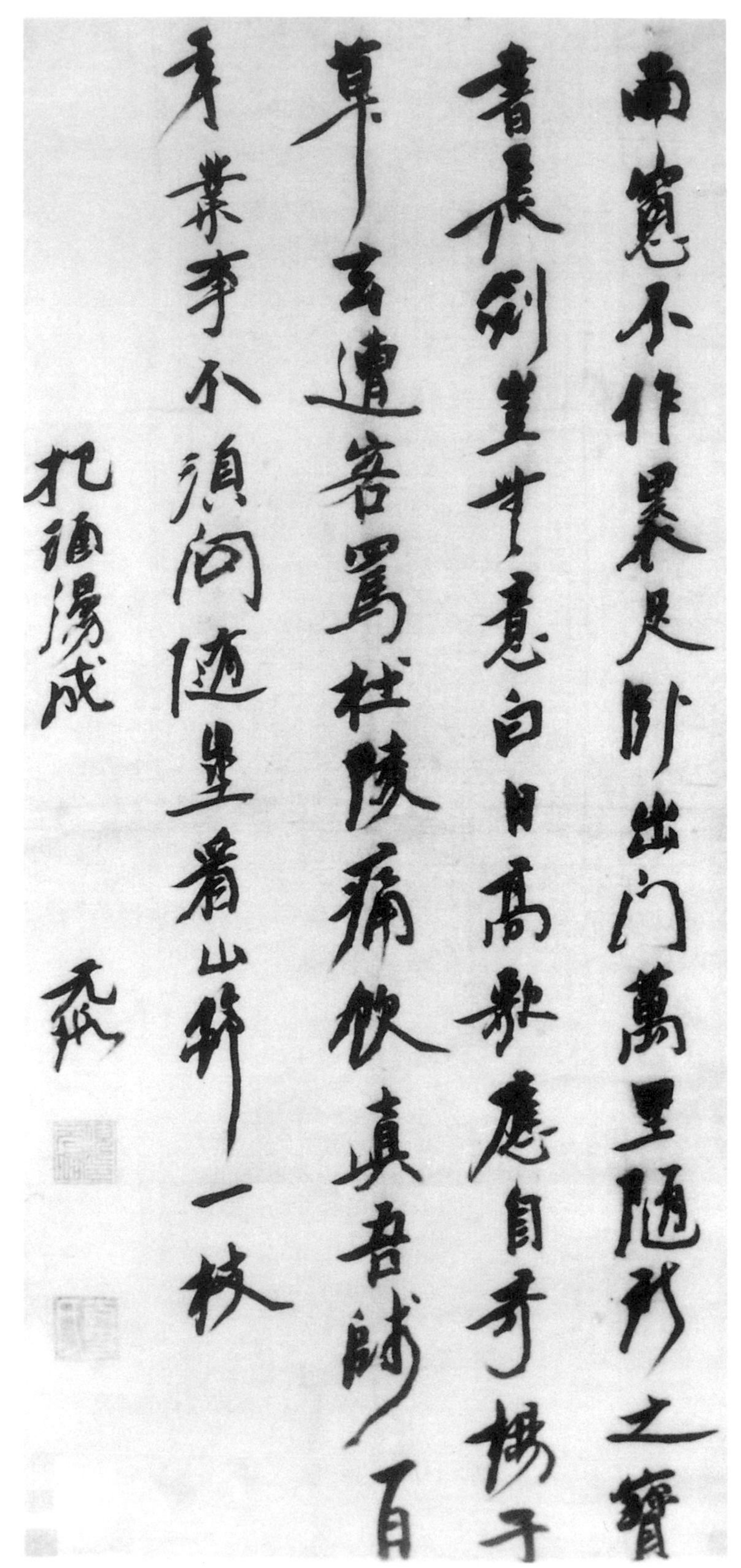

圖1.37　倪元璐《飲酒自書詩》（似為後人臨本）
軸　絹本　103.9×47公分
美國弗利爾美術館（Freer Gallery of Art, Purchase, F1988.4）

圖1.38
（左）《飲酒自書詩》中「地」的異體字
（右）《玉篇》中「地」的異體字

圖1.39
（左）《玉篇》中
「靈」的異體字
（右）《山居漫詠》中
「靈」的異體字

圖1.40
王鐸《柏香帖》中
「古」的異體字
刻石藏河南省沁陽縣柏香鎮
引自《王鐸書法選》
圖版121

[e] [f] [g] [h] [i]

的態度。在王鐸那裡，書寫異體字的遊戲被推上高峰。王鐸不僅頻繁地使用異體字，他還喜歡挑選冷僻的異體字來書寫。例如「龍」寫成〔e〕，「春」寫成〔f〕，而「古」寫成許愼（約58-約147）《說文解字》所錄古文〔g〕（圖1.40）。傳世有一件署名爲王鐸的楷隸二體錄顏眞卿《八關齋會記》，[143]異體字極多，有時令人難以卒讀（圖1.41），如「天子」寫成〔h〕，與通用字形相去甚遠；而「國」字寫成好幾種形式，如〔i〕，有的與通行的寫法完全不同，以致除了那些醉心於書寫和閱讀這些異體字的人士以外，很少有人能夠輕易地辨識它們。

好古炫博固然是書寫異體字遊戲的核心所在，但實際上它也是知識菁英和企圖躋身知識菁英階層的那些人們的身份標誌。這種遊戲將無知者拒之門外，同時也激起他們對菁英的欣羨仰慕之情。參與這種遊戲者的愉悅，的確是部分地建立於不夠資格玩此遊戲的那些人們的反應之上。這種心理狀態，亦即貢布里希在「名利場邏輯」中揭示的「看我的」之心態。

「名利場邏輯」的另一面是爭奇逐異現象的逐漸膨脹，王鐸比他同時代的人更多地使用異體字即爲明證。如同其他晚明文人那樣，王鐸也強調藝術中「奇」的特質，然而他對「奇」的追尋更加主動，因此也更令人側目。他說：

> 奇者只是發透本題而已。如發古塚古器之未經聞見者，奇奇怪怪，駭人耳目，奇矣。不知此器原是此塚中原有的。他人掘之二三尺、六七尺便歇了手，今日才發透把出與人看耳。非別處另尋奇也。[144]

王鐸對「奇」的闡發頗能解釋他對異體字的癖好。顯然，王鐸的「發透本題」是受了李贄「童心」說的影響。王鐸也和湯顯祖一樣，相信「奇」是人的內在價值的體現。在王鐸看來，人心本有「奇」的一面，但需要發掘和反覆參悟，方可最後找到「奇」。於是，「奇」不但是內在的品質，它還是發掘的一種功夫，和這種功夫的結果。此處所說的「發透本題」，與其說是純主觀地尋找自我，還不如說是一個社會人在返觀自我和社會的互動時不斷調適著的一種關係，然後以一種相當自然的方式將之外顯出來。在和外界的互動關係中，如果一個人的言行過於接近一般民眾的言行，這不但會平淡無奇，甚至還有可能墮入湯顯祖所說的「步趨形似」之嫌。所以，追求「奇」的人要反覆發掘「自我」，使自己的言行在一般社會行爲的參照下顯出「奇」的效應。而「奇」的理論在此時又給予這種奇言奇行以道德上的論證和肯定。隨著時間的推移，晚明的書法家在追尋奇異的競賽中越走越遠。如王鐸自己所聲稱的那樣，

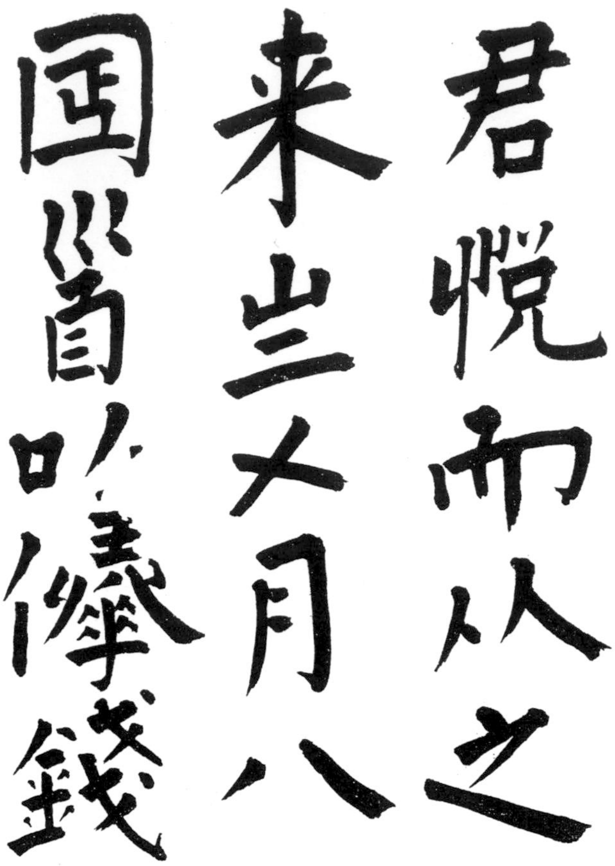

圖1.41
王鐸
《書顏真卿八關齋會記》
1646
局部
引自《王覺斯書八關齋會記（分楷合冊）》

「他人掘之二三尺、六七尺便歇了手」，而他發掘得更深，藉此來論證一個人的眞實自我完全顯露時，會是「奇奇怪怪，駭人耳目，奇矣」。

在書寫異體字漸成氣候之際，出版界不失時機地刊行帶有異體字的字書，供玩異體字的人們作參考之用，這對書寫異體字的風氣又起到了推波助瀾的作用。最能說明問題的是出版於萬曆年間的字書《字彙》。編者梅膺祚（活躍於1570-1615）在該書〈古今通用〉篇的小序中聲稱：「博雅之士好古，功名之士趨時。字可通用，各隨其便。」（圖1.42）在〈古今通用〉篇中，每一個字都列有兩種寫法，一古一今。此處所列古體便是今體的異體。從內容判斷，《字彙》是爲大眾所編，包括那些只具備一般閱讀與書寫技巧的普通百姓。讀者可以憑藉這本字書而輕易地查閱到異體字，迅速用於文字遊戲的書寫。[145]

但《字彙》這種字書並不能滿足那些沈溺於這一文字遊戲的文人之需求。爲使這

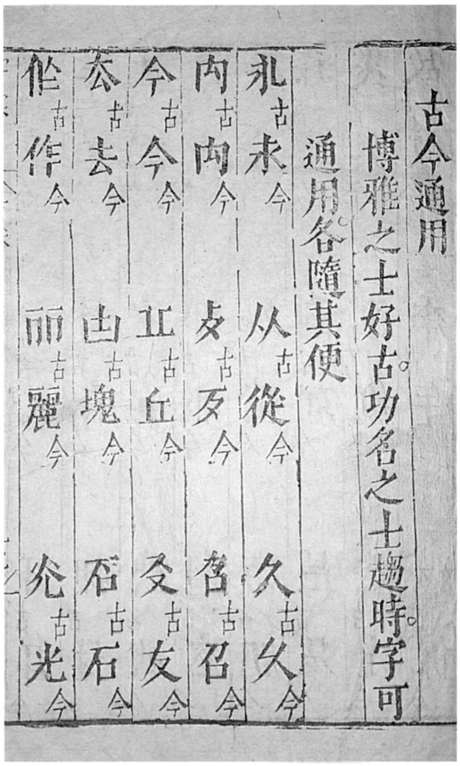

圖1.42
梅膺祚《字彙》(晚明刊本)
卷1 頁13a
王方宇先生舊藏

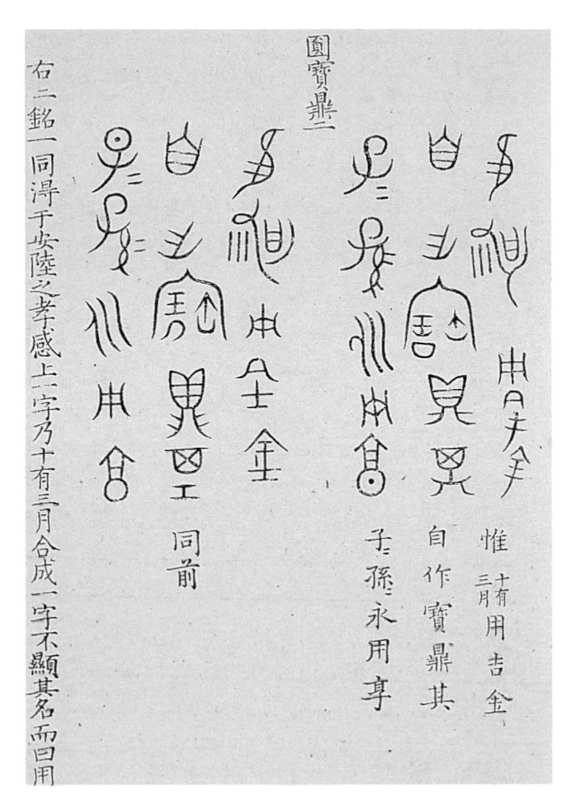
圓寶鼎一
惟十有三月用吉金
自作寶鼎其
子孫永用享
同前
右二銘一同得于安陸之孝感上一字乃十有三月合成一字不顯其名而曰用

圖1.43
薛尚功
《歷代鐘鼎彝器款識法帖》

批文人得以學習古體字,以助其在書寫異體字的遊戲中拔得頭籌,大量關於古文字的書籍得以出版、重印,而其中許多字確實相當古老奇特。[146]朱謀㙔(卒於1624年)所編《古文奇字》刊行於萬曆年間,此書的讀者群即有別於《字彙》一書。這本由十二個章節構成的著作不僅羅列某些看來極其怪異的異體字,同時還附有一些考釋。晚明的字書,還有兩本別具影響。一爲崇禎初年朱謀㙔的族兄朱謀垔(約1581-1628)刊刻的南宋薛尚功(活躍於1131-1162)所編《歷代鐘鼎彝器款識法帖》(圖1.43)。此書爲古代器物上銘文的考釋彙編,出版後在篆刻界、書法界影響很大。[147]另一本書即上文提及的趙宧光《說文長箋》。[148]隨著這些水準更高的字書的刊行,受過良好教育的文人們便能夠以一種更優雅和更具有文化涵養的方式來玩文字遊戲了。

清初文人施清(活躍於1650年代至1680年代)曾作〈芸窗雅事〉一文,文中所列當時文人們所喜愛的雅事多達二十一種,「載酒問奇字」即爲其中一項。[149]施清雖爲清初人，但他的描述應該是晚明就有的現象。可以推想，在晚明的文人活動中，「奇字」共欣賞，疑義相與析，也是一種時尚。茶餘酒後，文人們一邊欣賞書作，一邊談論異體字的字源，好奇、炫博之心因此獲得滿足。

但是，「載酒問奇字」與其說是學術探討，還不如說它更像文字遊戲，一種具有知識性的娛樂活動。在晚明的文化場景中，書法也有「娛樂性」的成份。然而以往的書法史研究者都忽略了晚明書法中具有戲劇性及消遣性的娛樂層面。由於這種娛樂性受到城市文化的鼓勵，故流於表層的知識性而非嚴格的學術探索。閱讀或書寫冷僻的異體字，很像當時出版的日用類書中可資消遣的謎語。

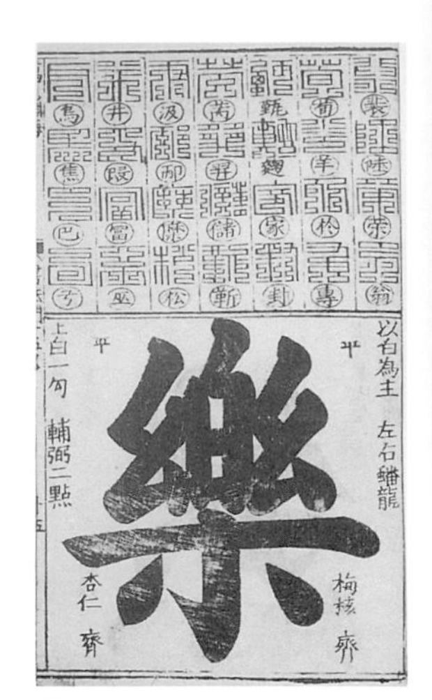

圖1.44
「楷書範例」
《萬書淵海》之〈書法門〉
引自《中國日用類書集成》
冊6 頁453 下層

晚明使用異體字風氣的形成及流行，或許與當時平民識字率的提高有關。晚明印刷業發達，現存大量刊於晚明的廉價讀物，顯示出當時平民的識字率有相當的提高。[150]平民識字率的提高，無疑會擴大與文字相關的書法和篆刻藝術的消費群。在晚明刊行的日用類書中，我們常常能夠見到教人如何練習書法的內容（圖1.44）。十七世紀景德鎮生產的很多瓷器，也用文字書法來作裝飾（圖1.45）。這些書寫的藝術水平通常相當平庸甚或低劣，其消費者很可能是那些教育水平不高、卻掌握了基礎閱讀和書寫能力的商人和城市居民。這也說明，在這一時期，平民們模仿和躋身於社會文化菁英階層的慾望是何等的強烈。一方面是平民們的識字率不斷提高，一方面是菁英文化受到通俗文化強有力的挑戰，這樣的時代，書壇菁英們越玩越奇的異體字遊戲，既可以看作是他們之間競相標新立異的結果，也可以被認為是一種對平民讀書寫字的反饋，及其重新界定自己文化地位的舉措。[151]

圖1.45
景德鎮製帶有
書寫裝飾的瓷瓶
約1650　私人收藏

晚明文人篆刻對當時書法的另一個影響，是晚明書家對古代印章殘破之美的激賞，並受此啓發，試圖賦予書法一種朦朧殘缺的意味。從元代開始，秦漢古印即被奉為篆刻典範，晚明的篆刻家與評論家承襲了這一傳統。由於歲月的侵蝕，許多秦漢印章都呈現出殘破的痕跡（圖1.46）。晚明時期，這種殘破成為文人篆刻家企望的藝術特質，他們在自己的作品中追求這種審美效果。晚明的篆刻評論家沈野曾記錄了一些有趣的軼事：

> 文國博刻石章完，必置之櫝中，令童子盡日搖之；陳太學以石章擲地數次，待其剝落有古色然後已。[152]

通過人為製造出來的殘破，晚明的篆刻家在他們的印章中追仿剝蝕的古意。而在上文曾提及的何震，即利用石章的自然屬性，來追求殘破的效果。何震的影響力相當深

圖1.46
漢印「梧左尉印」
羅福頤
《秦漢南北朝官印徵存》
頁64

陳勝之印

陳勝陽城人與吳廣皆爲屯長戍漁陽會天雨失期謀曰等死耳死則舉大名乃與廣殺尉召徒屬聚卒萬人入據陳立爲王諸郡縣苦秦吏暴皆殺其長吏以應勝

圖1.47
何通
「陳勝之印」
收錄於何通《印史》卷1 頁5
美國哈佛大學哈佛燕京圖書館

遠。例如晚明篆刻家何通的印譜《印史》中的「陳勝之印」(圖1.47)，就有篆刻者在經意和不經意之間追求的殘破效果，如「陳」字的殘損使幾個筆劃粘連在一起，營造出秦漢印章中所見的那種古意。

屈志仁認爲，晚明篆刻家追求這種人爲的殘破，在很大程度上緣起於晚明人對於古代書法拓本的鑒賞經驗，因爲「晚明關於文物鑒賞的文字有相當大一部分是用來討論拓本的，這種對石刻銘文精緻的觀察和熱情的品鑒，極大地提高了文人收藏家們的鑒別力。」[153] 但拓本鑒定和文人篆刻之間的影響關係應該是雙向的。是篆刻提高了文

圖1.49 王鐸私印

人們對與石章質底相同的碑刻的敏感度，否則，我們就無法解釋爲什麼宋代文人即開始收藏古代的碑刻拓本，而刻石的殘破痕跡直到晚明篆刻之風熾盛之際才備受注目這一事實。例如，書法史學者通常認爲北宋書家黃庭堅曾受六朝摩崖刻石《瘞鶴銘》的影響。但是從黃庭堅的存世作品看來，他可能汲取了《瘞鶴銘》結體的一些特點，他的筆劃也有顫抖的特點，但並沒有顯示出對《瘞鶴銘》的殘破漫漶有什麼追求。[154] 明代中期的書法家文徵明收藏古代碑拓，包括《張遷碑》。[155] 但是文徵明隸書作品的筆劃光潔、分明，完全沒有試圖捕捉殘破氣息的跡象。

在王鐸的書作中，我們常能見到因漲墨而造成筆劃之間的粘連，有時筆劃之間的空白完全被墨暈沒，我們僅能通過字的外形來辨認。[156] 王鐸書於1647年的一件草書立軸中（彩圖7），由於毛筆蓄墨很多，墨在字中暈開，使字的邊緣呈不規則狀，彷彿刻石章時由於快速運刀所導致的不期然的崩破效果。此軸第四行第八個字「無」（圖1.48），漲墨使字的中間部分暈成一團，產成了一種朦朧感。但王鐸在書寫時，顯然沒有被這種不期然的暈墨所干擾，他毫不猶豫地繼續揮毫，完成了這一效果頗不尋常的作品。

王鐸在其許多作品中運用漲墨製造出殘破的外觀，從很多方面來說都稱得上是一種藝術嘗試，這種漲墨增加了自然揮灑的效果，加強了字與字間的對比張力，也使觀賞變得更具有戲劇性。而殘破粘連的筆劃也同樣出現在王鐸使用的一些名章上（圖1.49），這就更進一步確證了我們的假設：書家在自己的書法作品中努力表現與篆刻家所欣賞的殘破相似的視覺效果。觀看殘破印章的視覺經驗可能啓發王鐸在書法中運用漲墨，並將其作爲展示「自然」、「眞率」乃至「奇」的手段。

對某些書法史的研究者來說，以上所論晚明篆刻對書法可能產生的影響，是一個可以質疑的大膽觀點。[157] 而王鐸本人並不見得就認爲這類作品是其得意之作，而且這些漲墨現象多出現在其應酬作品中，王鐸去世後由其子刊刻的《擬山園帖》，沒有將王鐸的漲墨書作收入。一種推測是，王鐸在應酬時，書寫得快且草率，墨暈開後，也不宜或不願重寫（重寫意味著不但要多花時間，還要花費絹綾和紙張）。但王鐸在這類作品常有上款，是贈人之作，至少證明對當時的創作者和欣賞者來說，這已是可以接受的藝術嘗試。筆者之所以提出書法中的這種漲墨現象可能受到篆刻的影響，是因爲在時序上它出現在文人篆刻中追求殘破效果之後，兩者似乎有某種關聯。即使書法家沒有直接地模仿印章中的殘破效果，但至少我們可以這樣說，篆刻在晚明是一門備受青

圖1.48
彩圖7之「無」字

睞的藝術，篆刻家對殘破的追求，使得書法中的漲墨現象更易於爲人們所接受。而上述書法中的漲墨現象，和晚明的繪畫中對墨法的種種嘗試或也有關。徐渭的寫意花卉和董其昌的一些近似潑墨的山水對用墨均有獨到的心得。

總之，篆刻對晚明書法產生的重要影響値得進一步的研究。這一研究將有助於解釋爲何在清代，許多重要的碑學書家或多或少都和篆刻藝術脫不了干係。上述書法中漲墨的嘗試或許開了後世書法繪畫中追求金石氣的先河。

日益緊迫深重的危機感

在晚明城市文化蓬勃昌盛的表象下，隱藏著種種危機。除了上文曾討論過的曠日持久的黨爭外，晚明經濟也開始呈現嚴重危機。十六世紀和十七世紀初，通過那些從事中國奢侈品貿易的日本商人和葡萄牙商人，大量白銀不斷地由日本和南美洲流入中國。[158]而十六世紀中期開始試行的「一條鞭法」的稅法改革（亦即田賦、勞役以及其他課稅折成白銀繳納），也在萬曆年間得到普遍推行。儘管社會表面上看來十分富庶，但當白銀的流通逐日增多時，國家對白銀的依賴也在加深，造成了通貨膨脹，引發了投機行爲，傳統經濟模式因而產生重要變化。爾後，朝廷因爲花費大量銀子用於平定內亂、鞏固邊防以抗外擾，加上海上貿易受挫於荷蘭人的封鎖，明代政府終因白銀的短缺而被迫在最後二十年間七次加稅。當此之際，適逢一連串的天災肆虐，更令原已頹敗的經濟情勢雪上加霜。無論在都市或鄉村地區，不安的徵兆皆已浮現：李自成（1606-1645）與張獻忠（1606-1646）領導的軍事反叛，對明王朝構成最嚴重的挑戰。而明王朝的軍事力量也因衛所軍戶制度根深蒂固的積弊而萎縮。[159]軍制的衰敗令反叛勢力更加遊刃有餘。無獨有偶，此時來自關外的威脅亦日益嚴重。滿洲八旗軍不時叩關，有時甚至逼近京畿之地。

面對這些危機，那些對於國家命運懷有強烈使命感的人們，便將其注意力轉向「實學」（即古代儒家經典與史籍），以期從中獲取經國濟世的借鑒。因此，當晚明一些人們正在懷疑和挑戰古代經典時，一部分有志之士開始致力於重建儒家經典與史籍的權威。1620年代，在當時的政治和文化上均極有影響的文人社團「復社」，公開亮出「興復古學」的旗號。復社的發起人張溥（1602-1641）在爲復社立規條時寫道：

> 自世教衰，士子不通經術，但剽耳僧目，幾倖弋獲於有司，登明堂不能致君，長郡邑不知澤民，人材日下，吏治日偷，皆由於此。溥不度德，不量力，期與庶方多士共興復古學，將使異日者務爲有用，因名曰復社。[160]

在「興復古學」的旗幟下，復社的許多成員都努力地編纂儒家經典與史籍。張溥本人身體力行，倡導經史的研究，並編著了許多關於儒家典籍與史料的書籍。復社另一位領袖人物陳子龍（1608-1647）亦編纂了多卷關於明代政治和經濟的著作。

「興復古學」也在一定程度上促進了考證之學。如復社的中堅人物方以智（1611-1671）在主張恢復尊經傳統的同時，更進一步以考據學作爲通經的途徑，認眞考訂古代的名物制度，以求更爲準確地理解典籍。實際上，即便在晚明注重內省的心學達到高峰時，考證學也不曾全然消失。把研究古代經典、名物制度、歷史上的成敗得失作爲醫治晚明亂世之病的藥方，成爲當時學術思想風氣開始轉向的一個重要起點。到了清初，考據學逐漸發展成爲學術主流，我們將在第三章詳細討論。

傅山在明代的生活

萬曆三十五年丁未（1607）閏六月十九日，傅山出生於山西太原附近的陽曲縣（地圖1.1）。其父傅之謨共有三子，傅山排行第二，兄爲傅庚（卒於1642年），弟爲傅止。

傅山先世原居太原以北的大同。傅山的六世祖天錫，以《春秋》明經爲臨泉王府教授，於是移居太原府的忻州。傅山的曾祖朝宣相貌俊美，被迫入贅陽曲王府，傅家因此遷居陽曲。雖說祖上早在數十年前便已遷出忻州，但傅山仍視忻州爲其故鄉。傅山對忻州的依戀不僅只是心理上的，實際上傅氏家族在忻州仍然擁有土地，並得以坐收田租。

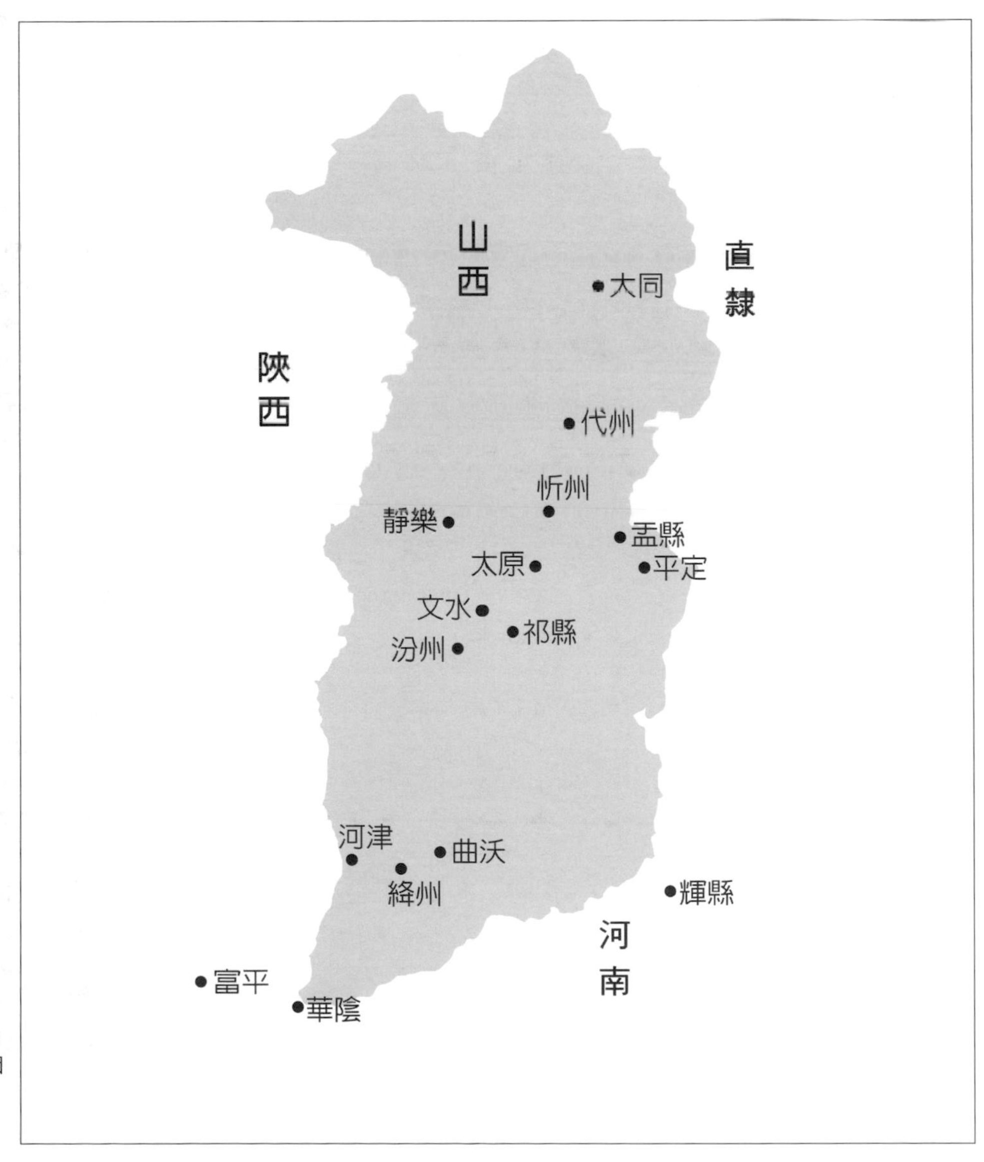

地圖1.1
山西地圖

傅家世代書香，但直至傅山的祖父傅霖於1562年中進士，才將傅氏一族在科場上的成功推至高峰。傅霖官至山東遼海兵備道，有戰功。傅霖對文史很有興致，尤喜愛班固（32-92）的《漢書》。他好作古文，曾出版其個人文集《慕隨堂集》。他還出資贊助刊印《淮南子》，此書後來成爲傅山愛不釋手的一本著作。

傅霖的兩位兄弟亦得意於科場。傅震1561年中舉人，後來被任命爲山西耀州知州。傅霈則於1577年得進士，曾任華亭令，有政聲，招爲監察御史。傅氏三兄弟在科場和官場上的成就，加之傅山曾祖朝宣結親王府，所以，傅氏一族在十六世紀後半葉的山西烜赫不凡。[161]

明代山西地區經濟和文化的發展呈現不均衡的狀態。善於金融以及經營鹽、煤、明礬、毛皮等高利潤物品貿易的山西商人，和徽州商人一樣富甲天下。相對於徽商來說，山西大賈在文化事業上的投資要少許多，因此明代的山西在文化上相對落後。有明一代的進士，僅有5.6%來自山西地區，[162]遠遠落後於南直隸和浙江等經濟文化發達的省份。然而傅氏家族中竟有三人科場得意，這必然爲這一家族在地方上帶來極大的聲望和勢力。這樣的社會背景亦使傅山娶得忻州籍官員張泮（1586年進士）之女爲妻，儘管傅山的父親傅之謨不曾出仕。[163]

傅之謨並不像父輩那樣縱橫官場。他的兩個弟弟分別於萬曆和天啓年間中舉，而傅之謨僅爲貢生。他留在家中克盡其孝子之責，同時開館授徒。

傅山從七歲到十五歲皆在家中接受塾師朱先生的指導。十五歲時應童子試取得生員資格。1626年，他再次通過考試，成爲領取政府薪餉的廩生。此時的傅山對明王朝面臨的危機漸有所知，並領悟到，科舉考試所需的知識並不能作經國濟世之用，「遂讀《十三經》，讀諸子，讀史至《宋史》而止，因肆力諸方外書。」[164]

在中國古代社會，書法是教育的重要一環，傅山自幼勤於臨池。他曾回憶道：

> 吾八九歲即臨元常（鍾繇，151-230），不似。少長，如《黃庭》、《曹娥》、《樂毅論》、《東方讚》（王羲之書）、《十三行洛神》（王獻之書），下及《破邪論》（虞世南[558-638]書），無所不臨，而無一近似者。最後寫魯公《家廟》，略得其支離。[165]又溯而臨《爭坐》，頗欲似之。又進而臨《蘭亭》，雖不得其神情，漸欲知此技之大概矣。[166]

根據傅山本人的這段記述，我們可以知道，他早期的書法訓練完全是以傳統帖學譜系的經典爲範本，從未涉獵漢魏石刻。由於傅山1640年代以前的書作沒有一件存世，我

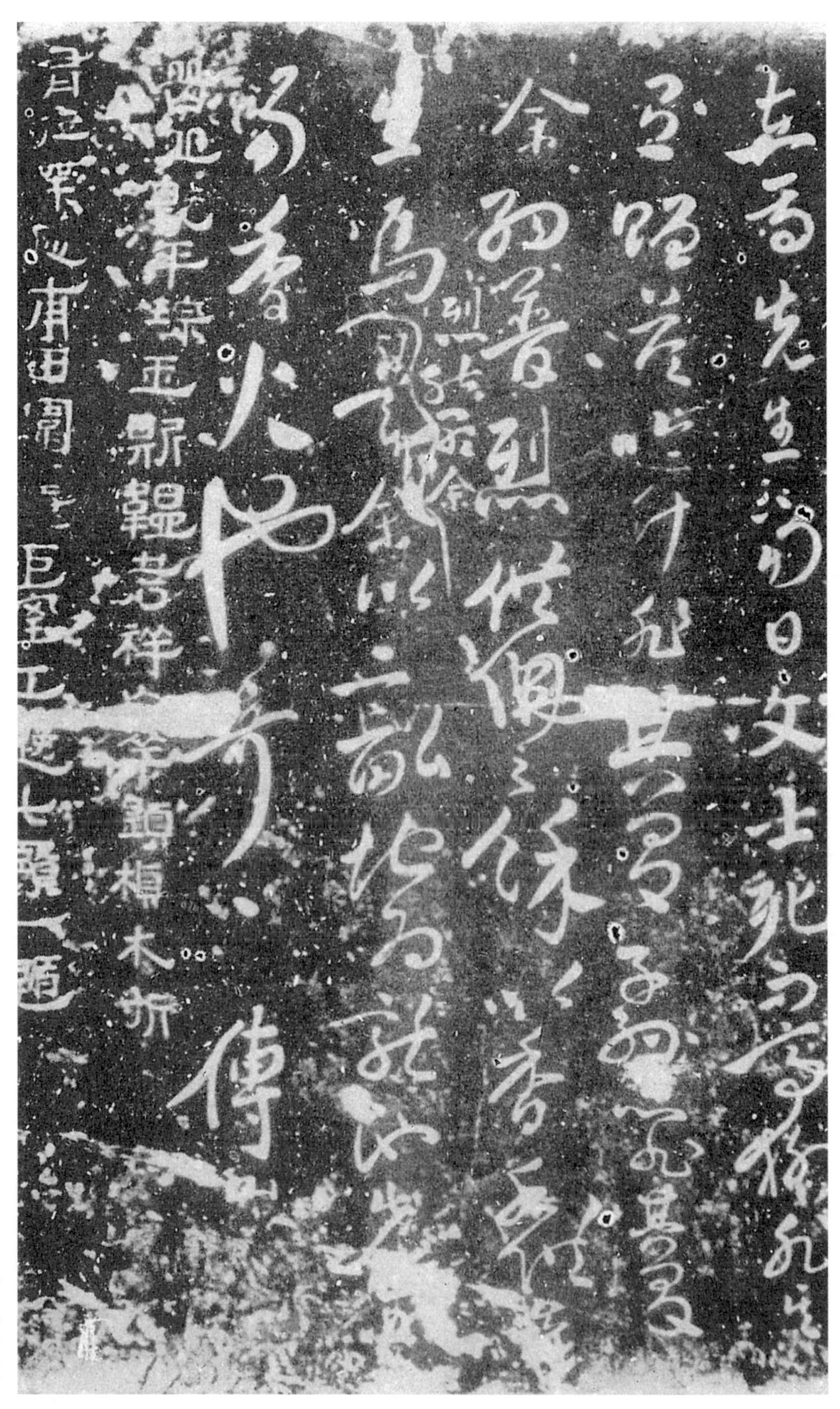

圖1.50
傅山
《上蘭五龍祠場圃記》
1641　石刻拓本
紙本　尺寸不詳
林鵬提供照片

們無法確知其早期書法的風格特徵。

傅山書於1641年的《上蘭五龍祠場圃記》的石刻拓本（圖1.50）是他存世最早的作品。[167] 這件書作的原蹟與原刻石皆已佚失，僅拓本存世。儘管拓本顯示出原石的毀損痕跡，但行草的書風特徵仍然歷歷可見。正如林鵬所指出，其風格反映出明朝嫻雅一路書法的特徵，[168] 無論筆劃的起始、轉折和收尾皆優雅精緻。除了最後一個字「也」外，全篇並無起伏的波瀾之筆。有些「捺」的收筆向上略挑，帶有章草的意蘊。

圖1.51 印文「傅鼎臣印」

行草書後有兩行隸書銘贊，寫得相當隨意，橫和捺收尾時上挑的燕尾甚是誇張。但總體而言，此贊與前文同樣優雅，和傅山後來豪放而又富有戲劇性的作品形成鮮明對比。在這一小記中，趙孟頫對傅山的影響顯而易見。[169]

傅山從青年時期即開始刻印，那時，晚明的文人篆刻已進入高峰。影響所及，他的兒孫輩也鑽研這門藝術。傅山曾寫道：「印章一技，吾家三世來皆好之，而吾于十八九歲即能鐫之。漢非漢，一見辨之。如如來所謂如實了知，敢自信也。」[170]

傅山早年收藏的一部書上鈐有一方朱文「傅鼎臣印」（圖1.51），刀法和章法均見功力，很可能是傅山的早期作品（「鼎臣」是傅山早年尚未改名「山」之前的名字）。目前我們在傅山存世的作品上見到的那些名章，估計不是傅山本人即是其子傅眉所刻。而傅眉尤其擅長治白文印。[171] 事實上，現存傅山和傅眉書畫作品上的用印也以白文居多。

由於從青年時代起就研習篆刻，傅山對當時出版的古體字字書應該相當熟悉。雖然傅山1650年以前的篆書作品沒有留存下來，然而，從他1650年代的篆書作品所達到的成就來看，他在明亡以前一定勤於研習篆書。傅山早年的這一訓練，使其成爲清初倡導將古篆、隸作爲書法範本的重要人物。上文論及晚明文人在書法中用漲墨可能是受了篆刻的影響，我們在傅山和傅眉的書作中也能看到漲墨現象。

作爲一個早慧的藝術家，傅山在二十多歲時已經精於文物鑒定，明亡以前，他就以此聞名於山西的收藏家之間。明清之際，山西的文化在全國範圍雖說不算發達，但明代山西的書畫收藏卻頗爲可觀。其中一個重要原因是，明初分藩時，朱元璋（1368-1398在位）曾把許多藏於皇室的古書畫作品分賜諸王。分藩太原的晉恭王朱棡（1358-1398）即得到大量皇室賜予的書畫。[172]至明末，許多官家藏品已流入私人收藏家手中。[173] 傅山從年輕時就對山西的書畫收藏十分熟悉。傅山在〈題宋元名人繪蹟〉中曾談到他年輕時爲人鑒定書畫之事：

此冊中多霞鳳黃孝廉家藏幅。孝廉之祖，有宦晉官承奉者，故多得晉分藩時書畫。而孝廉又博學，精賞鑑，以文章從龍池先生遊。是以收藏精富，在嘉、隆間爲太原最。庚午(1630)、辛未（1631）之間，曾留貧道冰龕，頗細爲刪存之。[174]

由此可見，傅山對於原爲分藩時山西王府所得、而後散入私人之手的收藏相當熟悉。

在晚明的山西收藏家中，出生於山西絳縣富商之家的韓霖（約1600-約1649）及其兄長韓雲收藏最富。[175]《絳州志》說韓雲「藏法帖數千件」，[176]儼然是一個重要的書法收藏家。而韓霖收藏的碑帖也同樣豐富。傅山〈題舊榻聖教序〉云：

《聖教序》舊榻本無幾頁。雨公所藏一冊。即不宋，覺非二百年內物矣。今適見此，可稱其流亞，好字者寶之。[177]

傅山在〈絳帖說〉中又寫道：

壬午，從河東府王孫得《絳帖》一部。《絳帖》傳無之久矣。晉府《寶賢堂》，云是從《絳帖》摹勒者。韓雨公云欲得之，吾謂：「君家已藏半部眞本，不必復須此矣。」韓意塞。吾以送畢湖目先生。[178]

傅山的這些文字不但說明韓霖的收藏既富且精，而他對韓霖的收藏又是多麼地熟悉。

韓氏兄弟也是晚明山西重要的政治文化人物。韓雲爲舉人，官至徐州知府。韓霖於1621年考上舉人，此後多次赴京參加會試，求取進士之第。儘管屢試不第，他卻因此在京城結識了許多朋友。他還是復社中唯一的兩名山西成員之一。韓霖曾數次南下江南地區，與當地文人交游，並搜購書籍和書畫作品。他成爲黃道周和倪元璐的友人，且拜於當時書畫界的祭酒董其昌門下。韓霖也是出色的書法家。《絳州志》說韓霖「書兼蘇、米」。[179]

韓霖浸淫篆刻藝術數十年，在晚明印壇扮演了一個相當活躍的角色。他是著名篆刻家朱簡的好友，[180]並曾親自編輯朱簡傳世篆刻的代表作《菌閣藏印》（1625年出版）。[181]由於韓霖很富有，因此他不但參預編訂朱簡的印作，而且這些印作很可能也都是由他出資梓行的。韓霖在爲《菌閣藏印》所作的序中這樣自負地聲稱：

余究心此道二十載，殊覺登峰造極之難，於今人中見其篆刻之技近千人，與之把臂而遊，上下其議論近百人。[182]

這說明，韓霖不但交游極廣，而且眼界很高。雖然韓霖本人的印作今天已見不到了，但我們不難看出，他對篆刻極有研究。傅山和韓霖交往中，當討論過印章。從萬曆到崇禎年間，執印壇牛耳者多在江南，而韓霖和他們中的許多人都有過直接的接觸，他也一定收藏了許多印譜。若此，傅山可以通過韓霖來及時了解印壇的動向。

韓霖對傅山的書法也可能有所影響。傅申曾指出趙宧光的草篆對傅山草篆的重大影響。[183]韓霖可能和趙宧光有直接的交往。因爲趙宧光是朱簡的友人，朱簡曾與趙宧光論印，其印學著作《印品》曾請趙宧光作序，朱的印章也受趙宧光草篆的影響。[184]韓霖隨其兄遊江南時，趙宧光尚在世。即使二者沒有直接的交往，間接的交往則一定存在。作爲朱簡好友的韓霖，不可能不知道趙宧光。若趙宧光草篆對傅山有所影響，很可能是以韓霖爲中介。

前文已經談到，晚明是天主教傳入中國的一個重要時期，利瑪竇入華傳教，許多士大夫如朝廷顯宦李之藻、徐光啓等皆皈依天主教。作爲徐光啓的弟子，韓霖與韓雲都是虔誠的天主教徒，並在傳播天主教方面不遺餘力。明末時，天主教傳教士在山西極爲活躍，韓氏兄弟數次邀請傳教士到絳州佈道，使絳州成爲晚明時期天主教影響最大的地區。1627年，由韓霖、韓雲出資，第一座由中國教徒自己建立的天主堂在絳州誕生，徐光啓著名的〈景教堂碑記〉一文，就是應韓霖、韓雲的邀請爲他們在絳州的天主教堂所撰。[185]此外，韓氏兄弟傳播天主教的一個重要工作便是刊行宗教書籍。[186]

陳垣在〈基督教入華史〉一文中以利瑪竇爲例，列舉了明末西方傳教士在華傳教成功的六個條件。其中之一就是「介紹西學」。在這一方面，韓氏兄弟尤以韓雲貢獻甚著。韓雲在延請法國耶穌會傳教士金尼閣（Nicolas Trigault，1577-1628）到山西傳教期間，協助金尼閣完成了《西儒耳目資》這部完整的羅馬注音專著。韓雲在《西儒耳目資》序中寫道：

> 四表金先生，利先生之後進。哲人萎矣，尚有典刑。敦請至晉，朝夕論道，偶及字學，如剝蔥皮，層層著裡，隱憂泣血，不覺見遺，因請爲書，凡三易稿始成之。

雖然利瑪竇就曾試圖用西洋字母來爲漢語注音，但他在這方面的嘗試除了《程氏墨苑》有所記載外，並沒有其他的著述傳世。因此，天啓六年（1626）印行的《西儒耳目資》就成爲了當時這方面最重要、最有影響的著作。「當時的士大夫正在歡迎利瑪竇諸人的西學的時候，也就很歡迎這書。西洋的二十六個字母本爲標音而設，當然是反切的好工具；《西儒耳目資》以西洋字母注漢語的語音，就把歷代認爲神秘的音韻學弄得淺顯多了。」[187]以後，傅山在1660與1670年代熱衷於音韻學，很可能多少得到此書的啓發。

韓霖後來被李自成的軍隊俘虜，並服務於李自成的軍中。後雖逃脫李軍，但在1640年代中後期爲地方盜賊所殺。死後其收藏散落四處，傅山及其友人還曾試圖購回韓霖的部分收藏。

雖然傅山對韓霖信仰天主教一事頗有微詞，[188]但對他來說，與韓霖的交往極其重要，因爲韓霖經常往返於山西和晚明文化藝術中心的江南，通過韓霖，傅山可以得知南方文壇的動向。

傅山結交的友人，哲學與宗教取向是多元的。絳州雖是晚明天主教最重要的基地之一，但也是晚明山西最具影響力的儒學家辛全（1588-1636）的故鄉。傅山與辛全及其數位重要追隨者爲好友。[189]而山西地處西北，境內居民本多穆斯林，傅山的兩位至交文玄錫（1596-1679後）和梁檀（約1585-1654後）皆信奉伊斯蘭教，傅山在其著作中曾數次表示其欽佩之情。[190]雖說傅山自幼受到良好的儒家思想薰陶，但從二十多歲開始，也漸漸表露出對宗教（特別是佛、道）的興趣，以後，他還出家爲道士。對不同哲學傳統的研究，以及與不同宗教背景人士的交往，對傅山形成自由的心智、對各種思想流派與宗教的開放態度，都有積極意義。

傅山對不同思想流派的兼容並蓄，也時常反映在他的著作和行爲所包含的矛盾中。一方面，傅山對當時政治上的危機十分關注，並致力研究「實學」。但另一方面，他受明代心學思潮尤其是王陽明和李贄的學說影響甚大。[191]

這種矛盾可以在傅山的兩本早期著作中看到。一本是1640年代初傅山在傅眉的協助下編纂成的《兩漢書姓名韻》，是研究漢代歷史的工具書。此書，書中按韻部羅列《漢書》與《後漢書》中提及的人物，在每一人名之下附有簡短的小傳。從此書的內容及編纂所耗費的時日可以推斷，傅山在史學方面下過紮實的功夫。此書迄今仍爲研究漢代歷史的參考書。

另一本著作是完成於1644年以前的《性史》。關於心性的討論在晚明學者之間甚是流行。此書不幸於明清鼎革之際散佚，但從傅山自己的記述看來，此書充滿了「反常之論」。[192] 傅山對心性的討論，和上面提到的他致力於「實學」的研究，成爲一個有意思的對比。

終其一生，傅山對多種不同的宗教、哲學傳統的接觸，使其思想中具有多種異質，因此也充滿了矛盾。傅山曾模仿陶淵明（372?-427）〈五柳先生傳〉，寫成〈如何先生傳〉：

如何先生者，不可何之者也。不可何之，如問之。問之曰：「先生儒耶？」曰：「我不講學。」「先生玄耶？」曰：「我不能無情而長生。」「先生禪乎？」曰：「我不搗鬼。」「先生名家耶？」曰：「吾其爲賓乎！」「先生墨耶？」曰：「我不能愛無差等。」「先生楊耶？」曰：「我實不爲己。」「先生知兵耶？」曰：「我不好殺人。」「先生能詩耶？」曰：「我恥爲詞人。」「先生亦爲文章耶？」曰：「我不知而今所謂大家。」「先生臧否耶？」曰：「我奉阮步兵（阮籍，210-263）久。」「先生高尚耶？」曰：「我卑卑。」「先生有大是耶？」曰：「我大謬。」「先生誠竟謬耶？」曰：「我有所謂大是。」「先生是誰？」曰：「是諸是者。」「先生顧未忘耶？」曰：「忘何容易！如何如何，忘我實多。」「先生先生，究竟如何？」曰：「我不可何之者也，不知何之者也，亦與如之而已。」溫伯雪之言「明於禮義而陋於知人心」，先生自知亦如之而已矣。[193]

毫無疑問，〈如何先生傳〉就是傅山爲自己所作的自畫像。[194] 傅山在文中既承認自己承襲了各種不同的哲學思想，又表明自己獨立於各家學派。文中呈現出的矛盾狀態，正是晚明文化的縮影。哲學上的多元論及平等地看待不同的宗教和思想流派，顯然承自於晚明思潮。

崇禎甲戌（1634）七月，復社成員袁繼咸（1598-1646）出任山西提學。同年九月，吳甡（1589-1644後）被委任爲山西巡撫。袁、吳二人在山西任官時，傅山與他們建立了良好的關係。

1636年，袁繼咸在吳甡的支持下，修復山西最重要的教育機構──三立書院，邀請當地有名望的學者講學。傅山和來自山西各地的三百餘名生員入學。在三立書院，傅山和當時山西境內一些最傑出的學子朝夕相處，並很快便以其出眾的才華被視爲同儕之翹楚。三立書院的學生，其家庭多爲地方政治、經濟菁英。例如，陽曲人楊方生（1601年出生）爲官宦子弟，相同背景者還包括來自祁縣的戴廷栻（約1623-1692）與盂縣的孫穎韓（活躍於1630-1650）等。其他朋友則出身地方士紳，如平定的白孕彩（活躍於1630-1660）、汾陽的曹良直（卒於1643年）、王如金（卒於1649年）等。以後的事實證明，三立書院對山西政治、文化生活以及傅山本人都產生了深遠的影響。入清後，傅山的明遺民朋友圈中的大多數成員皆來自他在三立書院時期結交的友人。

1636年七月，吳甡上書皇帝，表彰袁繼咸的政績並推薦其出任京官。而此前三個月（同年四月），吳甡和袁繼咸的政敵溫體仁（1598年進士；卒於1638年）的黨羽張孫振被任命爲山西巡按御史。爲達到打擊吳甡的目的，張孫振以賄賂之罪彈劾袁繼咸。十月，袁繼咸被捕，送至北京受審。

得知袁繼咸受困的消息後，傅山變賣家產籌措資金，和摯友薛宗周（卒於1649年）率山西學子赴北京向朝廷請願，爲身陷囹圄的袁氏申冤。[195]在北京，傅山和友人起草疏文，由百餘名山西學子共同簽署。他們原本期望通過通政司將此疏傳遞給朝廷，無奈通政參議袁鯨爲張孫振的朋友。袁鯨以此疏不合規格拒絕遞交，同時暗中將副本轉給在山西的張孫振。張孫振惱怒不已，以迫害傅山的弟弟傅止相威脅。傅山置之不理。在幾次上疏均遭通政司拒絕後，傅山和友人改變策略，印製了一份揭帖（相當於今日之傳單，由傅山起草），亂投於京師各大小衙門。他們還隨身攜帶揭帖，遇見官員或宦官時便送上，以期請願書能上達皇帝。傅山在揭帖中寫道：

> 嗚呼！敗誣而至於敝鄉之袁，眞國是之又一變矣。袁教敝鄉幾三年，下車先以天下名教是非爲誨導；歲科再試，盡瘁積勞；往來盜賊戎馬間；苦心摩研，士往往售知。……即開書院作養一舉，首以俸餘葺先賢三立祠，而進諸生於其內，朝夕勸課，蔬食菜羹，與諸生共之，不取給於官府，不擾及於百姓，有貪吏若此者乎？[196]

傅山在揭帖之末疾呼朝廷主持正義，不要輕信小人對袁氏的誣告。

次年一月，張孫振被捕，並移交北京受審。四月，袁繼咸被判無罪獲釋。山西學子這次勇敢且成功的請願行動，博得士林一片喝采。應袁繼咸之請，馬世奇（1584-1644）撰寫了〈山右二義士記〉一文，讚譽傅山和薛宗周爲山西的「二義士」。當時年僅三十歲的傅山自此被目爲山西文人的領袖。[197]

1642年，傅山於鄉試中落榜，而這次科場失意似乎另有原因。傅山在赴試前對「實學」與宗教文本發生的濃厚興趣，在在都顯示出其對通過考試所需具備的八股知識並不太注重。[198]實際上，許多晚明文人都不同程度地意識到科舉考試的弊端——科場所試八股文和經國濟世所需知識之間的嚴重脫節。

然而，這並不意味著傅山對時事漠不關心。他在山西學子赴京請願營救袁繼咸的行動中所扮演的領導角色，正顯示出他高度的政治責任心和組織能力。傅山對國家命運的關心，在他的一篇早期作品〈喻都賦〉中也可以得到證明。此賦寫於1637年春傅山旅居北京爲袁繼咸申冤時，當時滿洲人對明王朝已構成嚴重的威脅。1635年夏，八旗軍突襲離北京不遠的保定，京師告急，京城百姓間已有遷都的傳聞。傅山在〈喻都賦〉中讚頌皇帝，相信他絕不會遷都，並期待江山社稷在他的領導下日益安寧。[199]

然而，事與願違。1640年代初期，情勢每下愈況，大明王朝的崩潰已無可避免。

註釋

1. 徐世溥，字巨源，江西南昌府新建縣人。父良彥，字季良，萬曆戊戌（1598）進士，官至南京工部侍郎，爲明末清初著名詩人錢謙益的座師。徐世溥著有《榆溪集》等。錢謙益曾撰〈徐巨源哀詞〉，載錢氏，《牧齋有學集》，卷37，下冊，頁1301。汪世清先生2000年1月6日給筆者的信中提供了有關徐世溥的資料。
2. 徐世溥的這通信札收錄在明末清初著名文人、收藏家周亮工（1612-1672）輯錄的同時代人的書信集《尺牘新鈔》中（冊1，頁42）。周亮工對徐氏的概括十分欣賞，他還將這一信札收錄在其另一著作《因樹屋書影》（卷1，頁5a-b）中。徐氏的信並無年款，但極有可能是寫於明清鼎革之際（亦即1640至1650年代），因爲信中談及的董其昌卒於1636年，譚元春卒於1637年。引文中括弧內的文字爲本書作者所加。以下援引的古代文獻中凡有括弧者，均爲本書作者所加，不再一一註明。
3. 關於海瑞的生平及其政治生涯，見黃仁宇，《萬曆十五年》，頁134-163。
4. 關於趙南星、顧憲成和鄒元標的傳紀，見Goodrich and Fang, *Dictionary of Ming Biography*, vol. 1, pp. 128-132, 736-744; vol. 2, pp. 1312-1314。
5. 關於東林運動，見Hucker, "The Tung-lin Movement of the Late Ming Period," pp. 133-162。
6. 關於袁黃的傳紀，見Goodrich and Fang, *Dictionary of Ming Biography,* vol. 2, pp. 1632-1635。而晚近關於袁黃的研究，見Brokaw, "Yüan Huang (1533-1606) and Ledgers of Merit and Demerit"。
7. 請參見袁黃，《訓子言》。
8. 關於焦竑學術成就的討論，請參見林慶彰，《明代考據學研究》，頁314-390。
9. 在一篇極具啓發性的論文中，John Hay認爲「個人主體性在晚明成爲人們關注的中心問題，王陽明不過是個表徵，並非導因。」見John Hay, "Subject, Nature, and Representation in Early Seventeenth-Century China," p:13。
10. 黃宗義，《明儒學案》，頁371。
11. 關於基督教和儒教在晚明時期的互動，見孫尚揚，《基督教與明末儒學》。
12. Goodrich and Fang, *Dictionary of Ming Biography,* vol. 2, p. 1313.
13. Watt, "The Literati Environment," p. 9.
14. 筆者關於晚明時期社會經濟的變動及其深遠影響的討論，得益於下列研究：Rawski, "Economic and Social Foundations of Late Imperial Culture"; Brook, *The Confusions of Pleasure,* pp. 86-237; Ko, *Teachers of the Inner Chambers*, pp. 1-67; Chun-shu Chang and Shelley Hsueh-lun Chang, *Crisis and Transformation in Seventeenth-Century China*, pp. 146-176, 267-304。
15. 關於晚明迅速發展的印刷出版業的討論，見Ko, *Teachers of the Inner Chambers*, pp. 34-41; Rawski, "Economic and Social Foundations of Late Imperial Culture," pp. 17-28; *Late Imperial China*, vol. 17, no. 1 (June 1996)中的相關文章；Widmer, "The Huanzhuzhai of Hangzhou and Suzhou"; Chia, "Commercial Publishing in Ming China," "Of Three Mountains Street: The Commercial Publishers of Ming Nanjing"以及 *Printing for Profit*。
16. 晚明編輯出版的家庭日用類書通常包含討論書法的篇章。雖然所附書法通常相當平庸，甚至低劣，但是書法被包括在這類提供日常生活知識的出版物中，正說明書法在廣大城市居民中逐漸普及並受到重視。見王正華，〈生活、知識與文化商品：晚明福建版「日用類書」與其書畫門〉。

17. Ko, *Teachers of the Inner Chambers,* p. 43.
18. Nelson I. Wu, "Tung Ch'i-ch'ang," p. 262.
19. 關於李贄遭逢的文人困境、憤世嫉俗的行徑以及最後悲劇下場的討論，見黃仁宇，《萬曆十五年》，頁204-243。
20. 關於李贄哲學的討論，見de Bary, *Learning for One's Self,* pp. 203-270。
21. 關於袁宏道、湯顯祖、董其昌和李贄之間交游關係的討論，見Cheng, "T'ang Hsien-tsu, Tung Ch'i-ch'ang and the Search for Cultural Aesthetics in the Late Ming"; Nelson I. Wu, "Tung Ch'i-ch'ang," pp. 280-281。
22. 湯顯祖，《湯顯祖集》，下冊，頁1078。
23. 同上註，頁1080。
24. 李贄，《焚書・續焚書》，頁97-99。
25. 袁宏道，〈答李元善〉，載《袁中郎全集》，卷23。
26. 關於修辭的討論，見白謙慎，〈從傅山和戴廷栻的交往論及中國書法中的應酬和修辭問題〉。
27. Burnett, "The Landscapes of Wu Bin," p.127。關於明末清初文學和藝術中「奇」的概念，中、英文都有不少討論。中國學者關於「奇」及其與晚明文人環境之關聯的研究成果甚爲豐碩，如曹淑娟的《晚明性靈小品研究》即詳細討論了李贄的思想和公安派的文學理論，以及「奇」之論述之間的關係（見頁164-176）。英文的有關論述，見Burnett, "A Discourse of Originality"。Burnett的博士論文"The Landscapes of Wu Bin"的第三、四章，爲英文著作中探討晚明文藝理論中關於「奇」的論述最爲詳盡者。Dora Ching在"The Aesthetics of the Unusual and the Strange in Seventeenth-Century Calligraphy"一文中，討論中國書論史中「奇」之概念，以及明末清初書法中有關「奇」的運用。此外，關於晚明文學和繪畫中「奇」的討論，尚可參見Plaks, "The Aesthetics of Irony in Late Ming Literature and Painting"。
28. 關於晚明字書對於「奇」這個字的討論，見Burnett, "A Discourse of Originality," pp. 532-535。
29. 王鐸，《擬山園集》，卷82，頁5a、20a。
30. 見沈新林，《李漁評傳》，頁388。
31. 何鏜，《高奇往事》。
33. 關於明清時期耶穌會士傳入的製圖法和地圖的學術討論，見Smith, "Mapping China's World," pp. 71-77。
34. 見黃一農，〈王鐸書贈湯若望詩翰研究〉，頁13-17。王鐸在詩中表達了他在耶穌會士處見到天文儀器、西藥和樂器後的崇敬之情。清初還有爲數不少的文人和官員，如丁耀亢（1599-1669）、胡世安（1593-1663）及薛所蘊（卒於1667年）等，曾拜訪湯若望的教堂，並賦詩提及在那裡見到的天體模型、望遠鏡、鐘錶、噴泉等「海外諸奇」給他們留下的深刻印象。
35. 見王徵爲《遠西奇器圖說錄最》撰寫的序言（冊1，頁5-14）。
36. 石守謙，〈由奇趣到復古〉，頁42-43。也請參見Burnett, "The Landscapes of Wu Bin," pp. 28-29。關於吳彬生平和藝術的著作，可參見Burnett, "The Landscapes of Wu Bin"。高居翰（James Cahill）首先提出吳彬的山水和人物畫中有西方的影響。見Cahill, *The Compelling Image,* pp. 70-105。班宗華（Richard Barnhart）在近年發表的一篇論文中提出，董其昌充滿創意的繪畫風格，可能也在一定程度上受到西方版畫和繪畫的啓發，他並以此闡示西方文化在晚明美學形成中扮演的角色（見其"Dong Qichang and Western Learning"）。
37. 程君房之墨也被徐世溥視爲萬曆朝的文化成就之一。

38. Smith, "Mapping China's World," p. 69.
39. 見石守謙，〈由奇趣到復古〉，頁43-44。
40. Gombrich, "The Logic of Vanity Fair," pp. 62-63。貢布里希著、范景中等譯，《理想與偶像－價值在歷史和藝術中的地位》，頁98-99。
41. 顧起元，〈金陵社草序〉，《懶眞草堂集》，卷14，頁41。有趣的是，顧起元是喜好畫詭奇的山水和人物的畫家吳彬的朋友。見Burnett, "The Landscapes of Wu Bin," pp. 41-42。
42. Zeitlin, *Historian of the Strange,* p. 6.
43. 近幾十年來，東西方藝術史學界對董其昌的研究成果頗豐。最重要的學術成果，便是1992年納爾遜美術館舉辦的董其昌世紀展、由何惠鑑與Judith Smith合編的兩巨冊展覽圖錄*The Century of Tung Ch'i-ch'ang, 1555-1636*，以及爲配合此次展覽所舉辦的董其昌國際學術研討會論文集(*Proceedings of the Tung Ch'i-ch'ang International Symposium*)。關於董其昌的生平，請參見展覽圖錄所收Riely, "Tung Ch'i-ch'ang's Life"一文。收錄在展覽圖錄和研討會論文集中的徐邦達、薛永年、楊新及傅申等關於董其昌書法的論文，對本書關於董其昌的討論極有助益。這些論文被翻譯成中文後，收入由《朵雲》編輯部於1998年編輯出版的《董其昌研究文集》。
44. 何惠鑑、何曉嘉，〈董其昌對歷史和藝術的超越〉，載《董其昌研究文集》，頁261-267；Cheng, "T'ang Hsien-tsu, Tung Ch'i-ch'ang and the Search for Cultural Aesthetics in the Late Ming"。
45. 關於中國傳統書論中「生」與「熟」的討論，見叢文俊，〈傳統書法評論術語考釋（25篇）〉，載《揭示古典的眞實》，頁330-331。關於董其昌書法中「生」的概念的詳細討論，見楊新，〈「字須熟後生」析〉，載《董其昌研究文集》。
46. 董其昌，《容臺別集》，卷6，頁2b。從上下文來看，文中「畫不可熟」似應爲「畫不可不熟」。
47. 例如晚明畫家吳彬，把福建山區奇特的景觀帶入自己的山水畫中。見石守謙，〈由奇趣到復古〉，頁43-44。
48. 楊新，〈「字須熟後生」析〉，頁756-757。
49. 董其昌，《容臺別集》，卷4，頁29b-30a。
50. 李日華，《味水軒日記》，卷4，頁229。
51. 關於這件手卷的詳細討論，可參見Marilyn W. Gleysteen撰寫的作品說明，Ho and Judith G. Smith, *The Century of Tung Ch'i-ch'ang,* vol. 2, p.10。卷中第三字，一些學者釋爲「三」，似有未妥處，暫從之。
52. 對墨色的重視是董其昌對中國書法的一個重要貢獻。見傅申，〈董其昌書學之階段及其在書史上的影響〉，載《董其昌研究文集》。
53. 董其昌，《容臺別集》，卷4，頁26b-27a。
54. 何惠鑑、何曉嘉，〈董其昌對歷史和藝術的超越〉，載《董其昌研究文集》，頁294。關於中國傳統書論中「正」與「奇」的討論，見叢文俊，〈傳統書法評論術語考釋（25篇）〉，載《揭示古典的眞實》，頁329-330。關於「生」和「奇」的關係的討論，又見楊新，〈「字須熟後生」析〉，載《董其昌研究文集》，頁764。
55. 見傅申，〈董其昌書學之階段及其在書史上的影響〉。
56. 董其昌，《畫禪室隨筆》，卷1，頁1。
57. 關於張瑞圖的生平與藝術，見劉恒，《中國書法全集》，冊55，《明代編：張瑞圖卷》。
58. 何炎泉在他的碩士論文〈張瑞圖之歷史形象與書蹟〉中，對張瑞圖的應酬書法活動作了細緻的分析，他認爲，張瑞圖獨特的書風和他在大量的應酬活動中養成的書寫習慣有關。
59. 關於黄道周的生平與藝術，見劉正成，《中國書法全集》，冊56，《明代編：黄道周卷》。關於倪元璐的生平與藝術，見劉恒，《中國書法全集》，冊57，《明代編：倪元璐卷》。關於王鐸的生平與藝術，見劉正成、高文龍，《中國書法全集》，冊61、62，《清代編：王鐸卷》，及Alan

Gordon Atkinson的博士論文"New Songs for Old Tunes: The Life and Art of Wang Duo"。

60. 王鐸，《擬山園選集》，卷16，頁1a-b。關於這首詩的註釋，見劉正成、高文龍，《中國書法全集》，冊62，《清代編：王鐸卷》，頁652-653。
61. 此詩在被刊入《擬山園選集》時，可能遺漏了一行。
62. 王鐸，《擬山園選集》，卷82，頁4a。
63. 同上註，頁2a-b。
64. Shen C. Y. Fu, "Huang T'ing-chien's Calligraphy and His Scroll for Chang Ta-t'ung," pp. 127-132.
65. 邱振中，〈章法的構成〉，頁81-83。
66. 董其昌1630年在北京擔任禮部尚書時，黃道周和王鐸均爲其下屬，他們曾與董討論書法。王鐸的《擬山園選集》卷50中即收錄數通他寫給董其昌討論書法的信札。見劉正成、高文龍，《中國書法全集》，冊62，《清代編：王鐸卷》，頁651-652。
67. Ledderose, *Mi Fu and the Classical Tradition of Chinese Calligraphy,* p. 33。雷德侯還詳細地討論早期中國書法中臨摹的多種方式；見該書pp. 33-44。
68. 朱惠良，〈臨古之新路：董其昌以後書學發展研究之一〉，頁51-94。關於董其昌如何臨古的討論，還可參見Xu, "Tung Ch'i-ch'ang's Calligraphy," pp. 117-118。
69. 董其昌，《容臺別集》，卷4，頁46a。
70. 關於董其昌在繪畫中的創造性臨仿的理論與實踐，見Cahill, *The Compelling Image,* pp. 36-69；以及Chou, "The Cycle of *Fang*"。
71. 懷素的《自敘帖》爲草書作品。董其昌跋語中的評語「楷法精詳」，實際上是從懷素《自敘帖》中「至於吳郡張旭長史，雖資性顛逸，超絕古今，而模楷精法詳」轉化出的句子。但董其昌提到的「魯公贈言」爲何不詳。
72. 黃惇，〈董其昌僞本書帖考辨〉。這一手卷後有高士奇（1645-1704）和張照（1691-1745）的跋。高氏跋云：「董華亭臨張長史書，丰神逼肖。初視之，不知爲華亭書也。跋尾三行，楷法精妙，遂見本色。」張照跋云：「董尚書臨張長史尚書省《郎官壁石記》。草書眞蹟，上上神品。」由於高士奇提到董其昌「跋尾三行，楷法精妙」，導致一些學者對這件作品的眞僞產生懷疑。然而此處「楷法」應作較爲寬泛的理解。
73. 此爲李慧聞女士在1994年9月17日於常熟舉辦的中國書法史討論會上面示筆者。1999年6月15日在蘇州舉辦的《蘭亭序》國際學術研討會上，筆者再次就這一問題向李慧聞女士請教。關於董其昌印章的細緻討論，見Riely（李慧聞）, "Tung Ch'i-ch'ang's Seals on Works ", *The Century of Tung Ch'i-Ch'ang*。
74. 見黃惇，《中國書法全集》，冊54，《明代編：董其昌卷》，頁8。
75. 關於董其昌臨寫顏眞卿這一作品的附圖，見許禮平，《董其昌：大唐中興頌》。
76. 從王鐸留下的文字中，我們可以推測他擁有或曾看過不同版本的《淳化閣法帖》。見劉正成、高文龍，《中國書法全集》，冊62，《清代編：王鐸卷》，頁657-658。上海博物館所藏三冊《淳化閣法帖》曾經爲王鐸的好友孫承澤（1592-1676）收藏，題簽爲王鐸所書。更多有關的討論，見曹軍，〈王鐸與《閣帖》〉。
77. 例如，王鐸所臨王羲之的《蘭亭集序》，其風格和範本相當接近。見劉正成、高文龍，《中國書法全集》，冊62，《清代編：王鐸卷》，頁51-53。錢謙益在〈故宮保大學士孟津王公墓誌銘〉中這樣描述王鐸對《淳化閣法帖》的熟悉：「秘閣諸帖，部類繁多，編次參差，蹙?起伏，趣舉一字，矢口立應。覆而視之，點畫戈波，錯見側出，如燈取影，不失毫髮。」見《牧齋有學集》，中冊，頁1103。
78. 見劉正成、高文龍編，《中國書法全集》，冊62，《清代編：王鐸卷》，頁582-647。
79. 本書在此用以比較的《淳化閣帖》爲宋拓賈刻本。

80. Ching, "The Aesthetics of the Unusual and the Strange in Seventeenth-Century Calligraphy," p. 353。晚明與董其昌齊名、年長王鐸的邢侗（1551-1612），已經把二王的尺牘放大爲條屏。見顧廷龍，《中國美術全集・書法篆刻編（5）・明代書法》，頁145，圖版114。
81. 有相當一部分王鐸的臨作尚存世。見劉正成、高文龍，《中國書法全集》，冊61，《清代編：王鐸卷》，頁51-55、136-140、162-175；冊62，《清代編：王鐸卷》，頁409-410、431-432。有興趣的讀者也可參閱書中由高文龍撰寫的作品考釋。
82. 見劉正成、高文龍，《中國書法全集》，冊62，《清代編：王鐸卷》，頁596。
83. 類似的臨書在王鐸存世書作中不勝枚舉。高文龍曾對王鐸的一些臆造性臨古之作作過細緻的描述（見劉正成、高文龍，《中國書法全集》，冊62，《清代編：王鐸卷》，頁583-584、629、637）。另一件王鐸早期的臆造性臨古作品，是其在1627年春季爲其友人思玄所作的草書掛軸。這件作品共有五十一個字，拼湊王羲之的三通短札而成。此軸起始的十二字，取自《淳化閣帖》卷7王羲之《参朝帖》。接下來的十一個字是錄自王羲之《十七帖》中所收的《瞻近帖》。最後的十四個字則選自同樣是《淳化閣帖》卷7王羲之的《月末帖》。關於這件書作的圖版與討論，見劉正成、高文龍，《中國書法全集》，冊61，《清代編：王鐸卷》，頁67；冊62，《清代編：王鐸卷》，頁584。王鐸最激進的臆造性臨古作品是開封市博物館所藏1650年臨王羲之《敬豫》諸帖掛軸（高240公分），其短短六十一字的文本（包括年款和名款），竟至少割取了五件王羲之法帖拼湊而成（前引書，冊62，頁516、637）。
84. 關於明末清初「臆造性臨摹」更爲詳盡的討論，見白謙慎，〈從八大山人臨《蘭亭序》論明末清初書法中的臨書觀念〉。
85. 顧炎武，黃汝成校釋，《日知錄集釋》，頁672。
86. 鄭振鐸在討論晚明的出版文化時指出，晚明的許多出版商常宣稱其出版的書是根據珍版古籍翻刻，然而他們宣稱的這些古代版本往往早已散佚不傳見鄭振鐸，《西諦書話》，上冊，頁217。
87. 見啓功，〈從《戲鴻堂帖》看董其昌對法書的鑒定〉，載《董其昌研究文集》，頁624-631。
88. 《歡喜冤家》，頁378-386。商偉兄首先建議筆者注意晚明文學中存在的「戲擬」現象，並提供了《歡喜冤家》中的這一材料。
89. 關於《三字經》等啓蒙讀物在明清教育中之作用的討論，見Rawski, "Economic and Social Foundations of Late Imperial China," pp. 29-31。
90. 馮夢龍，《警世通言》，卷2。
91. 關於古代經典的章句是如何被編成飲酒時所行酒令或淫穢笑話的實例，請參見以下晚明刊行的戲曲集：《大明春》、《堯天樂》、《玉谷新簧》，收錄於王秋桂，《善本戲曲叢刊》，輯1。關於此現象的討論，見Shang（商偉），"*Jin Ping Mei* and Late Ming Print Culture"。
92. 凌濛初，《拍案驚奇》，頁1。
93. Johnson et al., *Popular Culture in Late Imperial China*, pp. 28-33, 46-48.
94. 何惠鑑、何曉嘉，〈董其昌對歷史和藝術的超越〉，載《董其昌研究文集》，頁267-268。此處譯文略有改動。
95. Bloom, *The Anxiety of Influence*.
96. Plaks, *The Four Masterworks of the Ming Novel,* pp. 50-51.
97. 這件手卷現藏於上海博物館。其題款著錄於劉正成、高文龍，《中國書法全集》，冊62，《清代編：王鐸卷》，頁649。
98. 王鐸的不少書作都反映出這種焦慮。請參見上註書，頁649-650。王鐸對高閑、張旭、懷素的批評，或受到米芾的影響。米芾《論書帖》（又稱《張顛帖》）云：「草書若不入晉人格，聊徒成下品。張顛俗子，變亂古法，驚諸凡夫，自有識者。懷素少加平淡，稍到天成，而時代壓之，不能高古。高閑而下，但可懸之酒肆。䛒光尤可憎惡也！」王鐸行書受米芾影響至鉅，而且

《論書帖》又刻入《停雲館帖》，王鐸應該了解米芾對唐代草書的評論。

99. 在〈爲太峰題義之像〉這首詩中，王鐸聲稱他從年輕時即極爲景仰王羲之及其書法。（見王鐸，《擬山園選集（詩集）》，「五古」，卷6，頁4b-5a。又見劉正成、高文龍，《中國書法全集》，冊62，《清代編：王鐸卷》，頁660。
100. 趙宧光園林的雅致，可從胡應嘉（1613年進士）所撰〈寒山記〉窺見一斑。載劉大杰，《明人小品集》，頁129-130。
101. 關於趙宧光書法的討論，見Shen C. Y. Fu, *Traces of the Brush*, pp. 51-52, 248-249。
102. 關於趙宧光和朱簡的篆刻，見方去疾，《明清篆刻流派印》，頁18、23-25。
103. 有些學者認爲文人篆刻早在北宋就已開始，米芾就已開始參與篆刻。見沙孟海，《沙孟海論書叢稿》，頁188。即使文人篆刻在宋代就已存在，我們也不能否認，在晚明，文人篆刻進入了高峰期。
104. 同上註，頁189。也請參見黃惇，《中國古代印論史》，頁28-32。
105. 孫慰祖，《孫慰祖論印文稿》，頁183-187。
106. 我們從比文彭稍晚的徽州儒商方元素（方本人也治印）的友人寫給他的信札中可以看出，當時人還常提到銅印。如果這裡的「銅章」指的是印材而非漢印風格的印章的話，那麼在萬曆年間，銅印還是很流行的。見陳智超，《美國哈佛大學哈佛燕京圖書館藏明代徽州方氏親友手札七百通考釋》。
107. Watt（屈志仁）, "The Literati Environment," p. 11.
108. 沈野，〈印談〉，收錄於韓天衡，《歷代印學論文選》，上冊，頁64。
109. 王士禛，《香祖筆記》，頁230。
110. 如高官、書法家米萬鍾之好蓄石，吳彬之好畫奇山怪石，林有麟之刊刻《素園石譜》。
111. 關於中國藝術與文學中石頭的討論，見John Hay, *Kernels of Energy, Bones of Earth*，以及Zeitlin, *Historian of the Strange*, pp. 74-88。
112. 沈野，〈印談〉，收錄於韓天衡，《歷代印學論文選》，上冊，頁64-65。
113. 見李流芳爲其友人汪關的印譜《寶印齋印式》所撰序言。收錄於韓天衡，《歷代印學論文選》，下冊，頁464。李流芳爲董其昌和趙宧光的友人。
114. 沈野，〈印談〉，收錄於韓天衡，《歷代印學論文選》，上冊，頁63。
115. 見曾藍瑩撰評Li and Watt, *The Chinese Scholar's Studio*的書評，載《九州學刊》，第4卷，第3期（1991年10月），頁119-120。
116. 張岱，《陶庵夢憶：西湖夢尋》，頁37。
117. 晚明文人喜歡談論「癖」。蔡九迪審慎地研究了關於明末清初對怪異和不尋常之物的癖好，並將其視爲一種歷史現象。她指出，在那個時期，「癖變成文人士紳不可或缺之物」（Zeitlin, *Historian of the Strange*, p. 69），正所謂「人無一癖，不可與交」見張岱，〈五異人傳〉，載《張岱詩文集》，頁267。
118. 王弘撰，《山志》，頁81。郭宗昌曾輯《松談閣印史》5卷（成書於1615年）。此印譜以原印鈐拓的古璽印譜著名於晚明，每方印蛻下有郭宗昌的考訂文字。
119. 引王朝麟序郭宗昌輯《松談閣印史》語。見韓天衡，《歷代印學論文選》，下冊，頁468。
120. Clunas, *Superfluous Things*, p. 108.
121. 關於印譜的簡史，見黃惇，《中國古代印論史》，頁3-11；以及韓天衡，〈九百年印譜考略〉，收錄於韓天衡，《天衡印譚》，頁80-98。
122. 關於晚明尤其是萬曆年間著名文人對篆刻的熱衷，見黃惇，〈明代印論發展概述〉，頁92-108。許多序跋很可能是他人代著名文人捉刀，以借名人的聲望。
123. 周亮工，〈書文國博印章後〉，載周亮工，《印人傳》，卷1，頁6。

124. 關於晚明的印譜文化，筆者有〈明末清初視覺藝術中臨摹與複製現象研究〉一文予以更爲詳細的討論。
125. 張灝的印譜收有二千餘方印章的印蜕。張灝選擇這些印章的印文，然後延請五十多位篆刻家刊刻。
126. Ko, *Teachers of the Inner Chambers*, p. 65.
127. 許多晚明工匠也會在其作品上落款。例如，時大彬總是將其名款刻於其陶瓷作品的底部。許多版畫刻工也將其姓名（有時是其名章）刻在自己刻製的作品上。
128. 中國古代印章的主要功能之一是用於各種文書的簽署和封存。
129. 關於有明一代的經濟活動如何促進書信返還的討論，見Brook, *The Confusions of Pleasure*, pp. 173-190。
130. 1969年，上海的朱察卿墓出土了六方十六世紀的印章。其中一方印文爲「平安家信」。當時的家書常用以告知噩耗，故這方鈐在信封上的印章正是告訴收信者拆信時毋需焦慮。關於這方印章的圖版和文字説明，見Li and Watt, *The Chinese Scholar's Studio*, pl. 70, p. 182。在家書的信封上鈐印在明代以前即已開始。1999年，紐約的一位文物商向我展示了兩套元代的陶印，由其印文判斷應爲鈐於信封之上的印章。
131. 陳智超先生已對這些信札作過深入探究，其研究成果請參見《美國哈佛大學哈佛燕京圖書館藏明代徽州方氏親友手札七百通考釋》。
132. 利瑪竇、金尼閣，《利瑪竇中國札記》，頁24-25。
133. 韓天衡，《歷代印學論文選》，下冊，頁460。
134. 周亮工，《印人傳》，卷3，頁7。
135. 王弘撰，〈書郭胤伯藏華嶽碑後〉，收錄於《砥齋集》，卷2，頁1a-b。
136. 裘錫圭先生爲異體字下的定義爲：「異體字就是彼此音義相同而外形不同的字。嚴格地説，只有用法完全相同的字，也就是一字的異體，才能稱爲異體字。但是一般所説的異體字往往包括只有部分用法相同的字。嚴格意義的異體字可以稱爲狹義異體字，部分用法相同的字可以稱爲部分異體字，二者合在一起就是廣義的異體字。」裘錫圭，《文字學概要》，頁205。在中文不同的語境中，人們有時使用古文奇字、古體字這樣的術語。一些古文奇字和古體字很可能就是某些字的異體字。筆者在此使用的「異體字」是一個相當寬泛的概念。
137. 關於明代之前文人使用異體字的討論，見劉葉秋，《中國字典史略》，頁83。
138. 王利器，《顏氏家訓集解》，頁574-575。
139. 金農所書這則軼事很可能出自明人小品。此冊頁的複製品請參見1994年蘇富比拍賣圖錄第38號（Sotheby's New York[Nov. 28, 1994], lot 38）。
140. 葉德輝，《書林清話》，頁184。
141. 葉德輝，《書林清話》，頁185。
142. 我們並不清楚，究竟是趙宧光的原作手稿就有大量的異體字，還是書籍的刊刻者用異體字刻書。此書有趙宧光萬曆丙午（1606）自序，但在趙宧光去世後才由趙氏小宛堂於崇禎辛未（1631）刊行，書中有趙宧光的兒子趙均在崇禎年間作的序。如果此時趙均還健在的話，對書的刊刻應會有所關心。所以，大量地使用異體字刻趙宧光最重要的著作，即使原稿不是如此，趙均也應首肯。無論如何，此書反映了晚明人對異體字的濃厚興趣。
143. 從書法風格上來看，這一件作品應爲距王鐸時代較近的一個臨本，而非王鐸的原作。但這並不妨礙我們把它作爲研究王鐸書寫異體字的例子來處理。根據年款，王鐸的原作應書於清軍入關兩年後的1646年，但是我們仍可將其視爲晚明之作，因爲王鐸的活動時期主要在明代。
144. 王鐸，《擬山園選集（文集）》，卷82，頁2b。
145. 某些晚明的日用類書，也將異體字和一般常用字體並列。

146. 美國加州大學洛杉磯分校的Bruce Rusk在其即將完成的關於明代中期圖書收藏、出版的博士論文中，指出了在明代中期已有數量可觀的篆書著作出版。
147. 如清初一些篆刻家以其中的銘文和圖像入印。比如說，此書收有一「鳳棲鐸」圖像，清初的一些篆刻家即以之入圖像印，如安徽畫家、篆刻家戴本孝（1621-1693）、清初大收藏家高世奇等。高士奇的這一印章，可在原香港收藏家王南屏家藏一明代畫家沈士充的山水卷上和美國觀鷺園所藏項聖謨山水冊頁上見到。
148. 正是趙宧光的文字學著作，使他成爲萬曆年間文化成就的代表之一。見本章註2。
149. 施清所列的活動爲：「溪下採琴，聽松濤鳥韻，法名人畫片，調鶴，臨《十七帖》數行，磯頭把釣，水邊林下得佳句，與英雄評較古今人物，試泉茶，泛舟梅竹嶼，臥聽鐘磬聲，註《黃庭》、《楞嚴》、《參同解》，焚香著書，栽蘭菊蒲芝參苓數本，醉穿花影月影，坐子午，嘯奕，載酒問奇字，放生，同佳客理管弦，試騎射劍術。」施清，〈芸窗雅事〉，收錄於《檀几叢書》。
150. 關於平民識字率的提高及其社會文化後果，近年來一直是西方漢學家關注的問題，著述也甚豐。此處僅舉一二：Rawski, *Education and Popular Literacy in Ch'ing China* 及Johnson et al., *Popular Culture in Late Imperial China*一書中有關篇章。
151. 關於明代中國社會區隔（social distinction）問題的討論，見Clunas, *Superfluous Things*, p. 73。
152. 沈野，〈印談〉，收錄於韓天衡，《歷代印學論文選》，上冊，頁64。
153. Watt, "The Literati Environment," p. 11.
154. 關於黃庭堅與《瘞鶴銘》的探討，見Fong, *Images of the Mind*, pp. 82-84。
155. 白謙慎，〈清初金石學的復興對八大山人晚年書風的影響〉，頁103。
156. 可參見劉正成、高文龍，《中國書法全集》，冊61、62，《清代編：王鐸卷》，圖版6、10、33、36、52、72、105等。關於晚明書法中的漲墨現象很可能受到篆刻的影響這一觀點的最初提出和詳細討論，見本人1996年在耶魯大學完成的博士論文"Fu Shan and the Transformation of Chinese Calligraphy in the Seventeenth Century," pp. 44-45。這一觀點在1998年又發表在拙文〈關於明末清初書法史的一些思考－以傅山爲例〉中。
157. 何炎泉在爲英文版《傅山的世界》寫的中文書評中，即對筆者提出的篆刻中的殘破感對書法中漲墨的影響提出質疑。見《中央研究院近代史研究所集刊》，第43期（2004年3月），頁237-242。
158. 關於國外白銀的大量流入及其影響，見Atwell, "International Bullion Flows and the Chinese Economy Circa 1530-1650"。
159. 對於明代軍事系統的簡短討論，見Struve, *The Southern Ming*, pp. 2-6。黃仁宇在《萬曆十五年》一書中，對明代軍制的弊端也有種種分析（頁164-203）。
160. 陸世儀，《復社紀略》，卷1，頁25b。
161. 關於傅山家族背景更詳細的介紹，見尹協理，〈新編傅山年譜〉，頁5205-5221。
162. 王尚義、徐宏平，〈宋元明清時期山西文人的地理分佈及文化發展的特點〉，頁49。
163. 傅山的妻子張靜君於1632年去世，留下一子傅眉（1628-1684）。此後傅山未再娶。妻子死後，傅山與她的家族成員維持著密切的關係。
164. 戴廷栻，〈石道人別傳〉，載《傅山全書》，冊7，頁5025。
165. 傅山使用「支離」一詞來描述《顏氏家廟碑》的風格特徵。關於這一詞在傅山書法美學系統的內涵，下一章還將討論。
166. 《傅山全書》，冊1，頁519-520。
167. 在這篇短文中，傅山記述了自己捐贈給佛教寺院的一個場圃。全文載《傅山全書》，冊1，頁437-438。關於這件作品的專門討論，見林鵬，《丹崖書論》，頁49-52。

168. 林鵬，《丹崖書論》，頁51。
169. 傅山曾提及趙孟頫對其早年書作的影響，這一點將於下一章中討論。
170. 《傅山全書》，冊1，頁865。
171. 傅山在1684年傅眉去世後，曾撰〈哭子詩〉多首悼念傅眉。詩後附小傳，傳云：「圖印不大爲朱文，專爲白文。漢章甚精，尤妙于銅者，大得八分璽法之意。」同上註，頁316。
172. 關於清初北方鑒藏家的討論，見傅申，〈王鐸及清初北方鑒藏家〉。關於目前尚存世的朱棡曾收藏過的作品的討論，見Barnhart, "*Streams and Hills under Fresh Snow* Attributed to Kao K'o-ming," pp. 228-230。
173. 戴廷栻〈畫記〉云：「太祖高皇帝，平定海內，收元之圖書珍玩，藏諸御府，諸王分藩，各有所賜，久遂散逸民間，經亂後，紛然四出矣。余篤好書畫，二十年勤求，不遺餘力。」見《半可集》，卷3。
174. 《傅山全書》，冊1，頁406。
175. 關於韓霖家族與政治背景的詳細討論，見師道剛，〈明末韓霖事蹟鉤沈〉；黃一農，〈明清天主教在山西絳州的發展及其反彈〉。關於其藝術活動及與傅山間的關係，見白謙慎，〈傅山的友人韓霖事蹟補遺〉。
176. 《絳州志》，卷2，〈人物〉。
177. 《傅山全書》，冊1，頁415。
178. 同上註，頁529。
179. 《絳州志》，卷2，〈人物〉。韓霖的書蹟今天已不可多見，但在明末清初的著名版畫藝術家胡正言出版的《十竹齋書畫譜》中卻收有韓霖的一件行書作品。這件作品筆勢瀟灑跌宕，果眞有蘇東坡和米海岳的意境。《十竹齋書畫譜》所收，多爲當時名家的書畫作品，胡正言把韓霖的書作收入自己的書畫譜，這多少反映出韓霖的書法在當時享有的聲譽。
180. 朱簡是繼文彭、何震之後又一位能集眾長於一身的篆刻家。周亮工曾說，「僕嘗合諸家所論而折衷之，謂斯道之妙，原不一趣，有其全偏者亦粹，守其正奇者亦醇，故嘗略近今而裁僞體，惟以秦、漢爲歸，非以秦、漢爲金科玉律也。師其變動不拘耳！寥寥寰宇，罕有合作，數十年來，其朱修能乎？」周亮工，〈書《黃叔濟印譜》前〉，《印人傳》，卷2，頁2。
181. 朱簡在《菌閣藏印》的自序中說：「余總髮嗜印，獨取季漢以上金石眞蹟三數帙，銅章百十餘，摩挲歲月，卒不循習俗師尚，或以爲未工也，輒自好之。暇則重擬片石，櫝置菌閣中，三十年於茲，未嘗出以視人，蓋知愛之者少也。會晉中韓雨公研思此道，亦惟昌歇是好，因發所櫝相視。雨公詫爲得未嘗睹，遂欲詮訂，以公同好。……遂因雨公詮次，將以就正大方。」（見韓天衡，《歷代印學論文選》，下冊，頁495-496。）朱簡另一闡發其印學理論的重要著作《印經》，也是在韓霖的督促下編訂的。見朱簡，《印經》自序，載於韓天衡，《歷代印學論文選》，上冊，頁136。
182. 同上註，見韓天衡，《歷代印學論文選》，下冊，頁494。韓霖在印壇的交往極廣，在當時另一位印壇名家胡正言的《胡氏印存》中，就有胡氏爲韓霖刻的「韓霖」和「雨公」兩方名章。是知不但韓霖的書法爲胡正言所激賞，他們在篆刻方面也有過交流。
183. Shen C. Y. Fu, *Traces of the Brush*, p. 52.
184. 秦爨公云：「修能以趙凡夫草篆爲宗，別立門户，自成一家，一種豪邁過人之氣，不可磨滅。奇而不離乎正，印章之一變也。」引自韓天衡，《歷代印學論文選》，上冊，頁135。
185. 見黃一農，〈明清天主教在山西絳州的發展及其反彈〉，頁12。
186. 這些著作不少已亡佚，而且在《絳州志》、《山西通志》等書中也多未著錄。但由於明清之際的傳教士常把在中國出版的天主教著作送到梵蒂岡教廷圖書館存檔，所以韓氏兄弟當時刊行的一些書籍得以存世，如《聖教信證》、《譬學》、《達道紀言》等。見白謙慎，〈傅山的友人韓霖事蹟補遺〉。

187. 王力，《漢語音韻學》，頁160。

188. 閱讀傅山對韓霖的記述時，我們可以感受到這兩位傑出的山西文化人物彼此間的競爭。見《傅山全書》，冊1，頁529。關於傅山對天主教的態度，見前引書，頁375-377。

189. 黃一農，〈明清天主教在山西絳州的發展及其反彈〉，頁21-27。

190. 《傅山全書》，冊1，頁350-351、426。關於傅山和文玄錫的交往，見姚國瑾，〈傅山《天泉舞柏圖》贈與人考〉。

191. 李贄在十六世紀時曾居山西，其對山西的影響力及至整個明末清初而不衰。清初的許多學者皆對晚明風行的心學痛加批評，但傅山卻對幾位明代的心學思想家表示敬慕。關於李贄在山西的影響力，以及他對傅山的影響，見王守義，〈傅山和李贄〉，及李明友，〈傅山與李贄〉。

192. 傅山撰〈貧道編性史〉云：「貧道昔編《性史》，深論孝友之理，於古今常變多所發明。取二十一史中應在孝友傳而不入者，與在孝友傳而不足爲經者，兼以近代所聞見者，去取軒輊之。二年而藁幾完，遭亂失矣。間有其說存之故紙者，友人者家或有一二條，亦一班也。然皆反常之論，不存此書者，天也。」《傅山全書》，冊1，頁778-779。

193. 同上註，頁362-363。北京故宮藏有一件署名傅山紀年爲1659年的草書冊頁，內容即爲〈如何先生傳〉。然而從此件冊頁的書法風格看來，似乎不是傅山的原作，而是他人的臨寫本。雖然〈如何先生傳〉的書寫年代不詳，但從內容推斷，似爲明亡前的的作品。

194. 傅山也可能受到漢武帝（西元前140至西元前87在位）時期的東方朔（西元前154至西元前93）的影響。在一篇名爲〈非有先生論〉的短文中，東方朔假託「非有先生」來闡述自己的觀點。這篇短文載於班固《漢書》之〈東方朔傳〉。根據傅山所言，他從少年時代起即喜歡讀〈東方朔傳〉。見《傅山全書》，冊1，頁399。

195. 此事見王又樸，《詩禮堂雜纂》，載《屏廬叢刻》。

196. 《傅山全書》，冊1，頁602-603。

197. 關於這個事件的詳細記錄，見上註，頁571-580。

198. 姚國瑾在最近完成的一篇文章中認爲，傅山在入三立書院以後，參加了崇禎九年、十二年、十五年的三次鄉試。戴廷栻在〈石道人別傳〉（《傅山全書》，冊7，頁5025-5027）中稱傅山「以舉子業不足習」應是入清以後的事。見姚國瑾，〈傅山〈壽朗母朱碩人周禮君七十小敍〉略考〉，待刊稿。不過，我們從傅山的《兩漢書姓名韻》這部耗時甚鉅的著作完成於1640年代初這一事實來看，傅山花了相當大的精力來研究史學。而史學在當時被認爲是「實學」。

199. 《傅山全書》，冊1，頁1-4。

第2章

清代初年傅山的生活和書法

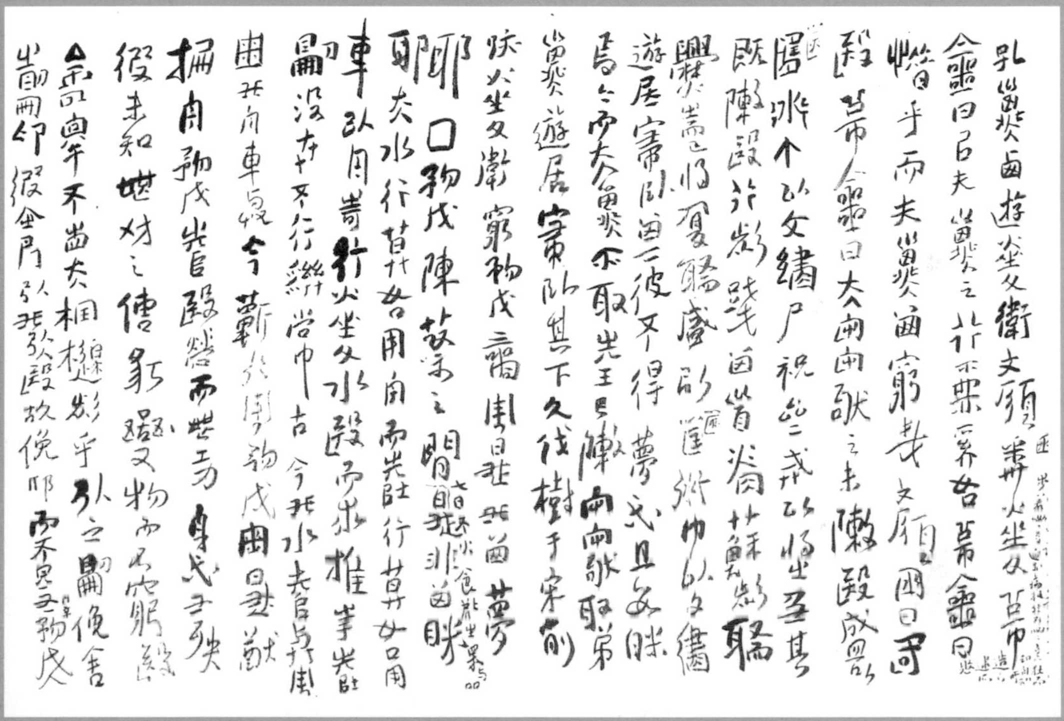

動亂的年代

1640年代初，來自北方滿洲的軍事威脅和陝西李自成的軍隊加深了明朝的危機。鄰近陝西的山西，危急存亡的消息開始在地方士紳中蔓延開來。值此危機時刻，朝廷於1642年元月任命蔡懋德（卒於1644年）爲山西巡撫。次年，蔡懋德在太原重開三立書院，邀請學者講授經世之學。傅山和曾向耶穌會士學習火炮術的韓霖等主講戰術、戰略、防禦、炮術、財用、河防等「經濟之學」。[1]

李自成的軍隊在1643年底佔領長安（西安），次年甲申元旦，李自成在長安稱帝，建立大順政權，並開始準備遠征北京。取道山西是由陝入京的捷徑，該省士民被李自成進軍北京的消息所震驚。

傅山在山西參與了抵抗李自成的活動。李自成佔領西安後，他在山西的支持者四處散佈：李軍不殺不淫，所經之地不征賦稅。傅山和蔡懋德則在城市和鄉間到處散發傳單，以王國泰、黎大安的名義，自稱從陝西來此，目睹李自成軍隊荼毒逼勒之慘狀。由於自古以來童謠常被視爲政治的預兆，蔡懋德和傅山又編寫童謠，說猴年（甲申）爲李自成不祥之年，希望山西民眾相信李氏並未獲得「天命」，藉此削弱李自成支持者在山西的影響。

李自成進軍北京的消息震動了大明朝廷。山西曲沃籍的禮部右侍郎李建泰（1625年進士）上書請准回鄉，以自家財產餉軍，抗擊李自成。崇禎皇帝大喜，任命李建泰爲兵部尚書，並賜尚方寶劍。李建泰邀請傅山和韓霖作爲他的顧問。1644年元月中旬，傅山前往山西東部的平定州等待李建泰，期望他能領兵保衛太原。但在李建泰還未抵達曲沃之前，曲沃已落入李自成手中。二月初六，太原也被李自成的軍隊所包圍，兩天之後失守，蔡懋德在三立書院自經殉職。

三月十九日，李自成軍進入北京，同日崇禎皇帝在煤山自縊。但李自成並未佔領國都太久，一個半月後，清兵以討伐李自成亂黨爲名攻佔北京。十月，太原陷落。不久，北方諸省被清政府所控制。[2]清軍入關初期，在各地遇到的抵抗相當激烈。在南方，抗清的主要勢力是南明政權。[3]

傅山在三立書院時的老師袁繼咸被南明弘光朝任命爲兵部右侍郎，領導軍事抵抗運動。1645年六月，袁繼咸被清軍俘虜，他斷然拒絕仕清，二個月後被押送北京。在北京，袁繼咸通過已在清廷任吏部郎中的前三立書院學生衛錫琎，帶給了傅山一首詩和一封信，詩中這樣寫道：

獨子同憂患，於今乃別離。乾坤留古道，生死見心知。

袁繼咸在信中寫道：

江州求死不得，至今只得爲其從容者。聞黃冠入山養母，甚善甚善。此時不可一步出山也。有詩一冊，付曲沃錫珽，屬致門下藏之山中矣。可到未？[4]

不久，袁繼咸被殺。行刑前，他又託人帶信給傅山，信中說：「晉士惟門下知我甚深，不遠蓋棺，斷不敢負門下之知，使異日羞稱袁繼咸爲友生也。」[5]據說傅山看了信後痛哭曰：「嗚呼！吾亦安敢負公哉！」[6]

傅山在清軍入關最初幾年寫的許多詩中，顯示出他對當時政治、軍事的關心和對故國深沉的哀思，但傅山在多大程度參與反清活動仍是個謎。傅山的長兄傅庚已於1642年過世，作爲一個孝子，傅山強烈地意識到他對年邁母親的責任。在許多詩中，傅山都提到母親，如：「避居寓吾母」；[7]「飛灰不奉先朝主，拜節因於老母遲」。[8]傅山在詩中如此反覆地提到老母，不只反映了他對母親深摯的感情，也顯示了忠孝難以兩全的內心衝突。根據儒家的基本教義，一位臣子應該勇於爲他的王朝犧牲生命。理論上來說，效忠君王應優先於實踐孝道。但是，即使一個臣子有勇氣面對死亡，他仍然會牽掛自己死後誰來照顧父母。清初許多明遺民就是以年邁的父母需要服侍來爲自己的忍辱偷生開脫。[9]但無論他們的理由是多麼正當，許多明遺民依然對自己未能爲明朝殉身而感到羞恥。傅山在一首詩中歎息：「臣母老矣！」[10]他以「臣」自稱，又提及老母，好像在祈求已故君王的寬宥。

自1644年初太原失守後，傅山便開始了長年的流離生活。當年三、四月，他旅行至平定和壽陽，隨後，他的母親、兒子傅眉和姪子傅仁（1638-1674）也來到這裡。八月，傅山出家爲道士。[11]就像許多明代士大夫在明亡後出家爲和尚一樣，道士身份既可以掩飾傅山的反清活動，也使他得以逃避清朝強制推行的薙髮。

清軍入關的最初幾年，太原是清朝的重要軍事基地。傅山離開太原後，在山西各地旅居，所住之地包括盂縣、武鄉、曲沃、壽陽、平定和汾陽，其間也曾短暫地回過陽曲和太原。他在汾陽停留得最久，因爲那是好友王如金和薛宗周的家鄉。旅居各地期間，傅山多寄居友人家，偶爾也住在寺廟。例如，在盂縣時住在孫穎韓處，到平定則住在白孕彩家，兩人都是他在三立書院時的朋友。

史景遷（Jonathan Spence）指出：「明、清的中國幾乎不存在西方意義上的貴族。不論過去的一些王朝曾經是多麼輝煌偉大，一旦一個王朝覆滅，統治者的後裔也無法保留他們舊時的頭銜和特權。……1644年後，明代的貴族階級也沒能保留住頭銜和特權」。[12]戰爭前，傅山家境殷實，傅氏家族不但在老家忻州有土地，在太原一帶也有地產多處。[13]戰後，傅家的經濟狀況可謂一落千丈。有的學者根據傅山的一些詩文推測，傅山曾在甲申、乙酉間（1644-1645）典賣家產來籌資從事反清復明的秘密活動。[14]傅山家原有的經濟來源（如地租收入）也受到嚴重影響。在流離生活中，傅山原有的積蓄很快用完了，他被迫尋找其他的辦法來維持生計。大約是在1650年左右寫給朋友的一封信中，傅山談到他和朋友計劃開一家酒館。一般說來，賣酒利潤甚爲豐厚。[15]大概因爲戰爭和天災造成糧食短缺，清廷在北方地區嚴令限制釀酒，傅山等人的這一努力最終沒有成功。[16]Lynn Struve指出，明清鼎革之際，「富庶的長江下游和杭州灣地區雖然因爲戰亂受到很大的破壞，但仍有很多的資源可以用來恢復經濟。而其他飽受戰爭蹂躪的地區，仍長期處於破敗的景象」。[17]山西是遭受戰亂和災荒最嚴重的省份之一，在1650年代初期，清廷多次下令免除該省許多地區的賦稅。[18]

行醫是傅山的主要收入來源之一。他精於婦科，傅眉爲其助手。[19]據載，1650年代晚期，傅山在太原擁有一家藥鋪，由傅眉經營，自己則住在郊外。[20]一些傅山現存的書法冊頁中還保存著他開給病人的處方。

另一重要的收入則來自書畫，特別是書法。但傅山對被迫鬻書賣畫感到相當沮喪，他曾在一條筆記中寫道：「文章小技，於道未尊，況茲書寫，於道何有！吾家爲此者，一連六七代矣，然皆不爲人役，至我始苦應接。」[21]遺憾歸遺憾，應該說，傅山能以書畫謀生是幸運的。早在明末，傅山已經是山西的著名文人，一個「文化資本」的擁有者。不像政治權力和財富可能隨著朝代的更迭而喪失或減少，個人的文化資本則不容易被剝奪。傅山在文藝上的聲名，不但沒有因改朝換代而受損，反而在清初持續增長。明清鼎革並非社會革命，中國的社會結構和文化並未受到根本的衝擊。不少社會和政治菁英爲了保護自己的政治經濟利益，通過與清廷合作或科舉考試而搖身成爲新貴。在文化上，他們依然保留著舊時的愛好和品味。在山西，士紳和商人依然是傅山書畫藝術的主顧。雖然傅山不願以書畫謀生，但由於他的名望，仍然有許多人希望收藏他的作品。傅山有時爲了金錢而創作書畫，但是更多的時候，他利用書畫應酬社會上各種場合的禮尚往來，或換取種種服務。[22]

傅山也不時地從那些與他政治背景相似的朋友那裡獲得經濟上的幫助，友人中給他最多幫助的是戴廷栻（字楓仲）。戴氏比傅山約年輕十六歲，是傅山在三立書院時結交的友人。戴廷栻出身明代官宦世家，祖父和父親都是明朝的進士，祖父官至布政使。[23]戴家在祁縣有田產，歷經戰亂仍保留下來。傅山曾稱讚戴廷栻「有心計，爲人在儒俠之間」。[24]說戴廷栻有俠氣，是因爲他好交遊，爲人慷慨；稱他有心計，是因爲他精明而有幹才。從傅山曾多次請戴廷栻代辦經濟事務來看，戴氏很可能經商並有相當可觀的收入。經濟實力使戴廷栻在清初戰亂之後仍能購買戰爭中流散出來的私人書畫收藏，並且成爲清初北方重要的收藏家。[25]

戴廷栻殷實的經濟境況，使他能夠贊助傅山和其他從外省來到山西的明遺民。從傅山寫給戴廷栻的信中，[26]我們知道戴廷栻對傅山的幫助是多方面的，如購買食物，爲傅山出遊提供驢子和僕人等。他還在山西代理傅山的書畫作品。爲了回報戴廷栻，傅山常爲戴廷栻作書作畫，並充當他的藝術收藏顧問，爲他的藏品作題跋。

傅山在清初的動盪生活一直延續到1653年，那一年，山西省布政司的官員魏一鼇（約1615-1694，字蓮陸）以三十兩銀子在太原郊外的土堂村爲傅山買了一處房產，傅山從汾州搬到土堂村居住。[27]

傅山同仕清漢官的關係

長期以來，清初漢族官員在艱難的環境下保護和贊助明遺民這一歷史現象爲歷史學研究者所忽視。而傅山和魏一鼇之間的交往和友誼正突顯了清初明遺民和仕清漢官之間錯綜複雜的關係。魏一鼇，直隸省（今河北）保定府新城縣人，1642年鄉試中式，成爲舉人，次年會試落榜。1644年清軍入關，魏一鼇期望通過科舉而步入仕途的夢想被粉碎了。1645年，河北著名理學家孫奇逢（1584-1675，保定府容城縣人）到新城避難時，魏一鼇成爲他的入室弟子。[28]

清政府爲了鞏固它在北方的統治，亟需網羅漢族士人爲其效力。1645年清廷下令，直隸省的舉人必須赴京參加吏部考試——合格者授以官職，「抗違不應試者，指名拿問，撫按並參」；或參加下一年的會試。[29]同年六月，魏一鼇到北京參加考試，通過之後，被任命爲山西東部的平定州知州。在魏一鼇動身前往山西赴任之前，他的明遺民老師孫奇逢，曾以「潔己奉公，愛民禮士」八字相贈。[30]

孫奇逢對清朝的態度十分複雜。1636年八旗兵進攻容城時，孫奇逢領導當地居民血戰衛城，當鄰縣紛紛淪陷時，容城仍巍然屹立，這使得孫奇逢贏得英雄的美名。當李自成定都北京時，孫奇逢拒絕承認其合法性，並舉兵抵抗。但不久清軍入關後，他卻默默地接受了清政府的統治。[31]

明末北方戰亂頻仍，使得北方的士紳和民眾渴望和平安定，他們期望有一個能儘快恢復社會秩序的政府。雖然孫奇逢本人數次拒絕清廷的徵聘，但像其他的明代遺民（一個寬泛而不嚴格的定義）默許自己的子弟和學生任職清廷一樣，對於魏一鼇出任清朝地方官這一事，孫奇逢深予理解。[32]

魏一鼇於1645年九月到達平定，他在平定州知州任上做了不少好事。據《山西通志》記載，他「撫凋殘，表忠義，立物本社，課文造士。既，士民思其德，祀湧泉亭」。[33]在魏一鼇的政績中，值得注意的是「撫凋殘，表忠義」的舉動。在明末的戰爭中，中國北方諸省士紳階層受到的打擊最爲嚴重。因此，在戰亂後，「撫凋殘」成爲穩定士紳階層進而恢復地方秩序的一項重要措施。所謂「表忠義」即指表彰那些在明末抵抗李自成的戰爭中誓死忠於明王朝的人士，特別是那些死於戰爭的明朝官員們。

魏一鼇在平定州任知州剛滿一年，就因意外事件被謫。由於史料的缺乏，我們無法確知這一意外事件的詳情。魏一鼇罷官後，曾經回保定探望老師孫奇逢。同年冬，補爲山西省布政司的參軍（布政使下屬低級官吏），再次來到山西，官署在太原。[34]然而他的行政能力和文學天賦，很快地就被來自滿洲漢八旗的山西布政使孫茂蘭所賞識，大約三年後，他升爲布政司經歷。[35]

傅山和魏一鼇的關係約始於1647年。由於傅山在明末就已經是山西省最有影響的文人之一，並因成功地營救袁繼咸而被士林目爲「山右義士」，[36]魏一鼇在平定州任知州時就應已知道傅山。不過，他們兩人的直接交往則很可能是通過傅山的好友白孕彩的介紹開始的。[37]

魏一鼇到達太原後，很快就成爲傅山最慷慨的贊助者。傅山1640年代下半葉至1650年代上半葉致魏一鼇的信札充分證明，傅山經常求助於魏一鼇。傅山在給魏一鼇的第一通信札中寫道：

> 天生一無用人，諸凡靠他不得，已自可笑；一身一口亦靠不得，棲棲三年，以口腹累人。一臆閔安道，輒汗浹背。有待爲煩，覥以待盡，乃復謬辱高誼，貴寵僑庵，益笑賣藥朽翁之浪得名。聞天地間諸事，有馬扁固如此。道人雖戴黃冠，實自少嚴秉僧律，一切供養，不敢妄貪肉邊之菜。權因熱竈 ，豈復無知，忍以土木冒饕檀惠。潤溢生死，增長無明。老親亦長年念佛人，日需鹽米，尚優胼胝，果

見知容，即求以清靜活命乞食之優婆夷及一比丘爲願，同作蓮花眷屬。即見波羅那須頓施朱題之實，令出家人懷璧開罪也。[38]

困境中的傅山以母親和本人（出家人）的名義，請求魏一鼇在經濟上給予他們接濟。

從其他的信札中我們可以知道，魏一鼇在很多方面都幫助過傅山。當傅山住在汾州時，魏一鼇送酒給他佐菜（第六札）；當傅眉前往平定州娶妻時，傅山又請魏一鼇利用他在平定州的影響爲傅家提供方便（第四、五、八札）。順治九年壬辰（1652）十一月，清政府下令免山西忻州、樂平等州縣的災賦。[39]大約在此前後，傅山曾致書魏一鼇，請他幫助免去他在老家忻州一些土地的賦稅。原文如下：

寒家原忻人，今忻尚有薄地數畝。萬曆年間曾有告除糧十餘石。其人其地皆不知所從來。花户名字下書不開徵例已八十年矣。今爲奸胥蒙開實在糧食下，累族人之催此，累兩家弟包陪，苦不可言。今欲具呈於有司，求批下本州，查依免例。不知可否？即可，亦不知當如何作用？統求面示弟山。弟甘心作一絲不掛人矣。而此等事葛藤家口，不得了了。適有糧道查荒之言，或可就其機會一行之耶。其中關鍵，弟亦說夢耳。恃愛剌之（第十七札）。[40]

迫於生計，傅山靦覥開口請魏一鼇幫忙，借查荒之際，減免土地稅。[41]

對於魏一鼇的幫助，貧困中的傅山能夠給予的回報就是爲其家人和朋友看病、作書畫（第三、八札）。

魏一鼇不僅在經濟上給予傅山及其友人慷慨的幫助，更重要的是他還利用自己的職權和關係，爲傅山等山西的明遺民提供政治上的庇護。傅山出身官宦世家，岳父和妻兄也都是明朝的官員。他本人在明末已是山西省有名的社會賢達，因此和當地的政府官員有相當深的關係。蘇州博物館藏有一件傅山寫於甲申歲末的小楷詩冊，其中的詩多是寫於崇禎壬午（1642）六月十九日傅山生日那天的舊作。傅山在詩的註中提到，他生日的那天，太原府同知與陽曲縣縣令皆欲前往他家爲他祝壽。[42]這說明，在明末，傅山是不需爲獲得地方政府的庇護而操心的。入清之後，情況發生了巨大的變化。由於過去的政治依託不復存在，許多明朝官員的子弟在地方上受到敵對勢力的挑戰。這種挑戰或緣於舊隙，或爲政治經濟利益的衝突所引發。在傅山的著作中，我們不難找到有關明官宦子弟受到新崛起的地方勢力欺凌的慨歎。[43]在這種情況下，傅山及其友人也就不得不向清政府中那些同情明遺民的漢族官員尋求政治保護。《丹崖墨翰》的一些信札記錄了這樣一件驚心動魄的事件。

大約在1652年左右，傅山寄居在他的好友、陽曲縣的楊方生（字爾楨）家。[44]一天，朋友們到傅山的住處聚會。在這次聚會中，傅山內姪張仲（字孺子）的女婿朱四突然死亡。[45]圍繞著朱四之死，傅山及其友人和當地新勢力間的衝突變得尖銳起來。根據傅山致魏一鼇的信札，事件的緣起如下：

> 無端怪事奉聞：昨州友過村僑小集，孺子之婿朱四適來貪嬉。鄰舍有秋千，朱四見而戲之，下，即死於架下。山所僑實爲爾楨楊長兄之莊。莊鄉約與楨兄不善，恐從茲生葛藤。若事到台下總捕衙門，求即爲多人主張，一批之。……凡道府縣衙門，統瀆門下鼎容力持之。且縣衙無人可依，不知門下曾交否？即交，厚否？須仗台力一爲細心周旋，省一時窮友亂忙也（第十札）。

《丹崖墨翰》中的第九札至第十七札都與這一命案有關。在這些信札中，傅山反覆請求魏一鼇爲他和友人疏通各級官府以平息爭端。由於歷史材料的缺乏，我們對這一命案的眞相已無從了解，不過傅山在信中向魏一鼇表示：「若有他緣而恃愛粉飾，當唾棄我於非人。」不過，這裡想要強調的是，這一案件本身，似可視爲清初北方新崛起的地方勢力利用改朝換代之機向失去政治依託的前朝貴族爭奪政治經濟利益的一個例子。傅山在信中提到，他們的對手「恃與滿人狎昵，謀必遂欲，深可恨也」（第十四札）。他在信中例舉了舊貴族們受欺凌的狀況（第十七札），並慨歎：「此時弟等居鄉實難。」（第十一札）「高情遠志，不能少遂。而寘身叢棘中，動輒有礙。隱非隱，見非見，反之魂亭，但有嗔愧。此等心曲，焉得語諸不知我者。」（第十六札）在這種艱難的環境中，魏一鼇就成爲傅山及其友人在政治上的新靠山。正如傅山在給魏一鼇的信中所言：「弟輩所恃惟在台下」（第十一札）。

明朝舊貴族們和地方新勢力的衝突，是一個值得注意的歷史現象。明清史學者Hilary J. Beattie在研究桐城的士紳階層在明清鼎革之際的行爲時指出，在清初，桐城地方士紳對新朝採取合作態度者要比以退隱作消極抵抗者更爲普遍，大多數地方菁英把自己的實際政治經濟利益置於理想中的民族利益之上，一般民眾也渴望能儘快地恢復地方的政治經濟秩序。這就使得那些堅持效忠舊王朝的明遺民們在地方上頗爲孤立。[46]傅山等山西明遺民在地方上的處境，與此類似。傅山在爲戴廷栻的父親、原明代戶部員外戴運昌（1579-1667）撰寫的傳中，稱讚他是少數幾個在甲申國變後能保持氣節的山西籍明朝官員：

> 余傳先生，特取甲申以來居鹿臺二十三四年，風概有類漢管幼安也。[47]先生同年

友蒲坂楊公蕙芳亦不出，先先生數年卒。嗚呼！丁丑榜山西凡十九人，甲申以來，孝義張公元輔舉義死城頭外，出處之際，爲山西養廉恥者，二人而已。[48]

傅山在文中清楚地指出：在1637年的進士榜中，山西籍進士十九人，其中一人死於戰亂，兩人選擇歸隱（戴運昌和楊蕙芳），其他的人都出仕新朝，保持忠節的少之又少。「出處之際，爲山西養廉恥者，二人而已」即道出了明遺民們令人寒心的孤獨處境。傅山不無感歎地指出，如今，要遵循古代隱士的傳統，尋找一處安寧的地方隱居都很難了：「隱非隱，見非見」，「高情遠志，不能少遂」（第十六札）。

上述這種政治情勢，決定了明遺民們和清政府中漢族官僚們錯綜複雜的關係。清初的許多明遺民都向朝廷中同情他們的官員尋求政治庇護。傅山及其友人和清政府中一些官員不僅交往甚密，並且一直主動地維持著這種關係。如順治十二年乙未（1655），楊思聖（1621-1663，字猶龍，直隸人，順治三年進士）出任山西按察使，在山西任職期間，楊氏曾登門拜訪傅山，與傅山成爲朋友（楊當然也是魏一鼇的友人）。[49]楊思聖於次年遷河南右布政使後，傅山和戴廷栻仍與他保持著密切的來往。楊思聖從河南寫信給傅山，請傅山爲他刻印。而傅山和戴廷栻還曾計劃打點文玩一起前往河南看望楊思聖。[50]1663年，楊思聖患瘋疾住在河南清化，戴廷栻專門將一張有傅山題跋的北宋燕文貴的名畫《江山樓觀圖》寄贈楊思聖玩賞。[51]楊思聖病危時，傅山還趕去爲他看病。[52]這種交往固然有情趣相投的因素，似乎也不應完全排除另一種可能性：明遺民們與清政府官員維持這種關係，是出於尋求政治保護的考慮。

傅山與其他清政府的高官也過從甚密。在魏一鼇任山西省布政司經歷期間，通過他的介紹，傅山和1646至1652年間任山西省左布政使的孫茂蘭及其子孫川成爲友人。孫茂蘭是來自遼東的漢旗人，在清初的山西頗有政聲。[53]孫氏父子生病時，傅山爲他們診治。孫茂蘭於1652年離開山西赴寧夏任巡撫，傅山仍與孫家保持著聯繫。[54]

在近年的清史研究中，有些學者注意到，在清初，清廷「出於軍事、政治戰略的全局考慮，遼瀋、華北士紳集團被列爲首要的爭取對象」；「華北、遼東士紳在清初漢官階層中據有絕對的政治優勢」。[55]孫茂蘭屬於前者，魏一鼇和楊思聖屬後者。雖然清初政治的錯綜複雜並非地域政治的概念所能涵括，但研究傅山和清初漢族官員的關係時，適當地考慮地域的因素，當能幫助我們加深了解清初明遺民的生活思想實況。

仕清漢官對傅山的重要性，再次在「朱衣道人案」中得到印證。[56]1654年五月，湖廣黃州府蘄州生員宋謙，因在山西、河南一帶組織反清復明的活動，事情敗露被捕。宋謙在供詞中指稱傅山爲知情人，傅山在同年六月被捕，下太原府獄。審訊期間，傅山絕口否認與宋謙有任何關係。傅山告訴主審官，當宋謙來訪時，他拒絕見宋，正好魏一鼇在場，可以作證。[57]傅山受審時，魏一鼇正在平定州爲父親守喪。他被官府傳訊至太原，出面證實了傅山的供詞。魏一鼇的證詞無疑是案情轉折的關鍵。[58]

危難之際，孫茂蘭之子孫川也鼎力相救。王又樸（1681-1760）在《詩禮堂雜纂》中有如下記載：

> 先生（筆者按：指傅山）性好奇，博學，通釋道典，師郭還陽眞人，學導引術，別號朱衣，蓋取道書黄庭中人衣朱衣句也。忌之者誣爲志欲復明祚，于順治甲午夏收禁太原獄，並禁其子眉。時金陵紀伯子參撫幕，與孫公子並力救之。孫公子者，方伯孫茂蘭之子也。先生故善醫，嘗遇公子于古寺，時公子無恙，先生視其神色謂曰：長公來年當大病失血，宜早治之。公子不謂然。屆期果病，幾殆，迎先生療之得愈。感先生德，故營救甚力。[59]

「朱衣道人案」發生時，孫川尚年輕，他對傅山的營救，應主要依靠其父孫茂蘭的權力和影響。這說明，在孫茂蘭1652年離開山西任寧夏巡撫後，傅山和孫家還保持著聯繫。

在清中央政府中營救傅山最力者是龔鼎孳（1616-1673）和曹溶（1613-1685）。[60]龔鼎孳雖以明臣降清，但他在清政府任都察院左都御史時，曾保護過一些明遺民。也正因爲如此，順治十二年（1655）十月，有人指控龔鼎孳在都察院對三法司審擬各案，「往往倡爲另議，若事繫滿洲則同滿議，附會重律，事涉漢人則多出兩議，曲引寬條」，在執法中偏向漢人，「不思盡心報國」，[61]遭到降八級調用的處置。[62]所幸的是，由龔鼎孳和曹溶參加簽署的以無罪釋放傅山的三法司判決已在七月發出，傅山也在同月出獄。

傅山的最終獲釋，固然和許多人的幫助分不開，但毫無疑問，魏一鼇在關鍵時刻出面作證，是「朱衣道人案」能夠向著有利於傅山的方向發展的轉捩點，也正因爲有了魏一鼇的證詞，清政府中那些同情明遺民的官員才便於爲傅山的獲釋進行斡旋。而傅山在危急之際，能對魏一鼇以性命相託，也足見他對這位朋友的信任。

1656年十月，魏一鼇被任命爲山西省忻州知州（忻州是傅山的祖籍），兩個月後，他就告病辭官，北還家鄉直隸保定。臨別之際，傅山代表山西的遺民朋友爲魏一鼇書寫十二條屏贈別。[63]十二條屏全文如下：

蓮老道兄北發，眞率之言餞之。

當己丑、庚寅間，有上谷[64]酒人以閒散官遊晉，不其官而其酒，竟而酒其官，輒自號酒道人，似乎其放於酒者之言也。而酒人先刺平定，曾聞諸州人士道酒人自述者曰：「家世耕讀，稱禮法士，當壬午舉於鄉。」椒山先生亦上谷人，講學主許衡而不主靜修。[65]吾固皆不主之，然而椒山之所不主又異諸其吾之所不主者也。道人其無寒眞醇之盟，寧得罪于靜修可也。宗生璜[66]囑筆曰：「道人畢竟官也，胡不言官？」僑黃之人曰：「彼不官之，而我官之，則我不但得罪道人，亦得罪酒矣。」但屬道人考最麴部時，須以其酕醄之神一詢諸竹林之賢。當魏晉之際，果何見而逃諸酒也。又有辭復靜修矣。然時尚擇地而蹈，擇言而言，以其鄉之先民劉靜修因爲典型。[67]既而乃慕竹林諸賢之爲人，乃始飲，既而大飲，無日無時不飲矣。吾誠不知其安所見而舍靜修遠從嵇阮也。[68]顏生詠叔夜曰：「鸞翮有時鎩，龍性誰能馴。」[69]詠嗣宗曰：「長嘯似懷人，越禮自驚眾。」顧顏生之自寓也，亦幾乎其中之。至於以「韜精日沈飲，誰知非荒宴」[70]之加伯倫也，則又鏖糟齷齪爲酒人開解。吾知伯倫不受也。伯倫且曰，吾既同爲龍鸞越禮驚眾之人，何必不荒宴矣。故敢爲酒人，必不屑屑求辭荒宴之名。酒道人其敢爲荒宴者矣。吾虞靜修之以禮法繩道人，然道人勿顧也。靜修無志用世者也，講學吟詩而已矣。道人方將似尚有志用世，世難用而酒以用之。然又近於韜精。誰知之言則亦可以謝罪于靜修矣，然而得罪於酒。酒也者，眞醇之液也。眞不容偽，醇不容糅。即靜修悪沈湎，豈得並眞醇而斥之。吾既取靜修始末而論辯之，頗發先賢之蒙。靜修金人也，非宋人也。先賢區區于〈渡江〉一賦求之，[71]即靜修亦當笑之。靜修之詩多驚道人之酒。道人亦學詩，當誦之。僑黃之人眞山書。

這十二條屏對研究傅山在清初的思想和書法藝術（詳見第四章的討論）都極爲重要。在這篇文章中，傅山提出了「官」和「酒」這兩個對應的概念。「官」代表的是權力結構，森嚴的梯層制度，一種需要強權和理性來維持的秩序。而「酒」則正好相反，它象徵著人們發自心底的眞率之情，可以是非理性的。在特定的歷史環境中，「酒」是反抗現存秩序的象徵。在魏一鼇去官之日，以「官」與「酒」爲題作文贈別，傅山是寓意深長的。實際上，他是想通過這篇贈別文字，對魏一鼇的十年仕清作一個基本評價。傅山在文章一開頭，就刻意不提魏一鼇在山西爲官時的治績，而說魏一鼇是一位未負有重要行政責任的「閒散官」，[72]並點出魏一鼇在爲官期間，「不其官而其酒，竟而酒其官」。接著，傅山提出了這樣一個問題：魏一鼇自號酒道人，這看起來是一個貪杯的酒徒的自白，但魏一鼇「家世耕讀，稱禮法士」，並習舉子業，在崇禎壬午成爲舉人，他爲什麼會有如此的變化呢？關鍵在於爲清廷效力並不是魏一鼇的初衷。傅山寫道，當他受朋友們的囑託準備爲魏一鼇撰文書寫十二條屏贈別時，有朋友建議他在文中談談魏一鼇在山西爲官時的政績。但傅山拒絕了。他認爲這樣做有違魏一鼇的初衷：「彼不官之，而我官之，則我不但得罪道人，亦得罪酒矣。」魏一鼇是在壬午（1642）舉於鄉的。當時還是明朝的天下，故其「尙有志用世」，由於滿族入主中原，「世難用而酒以用之」。正因爲魏一鼇不願卻又身不由己地做了清朝的官，他只好像魏晉時期的竹林七賢那樣，逃諸酒，在酒中寄託自己的眞情。傅山當然了解魏一鼇在山西爲官時的政績，魏一鼇不但替地方上辦過許多好事，還幫助過困境中的傅山及其友人，並拯救過傅山的生命。但是，一個不可改變的事實是，他是一個出仕異族新朝的漢人。這是一個想來多少會令人遺憾和難堪的事實。傅山十分了解魏一鼇的心曲，因此，他在這篇贈別文字中，絕口不談魏一鼇在山西爲官期間的政績，而以「酒其官」來爲友人開解。

傅山在十二條屏中還多次提到劉因（1249-1293，字夢吉，號靜修）。劉因是宋元之際的著名理學家，上谷（容城）人，魏一鼇的鄉先賢。[73]傅山當然知道魏一鼇對這位先賢十分景仰，[74]也知道魏一鼇是容城理學家孫奇逢的弟子，辭官後將追隨老師弘揚理學。因此，傅山在離別之際，婉轉地表述了自己對理學的意見。傅山寫道：

> 椒山先生亦上谷人，講學主許衡而不靜修。吾固皆不主之，然而椒山之所不主，又異諸其吾之所不主者也。

椒山即楊繼盛（1516-1555，字仲芳），明代著名的直臣、學者，也是容城人。傅山在這篇文章中雖未具體指出他在哪一方面和楊繼盛不同，但從傅山其他的著作中，我們不難找出他和楊繼盛的區別。楊繼盛在學術思想上雖沒有繼承鄉先賢劉因的傳統，但他卻私淑元代另一位理學家許衡（1209-1281，字仲平，號魯齋，河內人，今河南沁陽）。而傅山對理學基本上持批評的態度。[75]他崇尙老莊，認爲理學教條中有相當的虛僞成份。因此，他在文中寫道：「吾虞靜修之以理法繩道人。」又寫道：「酒者也，眞醇之液也。眞不容僞，醇不容糅。即靜修惡沈湎，豈得並眞醇而斥之？」

十二條屏的最後一段文字，談及劉因的〈渡江賦〉，值得玩味：

> 靜修金人也，非宋人也。先賢區區于〈渡江〉一賦求之，即靜修亦當笑之。

劉因在賦中描述了金兵準備渡江大舉進攻南宋之際，一位站在金朝立場的北燕處士和一位站在宋朝立場的淮南劍客之間關於金能否滅宋、宋能否拒金的對話。北燕處士認爲，金將以無堅不摧之勢，一舉渡江滅宋。而淮南劍客則力辯，南宋可倚長江天險，抵禦金的進攻。在雙方幾個回合的論辯後，劉因以下述文字結束了他的〈渡江賦〉：「(處士曰：)……今天將啓，宋將危，我中國將合，我信使將歸，應天順人，有征無戰。……孰謂宋之不可圖耶？客於是惦然失氣，循牆匍匐，口怯心碎，不知所以對矣。」[76]

劉因是生活在金朝的漢人，他的〈渡江賦〉在後世學者中引起了極大的爭議。有的學者指責劉因站在金朝的立場上「幸宋之亡」，因爲他在北燕處士和淮南劍客的辯論中預祝金（異族統治者）的勝利。爲之辯護者則以爲劉因作此賦乃「欲存宋」，他以此警告宋朝並激勵其鬥志以求得生存。魏一鼇的老師孫奇逢是極力贊成後一種意見的。[77]因此，傅山才特地指出，劉因是金人而非宋人，先賢若以〈渡江賦〉來指責劉因，劉本人也會不以爲然。這看起來多少是在爲魏一鼇所景仰的鄉賢開脫。但是在當時仕清被認爲是不得已的行爲的氛圍中，傅山似乎不太可能眞正地爲劉因辯護。他把這個問題提出，本身就有深意。儘管人們可以用劉因是金朝人而不是宋朝人來爲他的〈渡江賦〉和他以後的仕元開脫，但他畢竟是漢人，他是站在一個異族政權的立場上來反對宋這樣一個漢族政權的。從這點來說，劉因是一位未能恪守儒家義理的哲學家，他並沒有強烈的「華夷之辨」的意識。而這點又恰恰是傅山對包括劉因和許衡在內的宋元理學家批評得最尖銳的一面。傅山曾這樣寫道：

> 自宋入元百年間，無一個出頭地人。號爲賢者，不過依傍程朱皮毛蒙袂，侈口居爲道學先生，以自位置。至於華夷君臣之辨，一切置之不論，尚便便言聖人《春秋》之義，眞令人齒冷。[78]

對傅山來說，宋元之際的理學家雖口口聲聲以道德爲任，卻棄「華夷君臣之辨」這個最重要的道德原則於不顧。所以傅山才在魏一鼇這位好飲而又信奉理學的好友離開山西之際，以「眞率之言餞之」。然而在當時的政治氣候下，傅山並不能「眞率」地表達出他的眞正理念，所以他在寫給魏一鼇的信中談到這十二條屏時，希望他能「鑒之言外」。[79]

爲什麼傅山一方面要繼續尋求仕清漢官的援助，而另一方面卻還要謹守「華夷之辨」呢？要回答這個問題，我們必須理解魏一鼇這些仕清漢官的內心世界。大約在

1649年左右，魏一鼇在山西任官三年後回鄉省親，他在友人的陪伴下造訪了淨業寺，並賦詩一首：

薄宦三年今一回，故鄉風景不勝哀。

舊時燕子非王謝，冷落惟餘第一台。[80]

詩的第三句引用了唐代詩人劉禹錫（772-842）〈烏衣巷〉一詩中的典故：「舊時王謝堂前燕，飛入尋常百姓家。」隨著朝代的更迭，六朝時極有權勢的王、謝兩大世族到了唐代已經式微。魏一鼇引用這一典故來喟歎鼎革後世事滄桑。在清初，北方（包括魏一鼇的家鄉保定府在內）的大片土地都被滿洲貴族所佔有，許多漢人（包括魏一鼇的老師孫奇逢）被迫背井離鄉。魏一鼇在詩中表達了江山易主後家破人亡的悲涼。詩中那句「不勝哀」，在魏一鼇的另一首詩作中也能見到。1655年，亦即魏一鼇即將離開山西的前一年，他曾在平定州拜謁漢三義祠，並作詩云：

十年飄泊並州道，幾度遨遊登此台。

鳥噪煙林憐客倦，人迷風雨望雲開。

高山仰止威儀在，特地趨蹌香火來。

今世桃園隨處是，桃花冷眼不勝哀。[81]

魏一鼇詩中使用的「不勝哀」這個憂戚的字眼，反映了他內心深處隱藏的故國之思，而這種情懷爲許多仕清漢官所共有。

滿人以少數民族入主中原，若想有效地統治中國，就必須借助漢族菁英爲之效力。滿人深知，對許多漢人而言，在清初出仕異族政權是一種現實的考量。爲鞏固政權，清朝施行了偏護滿人的政治制度，如在設官方面，實行複職制，一滿一漢，以滿爲主。在這種制度下，漢族官員無論官位多高，依然是「二等公民」。因此，挫折感深植於他們的心中。使那些仕清漢官想來更爲難堪的是，協助異族統治自己的同胞，還可能遭到後世的責難。而那些出仕新朝的明朝舊臣，將被後世史家稱爲「貳臣」。對於自幼受儒家傳統教育的漢族官員來說，沒有什麼會比「貳臣」這個字眼更令人汗顏的了。正是在這種情況下，許多仕清漢官都像魏一鼇那樣，在不同的程度上爲困境中的明遺民提供經濟援助和政治庇護。這種行爲能爲他們的出仕異族政權找到一些合理性，並可以緩釋內心的愧疚。因此，在清初，不僅明遺民學者和藝術家需要仕清漢官，這些官員也需要明遺民，彼此依賴。仕清漢官還是傅山等遺民藝術家的主顧，這層關係也加強了明遺民與仕清漢官之間的互動。清初漢官對明遺民的幫助，雖說常是經濟方面的，但兩者的往來也有其政治和社會層面的意義，他們還抱有一些共同的文化理念，並以真摯的友誼來維繫彼此的關係。[82]在清初特定的政治情勢和文化中，深懷挫折感和愧疚感的仕清漢官，是保證遺民們在困境中得以生存、在學術和藝術上得以發展的一個重要的體制因素。

歷史記憶的典藏

1655年，獲釋出獄的傅山作了〈山寺病中望村僑作〉一詩：

病還山寺可，生出獄門羞。便見從今日，知能度幾秋？

有頭朝老母，無面對神州。冉冉眞將老，殘編硯再抽。[83]

傅山在這一時期所作的其他幾首詩，都同樣地表現了出獄後的內疚和羞愧。他在題爲〈始衰示眉仁〉這首詩中寫道：

甲午朱衣繫，自分處士死。死之有遺恨，不死亦羞澀。[84]

爲什麼傅山會對自己的獲釋深感愧疚呢？因爲他知道，朱衣道人案中和他一起被捕的其他三位涉案人士蕭峰、朱振宇、張錡，都受到了殘酷的懲罰：蕭氏被處絞刑，朱、張二人杖刑後被流放至三千里外，唯傅山未予判刑。傅山的獲釋，主要取決於清政府中漢族官員的對象。他的各種關係以及他作爲山西文化領袖的社會影響，都使他成爲重點營救物件。改朝換代能使前朝的舊貴族們在政治上經濟上失去以往的特權，但由於社會文化的結構並未改變，文化菁英們依然能得到降清的漢族官員和新貴們的尊重。有影響的遺民們在危難之際，總能得到比常人更多的保護和幫助。而那些有意投入或不意捲入抵抗運動的無名之輩們，卻常落得個家破人亡的下場，且被人們迅速地遺忘。歷史總在一遍又一遍地重覆著這種不那麼公平的悲劇。蕭峰已死，朱、張生死未卜，對此，生還的傅山能毫無感觸嗎？他明白，是他的文化聲望和人脈關係保全了他的性命，但他爲自己的苟活感到羞愧。雖然，他並未在詩中告訴我們，如果他犧牲的話，將會留下什麼遺憾，但字裡行間卻似乎透露出，除了眷念年邁的母親之外，尚有更爲重要的信念驅使他忍辱偷生。從傅山在清初的言行來看，他抱定這一信念：用筆記錄鼎革之際的歷史，爲後世留下他對這段歷史的見證和見解。而這一歷史責任感和對老母的孝悌之心一樣，爲他生活在異族的統治之下提供了道德上的合法性。

自幼受儒家思想的薰陶，傅山對史書的重要性自然有深切的體會。在明亡前，傅山就已表現出對史學的濃厚興趣。大約1640年代初期，他在傅眉的協助下完成了《兩漢書姓名韻》的編纂。作爲典藏朝代記憶的史籍，在古代中國一直扮演著重要的文化角色。許多歷史著作被視爲儒家經典譜系的重要構成部分，不僅治國的知識可以從中汲取，史家們也經常通過修史來表述他們對一個朝代的政治合法性的見解。尤其是在改朝換代之後，新朝的統治者常會從意識形態的角度出發，編纂前朝的歷史。而前朝的遺民們也會以自己的觀點來書寫歷史。清初也不例外。編寫歷史對明遺民的重要性，以遺民史學家黃宗羲（1610-1695）的闡述最爲簡潔透徹：「國可滅，史不可滅。」[85]

1644年九月，傅山避難至盂縣，在那裡他仔細閱讀和批點了1581年由凌稚隆（活躍於1576-1587）輯校的《漢書評林》。傅山在批註中，尖銳地批評了班彪（3-54，字叔皮）、班固（32-92，字孟堅）父子在敘述和評論朝代危亡之際的個人行爲時，未能堅持儒家的道德標準。《漢書》〈翟方進傳〉記載，方進爲成帝、平帝兩朝的宰相。其子翟義在王莽篡漢後，曾糾合漢室的諸侯，興兵以抗王莽。王莽發其祖墳、焚其宅第以報復，翟義本人兵敗被殺。[86]班彪在傳後評道：「當莽之起，蓋稱天威，雖有賁、育，奚益於敵。義不量力，懷忠憤發，以隕其宗，悲夫！」[87]傅山對班彪的評論，極不以爲然，視之爲奴才之言。傅山這樣批道：

> 傅山曰：叔皮「不量力」之言，何奴才也。孟堅必述之，以爲定論耶？如此大節目，亦不與以公道之論，作史手眼安在？《漢書》諸贊引老班時甚少，而偏于烈士援茲齷齪之語。不善幹文章之蠹矣！
>
> 道人去漢數千年，與劉家有甚關係，一見翟公子義舉，拭涕手額，一個活跳跳底英烈士坐吾銀海中不去，急滴冽泉研朱深，依希以公子熱血凝處士筆端矣。甲申九月東山草堂撿敝簏再讀。[88]

傅山的批註顯示出他對史籍所載朝代更替之際不計成敗的忠義之舉予以格外重視和極力褒揚，其用心不難看出。

傅山對歷史事件的關注，在很大程度上是受到他身處的政治環境的影響。他曾經告誡傅眉和傅仁要仔細閱讀《史記》、《漢書》等重要的史書，並指出：「廿一史，吾已嘗言之矣：《金》、《遼》、《元》三書列之載記，不得作正史讀也。」[89]金代、遼代、元代和清代一樣，皆由來自北方的遊牧民族所建立，他們被當時的中原漢人視爲異族。因此，不把《金史》、《遼史》、《元史》視爲正史，等於宣稱這些朝代並非正統，其政治涵義不言而喻。

傅山對研究歷史和撰寫歷史的熱誠，從他的一方印文爲「太史公牛馬走」的印章也可以看出（見彩圖10）。[90]此印印文出自漢朝史學家司馬遷（約西元前145至西元前85）著名的〈報任安書〉，[91]「太史公」指的是司馬遷的父親司馬談（約卒於西元前110年），他在漢廷任太史令，掌理曆法和修史，司馬遷夙爲其父助手，並於西元前108年繼承父職任太史令。而傅山在此指的「太史公」則很顯然是司馬遷這位中國歷史上最負盛名的史學家。在〈報任安書〉中，司馬遷向友人任安解釋，爲什麼他在仗義直言爲投降匈奴的大將李陵辯解而遭受宮刑這一奇恥大辱後，還選擇含冤忍辱地活著。司馬遷宣稱，支持他活下去的唯一信念，就是要完成《史記》。傅山藉「太史公牛馬走」這方印，[92]委婉地表達了他的忍辱偷生如同太史公，以完成見證明清鼎革的史家之責。

在強烈的責任感驅使下，傅山從清兵入關之始便著手收集歷史資料。他在1646年寫給戴廷栻的一封長信中說及，袁繼咸在就義前託人帶信給他，希望傅山爲他保存詩文稿。因此，傅山盡力收集袁氏散佚的文稿。在同一信中，傅山還提到，當李自成的軍隊佔領太原時，他正在盂縣避難，但他還是根據別人的口述，記錄了太原失守的情形。當李自成攻陷北京時，戴廷栻正在國都，傅山希望戴廷栻能向他提供北京的見聞。[93]

1640年代戰爭頻仍，戰後，不少戰亂中亡故者的親屬或友人請傅山爲他們亡故的親友撰寫傳記。[94]1649年初，降清的前明大同總兵江瓖起兵反清。[95]四月，江瓖的軍隊抵達汾州。曾和傅山在1636年帶領三立書院學生赴京請願的薛宗周，以及傅山在三立書院時的另一位摯友王如金（薛、王皆爲汾州人），參加了這次武裝暴動，在太原一役中殉難。傅山在薛、王死後不久，撰寫了〈汾二子傳〉紀念友人，文中詳細記錄了起事的各項行動，鉅細靡遺的程度使一些學者推測傅山本人曾親自參與這次起事。[96]傅山寫到，當薛、王二人準備加入攻打太原的戰事時，友人曹偉曾試圖說服他們打消這個念頭，然而薛宗周激動地回答：「極知事不無利鈍，但見我明旗號尚觀望，非夫也！」慷慨前行。[97]在〈汾二子傳〉後，傅山有如下的跋語：

> 鄙夫見此等事跡，輒畏觸忌諱言之。從古無不亡之國，國亡後有二三臣子信其心志，無論成敗，即敵國亦敬而旌之矣。若疾之如仇，太祖何以夷、齊譏誚危素也？余闕之廟是誰建之？何鄙夫見之不廣也？繼起之賢斷不爾。[98]

「繼起之賢斷不爾」正是傅山這篇傳記所表達的信念。

傅山的史志和史筆都明顯地受到司馬遷的影響，他撰寫的許多傳記都遵循了司馬遷在《史記》中所建立的紀傳體例。司馬遷通常在一個傳記結尾處，以「太史公曰」爲目，作一段評論。同此，傅山也在自己撰寫的傳記結尾處以「傅山曰」或「丹崖子曰」(「丹崖子」是傅山的號）作爲短評的標目。[99]自司馬遷以降，傳記的敘述部分在於爲傳主的生平留下相對「客觀」的記錄（實際上，所述傳主生平事跡經常是一種具有道德傾向的選擇），而在傳記之尾的評論中，史家可以相對自由地提出他對歷史人物和事件的評斷，[100]這些議論便成爲理解一個史家的道德立場及其歷史觀的關鍵。

傅山明白，他對於明清鼎革之際歷史事件的記述，將抵牾清廷的官方觀點，所以有時他在傳記後的評贊中徑以「野史氏」自稱，用「野史氏曰」或「閭史氏曰」來替代「傅山曰」。[101]「野史氏」一詞在清初格外敏感，因爲非官方的歷史觀是政治上的禁忌。前文提到的遺民理學家孫奇逢，因爲在著作中使用了「野史氏」一詞而遭到指控，如果不是友人營救，很可能大禍加身。[102]而傅山使用此詞，說明他具有撰寫不爲新朝接受的野史的勇氣。他鄭重地記錄下那些因抵抗李自成和清兵而捐軀的人們的言行，正顯示出他相信明遺民記錄的歷史將激勵「繼起之賢」。

顏真卿的感召力

如果說清初是一個遺民們自覺地把史學作爲意識形態武器的時代，那麼，這個時代的書法藝術也會折射出政治色彩。傅山有一〈訓子帖〉，對我們了解他的書法政治觀極有助益。他在帖中這樣寫道：

> 貧道二十歲左右，於先世所傳晉唐楷書法，無所不臨，而不能略肖。偶得趙子昂《香山詩》墨蹟，[103]愛其圓轉流麗，遂臨之，不數過而遂欲亂眞。此無他，即如人學正人君子，只覺觚稜難近，降而與匪人遊，神情不覺其日親日密，而無爾我者然也。行大薄其爲人，痛恶其書淺俗，如徐偃王之無骨，[104]始復宗先人四五世所學之魯公而苦爲之，然腕雜矣，[105]不能勁瘦挺拗如先人矣。比之匪人，不亦傷乎！不知董太史何所見而遂稱孟頫爲五百年中所無。貧道乃今大解，乃今大不解。寫此詩仍用趙態，令兒孫輩知之，勿復犯此，是作人一著。然又須知趙卻是用心於王右軍者，只緣學問不正，遂流軟美一途。心手之不可欺也如此。危哉！危哉！爾輩慎之。毫釐千里，何莫非然？寧拙毋巧，寧醜毋媚，寧支離毋輕滑，寧直率毋安排，足以回臨池既倒之狂瀾矣。

文後所附一詩也表達了相同的觀點：

作字先作人，人奇字自古。綱常叛周孔，筆墨不可補。

誠懸有至論，筆力不專主。[106]一臂加五指，《乾卦》六爻睹。

誰為用九者？心與掔是取。永眞遡羲文，不易柳公語。

未習魯公書，先觀魯公詁。平原氣在中，毛穎足吞虜。[107]

〈訓子帖〉中提出的「四寧四毋」，常常為後世書法家所引用，認為這代表了傅山的書法美學觀點。傅山在文中提到，他年輕時醉心於趙孟頫的書法，年長後，他深切地意識到趙孟頫的道德問題──趙孟頫本為宋朝宗室，卻在宋亡後侍奉元朝，成為「貳臣」。當傅山意識到趙孟頫的道德問題後，再看趙的書法，覺得其「淺俗」、「無骨」，便毅然回歸傅氏家族世代尊奉的書家典範──顏眞卿。唐代書法家顏眞卿在平定叛亂中為國捐軀，被後世視為忠臣的象徵。傅山的這一轉變遵循著中國書學中的一個根深蒂固的觀念：「書，心畫也」，[108]人品的高下決定著書品的高下。正如傅山在詩中提到的唐代書法家柳公權的名言：「用筆在心，心正則筆正。」

但是，我們很難證明，在歷史上流行顏眞卿書風的時代，尊奉顏書和當時的政治之間總是存在著明顯的對應關係。[109]Amy McNair認為，顏眞卿的書法在北宋時期成為書法的正統典範之一，和當時的政治情形有關。[110]即便如此，一旦顏書成為普遍接受的範本，喜好顏書就不一定以政治訴求為重要動力。例如，董其昌從十幾歲起就開始學習顏眞卿的書法，特別是顏體楷書，但我們找不到什麼證據來說明他的這一風格選擇具有強烈的政治動機。一個具有豐富象徵意義的歷史人物是否被人們當作政治和意識形態的工具來運用，完全因人、因時、因情境而異。需要指出的是，顏眞卿的忠臣事跡早已深植於中國文人的集體記憶中，集體記憶中的這一象徵資源在適當的政治情勢下極容易被再度喚醒並加以利用。

傅山的〈訓子帖〉沒有紀年，[111]他也沒有確切地告訴我們他從何時開始輕視趙孟頫的書法，從而轉向了顏眞卿。但他貶斥仕元的趙孟頫，讚頌「忠君愛國」的顏眞卿，加上詩的最後那句「毛穎足吞虜」，皆讓我們推斷〈訓子帖〉寫於清軍入關後。正如上文所談到的政治環境對史書編纂的影響一樣，我們認為傅山的民族意識和明遺民立場也影響了他對書法風格的選擇。由此可知，面對清初嚴峻的政治情勢，傅山努力將不同的文藝手段都當作政治和意識形態的武器。

我們可以從傅山的一些存世文字中，來比較準確地推斷出，他對顏眞卿書風的熱衷始於1640年代後半期與1650年代，亦即國變之後。大約在1670年代中、後期，傅山曾寫過兩則筆記來描述他臨摹顏眞卿書法時的心理感受。第一則筆記如下：

> 常臨二王，書羲之、獻之之名幾千過，不以爲意。唯魯公姓名寫時，便不覺肅然起敬，不知何故？亦猶讀《三國志》，于關、張事，便不知不覺偏向在者裡也。[112]

傅山的第二則筆記不但告訴我們爲何他如此認眞地研究顏眞卿的書法，同時也提供了他何時開始熱衷於顏眞卿書法的重要線索：

> 才展魯公帖，即不敢傾側睥睨者。臣子之良知也。……山三十年前細細摹臨，至今遂對面作夢。老矣耄矣。[113]

筆記中所用「老矣耄矣」指的是七八十歲。[114]因此，傅山書寫這則筆記的時間應在1676年（他七十歲）至1684/1685年（傅山在此時去世）之間。由於文中提到「三十年前細細摹臨」，我們可以把傅山開始仔細研究顏眞卿書法的時間倒推至1646年至1655年這一時期。因此，雖然傅山在年輕時就很可能接觸過顏眞卿書法（所謂「於先世所傳晉唐楷書法，無所不臨」），只是在入清後，他的明遺民處境才使他更爲顏書所吸引，並開始熱忱地臨摹。傅山對亡明的忠誠驅使他去追尋新的書法典範，並通過藝術典範進而宣揚藝術家的忠臣品格，激勵自己恪守遺民的政治立場。

傅山1640年代後半期至1650年代的書蹟，正顯示出顏眞卿對其書法的影響日增。蘇州博物館藏有一件傅山書於甲申十二月（1645年1月）的冊頁（圖2.1），該冊頁共有十八開（其中兩開爲傅眉所書）。傅山在冊頁中抄寫了二十餘首詩，除了一首作於1644年外，其餘皆作於這之前。其中十九首一組的詩寫於1642年。傅山在其中一首的小註中提及，他是在壬午（1642）閏六月十九日他生日那天完成這些詩作的，但那天他並沒有心思慶祝自己的生日，因爲他想起一年前（1641）兄長傅庚爲他慶生的情形，然而兄長卻在傅山寫此詩的兩個月前去世了。

這件冊頁很可能是傅山在盂縣朋友家避難時所作。在那裡，他有較充裕的時間來回憶他的舊作，並將它們抄錄下來。其中大部分是以鍾繇和王羲之的小楷風格寫成，筆劃清秀圓潤，結字略向右欹側，和顏體楷書的端莊、豐腴、厚重形成鮮明對比，沒有任何跡象顯示顏眞卿的影響。

傅山的書風從1640年代後期到1650年代初期開始發生變化。上文討論過的1648至1657這九年間傅山寫給魏一鼇的十八通信札裱成的《丹崖墨翰》手卷，即明顯地呈現出書法風格轉變的軌跡。研究這些信札以及這一時期的其他作品，能幫助我們對傅山書風的變化有一比較清晰的認識。

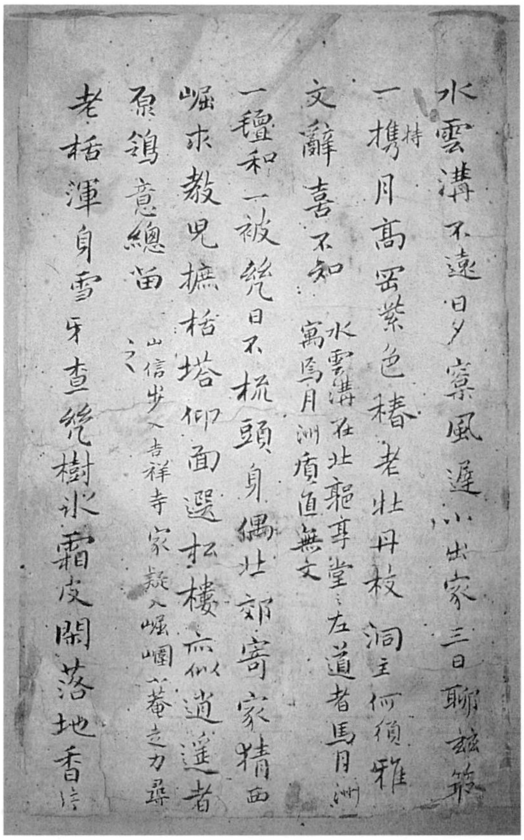

圖2.1
傅山
《小楷行書詩詞》
1645　局部
冊頁（全18開）
紙本　每開26.3×15.5公分
蘇州博物館
引自《中國古代書畫圖目》　冊6　頁74　「蘇1-251」

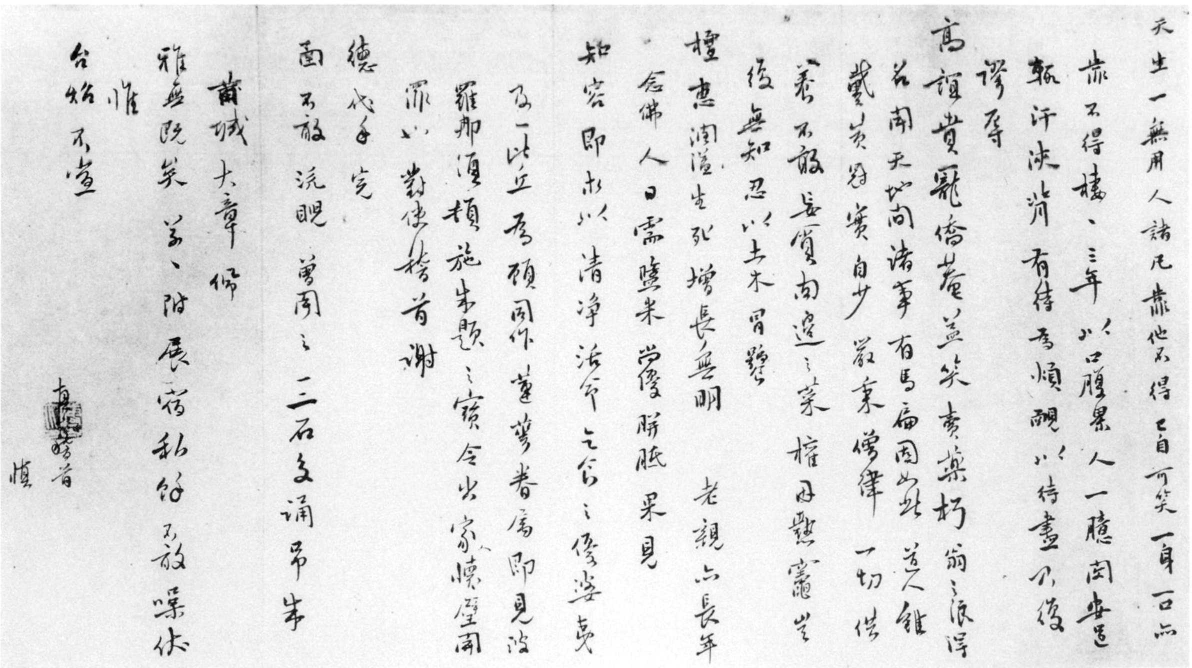

圖2.2　傅山　《致魏一鼇第一札》　約1647
收錄於傅山　《丹崖墨翰》　約1647-1657
卷　紙本　29×581公分
香港葉承耀醫生收藏

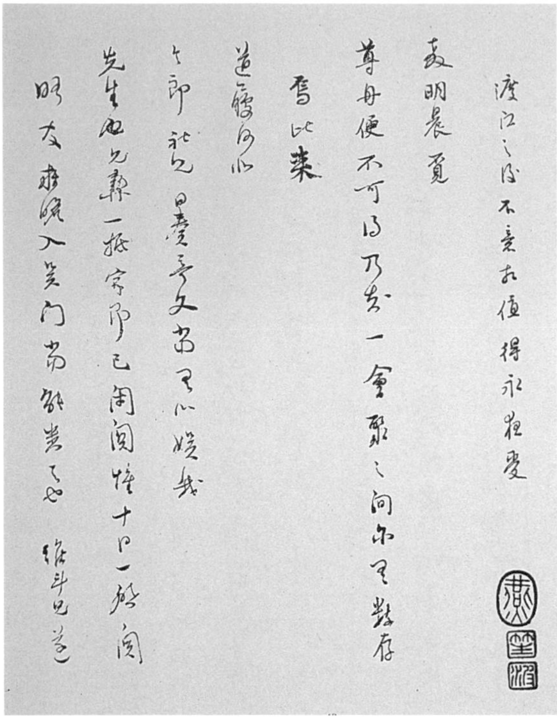

圖2.3
夏允彝
《行書尺牘》
局部　冊頁
紙本　尺寸不詳
Collection of S. P. Yen
引自程曦　《明賢手蹟精華》　頁43

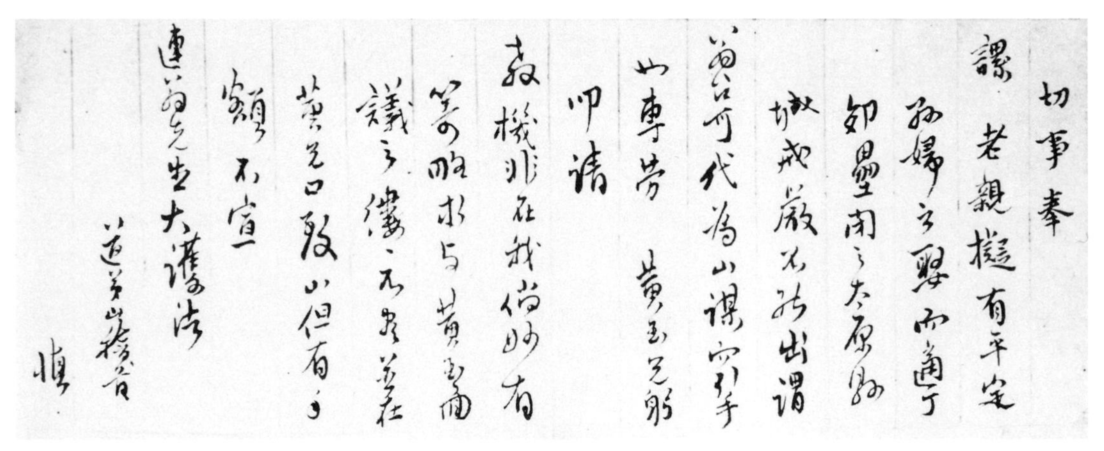

圖2.4　傅山　《致魏一鼇第四札》　約1648《丹崖墨翰》

第一札約書於1647年（圖2.2），與1645年的冊頁在書風上沒有明顯差異，用筆清秀，結字優雅，不禁令我們想起晚明文人那種比較傳統而娟秀的信札書法。例如，將此札與晚明士大夫夏允彝（1596-1645）的一通信札比較（圖2.3），可以看出兩者筆法、結字乃至氣息之間的某種相似性。可以說，傅山的這一信札尚未走出晚明信札的書風範圍。一種可能的解釋是，傅山以這種毫無戲劇性的書風給魏一鼇寫信，是爲了讓信札的書蹟便於閱讀。儘管如此，我們還是可以從這件時間跨度長達九年的手卷

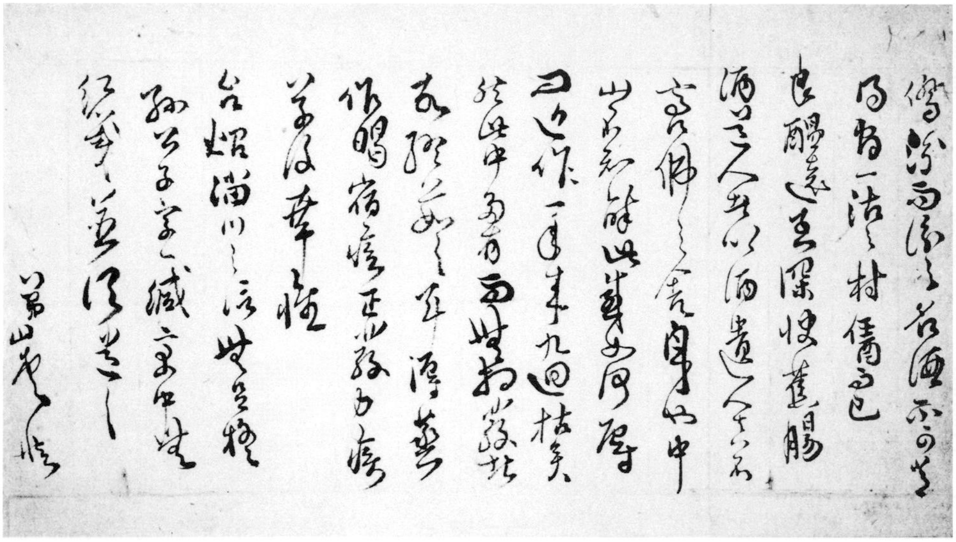

圖2.5　傅山《致魏一鼇第六札》　約1648《丹崖墨翰》

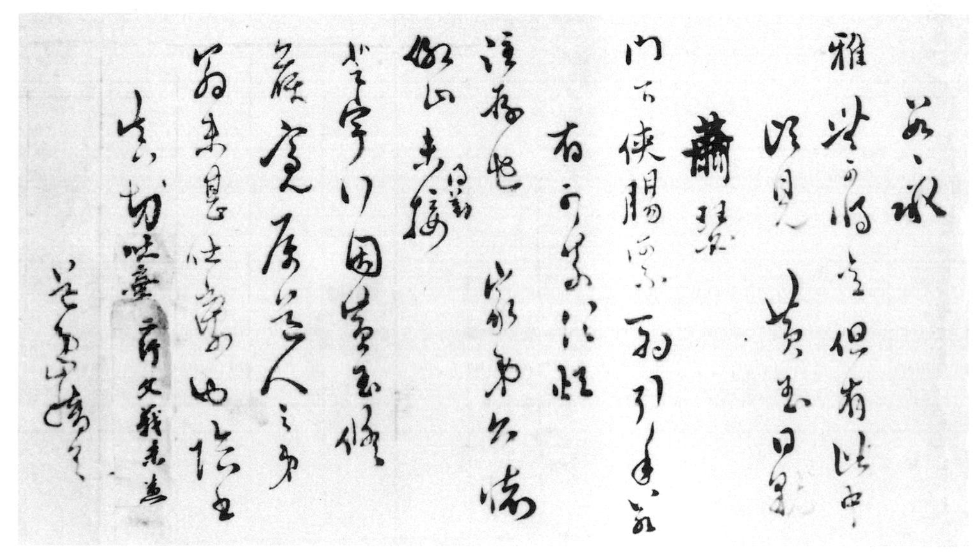

圖2.6　傅山《致魏一鼇第七札》　約1648《丹崖墨翰》

中，來探究傅山書風轉變的軌跡。

第四至第八札大約寫於1649至1651年間，所呈現的書風明顯與第一札有別。在第四（圖2.4）和第五札中，捺收尾時向上挑，帶有章草的筆勢。在第六札（圖2.5）中，我們可以清楚地看到顏眞卿行書中那種不露圭角、圓通的使轉筆法（見圖2.18，頁161）。有趣的是，略晚於第六札的第七札（圖2.6）中，再次出現第四和第五札中所使用的章草筆法。

這種風格上的不一致，還可以在第九至第十七札中的數札中見到。這些信大約書於1651至1652年左右，內容主要是圍繞著上文提及的「朱四命案」。其中最具啓發性的是第九札和第十札（圖2.7、圖2.8），從文字內容來看，它們應書於同一天。[115]第九札和第四、第五札相似，捺略上揚，帶有章草筆意。此札的風格優雅，用筆細緻，筆劃帶有弧度，中段多細瘦，收筆精到。相反地，第十札就顯示出濃重的顏眞卿書風，結字平穩，筆劃豐滿寬厚，而且沒有太多細節的修飾。雖然兩通信札的書寫內容和書寫時間相差無幾，但書風卻截然不同。

同一時期的書作呈現出如此大的風格差異，引導我們質疑以往學者們對於書法風格和文字內容之間關係所持的一些未加深究而又陳陳相因的成見。[116]某些研究者提出這樣的論點：一個藝術家有時會根據書作的文本內容來選擇一種書法風格以相匹配。例如，選擇唐朝大書法家褚遂良（596-658）的楷書風格抄寫佛經，因爲褚遂良的楷書名作《聖教序》就和佛教有關。[117]

這種論點看似有理，但實際上不過是一種未經檢驗的假設或一廂情願的推測罷了，充其量也不過是一種有趣的說法。除非我們能夠證明，某位書法家能夠在某個特定時期內同時掌握著兩種或更多的已臻純熟的書法風格（指能用兩種風格書寫同一字體），可以任其根據文字內容進行選擇，否則的話，我們又怎麼能夠宣稱他是爲了其文本內容而「選擇」了一種適合的風格呢？即便某位書家同時擅長多種風格，我們又如何知道他是有目的地從各種書法風格中選擇一種來匹配某種文字內容呢？他是否曾使用過褚遂良的風格鈔寫過和佛教毫不相關的文本呢？至少我們可以從現存褚遂良的書法作品中找到用以批駁那種簡單地認爲書風需匹配文本這種論點的反證。褚遂良在653年書寫《聖教序》前，就曾用同樣的風格書寫過與宗教無關的《房玄齡碑》。他之所以「選擇」同樣的風格書寫兩種內容不同的文本，完全是因爲他沒有其他風格可以選擇。褚遂良晚年形成了一種獨特的楷書風格，他用這種風格書寫各種內容不同的作品，不論其是宗教性的還是非宗教性的。

我們在傅山1640年代和1650年代的書作中發現的風格上的不一致，實際上反映了明代中葉以後文人開始拓展風格領域的一種趨勢，而這一趨勢又和文人藝術家的逐漸「職業化」有關。許多明代中期的書法家雖然仍舊被視爲文人或學者，但由於教育的普及和仕途的擁擠，許多文人並不再擁有官銜。一些科場失意的文人，轉而發展他們的藝術才能，有些文人在相當程度上是以書畫作爲生計的來源。在這種情形下，他們的

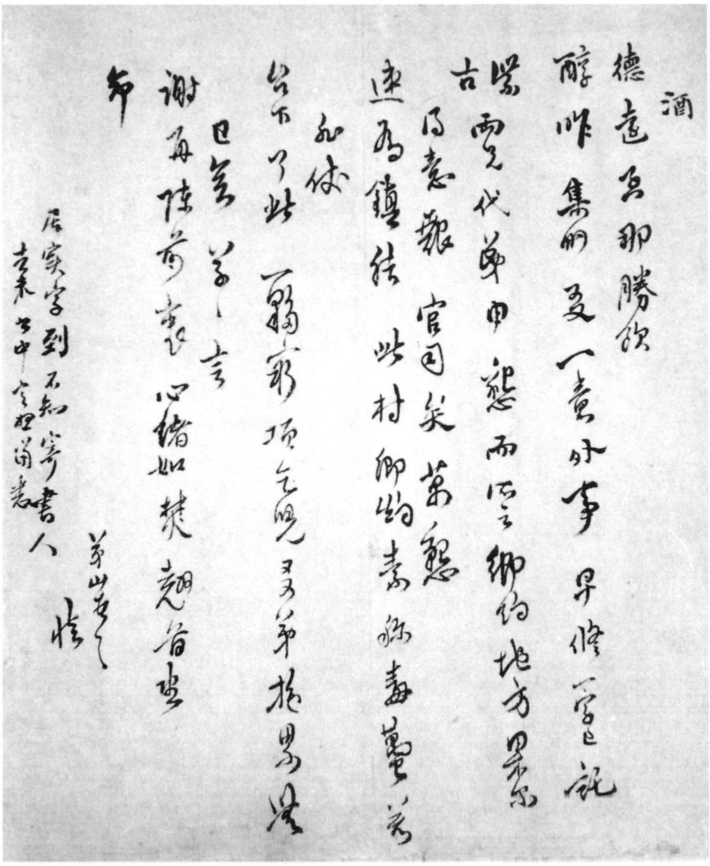

圖2.7　傅山　《致魏一鼇第九札》　約1652《丹崖墨翰》

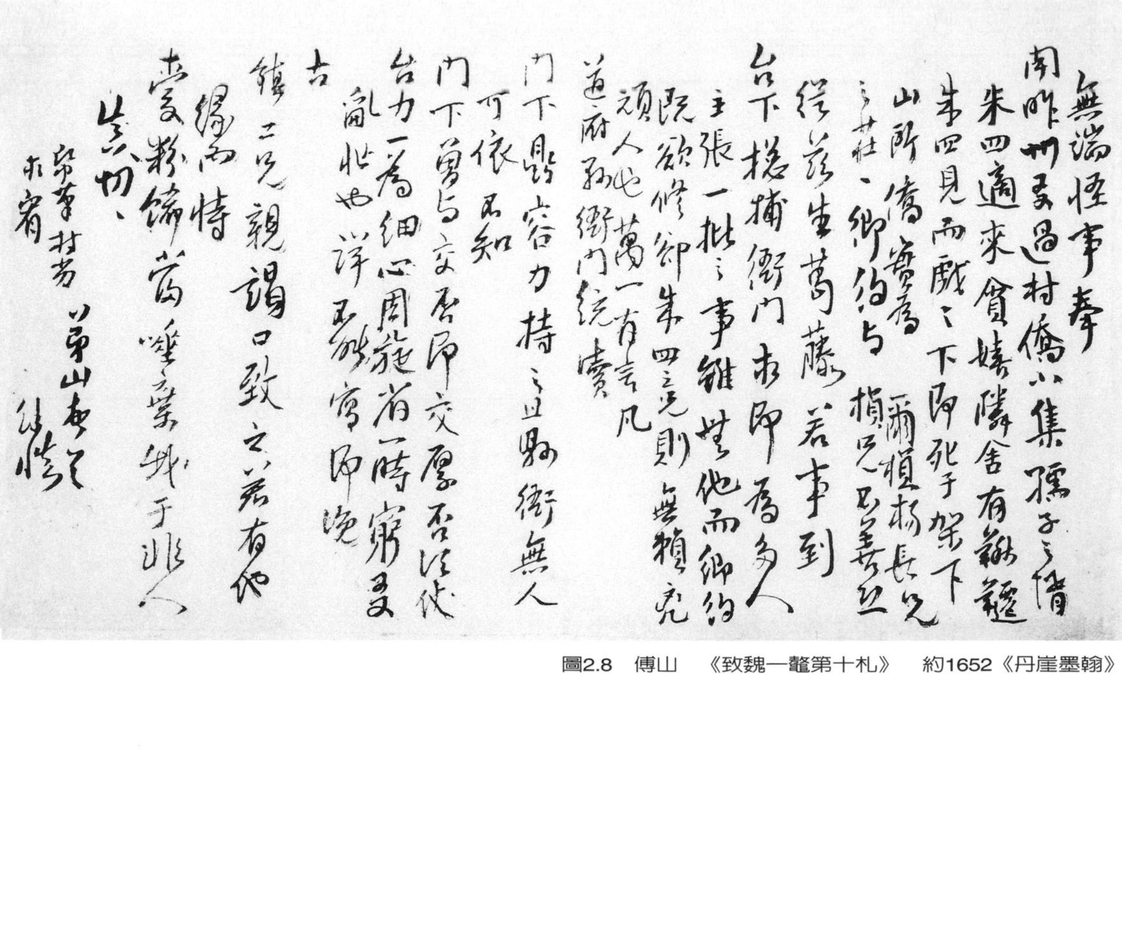

圖2.8　傅山　《致魏一鼇第十札》　約1652《丹崖墨翰》

技巧也逐漸多樣化。十六世紀蘇州的書法家最能反映這個趨勢。如文徵明，其大行書通常追隨黃庭堅的風格；但其具有個人風格的小行書則出自王羲之、趙孟頫優雅的書法。文徵明的好友祝允明（1461-1527）更是擅長多家風格，並好炫耀其技巧。[118]正如祝允明的晚輩、文徵明之子文彭所說：

> 我朝善書者不可勝數，而人各一家，家各一意。惟祝京兆為集眾長益。其少時於書無所不學，學亦無所不精。[119]

文彭的評論頗具啓發性。十六世紀的大多數書法家在書寫一種字體時（如楷書），通常只精熟一種風格。然而十六世紀書壇的一些領袖人物（如祝允明、文徵明等）卻試圖打破風格上的單一取向。十七世紀的書法繼續沿著這一趨勢發展，如董其昌和王鐸皆致力於掌握數種古代大師的風格。當王鐸書寫小楷時，他師法的是鍾繇書風，因爲鍾繇的書風宜於寫出古雅的小字。但以楷書寫大字時，則仿效顏眞卿或柳公權體，因爲顏柳書風更適合書寫大字。

同樣是楷書，顏眞卿的楷書比鍾繇的楷書更適宜作牌匾榜書。這種現象表明，不同風格之間存在著一個哪一種風格更適用某種書法形式的問題。[120]當代西方藝術史的研究，過於偏重對藝術作品的文學、道德和政治意涵的發掘和闡釋，往往忽略一種書法形式（如牌匾）的物質屬性對書風的限制。一些書法作品中存在的文字內容和書法風格之間的歧異與張力，促使藝術史家重新思考：試圖發掘文本與風格之間的對應關係、視文本爲「主子」、風格爲「婢女」的觀點，究竟在多大的範圍內和程度上能夠解釋中國書法的創作和欣賞？

傅山在〈訓子帖〉中坦白地承認，其書法深受早年學習趙孟頫書法的不良影響，雖然他努力以顏眞卿的書風矯正以往的過失，舊的書寫習慣還是時時作祟，正所謂「腕雜矣」。儘管如此，1650年代後，顏眞卿風格對傅山的影響與日俱增，一種新書風正逐漸形成。在一通約書於1652年的信札中，[121]用筆比早些的信札更具有顏眞卿書法用筆堅實飽滿的特徵（圖2.9）。

《丹崖墨翰》手卷的最後一札，亦即第十八札（圖2.10），顯示1652年之後傅山的書法繼續朝著顏體字的方向發展。這通信札在整個手卷中是風格顯著的作品之一，許多字豎劃外拓的弧線都來自顏眞卿的筆法。我們基本可以肯定這通信札書於1657年初，因爲信中提到傅山在1657年初魏一鼇辭官還鄉之際爲其所書十二條屏。而十二條屏中的顏體筆法和結體的特徵比這通信札更濃重（見圖4.7，頁296-301）；因此，這通

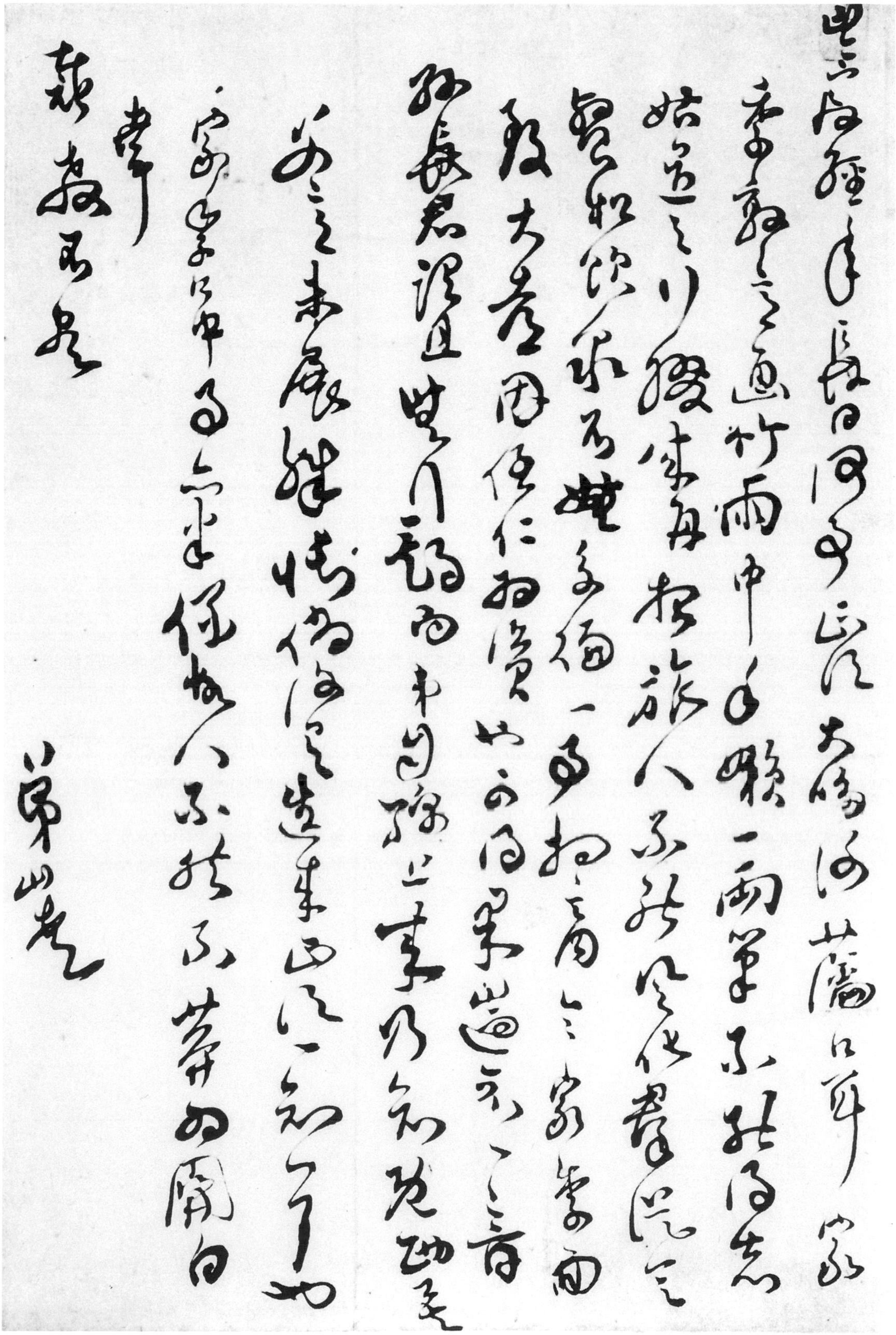

圖2.9　傅山　《致魏一鼇第三札》　約1652《丹崖墨翰》

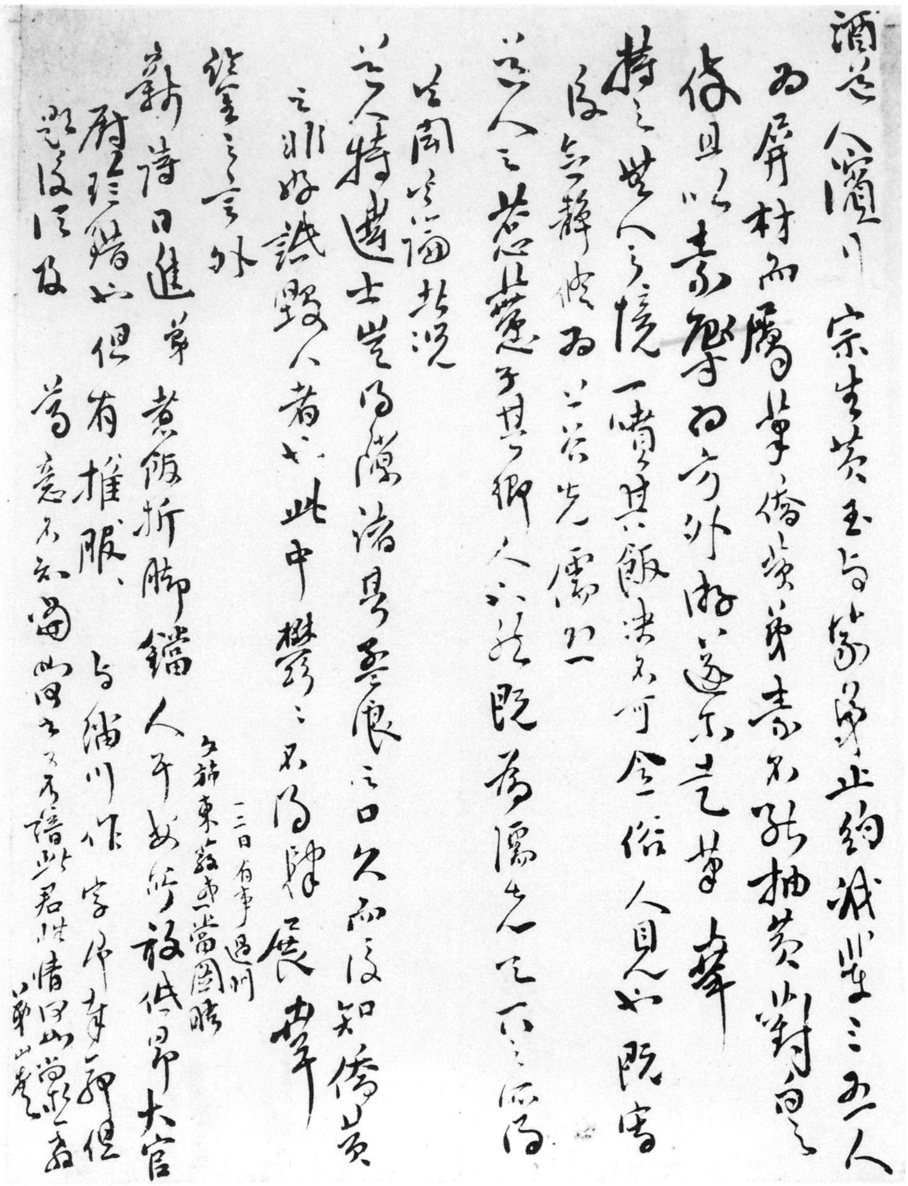

圖2.10　傅山　《致魏一鼇第十八札》　約1657《丹崖墨翰》

信札和十二條屏都可證明傅山的書法在1650年代中期已轉向了顏眞卿風格。

存世三件傅山書於1650年代的小楷冊頁，清晰地顯示了顏眞卿書風對傅山的影響。第一件冊頁現爲香港黃仲方先生所藏。[122]傅山在這件冊頁中臨摹了王羲之的《東方朔畫像贊》（圖2.11）和顏眞卿的《麻姑仙壇記》二帖（圖2.12）。在臨摹《東方朔畫像贊》時（圖2.13），傅山突出了原帖在結體上傾斜的特點，儘管他的臨本在總體上並

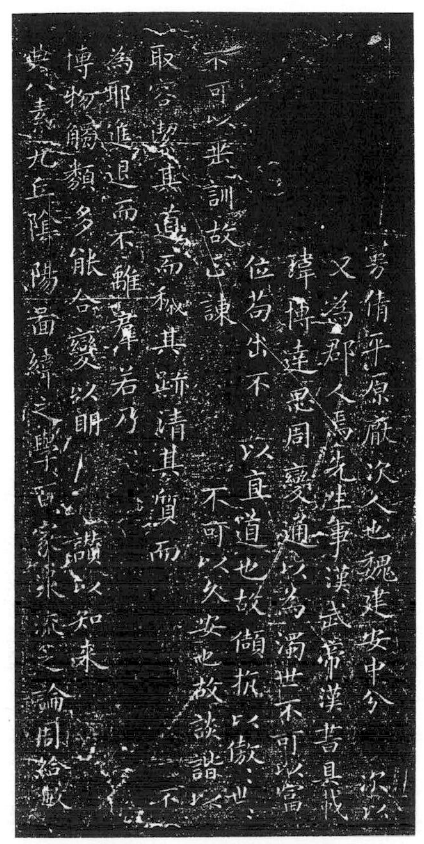

圖2.11　王羲之　《東方朔畫像贊》　356
局部　拓本　冊頁　紙本　尺寸不詳
東京國立博物館

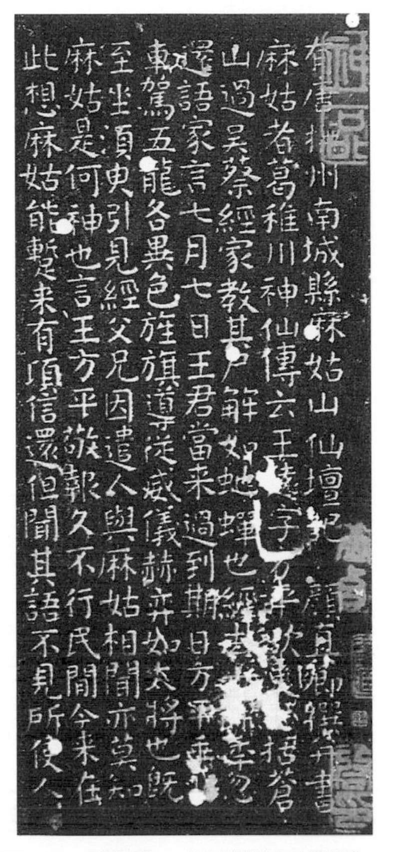

圖2.12　顏真卿　《小楷麻姑仙壇記》
局部　拓本　冊頁　紙本
美國紐約安思遠先生收藏
（Collection of Robert H. Ellsworth, New York）

未失去平衡。而臨摹顏眞卿的《麻姑仙壇記》時（圖2.14，亦可見彩圖8），我們發現傅山臨本的結體被拉長了，而且向左攲側，不似顏書那樣寬博穩重。可以看出，傅山在臨摹顏書時，有意無意地加入了一些王羲之小楷結字和筆法的特點。

另外兩件書於癸巳冬（1653年末或1654年初）的小楷冊頁，更能證明傅山在這一時期對顏眞卿書法下過很大的功夫。第一件冊頁鈔錄的是《禮記》卷十九〈曾子問〉一節（圖2.15）。傅山以顏眞卿《麻姑仙壇記》的小楷筆法，仔細地書寫了這件作品。這件冊頁的筆劃具有顏書的厚實，而稍微傾斜的結體，則保留了傅山早年學習鍾繇和王羲之書法的影子。第二件冊頁是傅山節錄的《莊子》〈逍遙遊〉篇（圖2.16），從中我們可以看出更正宗的顏眞卿楷書風格：用筆厚重，結體平穩、外拓的筆劃豐腴而具有「顏筋」的彈性。

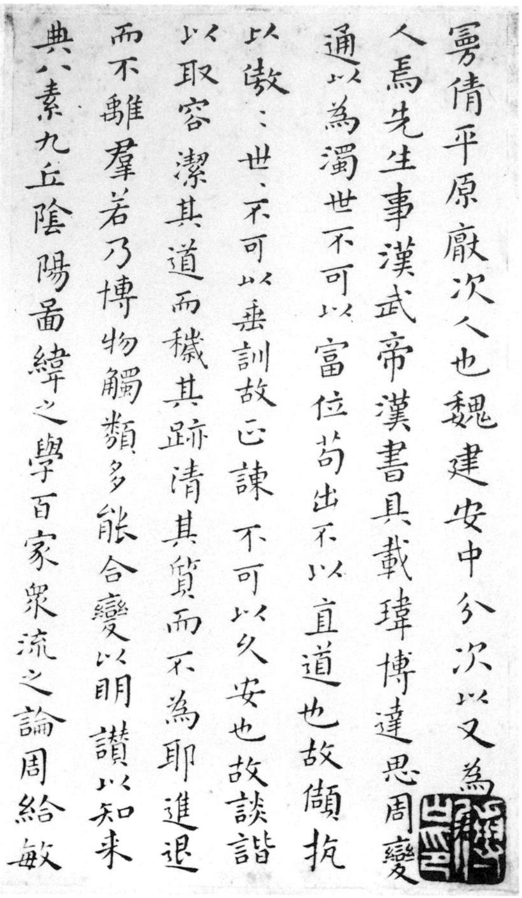

圖2.13　傅山　《臨王羲之東方朔畫像贊》
約1650年代　局部　冊頁（全12開）　紙本
每開23.5×13.5公分　香港黃仲方先生收藏

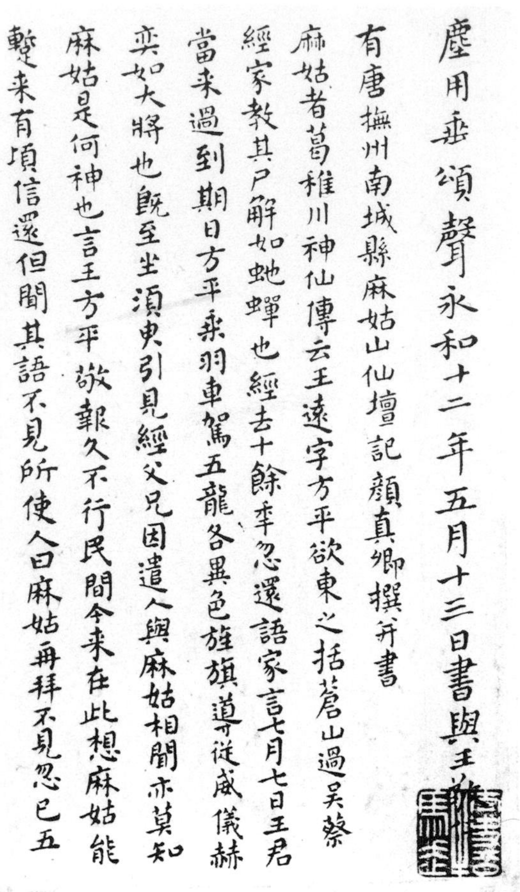

圖2.14　傅山　《臨顏真卿麻姑仙壇記》
約1650年代　局部　冊頁（全12開）　紙本
每開23.5×13.5公分　香港黃仲方先生收藏

傅山對顏眞卿書風的熱衷至老不衰。即使是他的晚年書法特別是小行書中，顏體書風仍占主導地位。例如，傅山書於1660年代或1670年代的《左錦》冊頁（圖2.17），與顏眞卿的名作《祭姪文稿》（圖2.18）的風格十分接近，筆法雄渾遒勁，漲墨的運用使一些筆劃具有立體感。[123]

作爲明遺民的傅山選擇顏眞卿的書法作爲典範，固然和他尊崇顏眞卿的忠臣操守有關，但這並不是唯一的原因。顏眞卿書風還有一些形式上的特質吸引著傅山。就傅山而言，顏眞卿的書法是連接帖學傳統和這一傳統之外的書法資源的橋梁。長期以來，顏眞卿晚年「雄秀獨出，一變古法」的獨特書風的形式來源，一直困擾著書學研究者。清代以降，許多六朝石刻逐漸出土，一些學者對顏眞卿書風的形成有了新的認

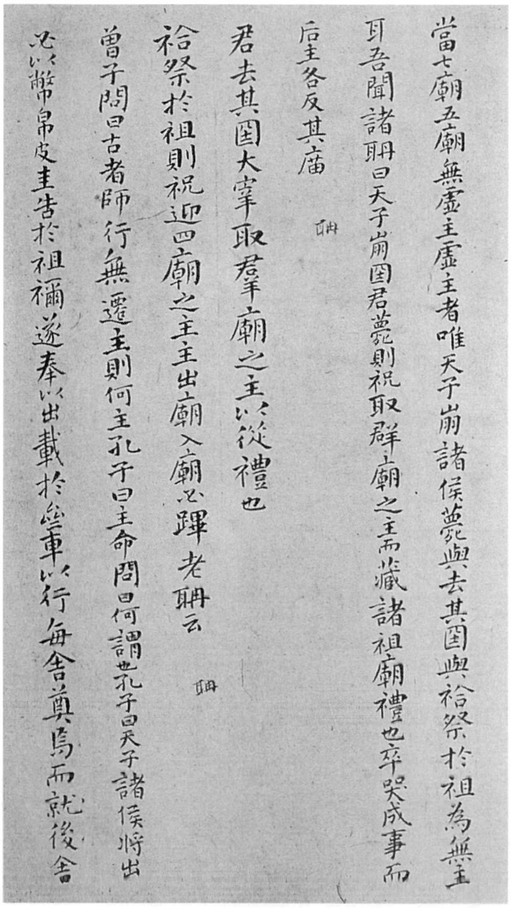

圖2.15　傅山　《小楷禮記》　1653-1654　局部
冊頁　紙本　尺寸不詳
引自神田喜一郎、西川寧　《清傅山書》　頁51

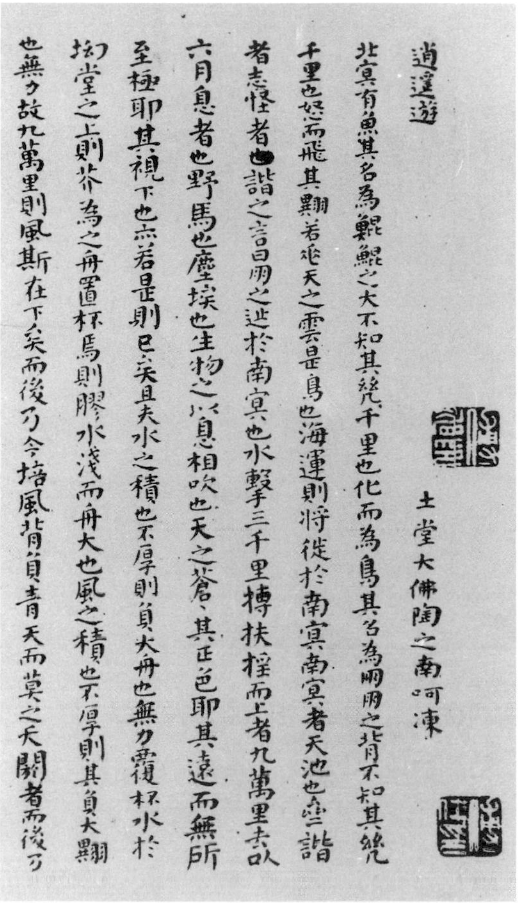

圖2.16　傅山　《小楷莊子》　1653-1654　局部
冊頁（全8開）　紙本　每開18.4×11.8公分
山西省博物館　引自《傅山書法》　頁24

識，認爲它有兩個重要來源：一是顏眞卿家學淵源的書法傳統；一是北朝尤其是北齊的刻石書蹟。

近年來，研究唐代書法的一些學者，在論證北朝石刻文字對顏眞卿書法的影響時，舉出了北齊《水牛山文殊般若經碑》（圖2.19）和山東泰山經石峪的《金剛經》。[124]就風格來說，顏眞卿的晚期書法（如《勤禮碑》、《顏氏家廟碑》[圖2.20]等）和《水牛山文殊般若經碑》確實相當接近，它們皆結體寬綽，用筆藏鋒，線條圓融厚重，氣勢恢宏磅礴。

雖說顏眞卿本人完全可能從未見過《水牛山文殊般若經碑》，但傅山對顏眞卿晚年書法的研究，很可能促使他欣賞北齊刻石中結體寬綽、線條厚重一路的書蹟。六世

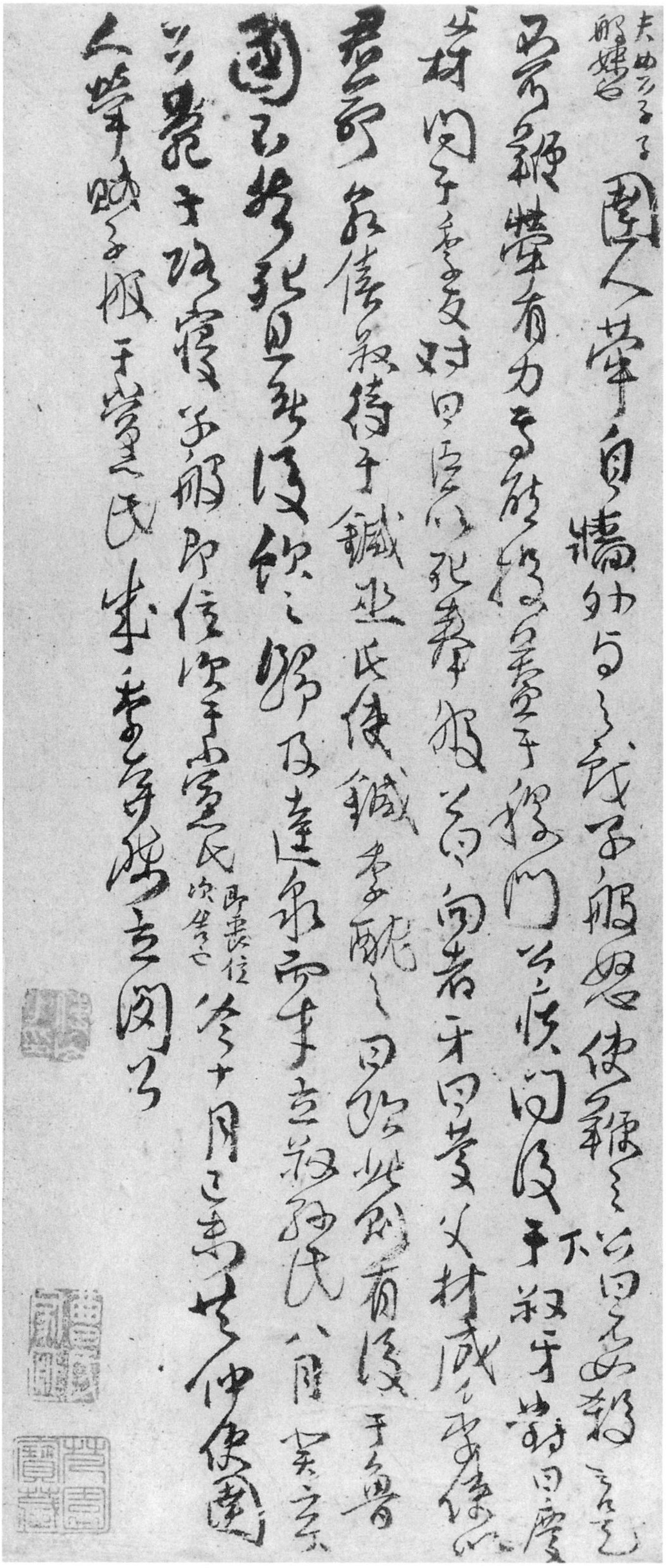

圖2.17　傅山　《左錦手稿》　約1660年代　局部
冊頁（全18開）紙本　墨．朱書　每開約35.0×15.2公分
美國普林斯頓大學美術館
（The Art Museum, Princeton University, Bequest of John B. Elliott, Class of 1651, Photograph by Bruce M. White, 1998-128）

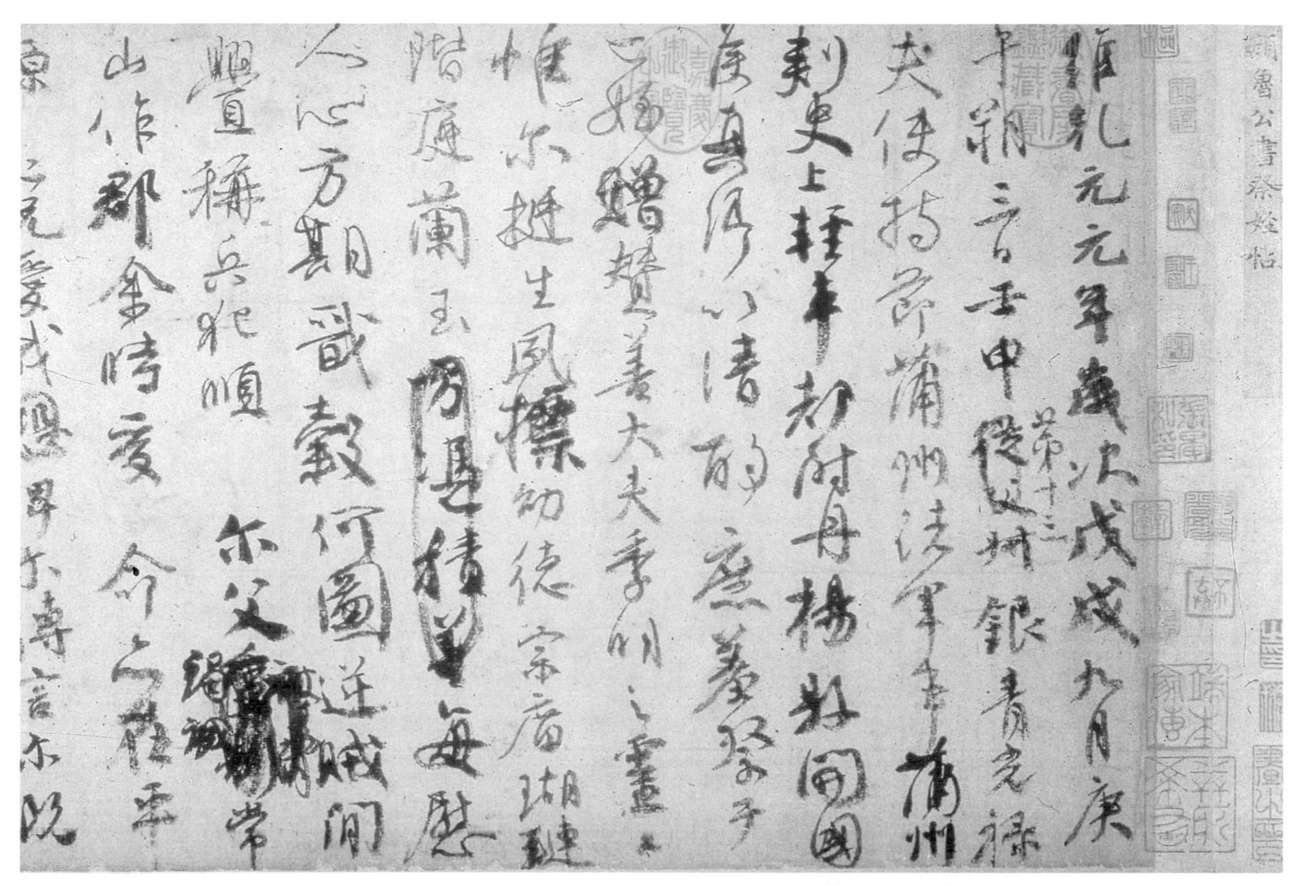

圖2.18　顏真卿　《祭姪文稿》　758　局部　卷　紙本　28.2×75.5公分　台北故宮

紀時的山西屬北齊，傅山生活的時代，山西境內仍然有數量可觀的北齊碑刻存世，主要分佈在盂縣、平定、介休、陽曲、絳州和鳳台等地。[125]這些地方傅山大都住過，而且陽曲還是他的故鄉。清初人的著作中也保存著傅山探訪北齊石刻碑銘的記錄。[126]如果我們把傅山的楷書冊頁《阿難吟》（圖2.21）和《水牛山文殊般若經碑》作一比較，可以清楚地看出傅山的書法與北齊石刻文字在書風上的密切關聯。在這兩件作品中（圖2.22），字的筆劃豐腴、寬博、渾厚。在帖學書法傳統中，楷書的許多筆劃的結尾帶鉤。而鉤實際上是楷書中最具裝飾性的筆劃之一，去掉鉤，並不影響對文字的閱讀。在傅山的這一作品中，許多鉤筆都被省略了，這在楷書中極不尋常。由於省去鉤筆，傅山的《阿難吟》的裝飾性大減，作品顯得原始而古拙。而在《水牛山文殊般若經碑》中，許多字的鉤筆也被減略了。可以推斷，傅山處理鉤的方法，很可能受到類似《水牛山文殊般若經碑》的北齊碑刻的啓發。[127]此外，在傅山的《阿難吟》中，幾

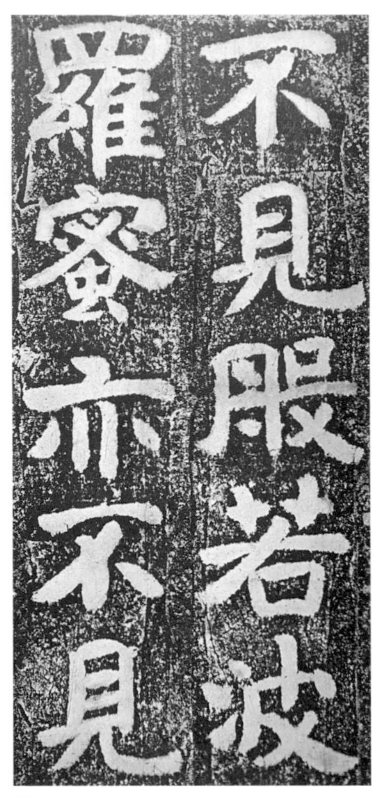

圖2.19
《水牛山文殊般若經碑》 北齊 局部
拓本 冊頁 尺寸不詳 宇野雪村先生舊藏
引自神田喜一郎、西川寧
《北齊雋修羅碑／水牛山文殊般若經碑》 頁53

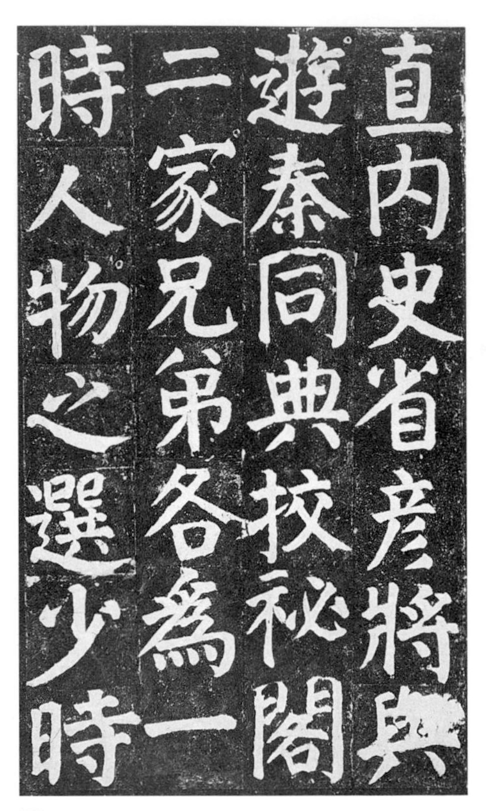

圖2.20
顏真卿 《顏氏家廟碑》 780 局部
拓本 冊頁 紙本 尺寸不詳 北京故宮
引自中國書法編輯組 《顏真卿》 冊5 頁204

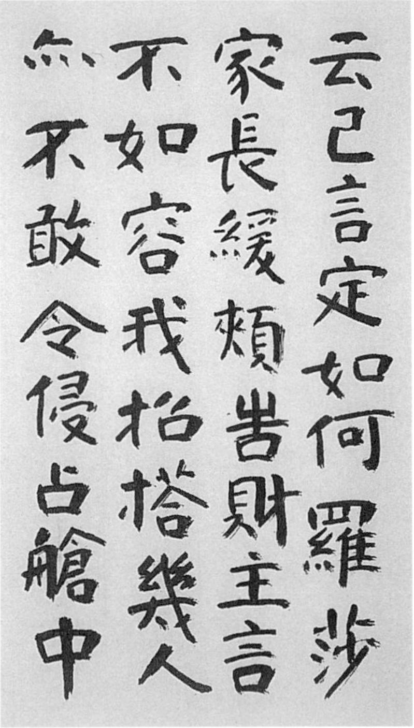

圖2.21
傅山 《阿難吟》 局部
冊頁（全22開，包括題跋5開）
紙本 尺寸不詳 趙正楷先生收藏
引自《傅青主先生阿難吟手蹟》 頁4a

圖2.22
（右）傅山書《阿難吟》中之「羅」「我」「擾」三字
（左）《水牛山文殊般若經碑》中之「羅」「我」「提」三字

乎所有的字都可看到顏眞卿、《水牛山文殊般若經碑》的書風特色。因此，傅山的《阿難吟》表現出的不僅是他對顏眞卿書風的熱愛，他還以顏眞卿爲橋梁，進一步從帖學傳統以外的北朝石刻文字中汲取營養。唐以前無名氏的石刻文字最終能夠成爲十七世紀書法家藝術創作的資源，傅山功莫大焉。

顏眞卿書法中還有另一個特質吸引著傅山把顏書作爲重要的取法對象，這就是傅山所稱的「支離」。這個概念對於了解清初明遺民的藝術、特別是傅山的書法十分重要，值得另闢一節予以專門討論。

支離和醜拙

傅山在〈訓子帖〉中宣稱：「寧拙毋巧，寧醜毋媚，寧支離毋輕滑，寧率直毋安排，足以回臨池既倒之狂瀾矣。」這個簡潔有力的論述，與重視和諧、優雅、精美的傳統書法美學理想形成鮮明的對比。雖然對支離、醜拙及其政治意涵，中西方學者都曾有過討論，[128]但討論多停留在理論層面上，對相應的藝術實踐的細緻分析則罕見。傅山到底將哪些書法視爲支離和醜拙呢？作爲藝術批評的概念，它們的美學意涵又是什麼？傅山本人的書法作品是否具有支離和醜拙的品質？

傅山認爲顏眞卿的書法具有「支離」的特質。實際上，傅山正是在比較了顏眞卿和趙孟頫的書法後，提出了「四寧四毋」的美學觀。顏眞卿代表的是拙、醜、支離、率直，趙孟頫則體現了巧、媚、輕滑、安排。此外，從現存的文獻資料中我們得知，傅山曾專門提到過兩件顏眞卿作品具有「支離」特質，即《大唐中興頌》（圖2.23）與《顏氏家廟碑》（見圖2.20）。[129]這兩件都是顏眞卿晚年的作品。假如我們把這兩件作品與顏眞卿早年的楷書代表作《多寶塔感應碑》（圖2.24）進行比較，就會發現其早年的作品合乎初唐已經建立的楷書傳統。唐代是楷書書法的顛峰期。大多數的唐代楷書名作都法度謹嚴，一絲不苟。相比之下，顏眞卿晚年的楷書作品更爲自在開張。傅山在評價顏眞卿的《大唐中興頌》時，特別拈出「支離神邁」四字來強調顏眞卿晚年書法的這種特色。《大唐中興頌》爲元結（719-772）於761年時爲了慶祝平定安祿山（卒於757年）之亂所撰之文，顏眞卿受囑書丹，771年刻於湖南浯溪摩崖壁上。此頌文辭古雅，書風磊落奇偉，加之摩崖粗糙的壁面和風雨剝蝕造成筆劃邊緣的不規整和殘損，使得這件作品更爲氣勢磅礴。而當傅山臨摹它時，吸引他的不僅僅是顏書的奇特瑰麗的氣勢，碑文本身更能勾起他復興大明、重建漢族王朝的夢想。

圖2.23
顏真卿　《大唐中興頌》　約771　局部
拓本　冊頁　紙本　尺寸不詳　北京故宮
引自中國書法編輯組　《顏真卿》　冊2　頁75

圖2.24
顏真卿　《多寶塔感應碑》　752　局部
拓本　冊頁　紙本　尺寸不詳　北京故宮
引自《宋拓多寶佛塔感應碑》

傅山把「支離」作爲一種審美理想，這背後到底蘊藏著什麼深意？「支離」這個詞最早出現在《莊子》〈人間世〉中對「支離疏」的描述：

> 支離疏者，頤隱於齊，肩高於頂，會撮指天，五管在上，兩髀爲脅。挫鍼治繲，足以餬口，鼓筴播精，足以食十人。上徵武士，則支離攘臂於其間。上有大役，則支離以有常疾不受功。上與病者粟，則受三鍾與十束薪。夫支離其形者，猶足以養其身，終其天年，又況支離其德者乎？

毫無疑問，《莊子》中的「支離」具有政治寓意。生活在動蕩不安的時代，肢體的「支離」成爲「足以養其身，終其天年」的一種生存方式。「支離」由此暗示著逃避當代政治，更可以進一步引申爲退隱和對現實政權的消極抵抗。

傅山不僅把「支離」當作一種高層次的審美理想，他還試圖將之付諸實踐。在書於1650年代初的一件題爲《嗇廬妙翰》的雜書卷中，[130]傅山以一種近乎激進的方式演示了他的「支離」美學觀。卷中以中楷書寫的那部分，用筆雖有顏書的特點，但結字和章法雜亂無序（彩圖9）。字的筆劃彼此脫節，結構嚴重變形，甚至解體，字與字互相堆砌，字的大小對比懸殊。傅山還打破行間的界限，許多寫得較大的字甚至跨到另一行去。由於缺乏清晰的行距，且結體鬆散，使人很容易將一個字的筆劃看成鄰近一字的一部分，令人感到困惑。

同樣的「支離」特質也出現在《嗇廬妙翰》的草書部分（彩圖10）。此段的行距極不清楚，一個字有時會與另一個字合成一體，有時又一分爲二。傅山的標新立異已使這段文字不易辨認，加之寫的是高度簡化和連綿的草書，更是加大了閱讀的難度。

傅山喜歡把字進行誇張變形，一個字的每個組成部分都成爲可以在字的組合中按己意拆改置換的元素。有時，他把一個字分成兩個部分，使之看起來像兩個字。有時，他又把兩個字連在一起，寫成一個字的樣子。像「而不得罪於人」這一句六個字中，「於」字（取自《汗簡》的異體字）被分解成兩個幾乎無關的部分（圖2.25），下面的「人」字被併入分解開來的「於」字的下半部。這種拆與合的形式應源於傅山所熟悉的商、周青銅器上的銘文，有些銘文中的字也是時而分開時而合併。

圖2.25
傅山
「而不得罪於人」

傅山還常挪動字的偏旁部首，把原本在一個字中或左或右的部分，移置於上方。例如「斲」這個字，通常寫成左右兩部並列，傅山有時按常規寫，有時卻把左半邊寫在右半邊之上，以致原本並列的部分變成上下相疊（圖2.26）。他偶爾還會把字的偏旁旋轉九十度，如對「推」字右側的「隹」部就作了這樣的處理（圖2.27）。這種變動偏旁部首的位置的作法很可能是受到篆刻的啓發。在許多漢代的印章中，字的偏旁部首或元件經常會因爲佈局的需要，而更動正常的位置。

圖2.26
傅山
「斲」

爲力求達到「支離」，傅山還有意打破結字的平衡感。如「顏」字，由左邊的「彥」和右邊的「頁」兩個字組成。這兩個部分高度相當，通常會被並列在同一條水平線上。但傅山卻把右邊的「頁」字放在比左邊的「彥」字低得多的位置，戲劇性地讓這個字向右下方傾側（圖2.28）。傅山當然不是第一個把漢字的結構變形的書家，但他無疑是中國書法史上最經常也最極端地使用變形手法的書法家。

圖2.27
傅山
「推」

圖2.28
傅山
「顏」

「支離」和「醜拙」同樣出現在傅山的繪畫中。傅山不僅是十七世紀最有反叛性的書法家，也是最不循規蹈矩的畫家之一。傅山的一件山水冊頁有著和他書法一樣的「支離」特質（圖2.29）。[131]這件山水冊頁的對面一開爲題詩，詩沒有紀年，但從書風來看，作於1644年之後當無疑義，山水畫也應作於入清以後。畫面上，一座寺廟似的

圖2.29　傅山　山水
冊頁　材質、尺寸不詳
藏地不明　白謙慎照片

建築座落於懸在兩山之間的石橋上，藏匿於一個如洞室般的拱形石梁下，石梁倒掛著鷹嘴般的山岩，險峻的山水將寒傖的建築包圍，陡峭的山峰插入雲際。在畫面的深處，一條河流忽焉躍入我們的視線之中，先是隱入石壁之後，然後又轟然地穿過石橋傾瀉而下。

這些山水的狂放、荒率、粗野，呈現出傅山在書法中所追求的特質：支離和醜拙。那建築在群山的遮蔽下，獨自棲身於奔騰的河流上，面對一條無路的橋。整個畫面因過於紛亂而很難找到可以遊走的路徑，嶙峋的山峰奇形怪狀，將我們的視線分散，那座建築顯得更加孤冷。畫中表現的荒疏之感，正如喬迅（Jonathan Hay）所說，成為描述明遺民心理世界的「自我放逐的空間」。[132]

傅山並不是清初唯一鼓吹「支離」和「醜拙」美學觀的人。明朝舊王孫石濤（1642-1707）曾在一件梅花冊頁的題詩中，也使用過「支離」這個詞（圖2.30）。他在冊頁的第一開上題道：

圖2.30 石濤 《梅》 約1705-1707
冊頁（全8開） 紙本 水墨
每開29.8×36.3公分（畫心平均20.0×29.5公分）
美國普林斯頓大學美術館（The Art Museum, Princeton University, gift of the Arthur M. Sackler Foundation for the Arthur M. Sackler Collection, Y1967-15 a-h）

古花如見古遺民，誰遣花枝照古人？

閱歷六朝惟隱逸，支離殘臘倍精神。

值得注意的是，石濤像傅山一樣使用「支離」來傳達「殘破」的意念。而詩中的梅花，明白無誤地指涉遺民，我們從中再次窺視到「支離」所隱含的政治意向。

畫面中的梅花也形顯「支離」，一個梅枝先是向上伸展，然後突然斷折，斷枝以不相連的三筆繪成。藝術家試圖用殘枝來象徵前朝隱逸，可從「誰遣花枝照古人」中得到證明。而詩中「支離」一詞，也準確地捕捉到此畫所欲指涉的圖像意義。[133]

如上所述，「支離」一詞源於《莊子》中的一位殘疾人「支離疏」。「支離」即「殘」。有意思的是，許多用來描述殘缺的辭彙，也都在十七世紀下半葉爲藝術家和評論家所使用。[134]畫僧髡殘（1612-約1675）在其法號、自稱中，經常使用「殘」字，比如，他自稱「殘衲」、「殘禿」。[135]除此，他也用「殘」來形容自己的繪畫。他曾在一幅山水畫的題識中寫道：「殘山剩水，是我道人家些子活計。」[136]而「殘山剩水」也正可用來描述那歷經戰亂蹂躪後的山河景象。

髡殘的許多作品都在表現「殘破」的山水。上海博物館收藏的一件山水冊頁，即充分地體現了髡殘的美學觀（圖2.31）。在畫面的左下角，髡殘以乾渴而又短粗的筆觸在宣紙上反覆皴擦，繪出一片沒有清晰輪廓線的陸地。髡殘這種「破筆」不同於一些畫家以淡濕的墨點來營造具有詩境的「米家山水」。我們的視線穿過河流來到畫面的右上方，那裡有一面陡峭的山壁俯視著流動的河川。山壁以粗獷的短皴繪成。左上角的題畫詩，書法也帶著粗獷和原始意味。總之，整件作品充溢著荒疏和孤寂感。

一般說來，殘破的事物會被認為是醜拙的。在對支離的象徵意義有所了解後，我們對傅山在〈訓子帖〉中將「拙」和「醜」作為審美理想的關鍵字，就不會感到驚訝了。此道不孤，在一件山水冊頁中，石濤也題道：「醜墨醜山揮醜樹」，一連用了三個「醜」字。[137]十七世紀下半葉，一些極具創造力的藝術家成功地將「殘」、「拙」和「醜」轉換和提升為中國書畫的審美理想。傅山正是這一美學思潮最重要的倡導者。

傅山鼓吹「醜拙」，和他提倡「支離」一樣，可以理解為在滿族統治者和明遺民之間的政治對抗依然十分尖銳的情形下的情感表現。而他鼓吹的「寧拙毋巧」，也令人不難察覺其中的弦外之音。[138]傅山最喜愛班固的〈東方朔傳〉，在班固撰寫的這篇傳記中，東方朔將「拙」與「工」同政治上的抵抗和合作聯繫在一起。班固在詳細描述了東方朔在朝廷中表演的古怪滑稽的言行，及其與漢武帝（西元前140至西元前87在位）的關係之後，在傳贊中總結了東方朔的處世哲學：

> 非夷、齊而是柳下惠，戒其子以上容：「首陽為拙，柱下為工，飽食安步，以仕易農，依隱玩世，詭時不逢。」[139]

在東方朔看來，伯夷和叔齊的「拒食周粟」，餓死首陽山是「拙」（愚蠢）；而老子在宮廷中當柱下史「朝隱」則為「工」（聰明）。在此，東方朔所用「拙」、「工」，和傅山所用「拙」、「巧」同義。此「拙」似乎含有政治抵抗的意義。

傅山「四寧四毋」的每一句都包含了兩個對立的審美觀念，人們可以對兩種不同的審美觀進行選擇。而傅山的抉擇是「寧拙毋巧」。對傅山來說，精熟優美的趙孟頫書法是「巧」，厚重渾樸的顏眞卿書法為「拙」。而在為這兩個書家作美學評斷的同時，傅山還對他們的道德作了評判，他也藉此表達了自己的政治立場。[140]正如清代著名史學家全祖望（1705-1755）所指出，「四寧四毋」之論，「君子以為先生非止言書也」。[141]

圖2.31
髡殘　山水
冊頁（全17開）　紙本　水墨設色　每開21.9×15.9公分
引自《四僧畫集：漸江、髡殘、石濤、八大山人》　頁40

以上分析了「支離」和「醜拙」在清初藝術中的政治意蘊。然而，《啬廬妙翰》手卷是傅山寓居老友楊方生家時，寫給楊方生的兩個弟弟的作品，實際上是為了報答提供居所的應酬之作，並無明顯的政治意圖。那麼，楊氏兄弟是否會在這一手卷中讀出我們前文所討論的政治喻意呢？他們完全可能並不這樣解讀。雖然驅使傅山在清初研究顏眞卿書法、鼓吹「支離」和「醜拙」的動機與他所處的政治環境有關，但他作為一個藝術家，實在沒必要讓每位友人或觀眾都將其藝術作政治性的解讀。[142]

我們可以傅山如何看待杜甫（712-770）的詩作為例。由於杜甫的許多詩作乃對當時的政治事件而發，自宋代以來，許多文人都把杜甫的詩當作政治史來解讀。但傅山在一條筆記中說：「史之一字，掩卻杜先生，遂用記事之法讀其詩。」他批評人們把杜詩當作歷史而非詩來讀，認為這實在是忽略了杜甫卓越的詩才。傅山接著又說：「老夫不知史，仍以詩讀其詩。」然後他援引杜詩中的句子，論證其中「奇」的特質。[143]傅山對唐史和唐詩都爛熟於胸，[144]他宣稱「不知史」，不過是引導人們把杜詩當成文學作品來看待的一種修辭策略。有意思的是，清初另一位堅定的明遺民呂留良（1629-1683）也曾痛詆宋儒對杜詩所作的政治性解讀。他在批點杜甫〈北征〉詩時這樣寫道：「取杜詩以忠義，自是宋人一病，詞家誰不可忠義？要看手段，即《離騷》亦然，且如丈夫經天緯地事業，豈只忠義云乎哉！」[145]在呂留良看來，任何詩人（甚至是平庸的詩人）都有可能成為忠臣，但詩人的文學成就應該以其「手段」來衡量，而杜甫是因為其天賦而非道德才成為一位偉大的詩人。同樣地，也正是顏眞卿的天賦和成就使他成為一位偉大的書法家。因此，傅山希望人們能夠從美學的而非政治的層面來評價他的書法。傅山鼓吹「醜拙」、「支離」固然有其政治上的傾向，但他也激賞「醜拙」和「支離」所具有的美感。當傅山評論顏眞卿的《大唐中興頌》時，稱這件作品為「支離神邁」，而「神邁」正是一種美學而非政治的評價。[146]

《啬廬妙翰》約作於1652年，即清軍入關八年左右。在此我們會遇到這樣一個問題：在明亡之前，傅山是否曾經寫過具有「支離」或「醜拙」特質的書法呢？遺憾的是，傅山在1644年之前所寫的作品，只有一件碑拓存世，且不具上述特質（見圖1.50，頁111）。故以現存的資料，我們不可能證明傅山在1644年以前即開始書寫具有「醜拙」和「支離」特徵的書法。我們被迫從另一個角度提出問題：在晚明的文化環境裡，「醜拙」的書法美學是否能夠被人們接受？

充滿異質性的晚明文化，為藝術家的標新立異提供了廣闊的空間。儘管我們還沒有在董其昌或王鐸的作品中發現像傅山作品那樣的「醜拙」，但董其昌以「奇」為「正」，貶「熟」揚「生」，已為人們對「生」作更為激進的詮釋開了風氣，最終導致對「醜拙」的追求。晚明篆刻家對殘破的追求、王鐸書法中的漲墨嘗試、書法拼貼……晚明對於奇特怪異的熱衷，很可能早已為「醜拙」埋下了伏筆。生活在一個藝術家們競相爭奇鬥妍的時代，傅山在明亡前即先他人一步著手創作具有「醜拙」風格的書法作品，並非完全不可能。我們完全可以說，「醜拙」在尚「奇」的晚明萌芽，而在清初得到長足的發展。清代的「醜拙」美學觀應被視為晚明尚「奇」品味的一種延伸，因為兩者具有相似的視覺和情感特質及美學取向。只不過，晚明文化環境中生發出的一些藝術品味在經歷了明清鼎革後，外在劇烈的政治變革賦予這些品味及其相關的藝術發展方向以新的意義。

即便「醜拙」、「支離」的美學觀很可能在晚明藝術中就已發軔，我們也不會因此認為上文所作的政治性分析是無意義的。正如本章的分析表明，在新的政治環境下，顏眞卿書法被賦予新的詮釋。當一個歷史時期向另一個歷史時期過渡時，藝術中的某些視覺特性會被人們捕捉並加以強化，而有些特性則會被忽略而逐漸消亡。為回應新的社會文化環境，新的意義因之興起，新的風格也因之發展。在研究十七世紀的藝術時，我們應該仔細觀察明、清之際的種種藝術現象，追蹤哪些被摒棄，哪些被採用，哪些被改變，又是哪些涓涓溪流逐漸匯成主流。

然而，無論哪種風格特徵被捕捉、承襲、強化或轉變，都必須有其美學和社會文化的基礎。社會文化（包括政治）與物質條件，都可能在藝術潮流的強化和轉變中扮演重要甚至關鍵性的角色。但是，傅山的「寧拙毋巧，寧醜毋媚，寧支離毋輕滑，寧直率毋安排」，不只是一個政治宣言，「醜拙」、「支離」必定在視覺上有吸引他的特質。他以「風流」和「神邁」讚頌具有「醜拙」、「支離」特質的作品，正暗喻其審美愉悅是如此地深沉。對於從事藝術社會史和政治詮釋的人們來說，挑戰之一便是如何把審美的因素重新帶進討論。對於傅山研究來說，一個切入點就是重新思考政治色彩並非濃重的晚明文化在明清鼎革後對傅山書法持續的影響。

晚明文化生活的遺響

如果認為書法風格會因朝代的更替而在一夕之間突然發生變化，那就未免太天眞了。我們可以舉出許多例子來證明，某些書法家的風格並未因改朝換代而迅速改變。

書法家所能夠迅速改變的，是其書法的文本。這就像一些身處改朝換代之際但從未改變其繪畫風格的畫家，可能會通過描繪陶淵明筆下「桃花源」的田園風光，以寄託對「烏托邦」的嚮往，暫時忘卻亂世的動蕩；又如一些畫家可能會用畫面荒涼的景觀來暗示他生活在新政權下的心境或者實際境遇。[147]同樣地，書法家可能也會在自己的書法作品中書寫某些批判或影射新政權的隱晦文字。一個很能說明問題的例子是傅山1648年爲好友陳謐書寫的一件草書冊頁，他在冊中抄錄了二十六首他作於1644至1647年間的詩作，其中不少表達了作者亡國的哀痛。但是冊頁的書法風格優美且平和，完全沒有詩中的黍離之悲。[148]在這個冊頁裡，對於改朝換代的反應，文字內容與書風有著明顯的差異。

雖然一位書家的作品文字內容可能會在旦夕之間發生變化，而其書風則不然。個人風格和書法家根深柢固的書寫習慣相關。一個書法家要建立個人風格，需要長時期的研究和練習；若要改變書風，也需要經歷相當長一段時間來改變舊有的書寫習慣。在大多數情況下，書風的選擇、學習、改變過程，是一個書家及其家學傳統（如果有的話）、書法史傳統、文化氛圍和當下生存環境之間持續互動的過程，而不僅僅是意識形態傾向的產物。即使一位書家爲了應對政治環境而渴望改變自己的風格，書寫習慣的改變也比思想的轉變緩慢得多。以傅山爲例，他是一位對周邊的政治環境極爲敏感、並且有意識地根據其政治觀點來選擇風格的書家，但如上所述，他從趙孟頫風格向顏眞卿風格的轉變頗費時日。[149]朝代變更很少能爲書法風格劃下清晰的界線。

因此，在討論了顏眞卿風格對傅山書法的影響後，我們還必須考察清初影響傅山書法的另一個因素——晚明文化的遺風。而最能反映出晚明文化對傅山持續影響的作品，便是傅山的「雜書卷冊」。

「雜書卷冊」是指書法家在一件手卷或冊頁中，使用三種或三種以上的字體書寫一組內容毫不相關且相當短小的文本。[150]「雜」意指各種不同的字體和文本在同一件卷、冊裡並存。有些學者根據一些書法卷冊文字內容的「混雜性」來界定雜書卷冊。[151]此處雜書卷冊所用的「雜」，強調的是視覺形式上的複雜性，即從字體的使用而非文字內容來作界定，並非文本上的「混雜性」。雜書卷冊的文字內容相當靈活寬泛，它們可以是古人的詩文、奇聞軼事或雜文，也可以是書寫者自己的詩文、筆記，或是所有這些文本的混合。在通常的情況下，雜書卷冊的文本比較短小，但有時也有摘錄一篇或幾篇較長的古代經典，但即便如此，它們也都是用不同的字體寫就。

圖2.32　（傳）趙孟頫　《六體千字文》　1316　局部
形制、材質及尺寸不詳
引自《趙松雪六體千文》

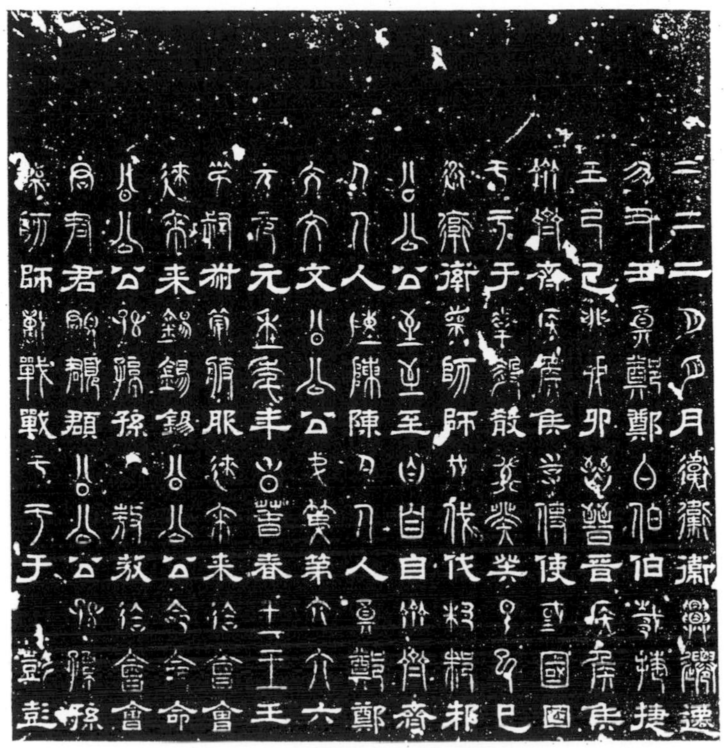

圖2.33　《魏三體石經》　240-248　局部
拓本　冊頁　紙本　尺寸不詳　藏地不明
引自《書法叢刊》　1981年　第2期　頁21

雜書卷冊在視覺形式上的複雜性，使之不同於傳爲趙孟頫所作的《六體千字文》（圖2.32）。[152]在《六體千字文》中，《千字文》分別由古文、小篆、隸、章草、行、楷六種不同字體書寫六次。然而並非以各個字體寫六遍完整的內容，而是每一行重覆用六種字體寫一次，再繼續寫下一行，如此來完成《千字文》的書寫，這種格式使讀者可以同時看到每個字的六種不同字體。

《六體千字文》的佈局方式可以追溯到刻於三國時代魏國的《三體石經》（圖2.33）。《三體石經》中的每個字也是以不同字體重覆寫三次。《三體石經》和《六體千字文》都是將由幾種字體書寫的同一文本整齊而有規律地排列在一起，十分嚴整，缺少雜書卷冊的那種隨意性。這一區分，也同樣適用於諸體書條屏。比如，文徵明曾作篆隸眞草四條屏，每一條屏都由一種字體書寫，它的創作有很多預先設計的成份。而且這種條屏用於懸掛，帶有公開性，不似雜書卷冊那樣比較具有私人性。大多數雜書卷冊的文字內容全無重覆，而是隨意地以不同字體書寫各個段落。實際上，雜書卷

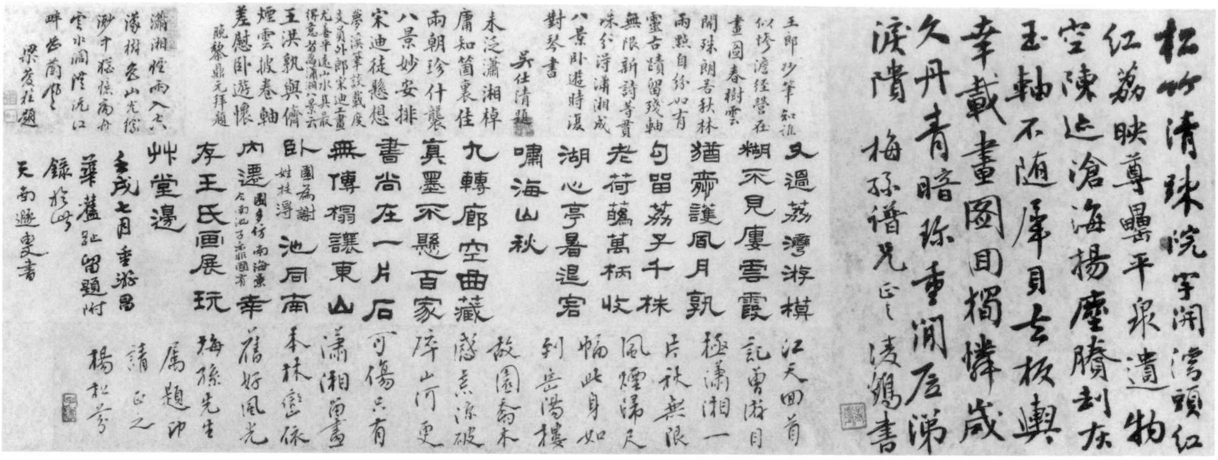

圖2.34　凌鶴（活躍於十九世紀末至二十世紀初）、天南遯叟（活躍於十九世紀末至二十世紀初）、吳仕清（活躍於十九世紀末至二十世紀初）、黎鼎元（活躍於十九世紀末至二十世紀初）、梁慶桂（1858-1931）、及楊松芬（活躍於十九世紀末至二十世紀初）等
跋王洪（活躍於約1131-1161）《瀟湘八景》　約1150　裱成兩卷　絹本　水墨
每卷皆有四幅畫與四則題跋　引首23.6×87.5公分　每幅畫心約23.4×90.7公分
美國普林斯頓大學美術館（The Art Museum, Princeton University, Edward L. Elliott Family Collection. Museum purchase, Fowler McCormick, Class of 1921, Fund. Photograph by Bruce M. White, Y1984-14 a&b）

冊在格式上很像古代書畫作品後的諸多題跋，每則題跋都是由不同人以符合其個人品味和擅長的字體寫成（圖2.34）。所不同者，這裡所指的雜書卷冊通常是由一個書家完成。字體的多樣性使雜書卷冊看起來頗爲混雜，即使有時這些文本可能取自同一篇文章。

雜書卷冊濫觴於何時有待進一步研究，但可能與上面提到的《六體千字文》有關。至遲在元末明初，已有一些書法家（特別是松江一帶的書家）開始對此頗有嘗試。當時一些兼擅數種字體的書家，在書寫手卷時，有時會使用兩種以上的字體。如宋克（1327-1387）1370年所書《趙孟頫蘭亭十三跋》手卷（彩圖11），即以楷書、行書、草書和章草四種不同字體寫就。宋克並沒像趙孟頫（或俞和）書寫《六體千字文》那樣以不同的字體重覆書寫一個完整的文本，他只鈔錄趙孟頫撰寫的《蘭亭十三跋》一次，但不同的跋以不同的字體寫成。其中，有些題跋由一種字體書寫，有些則混合了兩種或兩種以上的字體。宋克的學生、同樣來自松江的沈度（1357-1434）和沈粲（1379-1453）兄弟，也喜歡以多種字體書寫手卷。[153]關於明初松江地區書家對雜書卷冊的興趣原因何在，尚有待進一步研究。不過，這一興趣似乎和元代的兩種風氣有關：其一，元代書家有不斷擴展自己所掌握字體的趨勢。如趙孟頫、鄧文原（1259-

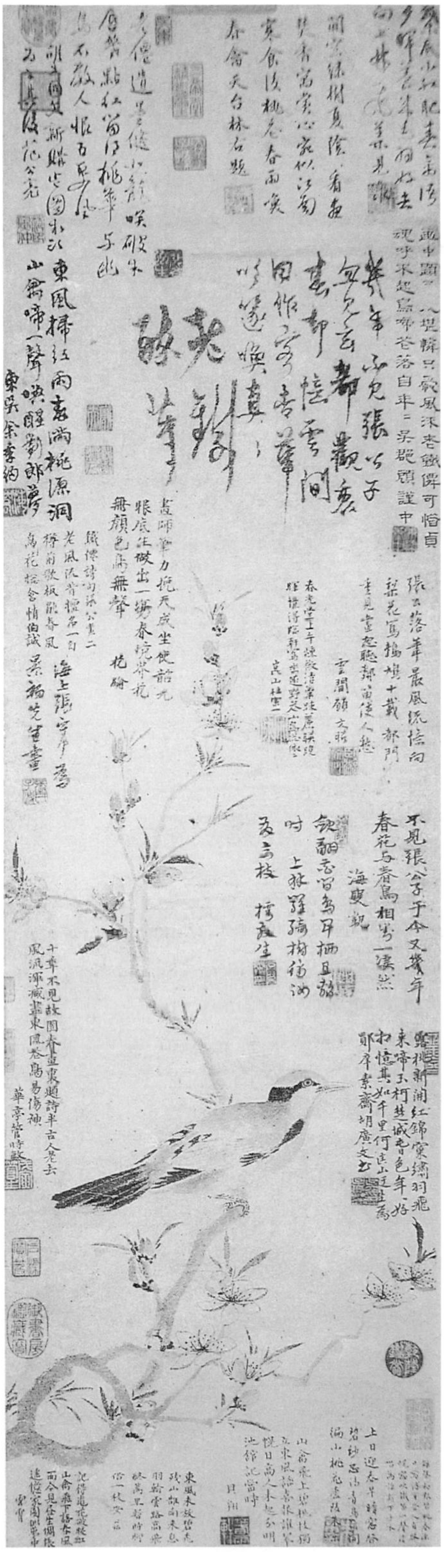

1322）、康里巎巎（1295-1345）、楊維楨（1296-1370）等都喜愛書寫章草。沈氏兄弟不但擅長章草，而且能夠書寫隸書。其二，元末文人進一步發展了從宋代就已開始的在書畫作品上集體書寫觀款或跋尾的風氣，眾多文人在書畫上集體題跋成爲元代的一種時尚。台北故宮藏張中（活躍於1330-1360）的《桃花幽鳥》軸，有元、明人二十個題跋，簇擁著枝頭的鳴禽（圖2.35）。題跋的字體有楷書、行書、小草、章草、隸書等，書法風格也各異，錯落有致，很有「雜」的意趣。[154]它反映了中國藝術家和收藏家們的視覺欣賞習慣日趨複雜。這種集體題跋的風氣在明中期的書壇得以繼續，吳派書法家也常有類似的藝術實踐。

吳派書法重鎮祝允明在當時就以擅長楷、行、草等字體而聞名。現藏於北京故宮的一件雜書卷，即展現了祝氏多才多藝的天賦。[155]手卷的第一段是歐陽詢風格的楷書，相當謹嚴。第二段爲祝允明自家行草書風。第三段仍爲行草書，爲求變化，祝允明用筆更爲厚重，結字更爲簡約，字與字間有更多的縈帶。第四段是黃庭堅的行書風格，不少向外延伸的主劃頗引人注目。最後一段是略微粗放的大行書。儘管祝允明寫過雜書卷，但在明代中葉這一實踐似乎仍限於相當窄小的書法家圈內。

在晚明，雜書卷冊的形式吸引了更多的書家，而且不限於某一地域，大江南北均有好此者。有趣的是，明末書壇的祭酒董其昌卻不在其中。董其昌存世作品中，如果不算臨作的話，尚未見到我們所說的雜書卷冊。董其昌一生作書以楷書、行書、草書爲主，一般不涉獵章草和篆隸，這就限制了他去創作雜書卷冊。董其昌一生勤於臨書，他常在一個手卷或冊頁上

圖2.35 張中 《桃花幽鳥》
軸 紙本 水墨 112.2×31.4公分
台北故宮

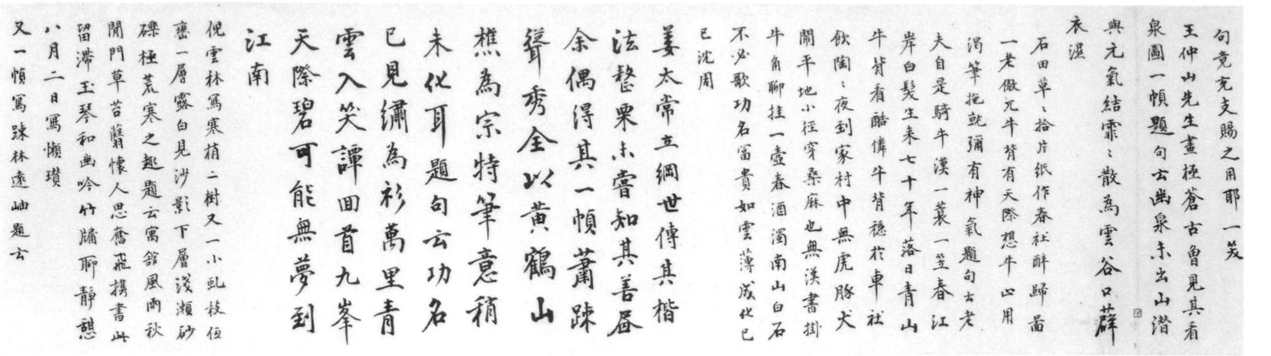

圖2.36　李日華　《行楷六硯齋筆記》　1626　局部
卷　紙本　23.5×550公分
王南屏家族收藏

臨寫幾位書家的作品，如上海博物館所藏的一件手卷上，董其昌臨寫了北宋四大家蘇軾、黃庭堅、米芾和蔡襄（1012-1067）的書蹟。[156]在台北故宮藏的一件冊頁上，董其昌以楷書臨寫了王羲之的《樂毅論》，以行書臨寫了楊凝式和顏眞卿的信札，用草書臨寫了懷素的《聖母帖》。這一臨作在字體上有眞、行、草三體，加之所臨各家書風上的差異，因此也有雜書卷冊的意趣。[157]

與晚明書寫雜書卷冊風氣頗有關係的一件作品，是董其昌的友人、著名藝術鑒賞家李日華（1565-1635）所書的一件手卷（圖2.36，亦可見彩圖12）。從李日華存世的書蹟來看，他一生基本以楷書和行書兩種字體作書。手卷所用字體基本爲小行楷，從這點來說，並非我們所說的雜書卷。但此卷有兩個特點和我們要討論的明末清初的雜書卷冊現象有關。其一，此卷內容爲李日華本人的筆記。李爲晚明筆記小品名家，著有《六研齋筆記》、《紫桃軒雜綴》等。此卷所書即《六研齋筆記》中的部分內容，相當龐雜，有書論和畫論、古代名物制度的考訂、道士、禪宗和尚及文人的奇聞軼事和種種掌故。「雜」字準確地點出了這件手卷內容的龐雜。其二，此卷的章法很有特點，段落感極強。雖說此卷爲行楷書手卷，因其文字內容爲筆記小品，所以這一手卷乃由許多段落組成。段落短者僅一行，長者可達十數行。由於漢字書寫一般沒有分段的格式，如果一段筆記的結尾正好在每一行的底端，這一段和下一段就很難區分。爲了不致發生混淆，李日華在書寫時，有的段落用大字，有的用小字，有的段落上下緊挨著手卷的上下端「頂天立地」，有的段落的上端則留下相當的空間，比兩旁的段落要明顯矮一截，所以段落與段落之間的區分非常清晰。這樣的章法處理，使人們在展玩時會以不同的段落爲觀賞單位。因此，李日華的手卷雖非嚴格意義上的雜書卷，但其章法卻有雜書卷冊錯落有致的特點。這一手卷不被當作雜書卷的唯一原因是，它只有一種字體（行楷），而非數種不同的字體。[158]但由於這一手卷以筆記小品爲其內容，也根據小品文的閱讀特點來安排其章法，我們不妨把它視爲晚明創作雜書卷冊風氣的先聲。

雜書卷冊大約在崇禎年間逐漸流行。這一風氣也和篆、隸字體在此時開始流行有關。萬曆年間，《曹全碑》出土，流麗的漢隸爲書家所激賞，加之此時文學藝術領域內出現了追求古趣的時尚，遂有寫隸書的風氣。篆書在這時也因萬曆年間文人篆刻的興起而日益受到重視。當書法家們掌握了多種字體後，書寫雜書卷冊的可能性就大多了。

晚明書法界的關鍵人物王鐸，書寫了一些雜書卷冊。王鐸擅長諸體書法，在其作品中，除了楷、行、草外，還包括隸書和章草。在其1647年爲友人愚谷所作自書詩卷中，王鐸分別用行書、章草、草書、楷書抄錄了九首詩，詩與詩之間字的大小差別極大（彩圖13）。例如，第一首詩和第二首詩同爲行書，但第一首詩的字比第二首詩的字起碼大一倍以上。第四首詩和第七首詩雖同爲楷書，但第四首詩爲中楷，第七首詩爲大楷。因此，這一手卷給人的段落感也極強，和上述李日華手卷的章法很相似。此卷雖書於滿清入主中原三年後，但王鐸在此之前或已有類似的創作。王鐸一生好在絹素越楮上臨寫《閣帖》，《閣帖》所收多爲歷代書家用不同字體書寫的手札，短且雜，有時王鐸將《閣帖》中的數帖臨寫在一個手卷上，也與雜書卷相似。

較之王鐸，傅山能夠書寫更多的字體，他也因此成爲十七世紀書寫雜書卷冊最重要的書法家。傅山不但書寫過比當時任何人都多的雜書卷冊，他還將此種書法形式推到極致。[159]上文介紹的《嗇廬妙翰》混雜了多種字體和文本，可視爲雜書卷冊的代表作（圖2.37）。

《嗇廬妙翰》內容龐雜，需要多用一些篇幅來分析其中的字體、異體字、結體和筆法的風格特徵、文本的格式和內容。此卷共由下列幾種字體寫成：眞、草、行、篆、隸以及傅山自創的混合體。此外，一種字體中還可能有不同的風格，例如，傅山基本上是以鍾繇和王羲之的筆法寫小楷，以顏眞卿的風格寫中楷。在字體的選擇上，傅山並未按照中國古代字體的歷史演變次序來安排，也就是說，他沒有先寫篆、隸，再寫草、行、楷，而是寫到哪是哪，帶有很大的隨意性。此卷由不同字體參差寫出的

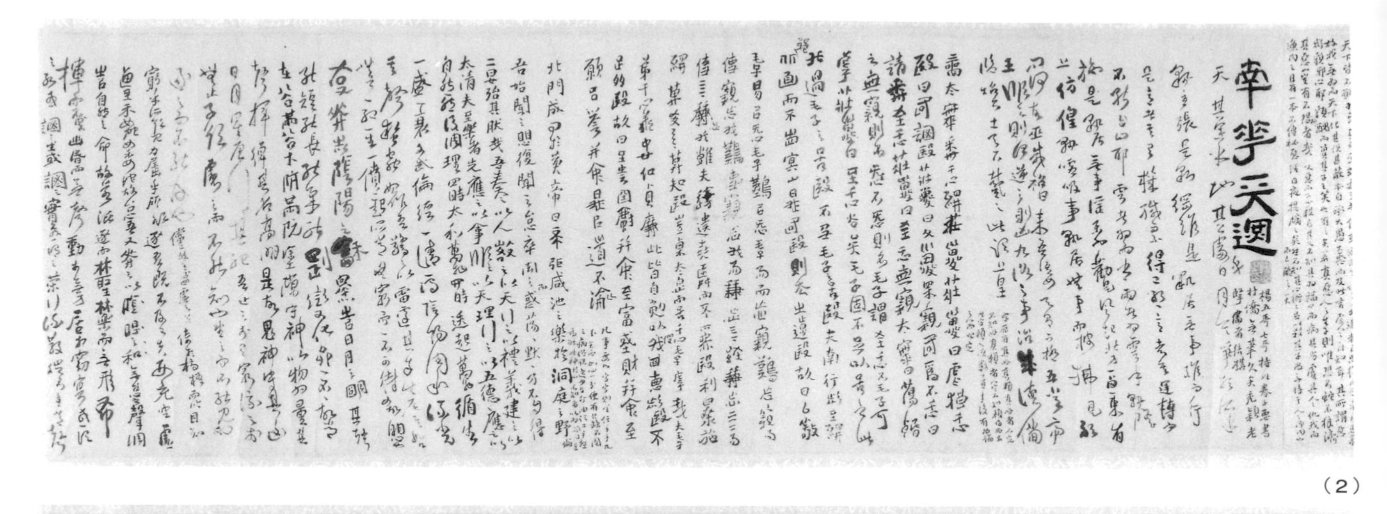

(2)

(4)

(6)

圖2.37
傅山
《啬廬妙翰》
1652
卷
紙本
31×603公分
台北何創時書法藝術基金會

（1）

（3）

（5）

（7）

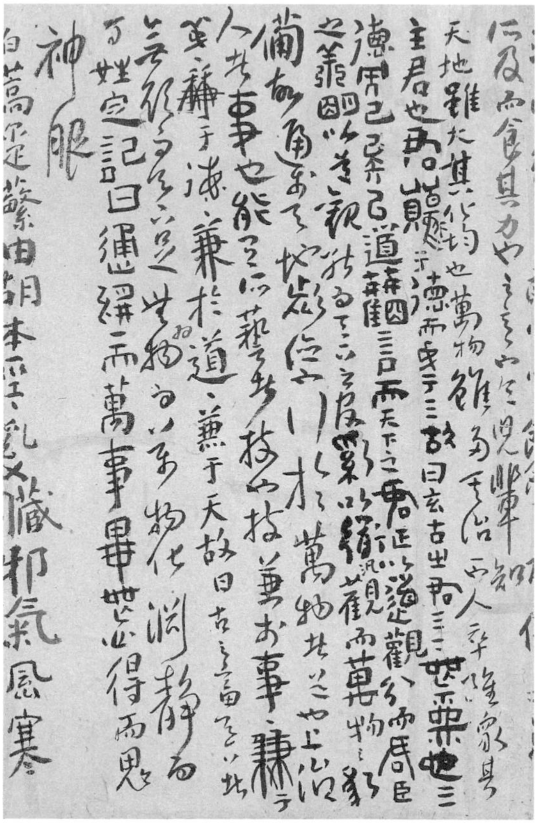

圖2.38
傅山《薔廬妙翰》中
各字體間相互打亂的情形

圖2.39
傅山
「為」

二十六個段落組成，次序如下：（1）筆記，楷書爲主，兼有篆書的結構；（2）傅山筆記，行草書；（3）《莊子》〈天地篇〉片段及傅山批註，正草篆隸混雜在一起；（4）藥方一則，楷書，及《莊子》〈天地篇〉片段和傅山註，行草書；（5）《莊子》〈天地篇〉片段及傅山註，前半段的《莊子》以正草篆隸混雜爲之，後半段批註以行草爲主；（6）《莊子》〈天地篇〉片段及傅山註，行楷書；（7）此後爲《莊子》〈天運篇〉，行草書；（8）行書爲主，夾雜著大量的異體字；（9）行草書；（10）至（14）行草書，書風中有章草意味；（15）有章草意味之草書；（16）以下爲《莊子》〈天道篇〉，小楷；（17）隸書；（18）小楷；（19）大篆；（20）隸書；（21）中楷；（22）草書；（23）至（24）小行楷；（25）行草，書風殊不同於前者；（26）傅山對《莊子》內外篇發的議論，楷書。全卷章法的段落感也極強。

這件手卷的雜，不僅表現在作者同時使用了五種不同的字體，還在於字體之間的界限常被打亂，使我們無法界定某些字的字體歸屬（圖2.38）。比如說，在書寫隸書

時，傅山並不完全按照隸書的規範來書寫隸書，他常把傳世古文、鐘鼎文字、以及古代印章文字中的一些結構和用筆因素帶入隸書。以「爲」字爲例（圖2.39），字的結體是篆書，但上半部寫法卻像楷書，而其中的一些主筆又用楷書或隸書的筆法寫成，因此我們無法界定它屬於哪種字體。傅山這種打亂字體之間界限的作法，當是受到趙宧光發明「草篆」的啓發，但他走得更極端，完全打破了多種字體的固有界限。

異體字的大量使用是《嗇廬妙翰》最鮮明的特點，也使這個手卷成爲中國書法史上最奇特且最難讀的一件作品（圖2.40）。也正是傅山，把當時文人書法中書寫異體字的風氣推到了無以復加的地步。在《嗇廬妙翰》中，傅山不但從《玉篇》、《集韻》、《廣韻》這些楷書的字書和韻書中找出極爲冷僻的異體字來書寫，他還把一些字書（如許慎的《說文解字》、郭忠恕的《汗簡》、杜從古的《集篆古文韻海》、夏竦（984-1050）的《古文四聲韻》、薛尚功的《歷代鐘鼎彝器款識法帖》）中收錄的古文和鐘鼎文之類的篆書系統文字寫入他的行書。有時，傅山用幾種不同的異體字來書寫同一個字，如「於」字，傅山用了至少三種源於篆書的不同寫法（圖2.41），它們不但和我們熟悉的「於」字極不相類，彼此之間在形體上也毫不相關。

圖2.41
傅山
「於」字的三種寫法

《嗇廬妙翰》的某些段落，因異體字過多，令人難以卒讀。例如，在第十二段中有用行書書寫的兩行文字：「孔子西遊於衞，顏淵問於師金曰：『以夫子之行爲奚如？』」（圖2.42）在這二十一個字中，從許慎《說文解字》和郭忠恕《汗簡》等字書中找出的古體字就多達十個：如子、西、於、淵、問、師、金、奚、爲、如等。除此，其他部分還有更多的異體字，其冷僻程度當令許多頗富學養的文人都感到難以辨識。

在玩異體字的同時，傅山還自己造字。我們在手卷的行書段落中找到一例。《莊子》〈天運篇〉中有一段東施效顰的故事，原文中的「顰」字在通行的本子中都作「矉」，即一立「目」在左，一「賓」在右。傅山在這一段落中連著寫了四次矉字（彩圖14），他寫矉時，將左邊的立「目」橫倒下，把它置入「賓」字的中部。在這段文字的後面，傅山用小字寫了一段註：

> 「〓」字諸體無此法。吾偶以橫「目」置「賓」之中，亦非有意如此，寫時忘先豎「目」，既「宀」矣而悟，遂而其法。

傅山最初寫此字時，當然很可能如他自己所說，是無意的。但他接著又以同樣的方法連寫三次，說明他對自己的發明頗爲得意。註中「遂而其法」四字，反映出傅山

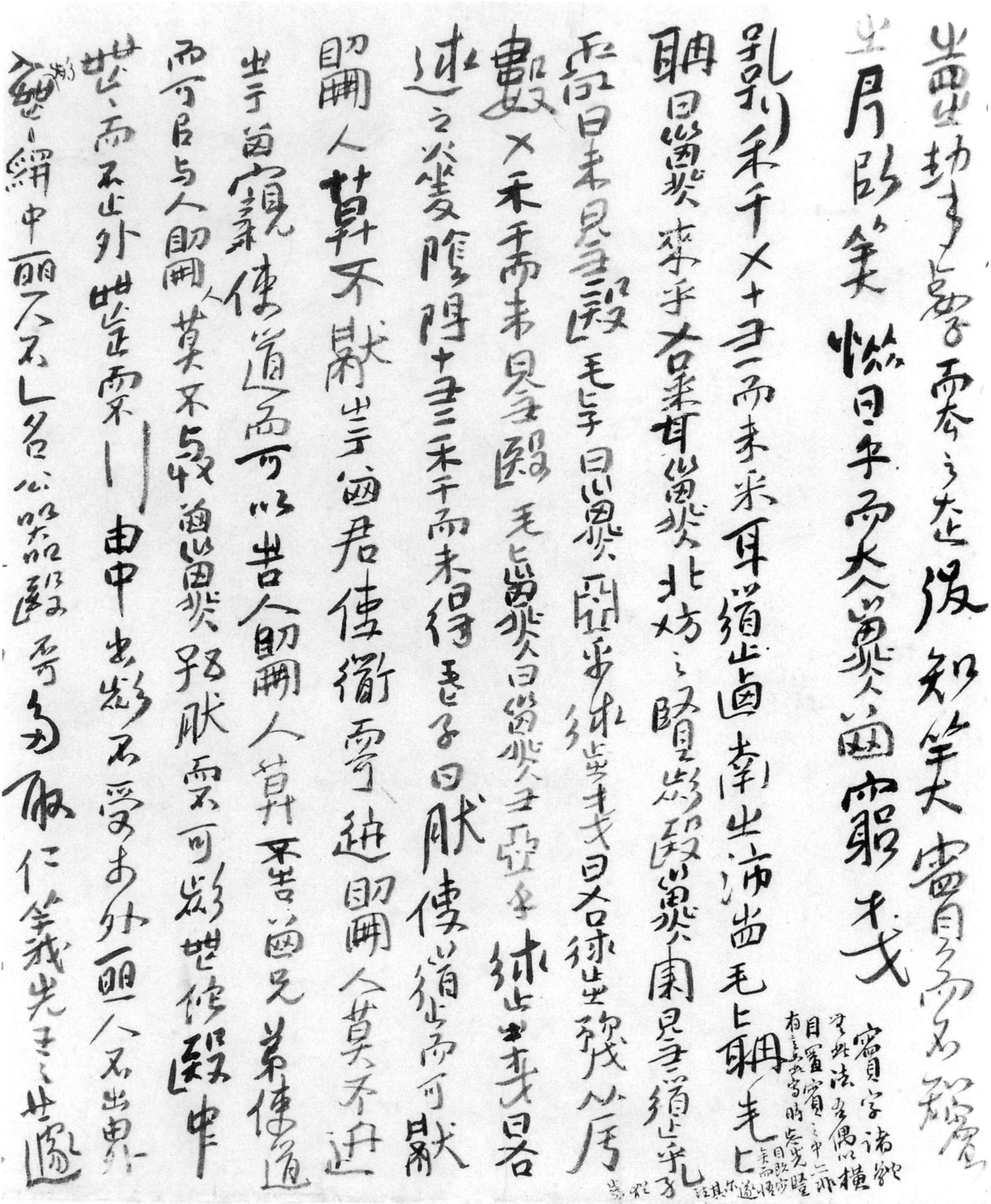

凿出劫[illegible]否本之左及知笑大當貝之而名[illegible]

出月臥[illegible]惱日乎而大[illegible]幽窮[illegible]

亂利禾千乂十三一而未采耳[illegible]南出沛凿毛匕耕毛匕

聃曰[illegible]本乎古柔甘[illegible]北坊之[illegible]

[illegible]日未見[illegible]毛乞曰[illegible]

[illegible]乂禾千而未見[illegible]毛[illegible]

迷之[illegible]陷[illegible]十三禾千而未得吾子曰朕使[illegible]而可獻

聞人莫不獻[illegible]君使衛[illegible]聞人莫不[illegible]

出于[illegible]使道而可以告人聞人莫不告[illegible]使道

而可[illegible]與人聞[illegible]莫不[illegible]朕而可[illegible]世[illegible]中

世而不止外世[illegible]由中出[illegible]不受出外[illegible]人不出界

[illegible]中丽不不[illegible]名[illegible]仁笑我光[illegible]

圖2.40　傅山《嗇廬妙翰》中有大量異體字的部分

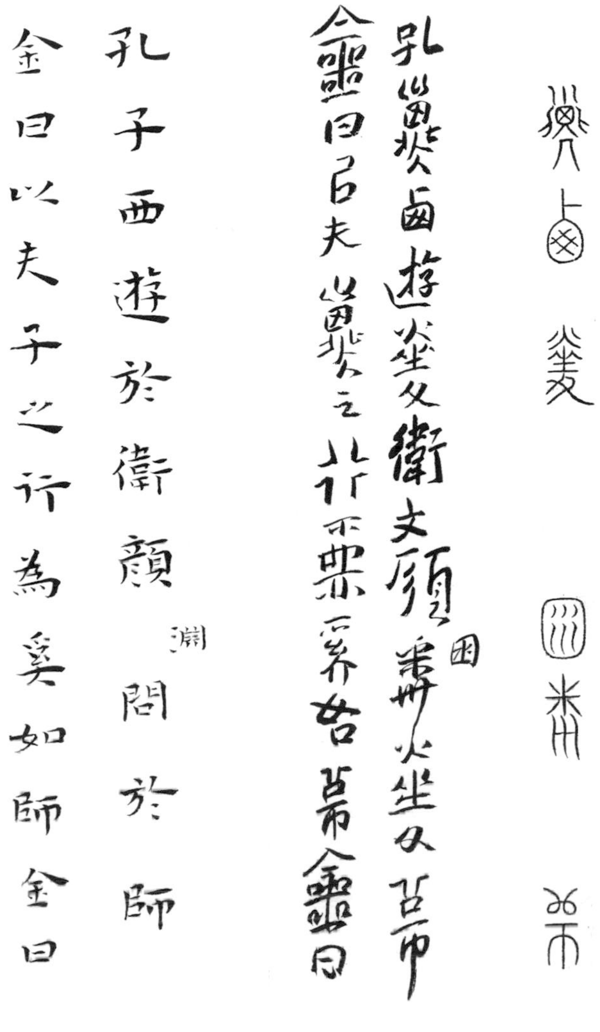

圖2.42　傅山的異體字與其字源的比較：
（中行）節自《嗇廬妙翰》
（左行）中行的楷書釋文
（右行）傅山部分異體字的字源

實在是很清楚，古代的許多異體字、俗字也是當時人的發明，被人們寫入字書，也就取得了眞實存在的「字」的地位了。而許多「俗字」最早很可能是簡體字，或是由一些教育程度差的人所寫的錯別字，[160]這些字流行並被收入字書後，也爲人們所接受。對傅山來說，既然古人可以造字，憑什麼今人就不能造呢？傅山不但造了，而且坦率地告訴人們。

《嗇廬妙翰》第十八段的隸書，顯示了傅山自由馳騁的想像力（彩圖15）。我們可由這段書法的幾種特徵來界定它是隸書：如橫劃平直，有些主要橫劃和捺以上排「燕尾」收筆。但傅山在這裡並未嚴格依循當時隸書的書寫慣例。傅山深知隸書源於篆書，但在二十世紀秦漢竹木簡牘大量出土前，人們對由篆向隸轉變過程的理解，宛如一團迷霧。為追本溯源，給自己的隸書加入「古」法，傅山可謂煞費苦心。除了當時能接觸到的文獻和視覺資料（如各種篆書字典和漢碑、漢印等）外，他能做的就是利用其想像力了。他的隸書向「古文」和大、小篆借用了許多結構，如「諸」、「動」、「壽」等字（圖2.43）。

這個段落中最奇特的是「天」、「地」二字，它們直接取自《易經》八卦中的「乾」、「坤」二卦的符號，而非取自篆體字書。長期以來，在關於先民創造文字的種種傳說中，八卦被認為是中國文字的原始淵源之一。許慎的《說文解字》敘、傳孔安國《尚書》序都以簡略的文字暗示八卦和文字起源有密切的關係。在《易緯》「乾．鑿度」中，這種關係更被具體化了：

☰古文天字　☷古文地字　☲古文火字
☵古文水字　☴古文風字　☳古文雷字
☶古文山字　☱古文澤字[161]

傅山在他的隸書中把這種傳說中的文字直接寫進去，並認為這樣寫隸書十分古樸。傅山在這段隸書後加上了一行小註：「此法古樸，似漢之，[162]此法遺留少矣。《有道碑》僅存典刑耳。」傅山聲稱，這段筆法「古樸」的隸書是以著名的漢碑《郭有道碑》（即《郭林宗碑》）為範本。郭有道即郭泰（字林宗，128-169），太原介休人，東漢末年為名震京師的太學生首領，不就官府徵召，後歸鄉里。黨錮之禍起，遂閉門教授，門下生徒以千數。郭去世後，諡「有道」。由於其為卓越的文化人物，據傳，東漢大文學家、大書法家蔡邕（132-192）為書碑文，從此郭泰遂成為文化偶像，《郭有道碑》亦成一代名碑。藉用《郭有道碑》，傅山將其極富想像力的隸書和傳統的經典聯繫在一起。

不過，從藝術史的角度來看，傅山的這段小註實在啓人疑竇。他在《嗇廬妙翰》中的隸書結字，臆造成分極多，許多字的來源與漢隸無干。例如有些字從篆書化出，而「天」、「地」二字更是取自《易經》。凡此種種，都不曾見於漢碑隸書，這不禁令我們懷疑：傅山的隸書是否眞的取法《郭有道碑》？

傅山的另一條筆記更加深了我們的疑問。他在1669年的一件書法冊頁中寫道：「《郭有道碑》壞久矣。家藏一本不知為誰贗作？」[163]恰與其在《嗇廬妙翰》中的宣稱相反，傅山承認，他所收藏的《郭有道碑》拓本實為一大贗鼎！

圖2.43
傅山
「諸」「動」「壽」三字

圖2.44
傅山《嗇廬妙翰》中的象形文字

介休是郭泰的家鄉，也曾是早已亡佚多年的《郭有道碑》最初立碑的所在地。康熙十二年（1673），傅山曾應介休人士的邀請，重書《郭有道碑》碑陰。他爲此寫了一段討論《郭有道碑》的文字，我們從中得知，在十七世紀，很可能沒有漢刻《郭有道碑》的拓本存世。傅山寫道：

> （郭有道碑，）《隸釋》及《集古》、《金石錄》皆不列此文，唯引《水經注》有之，……每疑景伯（洪适）在南渡後，不得收北碑有之，而歐、趙二錄在北宋時亦不列此，何也？洪於《水經注》所列碑後云：「其碑今不毀者，什財一二。凡歐、趙錄中所無者，世不復有之矣。」乃知此碑在南渡之前已不可得矣。[164]

傅山的筆記說明，《郭有道碑》很久以前就已佚失，就連原碑的拓本亦未能傳世。但在《嗇廬妙翰》中，傅山卻聲稱其隸書是師法《郭有道碑》的漢隸筆法。[165]傅山的這一聲稱實在和董其昌、王鐸的「臆造性臨摹」有異曲同工之妙。[166]

如前所述，晚明文人篆刻的興起，刺激了人們對古字體的興趣。《嗇廬妙翰》反映的正是這個現象（彩圖16）。傅山能書寫多種篆書，如小篆、大篆和晚明趙宧光發明的草篆。傅山對大篆字體的興趣，還可由他使用青銅器上的象形文字得到證明。在《嗇廬妙翰》中，傅山就書寫了兩個象形字——「魚」、「象」（圖2.44）。

傅山對奇奧的古體字的興趣，還可以在他書於1655年的《妙法蓮華經》篆書冊頁中得到證明（圖2.45）。傅山鈔此經時，正因「朱衣道人案」繫於獄中。當時，他正在獄中等待清廷的判決，懸心未定，思念年邁的母親，遂用篆書恭謹地鈔寫佛經，爲老母積功德。[167]這件作品中有許多相當奇特怪異的篆書，極難釋讀。而用筆、結體則很明顯地受到木板翻刻印刷的金文著作的影響，如類似宋代王俅（活躍於1146-1176）編《嘯堂集古錄》所收的金文（圖2.46）。

由於《嗇廬妙翰》中充斥著艱澀難解的異體字，加之來路不明的古篆，嚴重變形的結體，缺乏清晰的行距，……在在都增加了觀賞者識讀的困難。但這種困難和人們在欣賞狂草時由於作品太個性化而遇到的困難不同。《嗇廬妙翰》中的絕大多數異體字並不潦草，這種明白無誤的書寫更令人困惑，因爲觀賞者在受挫時無法抱怨字跡潦草，又無從辨認，於是只得反省自己的知識能力。對有好奇心的觀賞者來說，這是一個挑戰。他們要不斷地在記憶中搜尋異體字知識來解讀文本，或根據上下文來猜測。由於此卷的主要文本爲《莊子》中的〈天運〉、〈天地〉及〈天道〉三章，卷中一些段落又有〈天運〉、〈天道〉標題的提示，所以讀者在遇到閱讀困難時，可以找出

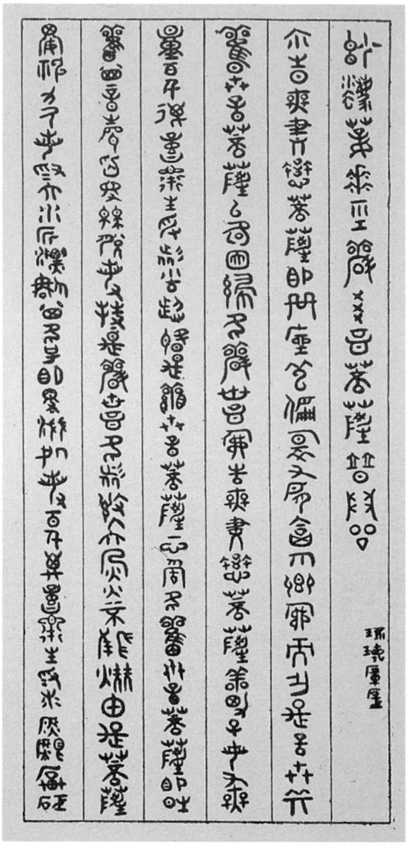

圖2.45　傅山　《篆書妙法蓮華經》　1655　局部
冊頁　尺寸不詳　藏地不明
引自《霜紅龕墨寶》　頁1

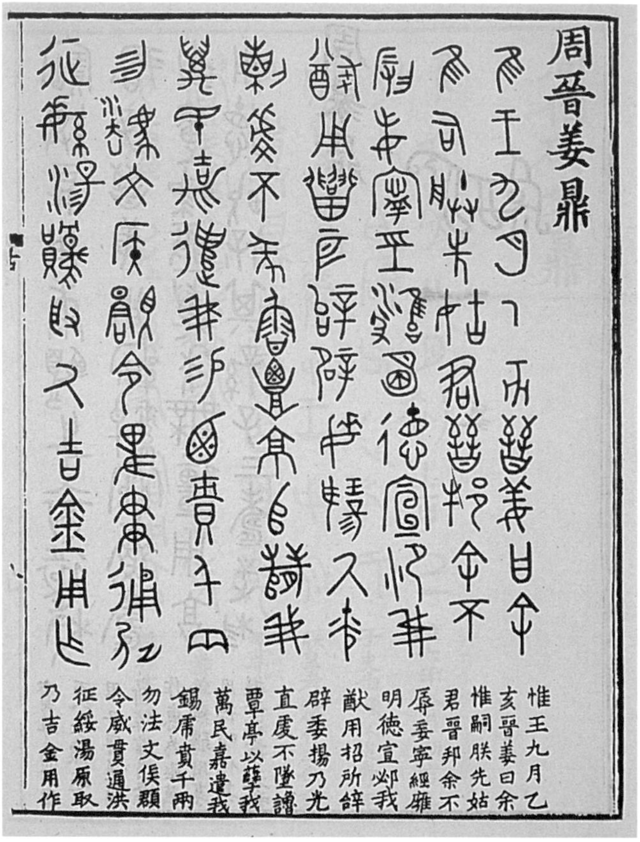

圖2.46
王俅
《嘯堂集古錄》
引自《嘯堂集古錄》　頁21

《莊子》這一常見的古代經典來對照。整個的觀賞過程也因此像是進行一次發現之旅，讀者被迫不斷地猜謎和解謎。如同王鐸的書法拼湊一般，《嗇廬妙翰》也充滿了許多「字謎」。

文字書寫是口語交流的延伸。正如Jack Goody在*Literacy in Traditional Society*一書中所言：「書寫最重要的功能在於使語言物體化，提供和語言相關的一套視覺符號。語言可藉這種物質形式跨越空間的阻隔，並能在時間中保存下去。」[168]但在《嗇廬妙翰》中，書寫符號並非那麼易讀，閱讀的過程常常會被極爲難識的異體字所阻礙。因此，具有反諷意味的是，在傅山的手卷中，文字書寫的交流功能無形中已被書寫本身削弱。文字的交流功能既已削弱，傅山迫使觀者去關注作品中的圖像內容——書法藝術本身。當辨認這些符號所引起的焦慮和挫折被破解這些異體字謎的愉悅和對書家的博學與想像力的驚歎所取代時，觀看這件作品便給觀者帶來審美的滿足。觀賞這件作品的過程也因此具有知識性和娛樂性。通過這件作品，我們還看到了對「奇」的追求已從晚明延伸到了清初。

《嗇廬妙翰》另一個有趣的特色，是傅山在自己的作品上所作的批點。這是明末清初批點文章風氣在書法領域的延伸。鄭振鐸指出：「明人批點文章之習氣，自八股文之墨卷始，漸及於古文，及於史漢，最後，乃遍於經子諸古作。」[169]批點之風在晚明極盛，幾乎到了無書不批的地步。許多文人，例如與傅山同時代的著名評論家金聖歎（1608-1661），就在許多書的邊欄或文本的行間落下批點。而出版事業亦推波助瀾，出版商爭相出版由李贄、金聖歎等批點的以及假託文壇領袖之名批點的書籍。在這一時期出版的書中，我們經常可以看到這樣的書名：《徐文長先生批評…》、《李卓吾先生批評…》、《鍾伯敬先生批評…》。書商們熱衷於斯，一定是因爲經過批點的書籍在市場上很暢銷，有利可圖。這些都說明批點在明末清初擁有相當大的讀者群，因而成爲當時流行的寫作和閱讀方式。傅山本人的許多著述，就是以批點的形式保存下來的。[170]

傅山的批點和晚明書籍版式的關係也不應忽視。晚明出版的一些書籍中，由於有多人批註，採用三色或四色套印，以示區別；批中有眉批也有夾批。中國國家圖書館藏有傅山批註的《荀子》和《廣韻》，所用墨色有黑、朱、藍三種，其中有眉批也有夾批。儘管自書自評的書畫手卷和冊頁在傅山之前就已存在，但多在卷冊之尾，是謂題跋。題跋是觀賞者在觀賞完一件作品後才能讀到的議論，但在《嗇廬妙翰》中，傅山把批點寫在行間（類似夾批）和卷子的下端（類似眉批），這等於直接把書籍的版式與批點方式引進了自己的書法。除此，傅山的批點都寫在卷中段落之間，直接地介入觀賞過程。傅山很可能是在書法作品中加上批點比較早的一位書法家。當觀賞者由於卷中的古文奇字一而再、再而三地受挫時，傅山用小楷或小行書書寫的評點便開始介入觀賞過程，承擔起疏緩緊張感的功能。儘管《嗇廬妙翰》手卷中異體字極多，造成閱讀上的困難，但傅山的批點則全用小行楷書寫，毫無冷僻的異體字。這表明傅山希望觀賞者能明白無誤地了解批點所表達的意思。[171]

卷中有兩段批點頗值得注意。一是：

字原有眞好眞賴，眞好者人定不知好。眞賴者人定不知賴。得好名者定賴。亦須數十百年後有尚論之人而始定（圖2.47）。

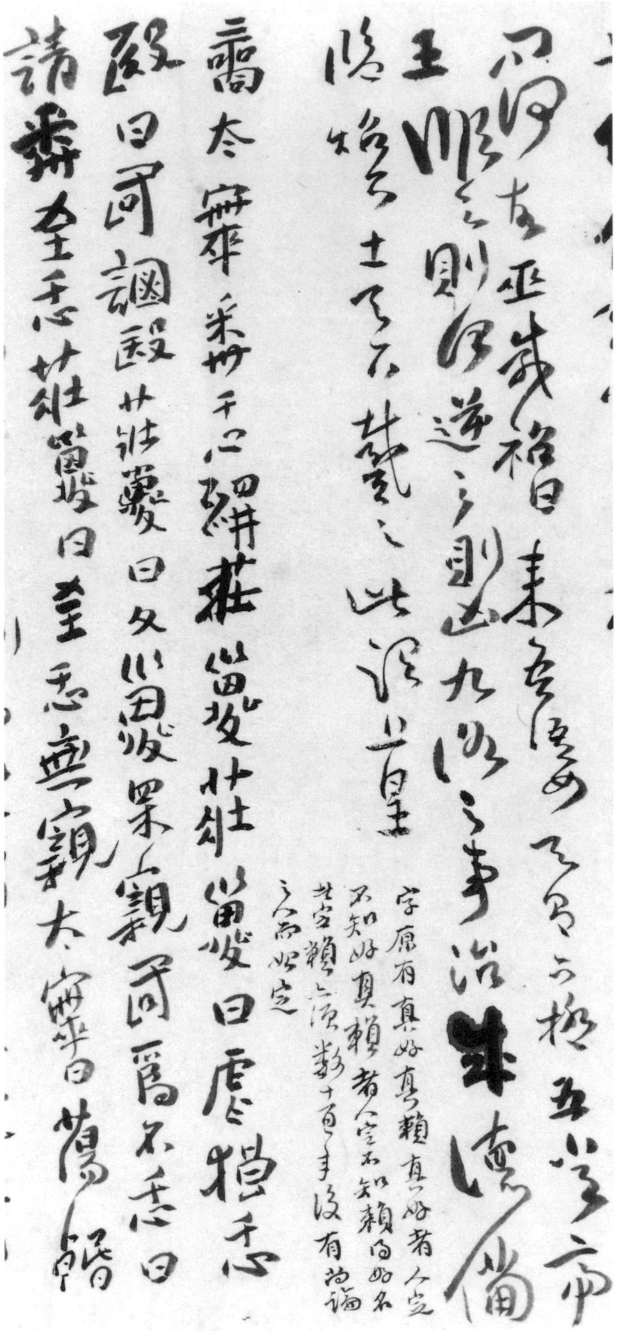

字原有真好真賴有真好者人定不知好真賴者人定不知賴而好名其字賴之流數十百年後有識論之而必定

圖2.47　傅山在《嗇廬妙翰》中的批註

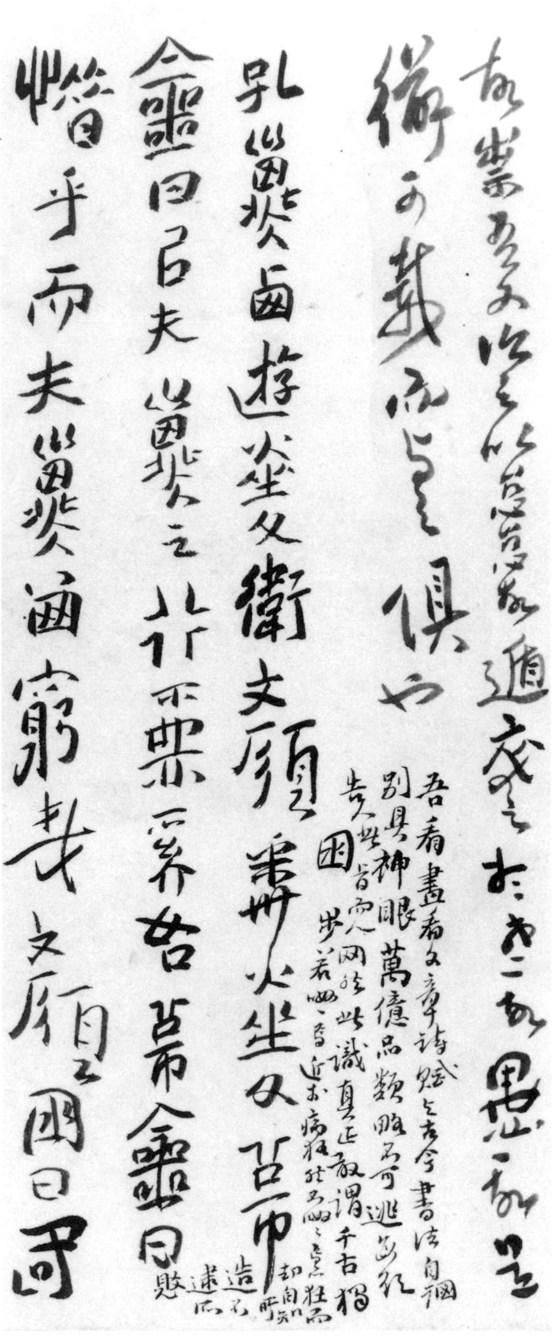

吾看畫看文章詩賦乃至今書法自謂別具神眼萬億品類照不可逃然皆究[illegible]步若幽幽者近未識真正敢謂千古獨[illegible]病在不知幽幽之[illegible]狂而自知造述而不懸

圖2.48　傅山在《嗇廬妙翰》中的批註

傅山這段批點爲其極端怪異的書法埋下了潛臺詞：即使奇異醜怪的書法可能不爲人們所接受，這沒有什麼關係，因爲「眞好者人定不知好」。

另一段是：

> 吾看畫看文章詩賦與古今書法，自謂別具神眼。萬億品類略不可逃。每欲告人此旨，而人惘然。此識眞正敢謂千古獨步。若呶呶焉，近於病狂。然不呶呶焉亦狂。而卻自知所造不逮所覺（圖2.48）。

這種自負得令人吃驚的論調立即引起我們的注意。它讓我們思考，這個手卷的書法究竟有哪些優點。傅山敏銳地意識到其書法中所表現的「醜拙」很難被同時代的人所接受，但他宣稱眞正的好書法往往不會被當代人評爲佳作。因此，他的批點其實也是一種自辯和自薦，儘管他承認自己的藝術創造力無法與他的藝術洞察力相比。傅山此處「近於病狂」的議論和晚明以來的批點並無二致，它們都是通過駭人聽聞的語言來增強閱讀時的戲劇性效果。這些批點和卷中怪異的書法相輔相成，成爲整個觀賞過程中不可分割的組成部分。

儘管雜書卷冊的書寫內容可以是較長的文字（如傅山所鈔《莊子》），但在多數的情況下，雜書卷冊的文本都較短，長者十數行，短者數行，最短者寥寥數語，僅一二行。雜書卷冊段落感分明的視覺形式，顯然受到了晚明筆記小品寫作的影響。[172]自宋代以來，筆記小品一直是中國文人所喜愛的文學形式，晚明更是蔚然成風。在眾多的小品寫作中，以隨筆雜記爲內容的雜俎小品和我們所討論的雜書卷冊在形式上最爲相關。將筆記稱爲雜俎，當可追溯至唐代段成式（?-863）的《酉陽雜俎》，此書所記既奇異且繁雜，幾乎無所不備。晚明的一些雜俎小品也有這種特點。[173]

雜書卷冊與小品筆記在形式上也相仿。像《嗇廬妙翰》中的《莊子》諸篇章，即爲傅山依照自己選擇的順序、而非文本在書中出現的順序鈔寫。依次使用的字體也非按照歷史上各字體出現的次第。由此看來，「雜」和「隨意」很適合用來描述手卷的文字內容和章法，而這也是大部分晚明小品筆記的特色。晚明作家華淑（1589-1643）在其《閑情小品》的題序中這樣描述自己的創作過程：「長夏草廬，隨興抽檢，得古人佳言韻事，復隨意摘錄，適意而止，聊以伴我閑日，命曰閑情。非經非史，非子非集，自成一種閒書而已。」[174]他點明了雜俎小品是一種「隨意摘錄，適意而止」、「非經非史，非子非集」的雜書。同樣地，雜書卷冊的創作也具有「隨意摘錄，適意而止」這種意趣。

小品筆記和雜書卷冊的形式還反映了晚明文人的生活方式。晚明文人家居生活講究淡而雅，追尋悠閒的情趣，但欲味淡又不令人意興索然，就需多樣。[175]曹淑娟指出，晚明小品「大量存錄了文人家居生活的內容，無論是與友人相互存問的書信，隨緣立題的雜文，入夜省顧的日記……都可看到晚明人家居活動的敘述，活動名目繁多。」[176]董其昌的好友陳繼儒就曾列舉如下種種活動：

> 凡焚香、試茶、洗硯、鼓琴、校書、候月、聽雨、澆花、高臥、勘方、經行、負暄、釣魚、對畫、漱泉、支杖、禮佛、嘗酒、晏坐、翻經、看山、臨帖、刻竹、喂鶴，右皆一人獨享之樂。[177]

類似的文字在晚明小品文學中不勝枚舉。小品文學所列的活動雖不盡相同，但卻有一個共同的特點，即「名目繁多」，令人目不暇接。

菁英階層豐富的文化生活，也反映在他們對文化物品的消費上。值得注意的是，明末清初人在描繪文化活動的過程時，喜用「試」這個字。[178]試，即淺嘗輒止，而非嚴肅投入。所強調者，在於活動進行中得以享受到的趣味本身。而晚明文人的這一「試」字，亦點出了當時文化消費模式的另一特點：短暫性。惟其活動繁多，才需短；惟其短，才可能享受多種多樣的文化活動。「試」體現的是人們和所從事的活動之間一種若即若離的關係。此外，這類文化活動還帶有歷時性和共時性的特點。爲了避免長時間從事同一活動的無聊，晚明文人常常是即興爲之，適意而止；一種完畢，再換一種，或同時進行多項活動，以保持興趣的新鮮和身心的快適。所以，吳從先（活躍於1613-1629）在列舉試茗、掃落葉、展古蹟等十數種賞心樂事後，以扼要的語言道出了這種種活動的目的是「乘其興之所適，無使神情太枯」。[179]

台北故宮藏晚明松江畫家孫克弘（1533-1611）所繪《銷閒清課圖》手卷，共有觀史、展畫、摹帖、洗硯、烹茗、焚香、灌花、夜坐、禮佛、山遊、聽雨等二十景，每景均有畫題與識語（彩圖17）。這個手卷爲我們提供了晚明文人生活形態（至少是其理想的形態）的視覺例證。[180]

這樣的文化生活方式，也和觀賞雜書卷冊的方式相通。手卷和冊頁是中國早期書籍的基本形式，它們的觀賞方式和書籍的閱讀方式相似，具有歷時性。玩賞時，手卷是一段接著一段打開，冊頁是一頁接著一頁翻閱，而不像條幅的欣賞那樣是在一個平面時空上進行，可以一目了然。這個特點又使手卷和冊頁的展玩可以造成懸念。在雜書卷冊中，由於不同字體所書寫的段落一般都較短，手卷的每一段和冊頁的每一頁都

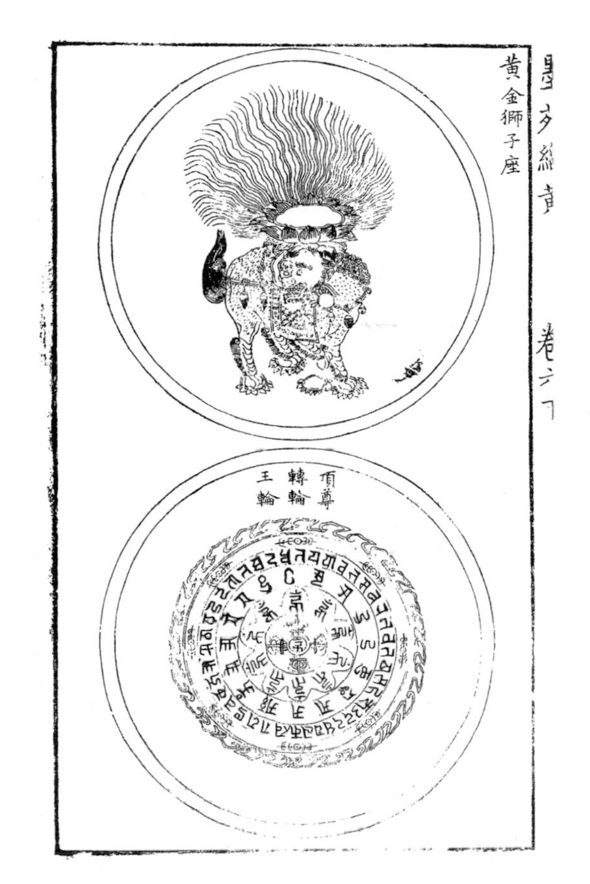

hoéu nhi sũ pỳ vû nhî ngò sín vû kiú cú càn kî sín
後疑使彼無疑我信無擬故感其信

yě càn kî nhî yè
亦感其疑也

ngeū ló pà lí mà teù siuén
歐邏巴利瑪竇撰

IHS

圖2.49
程君房
《程氏墨苑》

可能同時展示出幾個不同的段落，使觀賞者可以在瀏覽中迅速地尋找最能引發自己視覺興趣的段落。這種展玩（手卷）和翻閱（冊頁）的經驗，可以達到「乘其興之所適，無使神情太枯」的目的。

此外，題材的混雜在晚明的文學和藝術中相當普遍。以程君房的《程氏墨苑》（圖2.49）和方于魯的《方氏墨譜》爲例，這兩本墨譜中的內容，從文人文化到佛教、聖經的插圖，幾乎包羅萬象。[181]

小品筆記中的「小」字，提示了文本的短小和內容的瑣碎。通常每個文本不超過一段。讀者可以很快從一段轉向另一段。這和觀賞雜書卷冊的經驗甚是相似。當觀者展開《嗇廬妙翰》時，由不同字體、書風組成的段落立即展現在眼前。手卷的混雜性（如多種不同的字體、大量的異體字、迥然相異的書風）吸引且困惑著觀賞者，使其在觀賞的過程中不斷地調整自己的視覺注意力，並即時在腦中搜索自己對各種字體和書體的知識。整個觀賞過程也因此得以保持高度的好奇心和興致。

雜書卷冊的流行和晚明閱讀習慣的改變或有關聯。高彥頤在研究晚明的印刷文化時指出，當時的出版業發生了一個由講究質量到追求數量的重要變遷。[182]這一變遷對於寫作、編輯及閱讀的影響至鉅。商偉在研究十六世紀的著名小說《金瓶梅》和晚明印刷文化的關係時指出，晚明商業出版事業繁榮，大量書籍湧入市場和人們的生活，使得一些人的閱讀習慣也發生了相應的變化，即：由偏重精讀到喜愛瀏覽式的泛讀。[183]晚明人吳從先曾有如下論述，頗能反映當時文人們的閱讀習慣：

> 大凡讀短冊，恨其易竭，讀累牘苦於難竟。讀貶激則髮欲上沖，讀軒快則唾壺盡碎……故每讀一冊，必配以他部，用以節其枯偏之情，調悲喜憤快而各歸於適，不致輟卷而歎，掩卷而笑矣。[184]

吳從先關於「每讀一冊，必配以他部，用以節其枯偏之情」這種閱讀習慣的描述的要義在於，讀書不必太專一投入，人們應在廣泛瀏覽中調整悲喜憤快，使之各歸所適。

與此同時，與新的閱讀習慣相配合的頁面版式也出現了。晚明時期，供給一般民眾需要的通俗書籍（如日用類書和戲曲集）大爲流行。這類書，「皆以詩詞、笑話、新話、謎語、小曲等等爲增飾，以期引起讀者更濃摯、更複雜的趣味。他們大約都是將全書的頁面，分爲上下兩層，或上中下三層。上層所載，與中層、下層所載不同。」[185]雖說把每頁的內容分成兩層可以追溯到更早的時候，分三層的版式卻是在萬曆年間才流行起來的，尤其是用在戲曲集上（圖2.50）。這種版式至少有兩種影響：一方面，

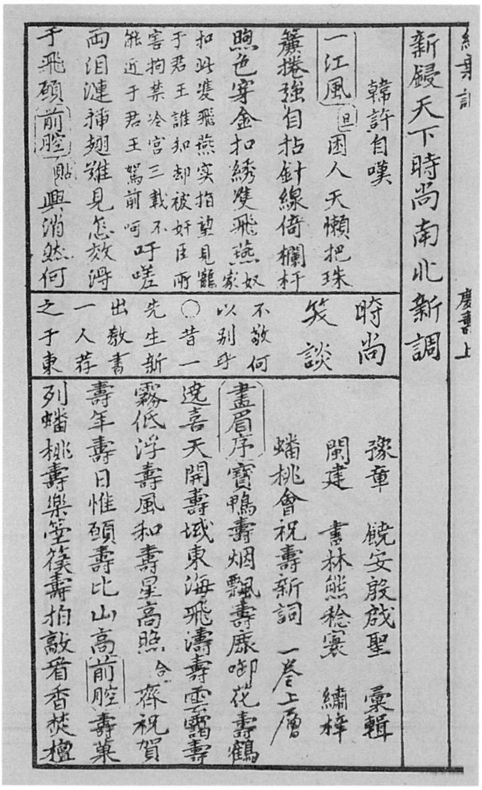

它使缺乏組織的文本井然有序；另一方面，它則允許把不相關的文本放在同一頁上。商偉指出，通俗讀物中的這種分層版式和當時的閱讀習慣密切相關。閱讀這種版式的書籍，和我們今天閱讀雜誌、讀者文摘的經驗相似，讀者在閱讀時可以上下瀏覽，跳著讀書。[186]

例如在一本晚明的日用類書中，有些章節的頁面被分成上下兩層（圖2.51）。這裡展示的一頁，上層是以圖文並茂的方式講述摔跤的秘訣；下層則為嘲弄各類人（如風水師、沒有鬍鬚的男人）的笑話。這兩層的內容幾乎沒有共同點。至於在三層的版式中，上、下二層通常是接續前頁同層的小說或戲曲；而中層則大異其趣，混合了謎語、江湖切口、笑話、對妓女的品評、或其他種種類似的內容。如晚明出版的戲曲集《堯天樂》即採用了三層的版式：上下兩層為不同的戲曲，當中一層則為和戲曲毫不相關的粗俗笑話（見圖2.50）。這種版式，可以使讀者在讀篇幅較長的戲曲時，瀏覽中層的短小笑話，用來調劑閱讀時的情趣。

這種新的閱讀方式和小品筆記的普及，也促進了雜書卷冊的流行。像《嗇廬妙翰》這種不斷地從一種書風或字體向另一種書風或字體轉變的作品，很可能是傅山分多次完成的。我們完全可以想像，傅山一次寫下少許段落（甚至一段）就停頓下來。等到興致高時，再寫上幾段。這一點，可從傅山並未按照《莊子》一書中各篇章的順序書寫來判斷。

雜書卷冊的形式也反映了一種觀賞書法藝

圖2.50　《堯天樂》（萬曆年間刊行）中之一頁
引自王秋桂　《善本戲曲叢刊》　冊1　頁8

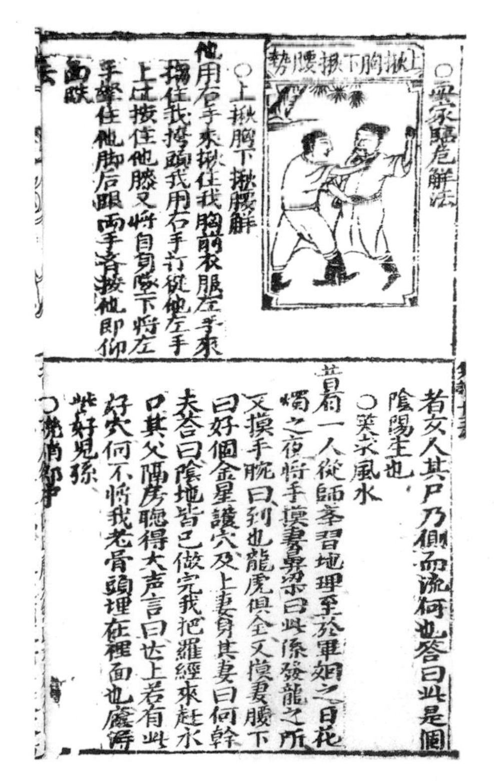

圖2.51　《新鐫眉公陳先生編輯諸書備采萬卷搜奇全書》
1628　卷13　頁6b　美國哈佛大學哈佛燕京圖書館

術的新方式。傳統上，當一位書家用單一的字體書寫時，其毛筆的移動是從一筆到另一筆、一個字到另一個字、一行到另一行，類似於音樂和舞蹈這類在時間中展開的表演藝術。書法中的時間流動感從頭至尾貫穿於整件作品，而內行的觀者可以在這一線性的流動中追尋藝術家揮運之時的愉悅。但在展玩《嗇廬妙翰》中，觀賞經驗受到一個極爲不同的形式的牽制。這個手卷分成若干個字體不同的段落，其中無論字形或書風皆截然不同，前後文本之間有時也是彼此各不相干。我們完全不需要按照這些段落的次序來閱讀文本。而這些段落又十分短小，可以同時觀賞，於是觀者便能隨時駐目觀賞某一吸引他的段落，然後在比較不同段落的過程中，按其所選段落，自由地往前或往後跳躍式地觀賞。《嗇廬妙翰》的段落特徵，引進了一種近於非線性的觀賞方式，這種方式與閱讀多層版式、混雜性內容的出版物的經驗近似。[187]簡言之，雜書卷冊在十七世紀的流行，實應歸功於晚明的文人文化。

雖然《嗇廬妙翰》寫於1650年代，但我們基本可以推斷，傅山早在明亡前就寫過雜書卷冊。連年戰爭和山河變色，嚴重地危及像傅山這樣的文人的物質和文化生活，於是乎，晚明文人的生活方式便成爲清初許多文人嚮往的理想和懷舊的情結所在。[188]傅山的《嗇廬妙翰》不僅驗證了晚明文化的遺響在政治形勢劇變後仍然餘韻不絕，也證明了許多晚明的書法潮流（對奇的追求、對異體字的癖好、對古代經典的挪用戲擬、對雜書卷冊的興趣等），皆在清初進入了一個新的發展階段。然而在1660和1670年代，一個將爲新的書法美學觀念帶來巨大影響的學術思想潮流，也開始醞釀成形。

註釋

1. 傅山，〈巡撫蔡公傳〉，《傅山全書》，冊1，頁345；戴廷栻，〈蔡忠襄公傳略〉，《半可集》，卷1。
2. 關於清軍入關佔領北京的詳細討論，見Wakeman, *The Great Enterprise*, vol. 1, pp. 225-318。
3. 南明政權和清政府的對抗一直持續到1660年代初。關於南明歷史的探討，見Struve, *The Southern Ming*。
4. 《傅山全書》，冊7，頁4989。黃冠指傅山，因傅山此時已是道士，著朱衣，戴黃冠。
5. 同上註。
6. 李元度，〈傅青主先生事略〉，收錄於《傅山全書》，冊7，頁5048。
7. 《傅山全書》，冊1，頁83。
8. 同上註，頁227。

9. 關於明清鼎革之際中國文人士大夫如何處理忠孝不能兩全這一問題的論述，見何冠彪，〈明季士大夫對忠與孝之抉擇〉。

10.《傅山全書》，冊1，頁10。

11. 關於傅山何時出家爲道士的記載不盡相同。根據其摯友戴廷栻的說法，傅山在1642年鄉試前，曾夢見「上帝議劄，給道人單，字不可識，單尾識『高尚』字，且賜黃冠衲頭。心知無功名分，遂製冠衲如夢中賜者」。傅山由此預知其將會科場失意。他在1642年名落孫山後便成爲道士。見戴廷栻，〈石道人別傳〉，載《傅山全書》，冊7，頁5026然而根據其他記載（包括傅山自己的記載，此亦爲筆者所採信者），他是在甲申（1644）明朝覆滅後才成爲道士的。見尹協理，〈新編傅山年譜〉，頁5255、5266。

12. Spence, *The Search for Modern China*, p. 45.

13. 丁寶銓，〈傅青主先生年譜〉，《霜紅龕集》，下冊，頁1353。傅山在1641年還曾向當地的一家寺院捐贈土地。（見本書第一章關於傅山早期作品《上蘭五龍祠場圃記》的討論，頁112）。

14.《傅山全書》，冊1，頁227。侯文正等，〈傅山年譜〉，見《傅山詩文選註》，頁616。又有記載說，傅山在崇禎年間率山西士子赴京營救袁繼咸時，就曾變賣家產。見王又樸，《詩禮堂雜纂》。

15. 已故北京故宮博物院研究員劉九庵先生曾示我這一信札的照片。從信中可知，傅山試圖通過魏一鼇（一位和傅山交情很深的清政府官員，詳見下文），來取得政府對他經營酒店的許可。

16. 關於清政府在某些地區禁止釀酒的討論，請參見范金民，〈清代禁酒禁麯的初步研究〉。雖然范金民的文章只涉及康熙朝（1662-1722）的情況，但清政府的禁令極有可能在順治朝（1644-1661）即已推行。因爲華北地區包括山西省在內，在那一時期遭受嚴重的饑荒，迫使清廷多次免除災區的賦稅。在傅山以後的詩文中，從未再提及開酒館的生意，而且傅山晚年的經濟狀況並不富裕，可以推想，開酒館的計劃沒有實現。

17. Struve, *Voices from the Ming-Qing Cataclysm*, p. 3.

18.《清史稿》，冊1，頁130-131。

19.《傅山全書》，冊7收有數篇署名傅山的女科醫學著作，但其眞僞尚有待進一步研究。傅山在清初就有很高的醫名，撰寫女科的醫學著作完全可能。

20. 安徽畫家戴本孝曾在1668年前往華山的途中專程拜訪傅山，不遇，卻在太原傅家的藥肆中見到了傅眉。見戴本孝，〈迂道太原，造訪黑松莊傅青主不遇，冒雨返邸次，悵然賦此卻寄〉、〈贈傅壽髦〉，載《餘生詩稿》，卷3。

21.《傅山全書》，冊1，頁863-864。

22. 關於傅山如何用書法來解決生計的問題，見Bai, "Calligraphy for Negotiating Everyday Life"。又見白謙愼，〈從傅山和戴廷栻的交往論及中國書法中的應酬和修辭問題〉與《傅山的交往和應酬》。

23. 關於戴廷栻的生平及其與傅山的關係的研究，見白謙愼，〈從傅山和戴廷栻的交往論及中國書法中的應酬和修辭問題（一）〉，頁95-108；及《傅山的交往和應酬》。

24.《傅山全書》，冊1，頁348。

25. 傅申在〈王鐸及清初北方鑒藏家〉一文中，將戴列爲清初北方重要的收藏家之一。

26. 大部分現存傅山寫給戴廷栻的信札已收入《傅山全書》(冊1，頁469-484)。從這些信札中，我們可以勾勒出傅山日常生活的概貌。
27. 王餘佑，〈魏海翁傳略〉云：「謫藩幕者數年，與傅君青主稱方外交，捐資三十金，代買土堨村居。」(收錄於魏一鼇，《雪亭詩文稿》。) 土堨村又作土堂村、土塘村。
28. 請參見王餘佑，〈魏海翁傳略〉。關於魏一鼇與傅山交往更爲詳細的討論，見白謙愼，〈傅山與魏一鼇〉與《傅山的交往和應酬》。
29. 王餘佑，〈魏海翁傳略〉。
30. 白謙愼，〈傅山與魏一鼇〉，頁98。
31. 關於孫奇逢的生平研究，見張曉虎，〈孫奇逢〉，收錄於王思治，《清代人物傳稿》，冊1，頁173-180。
32. 1646年魏一鼇在平定知州任上受誣被貶時，孫奇逢還專門去信予以安慰，並對他的政績多所稱許：「昔人云，不得爲官猶得爲人。蓋爲官之日短，爲人之日長。況一年平定，百年徇聲，豈以今日去官而減價乎。張日葵、苗九符諸公此際定有月旦也。」見孫奇逢，《夏峰先生集》，卷1。張日葵即張三謨（日葵爲其字），平定人，曾任明朝大理寺卿。明亡後，拒絕清政府的徵聘，隱居不仕。張也是傅山的好友。苗九符即苗蕃（九符爲其字），「平定人。明天啓甲子舉於鄉。性耽山水，博雅閎達。工詩文及書法。宰南城，愛匡廬之勝，築室東林寺，遂隱焉。著有《江廉》、《吟天》、《香吟》諸集。」見《山西通志》〔光緒年間刊本〕，卷156，〈文學錄下〉。苗蕃入清後拒仕新朝。苗蕃與魏梁棟、魏一鼇父子情誼甚篤，魏梁棟去世，曾爲撰墓誌銘。孫奇逢認爲他們對魏一鼇任平定知州時的所作所爲是一定會讚許的。
33. 《山西通志》，卷109。
34. 王餘佑，〈魏海翁傳略〉：「……甫期年，以意外被謫，聞命甚喜，每多設醇醪於座隅，有人勸以婉轉，或以服官爲美事者，輒以酒灌之，務至酩酊以塞其口。未幾，新守到，而公竟飄然歸矣。……里居渥水，日待徵君（筆者按：指孫奇逢）之門。是年，補晉藩參軍。」
35. 〈祝魏母楊太夫人七秩壽序並詩〉：「……無何，蓮陸以詿誣鐫級，居處藩司僚佐，復以賢能爲當事薦拔，玉光劍氣，難以掩沒。」(此序撰者不詳，載《雪亭文稿》。) 根據傅山甲午「朱衣道人案」的供詞，我們知道，魏一鼇在順治十年癸巳時，爲布政使下屬中最高的官員經歷。魏一鼇從參軍升爲經歷的時間應在1649至1650之間。魏一鼇，〈考滿北上偕燁蕃兄弟遊淨業寺〉一詩有「薄宦三年今一回，故鄉風景不勝哀」句（見《雪亭詩稿》)。魏一鼇當是任布政使司參軍三年，考滿後升任經歷的。薦拔魏一鼇的「當事」應爲是時擔任左布政使的孫茂蘭。詳後。
36. 傅山，〈因人私記〉，《傅山全書》，冊1，頁571-580。
37. 白孕彩，字居實，山西平定州人，是傅山在三立書院時的同學，明亡後，和傅山保持著密切的關係。魏一鼇和白孕彩的交往當始於前者在平定任官時。傅山在給魏一鼇的信中曾提到白孕彩，從中可以知道，白孕彩也是魏一鼇的友人。見香港的葉承耀醫生所藏由傅山致魏一鼇的十八通信札所裱成的手卷《丹崖墨翰》。這十八通信札在魏一鼇生前即被裱成手卷，引首「丹崖墨翰」爲清初河北籍高官魏裔介（1616-1686）所題。魏裔介是魏一鼇的至交，而魏一鼇在魏裔介死後八年（1694）去世。關於這十八通信札的全文及其書寫時間的考訂，見白謙愼，〈傅山與魏一鼇〉；又見白謙愼，《傅山的交往和應酬》。

38. 這通信札沒有紀年，但因爲傅山在信中説他「棲棲三年，以口腹累人」，亦即當時傅山已寄居他鄉三年，我們可以推測它寫於1647和1648左右。優婆夷即未出家的女佛徒，比丘爲男出家人，朱題即朱提，銀子之別稱。
39. 《清史稿》，卷5，頁131。
40. 此札沒有紀年，但根據《清史稿》，清廷在1652年因災荒免除忻州等地賦稅，筆者因此推測此札作於1652年。
41. 傅山顯然不希望外人知道此事，所以他在此信的結尾，請魏一鼇閱後將信燒掉。魏一鼇因喜愛傅山的書法，保留了此信。
42. 《中國古代書畫圖目》，冊6，頁74。
43. 見傅山，〈長歌壽楊爾禎老友〉、〈明户部員外止庵戴先生傳〉等。《傅山全書》，冊1，頁111-112、頁347-349。
44. 關於傅山何時寄居楊方生之莊，筆者僅能根據《丹崖墨翰》中的一些信件大約定一個時間。
45. 傅山〈即事〉一詩中有「張仲於今在，還爲寫孝經」句。註曰：「思孝曰：張仲字孺子，先生内侄。」見《霜紅龕集》，上冊，頁207。張仲應爲傅山的妻兄明定遠將軍張宏業之子。
46. Beattie, "The Alternative to Resistance," pp. 241-275.
47. 管幼安（管寧，158-241）爲東漢、三國時人。東漢於220年滅亡後，管寧退隱山中，拒絕新朝廷的徵召。
48. 《傅山全書》，冊1，頁348-349。
49. 事見楊思聖好友申涵光撰〈楊方伯傳〉。見申涵光，《聰山集》，卷2。
50. 楊思聖於順治十二年乙未（1655）十月由國史讀學授山西按察使，順治十三年丙申十月遷河南右布政使，順治十四年丁酉十一月改四川左布政使見錢實甫，《清代職官年表》，頁1983、1984、1776。《傅山全書》中收有傅山致戴廷栻兩札，記錄了他和楊思聖之間的交往。爰錄於下：（一）「前月十五日得自中州來書，索銅章，書末囑致意台兄，以人行急，不及專候爲辭。但不知蜀中之行當在何日。」（頁499）（二）「……若必圖晤面，且不能豫中之行，弟意亦決，但不知楊公在彼尚能留多少時日也。期當在十月中，須兄高興同往。弟盤費今已備得，禮物那須過多，除文房賞鑑之外，無可將者，兄量儲之。」（頁475）這兩通信札當都寫於順治十四年（1657）楊思聖改任四川左布政使之前。
51. 燕文貴的手卷《江山樓觀圖》明末曾由傅山的友人韓霖收藏，甲申後流出，爲戴廷栻購得。傅山爲這一手卷書寫了篆書引首和題跋。詳見該手卷上傅山和殷岳的題跋。此卷現爲日本大阪市立美術館所藏。
52. 申涵光，〈楊方伯傳〉，《聰山集》，卷2；魏裔介，〈四川布政使巨鹿楊公猶龍墓誌銘〉，《兼濟堂文集》，卷12，頁4a-b。
53. 《山西通志》記載：「孫茂蘭，遼陽左衛人。順治四年以生員任山西布政使。時朝議以太原重地，特令滿兵駐防。所圈民地胥以廢藩土地給之。而屯兵多抗不予租，民莫敢誰何。茂蘭痛繩以法，始獲安本業。滿兵間與民爭，所司率分左右袒。茂蘭用情理訊之，俾各厭其意以去，兵民咸安。蒞任六年，擢寧夏巡撫。去之日，攀轅泣送者不絕。」《山西通志》（雍正十二年刊本），卷86，〈名宦〉。如果所記不虛的話，孫茂蘭稱得上是一個清廉正直的官員。

54. 傅山和孫茂蘭之間交往的詳情，已無法確知。在清三法司關於「朱衣道人案」的題本所載傅山本人的供詞中，傅山曾提到，寧夏孫都堂（筆者按：即孫茂蘭，都堂爲巡撫之別稱）在山西作布政使時，曾請他看病一事。見《傅山全書》，冊7，頁5175-5176。不過從筆者掌握的材料來看，傅山和孫茂蘭之子孫川是至交。在傅山致魏一鼇的信中，曾兩次提到孫川（傅山稱之爲孫長君、孫長公或孫公子）。其中的一信這樣寫道：「孫長君謂且無行期。而弟自縣上來，乃知既西矣。別意未展，殊悵。倘復有往來，正須一知耳也。」（第三札）孫茂蘭是在順治九年壬辰（1652）二月由山西左布政使赴寧夏任巡撫的見錢實甫，《清代職官年表》，頁1760-1765。傅山寫給魏一鼇的這封信也應在此時。從信的內容可以看出，對於孫川隨父西去寧夏，以及臨別未能面致依依之意，傅山深感遺憾。他特地囑咐魏一鼇，如果魏一鼇和孫還有聯繫，請告訴他。傅山還曾託魏一鼇轉信給孫川（第六札）。康熙戊午（1678），陽曲縣地方官員派牛車送傅山到北京參加「博學鴻詞」特科考試，他在北京和孫川重逢。次年春，傅山離京時，孫川賦詩送別，孫川在詩中提及傅山是孫家的老友，多年來保持著聯繫。見《傅山全書》，冊7，頁5013-5014。1684年，傅山去世前，還專門寫信給孫川，向他託孤——保護他的（兩位）孫兒傅蓮蘇（生於1657年）和傅蓮寶免受地方強權欺凌。見《傅山全書》，冊1，頁505。
55. 趙剛，〈康熙博學鴻詞科與清初政治變遷〉。
56. 傅山爲道士，穿朱衣，帶黃冠，因此被稱作「朱衣道人」，所以後來的史家就以「朱衣道人」稱呼此案。在清政府三法司於1654年四月、六月及1655年七月上奏給順治皇帝的三個題本中，有全案的原委紀錄。關於這些題本，見《傅山全書》，冊7，頁5159-5197。
57. 傅山的證詞被記錄在甲午年十月之刑部尚書等人的共同題本中。證詞如下：「玖年，有個姓宋的從寧夏來，在汾州拜了山幾次，欲求見面。山聞得人說他在汾州打嚇人，不是好人，因拒絕他，不曾見面。後拾年拾月拾參日，又拏個書來送禮，說寧夏孫都堂公子有病，請山看病。山說：『孫都堂在山西做官，我曾與他治過病。他豈無家人，因何使你來請？』書也不曾拆，禮單也不曾看，又拒絕了他。他罵的走了。彼時布政司魏經歷正來求藥方，在坐親見。」見《傅山全書》，冊7，頁5175-5176。
58. 王餘佑，〈魏海翁傳略〉云：魏一鼇「於癸巳歲丁封翁之憂，僑寓平定。值青主遭意外之禍，受刑下獄，昏惑中，夜夢有『魏生』二字，醒告其弟與其子，俱不解。及再審問，官詰其有無證人。青主忽及公，強指以爲證。兩司因命李王槳六傳公至。詢的否？公不顧利害，極以青主之言爲然。撫軍遂據之密疏以聞。後竟得白以出者，『魏生』之夢始驗也。」收錄於魏一鼇，《雪亭詩文稿》。
59. 王又樸，《詩禮堂雜纂》，卷下頁42a。王又樸不但和傅山的長孫傅蓮蘇認識，而且和傅蓮蘇的兩個學生、傅山詩文集的編輯者張亦堪、張耀先相熟。《詩禮堂雜纂》中所記傅山事跡頗可信。
60. 龔鼎孳和曹溶分別是清政府「三法司」之一的都察院的左都御史和左都副御史。見《傅山全書》，冊7，頁5197。
61. 龔鼎孳，〈明白回話疏〉，《龔端毅公奏疏》，卷3，頁30a。
62. 何齡修、張捷夫，《清代人物傳稿》，頁241。
63. 這一作品現爲紐約的路思客先生（H. Christopher Luce）所藏。
64. 上谷爲保定之古名。

65. 椒山是明代嘉靖年間名臣、學者楊繼盛的號。許衡是宋元之際程朱學派著名的學者。靜修爲元代著名理學家劉因的號，劉爲上谷人。
66. 宗璜，字黃玉，太原人，傅山和魏一鼇的友人。
67. 劉因曾短暫地任官於元朝，隨後退隱。傅山以爲，魏一鼇之仕清正如劉因之仕元，是同樣的情勢迫使他們二人選擇了相似的道路。
68. 叔夜，嵇康字；嗣宗，阮籍字。
69. 顏生即南朝劉宋時期的詩人顏延之（420-479），他曾作〈五君詠〉一詩，傅山在此所引即其中的詩句。
70. 伯倫是西晉劉伶的字。劉伶嗜酒，曾作〈酒德賦〉。
71. 〈渡江賦〉乃劉因一篇引起後世爭議的作品，詳見以下討論。
72. 事實上，魏一鼇任職的布政司在清代是負有重大行政責任的一個政府機構，但傅山在此刻意降低其重要性。傅山的另一位友人畢振姬（1612-1681）在明崇禎十五年（1642）山西鄉試名列榜首（解元），他在清順治三年（1646）參加新朝的會試中第，但傅山在文章中提到畢振姬時，稱他爲畢解元，從不提及他在清代所獲得的進士頭銜，傅山以這種方式來爲親者諱。見《傅山全書》，冊1，頁368-370。
73. 關於劉因的生平事跡，見《元史》，卷171中的本傳。見宋濂等，《元史》，頁4007-4010。
74. 魏一鼇在〈《容城三賢集》跋〉中，對劉因推崇備至 。見徐世昌，《大清畿輔書徵》，卷9，〈保定府三〉。
75. 魏宗禹、尹協理，〈論傅山對理學的批判精神〉。
76. 劉因，《劉靜修先生集》，卷5，頁15a。
77. 黃宗羲，《宋元學案》，頁3019-3026。
78. 《傅山全書》，冊1，頁778。
79. 傅山提及這一書作的信札，幸運地保存在上文談到的香港葉承耀醫生所藏《丹崖墨翰》手卷中。
80. 魏一鼇，〈考滿北上偕燁蕃兄弟遊靜業寺〉，《雪亭詩文稿》。
81. 魏一鼇，〈乙未春謁漢三義祠〉，《平定州志》，卷13，〈藝文〉，頁13a-b。
82. 在論及明遺民與仕清漢官的複雜關係時，金紅男指出：「遺民和仕清官員敏銳地意識到彼此的角色，且各自都有其獨特的困境必須面對。事實上，遺民經常依靠仕清官員以尋求支援和保護，而仕清官員也同樣依靠遺民來表達其深藏的情思。」見Kim[金紅男], *The Life of a Patron*, p. 143。
83. 傅山，〈山寺病中望村僑作〉，《傅山全書》，冊1，頁146。
84. 《傅山全書》，冊1，頁42-43。
85. 黃宗羲，《南雷文定》，卷6，頁101。
86. 《漢書》，卷84，冊10，頁3426-3437。
87. 同上註，頁3441。
88. 這部有傅山和傅眉朱批的《漢書評林》仍然存世。見《中國嘉德1997秋季拍賣會》古籍善本拍賣圖錄，第542號。傅山與班彪、班固不同的觀點，還可見其爲〈汾二子傳〉所作的跋語。詳見後述。
89. 《傅山全書》，冊1，頁508。

90. 如果我們比較這方印章和冊頁上其他印章的篆刻風格與印色，我們基本可以肯定這方印章是傅山而非後來收藏家的。從冊頁小楷的書法風格來判斷，這件冊頁可能書於1650年代。
91. 請參見蕭統，《文選》，頁1854-1858。關於「太史公」一詞是專指司馬談還是司馬遷、或是同指父子二人，學者仍有爭議。
92. 筆者在明末清初其他一些文人的印章中，也發現過有「太史公牛馬走」印文的印章。使用這些印章的人不見得和傅山有同樣的意圖。從傅山在清初的遭際，他對史學的興趣，以及他的政治傾向來看，他使用「太史公牛馬走」一印，是寓意深長的。
93. 《傅山全書》，冊1，頁481。
94. 現存傅山所寫的傳紀，多見於《傅山全書》，冊1，頁333-363。
95. 關於此次起兵反清的背景，見Wakeman, *The Great Enterprise*, vol. 2, pp. 805-819。
96. 尹協理，〈新編傅山年譜〉，頁5282-5286。
97. 《傅山全書》，冊1，頁355。
98. 《傅山全書》，冊1，頁354。太祖即明代開國皇帝朱元璋。危素是曾侍奉元廷的明代官員。
99. 《傅山全書》，冊1，頁345、354。
100. 例如，傅山在其所撰〈明李御使傳〉的傳記部分中，對這位在戰爭中捐軀的明代官員李氏的生平及其殉難過程作了敘述。敘述生平之後，傅山用了很長的篇幅對李氏捐軀之事進行了道德色彩很重的評論。見《傅山全書》，冊1，頁339-342。
101. 《傅山全書》，冊1，頁347、362。
102. 張曉虎，〈孫奇逢〉，頁177-178。
103. 傅山在這裡說的「香山詩」可作兩種解釋：它可以是詠「香山」的詩；或是白居易（白香山）的詩作。
104. 徐偃王是西周或春秋時期徐戎的首領，統轄今淮、泗一帶，向他朝貢的小國多達三十有六。但當楚國入侵時，他竟毫無抵抗，因此被譏爲「無骨」。
105. 傅山在此用「雜」這個詞來描述其「腕」（即書寫習慣），指的是他年輕時養成的書寫習慣受品格不高的書法影響甚深。
106. 傅山此句用典爲唐代書法家柳公權（字誠懸）的名言：「用筆在心，心正則筆正。」見《舊唐書》，卷165，頁4310。
107. 《傅山全書》，冊1，頁50。〈訓子帖〉有幾個不同的版本。收在《傅山全書》中的本子的標題是〈作字示兒孫〉，詩在前，文在後。此處所引，乃根據王又樸《詩禮堂雜纂》中記載的本子和《傅山全書》所載本子互校而成。有的本子「香山」誤作「香光」。詳細考證見白謙慎，〈傅山是怎樣評價董其昌書法的〉。
108. 揚雄，《法言》，卷5。一般來說，「書」原爲「書寫」之意，但後世評論家提到這句格言時，總是將「書」解釋爲「書法」。
109. 關於這點，可參見Fu, Shen C. Y., "Periodization of Yen Chen-ching's Calligraphic Influence," pp. 103-148。傅申在此文中指出自唐以降顏眞卿書法所產生的巨大影響。他指出，對顏書的興趣曾在晚明清初時復興，董其昌、王鐸和傅山即爲這一時期受顏眞卿影響的三位重要書法家。

110. McNair認爲宋代的儒家學者崇尚顏眞卿是爲了要推出自己的書法藝術代表。見McNair, *The Upright Brush*。

111. 前面已經指出，〈訓子帖〉有幾種不同的版本，而且篇名不盡相同，其中一個存世版本題爲〈作字示兒孫〉。這說明，傅山曾在不同時期多次書寫這篇短文。傅山的獨子傅眉生於1628年，此處所引〈訓子帖〉特別指出爲訓「子」，以傅眉的年齡推算，很可能是寫於1640年代末或1650年代。〈作字示兒孫〉可能是晚些的版本，當在傅山的長孫傅蓮蘇成長到能夠理解其中深意後書寫的。不過，這只是一個推測，因爲〈訓子帖〉中，傅山亦提到「兒孫輩」。不詳〈訓子帖〉帖名是否爲王又樸所加。

112. 陳玠，《書法偶集》，頁11a。

113. 同上註。

114. 《國語・吳》註曰：「六十曰耆，七十曰老」；《禮・曲禮》上曰：「八十九十曰耄」。

115. 這兩封信都提到朱四事件，但在時間上第九札應是書於第十札之後。所以可能是裝裱這些信札時，魏一鼇或裱工把順序弄錯了。

116. 以下關於書風和文字內容之間關係的討論，多針對一些西方學者的論點而言。中國書法史和書法理論研究者（至少在中國大陸如此）多有創作經驗，一般不會提出一些不太切合書法創作實際的觀點。爲保持文氣的連貫，此處不作刪改。

117. McNair, "Texts of Taoism and Buddhism and Power of Calligraphic Style," p. 228.

118. Fu, Shen C. Y., et al., *Traces of the Brush*, p. 205.

119. 卞永譽，《式古堂書畫彙考》，卷25，頁423。

120. 此處的形式指的是其物質屬性的一面，即英文中的format，如對聯或牌匾之類。

121. 這通信札可大致繫於1652年，因爲傅山在信中提及孫茂蘭已離開山西西行（前往寧夏任巡撫），而我們從《清代職官年表》得知，孫茂蘭是在1652年出任寧夏巡撫的。若按年代順序，此應爲《丹崖墨翰》手卷的第十七札，但卻在裝裱時錯置於第三札的位置。

122. 此冊頁無紀年，但由風格判斷可能爲1640年代末期或1650年代所寫。

123. 這件冊頁乃傅山晚年研究《左傳》的著作。關於這一作品的詳細討論，見Bai, "Notes on Fu Shan's *Selections from the Zuozhuan* Calligraphy Album,."

124. 朱關田，《唐代書法考評》，頁129、134；朱關田，《中國書法全集》，冊25，《隋唐五代編：顏眞卿卷》，頁20-21。McNair不同意朱關田的看法（見McNair, *The Upright Brush*, p. 31），認爲：「我們沒有任何證據可以說明顏眞卿曾經探訪過經石峪，或是看過刻石的拓本。這種聯繫無法用文獻來證實，同時也缺乏令人信服的視覺證據。自從乾隆時期金石研究興起後，人們便試圖從北朝時期一些傑出的無名氏碑刻中找出著名書家的風格來源。」如果說經石峪的《金剛經》刻石對顏眞卿書風的影響還會有所爭議的話，應該指出的是，朱關田所列舉的顏眞卿書風的另一個重要來源——《水牛山文殊般若經碑》，確實和顏眞卿晚期書風存在著明顯的相似性。劉濤以爲，很難說顏眞卿曾經見過《水牛山文殊般若經碑》，這種風格的楷書，在北齊刻經中多見。另外，隋《曹植廟碑》雖有摻雜篆隸的怪異，其楷法亦屬此類風格。《曹植廟碑》著名，又在山東東阿，地理位置更接近平原郡，假若顏眞卿曾經取法此類楷書，則《曹植廟碑》似容易爲顔氏所見（此處所引係筆者和劉濤2004年4月在電話中就這一問題進行的討論）。筆者以爲，顔眞卿完全可能從未見過經石峪《金剛經》和《水牛山文殊般若經碑》，但他的祖先和他本人都曾在歷史上爲北齊領土的地區生活過，見過不少當地的北朝摩崖石刻和各種碑銘。如顔眞卿的五世祖顔之推曾爲北齊高官，顔眞卿書法與北齊風格間的關聯，可能有家學淵源。顔氏家族代有擅書者，家族書學傳統對顔眞卿書風的形成影響很大。關於河北和山東地區之北齊佛經石刻的學術討論，讀者還可參見Tsiang, "Monumentalization of Buddhist Texts in the Northern Qi Dynasty"。

125. 時至晚清，山西地區仍有十餘處北齊石刻或碑銘存世。見胡聘之，《山右石刻叢編》，頁14931、14966-14977。清初山西境內保存的北齊石刻文字很可能更多。

126. 關於傅山探訪北齊佛經碑刻之事，載於朱彝尊，《曝書亭集》，卷67，頁6a。

127. 傅山不見得就一定見過《水牛山文殊般若經碑》或它的拓本，但他生活在山西又曾到山東河北遊歷，很有可能見過類似的北齊石刻文字。

128. 見牛光甫，〈淺試傅山書論中的四寧四毋〉。

129. 傅山曾在一篇筆記中寫道：「最後寫魯公《家廟》，略得其支離。」見《傅山全書》，冊1，頁520。另外在一件目前爲台北私人收藏的雜書卷中，傅山稱《大唐中興頌》的書法「支離神邁」。

130. 「嗇廬」是傅山的齋室號之一。這件手卷無年款，但卷中傅山的一段筆記爲其書寫年代提供了粗略的線索。傅山在這條筆記中說，他已是四、五十歲的老大，但老母親還爲他做餛飩吃。在另一條小記中，他又說：「楊五哥、七哥持此卷子要書。村僑無筆久矣，禿穎老掔，盡者結構。」1651至1652年左右，傅山寓居老友楊方生家中，他提及的兩位楊氏兄弟即爲楊方生的弟弟。傅山生於1607年，《嗇廬妙翰》中所云「四、五十歲老大」正可定此卷的書寫時間在1651至1652年左右。

131. 1957年，吳訥孫在"The Toleration of Eccentrics"一文中首次討論這件冊頁。然而這件冊頁目前的收藏者不詳。

132. Hay, *Shitao*, p. 41.

133. 關於這件冊頁更爲詳細的討論，見Fu, Marilyn, and Shen C. Y. Fu, *Studies in Connoisseurship*, pp. 294-301。

134. 關於這個現象的討論，見Bai, "Illness, Disability, and Deformity in Seventeenth-Century Chinese Art"。

135. 髡殘在許多繪畫作品的署款和印章中稱自己是「殘者」、「殘道人」、「天壤殘者」。

136. 周亮工，《讀畫錄》，卷2。收錄於盧輔聖等，《中國書畫全書》，冊7，頁952。

137. 這幅畫的圖版見於《四僧畫集》，頁147。

138. 關於「巧」與「拙」的道德意涵，見McNair, *The Upright Brush*, pp. 48-50。McNair著眼於不同的用筆如何在書法上造成「拙」或「巧」的效果。但傅山還通過結體的變形和改變字間、行間的空間關係來達到拙與奇的效果。這點可以從上面討論的《嗇廬妙翰》手卷中看出。

139. 班固，《漢書》，冊9，卷65，頁2874。

140. 近年來，一些學者指出，傅山「四寧四毋」的主張，來自於宋代文學批評家陳師道（1053-1102）的文學理論。陳師道宣稱：「寧拙毋巧，寧樸毋華，寧粗毋弱，寧僻毋俗，詩文皆然。」見黃惇，〈傅青主四寧四毋論之由來與其本意〉。但傅山「四寧四毋」

的主張是在清初特定的政治環境中提出的。

141. 全祖望，《結埼亭集》，卷26，頁10b。

142. 傅山有一首題爲〈即事戲題〉的詩，詩云：「亂嚷吾書好，吾書好在那？點波人應儘，分數自知多。漢隸中郎想，唐眞魯公科。相如頌佈濩，老腕一霎摩。」見《傅山全書》，冊1，頁119。這說明，傅山本人認爲，慕其書名者，多對其書風所知無幾。那些亂嚷傅山書法好的人們，自然不會對傅山的書法作政治性的解讀。

143. 同上註，頁838。

144. 傅山留下許多關於唐史的評註，見《傅山全書》，冊1，頁711-723。

145. 周采泉，《杜集書錄》，頁531。

146. 傅山關於「醜」的論點也有其歷史理論淵源。比如說，蘇軾就曾經在〈和子由論書〉這首詩中論及：「吾聞古書法，守駿莫如跛。」見蘇軾，《東坡集》，卷1，頁5。

147. 關於一些明遺民畫家以畫作對甲申鼎革作出反應，見Hay, "The Suspension of Dynastic Time"。

148. 關於這一冊頁的詳細討論，見白謙愼，〈傅山爲陳謐作草書詩冊研究筆記〉。

149. 即使在1669年傅山寫給其友人古古的冊頁中，他仍以趙孟頫的風格鈔錄了兩首詩，並加上評語：「少年曾臨趙孟頫《中峰》、《香山》諸帖，遂中其俗病如此。醫此俗病每用《麻姑壇》。」這件作品載於《書法叢刊》，1997年，第1期，頁58。

150. 雜書卷冊這個詞似乎是十七世紀以後的發明。

151. 如台北故宮藏明初書家張弼（1425-1487）所書行草卷，因文字內容集張弼致其友人司馬繡衣之尺牘與詩文爲一卷，此卷被有些學者稱爲「雜書卷」。見朱惠良，《雲間書派特展目錄》，圖版13。

152. 此處所引《六體千字文》極可能是趙孟頫的學生俞和（1307-1382）的作品。見徐邦達，《古書畫僞訛考辨》，冊3，頁45-46。關於俞和生平及其書法的討論，見王連起，〈俞和及其行書蘭亭記〉。

153. 關於John B. Elliott所藏沈氏兄弟這一作品的討論，見Harrist, et al., *The Embodied Image*, pp. 148-149。

154. 關於書法和題跋的關係，見傅申著、鄭達譯，〈題跋與法書〉。

155. 這一手卷載於故宮博物院、劉九庵，《中國歷代書畫鑒別圖錄》，頁112-119，圖版36-2。

156. 見董其昌，《行書臨蘇黃米蔡帖》，收錄於Ho and Smith, *The Century of Tung Ch'i-ch'ang*, vol. 2, pp. 203-204, pl. 10。

157. 這件作品的圖版請參見朱惠良，《董其昌法書特展研究圖錄》，頁88-89，圖版11。當然，在董其昌以前，就已有書法家在一個手卷或冊頁上臨寫多位古代大師的法帖。上海博物館藏有一件祝允明的冊頁，就是臨寫諸多古代大師之作而成。但祝允明與董其昌略有不同，祝允明在跋中告訴人們，他將這件作品視爲習作。然而董其昌常把臨作視爲創作。祝允明冊頁的圖版載於《中國古代書畫圖目》，冊2，頁262-263。

158. 關於此件作品更詳細的討論，見Barnhart, et al., *The Jade Studio*, pp. 115-118中筆者所寫的圖版解說。

159. 山西省的公私收藏中，能見到不少傅山的雜書卷冊。此外，筆者曾在下列收藏或拍賣公司中見過傅山書雜書卷冊：東京國立博物館藏眞行草冊，北京故宮藏雜書冊數本，原台北定遠齋藏雜書冊，上海博物館藏雜書冊，佳士得香港分部1995年春季拍賣的雜書卷，寧波天一閣藏雜書冊，天津市文物公司藏雜書冊兩本，台北私人收藏雜書卷，開封牛福潤先生藏雜書冊（見《書法研究》，1982年，第4期），爲友人古古作雜書冊（載《書法叢刊》，1997年，第1期）。我們固然不能排除一部分雜書卷冊是後人將零散的小幅作品裝裱成雜書卷冊的可能性，但從紙張、筆墨、印章和一些題識來判斷，大部分傅山的雜書卷冊（如《嗇廬妙翰》），最初就是以雜書卷冊的形式創作的。

160. 關於「俗字」的研究，見張湧泉，《漢語俗字研究》。

161. 見李孝定，〈中國文字的原始和演變〉。

162. 此句疑有脱字，令人難明其義。由於漢代爲隸書之鼎盛時期，傅山在此討論的是漢代的隸書，殆無疑義。

163. 見《書法叢刊》，1997年，第1號，頁57。

164. 《傅山全書》，冊1，頁404-405。《隸釋》爲洪适（1117-1184）所著，《集古錄》爲歐陽修（1007-1072）所著，《金石錄》爲趙明誠（1081-1129）所著，《水經注》爲酈道元（466或472–527）所著。

165. 人們可能會提出這樣的問題，傅山在1650年代初書寫《嗇廬妙翰》時，還認爲存世的《郭有道碑》拓本是可以信賴的，只是他後來經過認眞研究才改變了看法。我們當然不能完全排除這種可能性。但筆者認爲這種可能性不大。理由在於，傅山對傳世《郭有道碑》拓本的懷疑主要來自洪适的《隸釋》，這點他自己説得很清楚。1935年涵芬樓影印了曾爲傅山收藏、批點的《隸釋》（萬曆年間刊本）。書中有傅山名章「傅鼎臣印」。傅山原名鼎臣，1640年代以前即改名爲「山」。是知傅山在明末就已收藏此書。書中批點的書法大致可分爲兩種：早年的細楷批點和晚年顔書意味濃重的批點。可以説，傅山很早就研讀過這一重要的漢隸著作，在那時他對於《郭有道碑》的眞僞應該早有定見。

166. 這種「臆造性臨摹」一直持續到十七世紀末還不衰。八大山人（1626-1705）在1700年左右曾創作一件書畫合冊，從冊中書畫的風格特點及用印來看，爲八大山人眞蹟無疑。冊中有一頁他寫明是「臨褚河南書」。然而從風格上來説，這頁的書法和褚遂良全無干係。例如，褚遂良的《聖教序》，運筆提按動作分明。寫横劃時，兩端用筆重，中段瘦勁，形成優美的弧度。筆畫之間的空間疏朗，但結字依然嚴謹有序。提、按、轉、頓兼具的運筆，使褚遂良的書法節奏分明，活潑而悦目。但八大山人對褚遂良的「臨摹」全然不同。八大山人冊頁中的筆劃並無明顯的提按動作，線條粗重渾樸，在風格上很接近顔眞卿書法，而顔體對八大山人的晚年書風確有深遠的影響。再者，這一書法的文本乃節錄唐代的《皇甫誕碑》，碑文由初唐官員于志寧（588-665）撰寫，歐陽詢書丹。因此，八大山人的這一作品從文字内容到書法風格均與褚遂良無涉，可八大山人偏偏稱之爲「臨褚河南」。見白謙愼，〈從八大山人臨《蘭亭序》論明末清初書法中的臨書觀念〉。

167. 傅山的母親是佛教徒。中國很早就有鈔寫佛經以積功德的傳統。

168. Goody, *Literacy in Traditional Society*, p.1.

169. 見鄭振鐸，《西諦書話》，下冊，頁384。

170. 傅山不但喜歡在自己的書上作批點，他有時還受人之託，在他人的書上作批點。傅山在致戴廷栻一札中言及借書和批點事：「弟往日所看過《國語》、《公》、《穀》二傳，皆遺失矣，偶一臆之如夢。求兄所藏此三書便中付弟，特爲一點，不難也。」見《傅山全書》，冊1，頁475。由於傅山的文化聲望，經他批點的書籍自然會增值。又見《傅山全書》，冊3，頁2161。

171.《嗇廬妙翰》中傅山關於《莊子》的議論全和正文寫在一起，可視爲正文的一部分。而夾雜在段落之間的批點文字的內容則全與書法有關。這說明，儘管傅山在創作此卷時也對《莊子》發了些議論，但書寫此卷的主要目的是書法藝術而非學術思想。

172. 傅山喜歡寫筆記小品，他的許多存世作品都屬於這類文字。

173. 關於晚明小品的撰寫和出版的討論，見曹淑娟，《晚明性靈小品研究》。

174. 華淑，《閑情小品》。

175. 關於晚明文人追求淡雅的生活情趣，見Watt, "Literati Environment," pp. 1-13。

176. 曹淑娟，《晚明性靈小品研究》，頁234-241。

177. 陳繼儒，《太平清話》，卷2，頁13b-18a。

178. 在本書第一章所討論的董其昌書於1603年的手卷後大草題款記述一天的活動時（見圖1.7），董其昌即兩度用了「試」這個字：「試虎丘茶」、「試筆亂書」。第一章在討論書寫異體字的風氣時，曾引清初文人施清所作〈芸窗雅事〉一文，文中所列當時文人們所喜愛的雅事多達二十一種，其中就有「試泉茶」、「試騎射劍術」。

179. 吳從先，〈賞心樂事五則〉，載劉大杰，《明人小品集》，頁37。

180. 明代中期吳門畫派的畫家已有類似的創作。

181. 關於這兩種晚明墨譜的討論，見Lin, "The Proliferation of Images"。

182. Ko, *Teachers of the Inner Chamber*, pp. 34-41.

183. Shang, "*Jin Ping Mei cihua* and Late Ming Print Culture."

184. 吳從先，〈賞心樂事五則〉，載劉大杰，《明人小品集》，頁37-38。

185. 鄭振鐸，《西諦書話》，上冊，頁146-147。

186. Shang, "*Jin Ping Mei cihua* and Late Ming Print Culture."

187. 關於晚明非線性閱讀的學術討論，見Shang, "*Jin Ping Mei cihua* and Late Ming Print Culture"。

188. 清初的一些文人繼續以筆記小品來記錄文人生活。例如，1693年八大山人在一件扇面上書寫了一篇小品，描述文人隱居生活的愉悅。見Wang and Barnhart, *Master of the Lotus Garden,* p. 81。黃苗子認爲這件扇面的文字內容並非八大山人所作，八大山人鈔錄的是一篇晚明小品。見黃苗子，〈八大山人年表（八）〉，頁94。

第3章

學術風氣的轉變和傅山對金石書法的提倡

1660至1670年代山西的學術圈

大約在1656年左右，即傅山獲釋出獄的次年，他作了可能是他人生中唯一的一次南方之行。根據傅山的詩以及其他人的記載，我們知道他訪問了山陽、沛縣及南京，並和閻修齡（1617-1687）、閻爾梅（1603-1679）等明遺民有所交往。[1]

傅山此行的目的不詳。在1650年代後半期，南方的反清復明活動甚是活躍。某些學者認爲，傅山此行可能和反清計劃有關。[2]然而到目前爲止，我們還沒有具體的歷史文獻可以證明傅山曾深入地參與當時南方的反清活動。可是有一點我們可以確知，傅山在這次旅行中結識了一些對他後來的文化活動具有重大影響的人物，從這個意義上來說，此次遠行對他極爲重要。

1659年，鄭成功（1624-1662）與張煌言（1620-1664）領導的船隊由海入江，並且溯江而上攻打南京。他們的軍隊攻陷了許多城池，但很快被清兵擊潰。鄭成功退守台灣，張煌言後被清軍擒獲處決。1661年，曾在1644年引清兵入關並攻下北京城的明朝叛將吳三桂（1612-1678），率領清兵前往緬甸捉拿南明政權的最後一個「天子」永曆帝及其獨子，次年在雲南將他們處決。南明政權壽終正寢。隨著每次復國活動的失敗，遺民們已經進一步地意識到他們在軍事上的無能爲力。新的政治情勢對於他們思考今後採取何種形式繼續反清活動，具有決定性的影響。

儘管反抗仍然持續不斷，而事實卻證明了軍事抗爭已告無望，因此，明遺民更多地是採取間接的抵抗方式。對於大部分的漢人而言，反抗，哪怕是消極的反抗，也可以稍稍撫慰異族統治之下的痛苦。那些對國家命運負有深重的使命感的人們，對抵抗則有著更爲堅定的意志和長遠的計劃。傅山的好友屈大均（1630-1696，字翁山）用明白無誤的語言將他們的態度表達了出來：「漢雖亡，而漢之人心不亡。」[3]爲使「漢之人心不亡」，許多明遺民把自己的精力投入研究歷史和經典，探討歷史興衰規律，維護漢族的文化優勢和種族身份，以期有朝一日，能夠重新恢復漢族的統治。由於他們的努力，清初的學術風氣在新的政治環境中發生了重要轉變。

數個世紀以來，中國的學術中心都在南方。但在1660和1670年代的山西，卻形成了一個由南北學者共同組成、對文化界產生重大影響的學術圈。迄今爲止，研究清代學術思想史的學者們大多關注南方（尤其是江南地區）的學術活動，相對來說，北方的學術活動被忽略了。[4]因此，研究山西學術圈，可以擴展我們對清初學術風氣的理解，更重要的是，這個研究將有利於我們闡釋清初學術思想的轉向對當時的書法、特別是傅山的書法創作及其書論所產生的影響。

作爲山西本地文化領袖的傅山，自然就成爲了當時山西學術圈的核心人物。1660到1670年代，傅山全心投入了古代文化的研究，而距太原東南八里的傅宅所在地松莊，則成爲來往學者聚會的中心。

1660年代初，清初最重要的學者、思想家顧炎武來到山西。這位對清代學術思想產生深遠影響的文化領袖，[5]從1657年便離開了故鄉崑山，多次北遊。他一生中的最後二十餘年，基本上是在北方度過的。1662年冬，他來到山西，次年初訪傅山於太原，以後便經常旅居晉、陝一帶。他在山西居住較長的地方，有代州、汾州、祁縣、靜樂、曲沃。雖然中外學者對於顧炎武北遊是否和圖謀武裝反清在意見上並不一致，[6]但不可否認的是，顧炎武確實是一位藉由文化事業來反清的領袖人物。顧炎武在研究儒家經典、史學、金石學、音韻學方面的傑出成就，使之成爲清初學術界眾望所歸的領袖，他也是山西學術圈的關鍵人物。

追隨顧炎武來到山西的潘耒（1646-1708），是山西學術圈的另一位重要學者。[7]潘耒出身於吳江一個藏書甚豐的富裕家庭，早年從其兄長潘檉章（1626-1663）學習經史和文學。潘檉章是一位歷史學家，亦爲顧炎武的摯友，1663年他因涉及莊廷鑨（卒於1655年）所主持的《明史輯略》而被清廷殺害。編纂前朝的歷史在傳統中國社會具有重大的政治意義，唐朝以來，前朝歷史都由後朝官修，莊廷鑨私修明史無疑是觸犯了禁條，被清廷視爲叛逆。潘檉章受牽連被殺，其家族的許多成員也遭到清廷的迫害。潘檉章妻沈氏被發遣寧古塔爲奴，十七歲的潘耒徒步送有身孕的嫂子北行。途中，遺孤不育，沈氏引藥自決。潘耒南還後化名吳琦避居山中。正在北方旅行的顧炎武聽到潘檉章的死訊後，遙祭於旅舍，作〈汾州祭吳炎潘檉章〉一詩，詩云：「一代文章亡左馬，千秋仁義在吳潘。」[8]顧炎武還撰寫了〈書吳潘二子事〉一文述湖州史獄，[9]並作〈寄潘節士之弟耒〉一詩贈潘耒，以寄託哀悼之情。[10]1666年，潘耒致函顧炎武詢及可否投其門下時，顧炎武雖極少收學生，但責無旁貸地接納潘耒爲門人。[11]在顧炎武的指導下，潘耒博通經、史、音韻學、訓詁學、金石學。

對清代學術影響極大的閻若璩（1636-1704），在年齡上比傅山、顧炎武小一輩，他也是山西學術圈的成員。閻若璩祖籍山西太原，七世祖始遷居江蘇山陽。閻若璩到山西的原因是，「自遷淮以來，高曾以下，類先就僑籍考試，然後歸本籍。故是年附太原縣學，隨補廩膳生」。[12]閻若璩的父親閻修齡是傅山的老友。1656年傅山南遊過山陽時，曾館閻修齡家。[13]1663年，閻若璩來到太原參加鄉試，訪傅山於松莊。在他的詩文中，也有不少和傅山討論學問的文字。以後，閻若璩爲應太原鄉試，又數度到山西，並在1672年遇顧炎武於太原，與其辯論學問，深爲顧氏推重。[14]

在1660、1670年代，還有一些明遺民來到山西，成爲山西學術圈中的人物。其中有些人既非傑出的學者也非經濟上的贊助者，由於這些人士來自不同的地域，他們的參與顯得意義重大。例如廣東番禺的詩人屈大均、河北永年的詩人申涵光（1620-1677，字鳧盟）等。他們雖無驚人的學術建樹，但在南來北往之中傳播學術資訊和動態。[15]如閻若璩就曾託屈大均把他的著作《尙書古文疏證》藏之廣東。[16]倘若沒有他們來往交流新的學術訊息，山西學術圈將無法這樣活躍，甚而在清初的文化界中產生更爲廣泛的影響。

在山西學術圈，經濟狀況富裕的明遺民通常扮演著學術贊助人的角色。前面提到的傅山的至交戴廷栻，雖然在學術上並無可觀的成就，但他是一個有幹才的文人和金石書畫收藏家，傅山的學術研究常倚重戴廷栻的幫助。戴廷栻還贊助過其他學者，如顧炎武客山西時，戴曾專門爲其在祁縣南山建造書堂，提供學術研究的物質條件。[17]另一位北方的知名收藏家王弘撰也和山西學術圈的學者保持著密切的關係。王弘撰之父王之良爲天啓進士，崇禎朝官至南京兵部左侍郎。王弘撰家境殷實，「富收藏，金石文字率多舊搨，故善隸、草書」，[18]他是精於《易經》研究的學者，和顧炎武、李因篤亦爲好友，顧炎武入陝時，常館王弘撰家。王弘撰還曾多次南遊，頻頻爲北方文人圈傳遞文化訊息。[19]

此外，清代的明遺民學者還得到漢官的慷慨贊助。在當時的山西學術圈中，有兩位官員值得注意，他們是曹溶和陳上年。曹溶，字潔躬，號秋嶽，浙江秀水人，崇禎十年（1637）進士，官至御史，入清後仍原官。康熙元年（1662），亦即顧炎武抵達山西的同年，曹溶出任山西按察副使兼大同兵備使。[20]曹溶和傅山在1650年代就已相知。1654年，傅山因涉嫌反清被捕入獄。案子報到三法司後，三法司中的漢官極力爲之迴護，當時擔任都察院左副都御使的曹溶就是參加營救傅山的漢官之一。自傅、曹兩人1660年代在山西相識之後，他們維持著終生友誼。曹溶的才華主要表現在文學方面，是清初的著名詞人。他同時是清初著名的金石書畫收藏家和藏書家。

曹溶來到山西後不久，秀水籍學者朱彝尊（1629-1709，字錫鬯，號竹坨）也來到大同，客曹溶幕。不久，又得到山西布政使王顯祚等人的聘用。[21]無論是在清初的學術界還是文壇，朱彝尊都是一個極其重要的人物。他是著名詞人，學術成就則主要在經史與金石學。

另一位充當學術贊助人的清政府官員是陳上年（1649年進士，約卒於1675年，字祺公）。陳上年在順治十六年（1659）出任涇固道兵備，1660年至1667年，任山西雁門道兵備使。陳上年本人並沒有什麼學術著作，但他在當時西北地區的學者中很有口碑，稱他「居官有才有守，而豁達大度，不可一世。政事之暇，博覽群籍。尤好交遊，慷慨然諾，有古人之風」。[22]和曹溶一樣，陳上年是以學術贊助人的身份出現在當時的山西學術圈。[23]他在雁門的寓所也是學者們經常聚會的地方。[24]陝西富平學者李因篤（1631-1692，字天生，改字子德）就一直客於陳上年幕中，擔任其子的教席，因此也成爲山西學術圈中的重要成員。[25]

清政府在山西的其他地方官員，如山西左布政使王顯祚、太原守令周百計等，也不同程度地給予學者各種幫助。他們禮遇、推崇和贊助有成就的學者，當是維繫山西學術圈的另一個重要條件。

隨著武力抗爭轉向低潮，漢官對明遺民的學術贊助也逐漸增加。傅山、孫奇逢及顧炎武等拒絕仕清的著名遺民學者，被一些漢官奉爲精神和文化領袖，他們爲遺民學者在清初的生存和研究古代文化提供了政治上的保護和經濟上的贊助，這些都是清初明遺民學術文化活動取得巨大成績的重要條件。

大約在1673年秋，顧炎武計劃在山西汾州之介山築一書堂，他在清廷任高官的外甥徐乾學（1631-1694）、徐秉義（1633-1711）、徐元文（1634-1691），作〈爲舅氏顧寧人徵書啓〉，啓云：

> 舅氏顧寧人先生，年逾六十，篤志五經，欲作書堂於西河之介山，聚天下之書藏之，以貽後之學者。……伏維先達名公，好事君子，如有前代刻板善本及抄本經史有用之書，或送之堂中，或借來錄副，庶傳習有資，墳典不墜，可勝冀幸之至。崑山徐乾學、徐秉義、徐元文謹啓。[26]

徐氏兄弟的〈徵書啓〉，出現在許多漢官正以各種方式熱誠地參與遺民們所發起的文化活動的時期。以顧炎武在當時士林的崇高聲望，以徐氏三兄弟在康熙朝的顯赫地位，[27]以類似今天公開信的方式聯名向天下的官僚、藏書家、學者徵書，不應被簡單地視作舅甥之間的一件私事，它更是一個具有象徵意義的行爲：它向全國範圍內的漢官呼籲，更爲自覺、積極、廣泛地支援明遺民的學術文化活動。

康熙年間漢官和明遺民的交往，還可從徐乾學爲順治、康熙兩朝官員劉體仁（1624-約1676，1655年進士，字公勇）的詩集撰寫的序言得見一斑。序中除了一些稱頌劉體仁文學才賦的泛泛譽美之辭外，徐乾學還描述了劉體仁的高雅情懷：

> 穎川劉公勇先生，天下駿雄秀傑之士也。……嘗遊蘇門見孫鍾元先生，願棄官爲弟子。居彌月，築堂留琴而去。經太原特訪傅青主於松莊，坐牛屋下，相對賦詩移日，其高寄如此。故無纖塵集其筆端，而一往奇邁之氣時時溢於篇幅。[28]

徐乾學提供了兩個具體的例證：第一，劉體仁曾在蘇門從學於孫奇逢（孫鍾元），並「築堂留琴而去」。[29]第二，他曾專程赴松莊拜訪傅山，與之「相對賦詩移日」。徐乾學並沒有詳述劉體仁在蘇門從孫奇逢學了什麼、學得如何、和傅山賦詩移日的作品如何，這些都無關緊要，對徐乾學及當時的人們（包括那些漢官）而言，劉體仁曾追隨著名的明遺民文化領袖這一簡單的事實，就足以證明「其高寄如此」。[30]

儘管徐乾學對於劉體仁與孫奇逢、傅山交往的描述相當簡略，但他的描述反映了清初政治文化中一個極爲重要的現象。大量的歷史文獻都有這樣的記載，清初的漢官不但積極贊助著名的遺民學者，其中許多人還成爲後者的門生弟子。在孫奇逢被迫從家鄉直隸遷徙到河南輝縣的蘇門之後，一些清廷高官拜倒在他的門下，其中包括魏裔介和湯斌（1627-1687）。雖然顧炎武和傅山並不熱衷於招收弟子，但是許多漢官在途經山西時都會專程拜訪致意。除此之外，顧炎武等遺民出遊時，所到之地也時常受到當地官員的款待。[31]

山西學術圈對傅山晚年學術活動的影響是至關重要的。首先，傅山和這些來自其他地區的卓越學者文人的交往，使他得以獲知新的訊息並置身於學術的前沿。其次，對於山西本地文化權威的傅山來說，這些學者並非只是學術上的同道，而且是他在學術上的競爭者。1660至1670年代，傅山全心投入對於古代經典、音韻學和古文字學的研究，正與這個具有挑戰性的學術圈的活躍氣氛相呼應。[32]

學術的新趨勢

本書第一章開篇引用了徐世溥致友人的一通信札，徐氏在信中以無比依戀的懷舊心情對萬曆年間的文化成就作了「天下文治嚮盛」的肯定。[33]遺憾的是，明王朝這一文化繁榮的太平盛世只是一段短暫的時光，隨之而來的是各種各樣的危機：激烈的黨爭、普遍的腐敗、嚴重的饑荒，……萬曆皇帝死後短短的二十餘年間，內亂外患的明王朝便因滿族的叩關而告終。

經歷了明清鼎革的清初學者，對晚明總是抱著十分複雜和矛盾的心情。一方面，他們欽羨和懷念晚明時代文化領域中的種種成就。那時的文化氣氛是如此地自由而充滿創意，上層菁英的物質文化生活又是如此地豐富精緻。[34]另一方面，明朝覆亡的悲劇又迫使許多清初學者重新思考明清兩代興替的原因。無論如何，一個殘酷的問題難以回避：促成晚明文化璀璨的多元性與標新立異，是否造成了儒家理想的衰敗，並最終導致明王朝的覆亡？

當代的歷史學者已經找出許多晚明文人不可能意識到的導致明朝滅亡的社會、政治、經濟的因素。回溯起來，明代的滅亡並不能完全歸因於儒家正統的衰微和多元化的文化環境，更應該歸咎於無法處理那些國政亂局的朝廷以及官僚體系。晚明的社會變更與多元爲文化活動提供了一個充滿刺激的環境，傳統的政治與思想體系是否能夠接受、容忍或者排斥這樣的多元，完全取決於這個系統能否有效地應付國內外政治、經濟、軍事的挑戰。當這個系統無法應付這些挑戰時，即使文化上的多元並非動搖明代國本的主要原因，也會被輕易地視爲替罪羔羊。確實，許多經歷明清鼎革的人們，都將王朝的滅亡歸罪於晚明鼓勵多元的哲學文化思潮。正如艾爾曼（Benjamin Elman）所指出的：「1644年，明朝爲清朝『夷狄』所取代，這一致命的打擊使許多親身經歷這場巨變的士大夫進一步認識到理學話語的陳腐和危害，他們嚴厲指斥理學見地荒誕，背叛儒學眞諦，最終導致明末社會的大崩潰。」[35]

在山西學術圈的成員中，顧炎武對晚明的文化氣氛最爲深惡痛絕。顧炎武認爲，晚明流行的主觀內省式哲學，鼓勵了空洞的「清談」，無益於切實地解決現實問題，他直將晚明的學術風氣視爲國家災難的根源。

顧炎武不但抨擊作爲菁英文化的晚明學術思想，他還指出晚明的印刷文化和其他一些文化實踐也需對道德淪喪負責。顧炎武是蘇州府崑山人，蘇州既是明代文人文化的中心，也是晚明通俗文化的出版重鎭之一，大量小說戲曲等通俗書籍出版於此。明亡以前，顧炎武耳聞目睹了許多率以己意改動古書，以及以戲擬經典的方式來取悅大眾的出版物。他認爲晚明的印刷文化直接導致了道德的衰落：

萬曆間，人多好改竄古書。人心之邪，風氣之變，自此而始。[36]

崑山還是晚明流行用來賭博的紙牌遊戲「馬吊」（即今日麻將之前身）的發源

地。馬吊自然也成爲顧炎武批判的對象：

萬曆之末，太平無事。士大夫無所用心，間有相從賭博者。至天啓中，始行馬吊之戲。而今之朝士，若江南、山東，幾于無人不爲此。[37]

與徐世溥讚美萬曆年間的文化成就正相反，顧炎武認爲萬曆年間是一個道德淪喪的時代。許多遺民學者都認同顧炎武對晚明學術思潮和文化風氣的批判。

出於這種觀點，批判晚明哲學思潮和文化實踐，懲前毖後，便成爲明遺民的關懷所在。爲了更準確地理解古代經典和歷史，「追本溯源」、「回歸原典」便成爲新的學術主張，[38]注重經史考證的樸學逐漸成爲學術的主流。由顧炎武及其友人所提倡的樸學具有強烈的道德涵義，顧炎武宣稱他治學的目的是爲了「正人心，撥亂世，以興太平之事」。[39]

爲重建他們心目中的儒學正統的權威，取得對古代儒家經典的解釋權，更準確地理解古代經典和歷史，清初學者集中精力研究音韻學、金石學、考據學，這三個學科逐漸成爲清初學術主流最爲重視的領域。

音韻學早在宋代就已是學者關注的一門學科。雖然清初學者對晚明的哲學思潮多有批判，但他們的音韻學研究仍然得益於晚明的學術成果。晚明學者陳第（1541-1617）對《詩經》古音的研究，便是這個領域中的重要貢獻。[40]清初學者對音韻學的興趣，還受到了天主教傳教士（如利瑪竇和金尼閣等）發明的以羅馬字母爲中文字注音的啓發。[41]

音韻學之所以成爲清初學者重視的學科並非偶然，因爲它的意義遠遠超出了本學科的範圍。早期的儒家經典都是流傳了千百年的著作，雖然歷代的學者花了很大功夫爲早期的文獻作註疏，但是人們依然經常爲古代經典的確切文義發生爭論。因此，在經史的研究成爲清初的學術主流之後，音韻文字被認爲是通往經史諸子百家的途徑。顧炎武在致李因篤信中，扼要地概括了研究音韻學的意義：「讀九經自考文始，考文自知音始。以至諸子百家之書，亦莫不然。」[42]他又指出：「詩三百篇即古人韻譜。經之與韻，本無二也。」[43]以聲韻爲關鍵的名物訓詁，標誌著研究古文字學和訓詁學的指導思想在清代發生了重要轉變。[44]

山西學術圈中的大部分學者都積極從事音韻學研究。其中顧炎武更是這個領域內無可爭辯的前驅。康熙五年（1666）顧炎武完成《韻補正》，該書對宋代吳棫（約1100-1154）的音韻學著作《韻補》進行了修正。次年，顧炎武到山陽刊刻他的音韻學代表作《音學五書》。這部著作裏，顧氏在分析《詩經》所收古代歌謠的用韻的基礎上，對重建古音做出了重要的貢獻。因此，《音學五書》成爲清代古音學研究的奠基之作。同年，在陳上年的資助下，顧炎武還在山陽重刻存世最重要的一部韻書——宋代的《廣韻》。[45]

在1660及1670年代，傅山對音韻學的興趣日增，體現在他對《廣韻》的研究上。顧炎武在〈書《廣韻》後〉中寫道：

> 余既表《廣韻》而重刻之，以見自宋以前所傳之韻如此，然惜其書之不完也。……太原傅山曰：「宋姚寬〈戰國策後序〉引《廣韻》七事：晉有大夫芬質，芈干者著書顯名，安陵丑，雍門中大夫藍諸，晉有亥唐，趙有大夫夆貫，齊威王時有左執法公旗蕃。」蓋註中凡言又姓者，必以其人實之，而今書皆無其文。[46]

毫無疑問，顧炎武和傅山曾在一起討論過音韻學，並且對彼此的研究成果十分熟悉。

北京圖書館（現爲國家圖書館）藏有傅山批註的顧炎武重刊的《廣韻》。從書後祁寯藻的跋文可知，此書極可能就是顧炎武贈送給傅山的。在這本《廣韻》的首頁，傅山共鈐了四方印，分別是「傅山之印」、「傅公它」、「老石」、「傅氏家藏」（彩圖18），顯示出他對此書的珍視。《廣韻》是北宋陳彭年等增廣隋代陸法言《切韻》而成的韻書，保存了許多宋以前漢字的讀音。傅山在批註《廣韻》時，以唐代詩人杜甫詩中的韻尾來核對《廣韻》所收字的讀音。《廣韻》收字二萬六千一百九十四，而傅山在批註《廣韻》時所引杜甫詩句多達一萬餘句。尤爲令人欽佩的是，傅山在《廣韻》上按韻手批的杜詩句，均爲默寫而出，並非照書抄來。其博聞強記，讀書用功之深，由此可見一斑。[47]

清初學者研究音韻學的目的是爲了解讀古代的名物制度。傅山寫於1669年的一本行書冊頁，內容是關於〈子虛賦〉的訓詁。[48]冊中有傅山簡短的小記，他說寫此冊是爲了教他的孫子傅蓮蘇閱讀漢代司馬相如（西元前179-117）的〈子虛賦〉。傅山訓讀〈子虛賦〉時，使用的方法之一便是以聲韻來通訓詁。[49]這和顧炎武所宣稱的「考文自知音始」的學術主張完全一致。毫無疑問，傅山當時的學術研究已深深受到音韻學的影響，而且積極地投入到這個領域。從《傅山全書》收錄的傅山關於文字訓詁的一些札記來看，他經常徵引的字書和韻書有《爾雅》、《方言》、《說文解字》、《釋名》、《玉篇》、《廣雅》、《干祿字書》、《一切經音義》、《廣韻》、《集韻》、《隸釋》、《五音篇海》、《韻會舉要小補》、《洪武正韻》等。這些書籍顧炎武在他的著作中也經常徵引。這足以說明，在1660、1670年代，傅山的研究興趣和顧炎武有很多共同處，這當是互相影響的結果。

山西學術圈中的兩位年輕學者潘耒和李因篤也長於音韻學的研究。潘耒著《類音》一書，對漢語的音理作了十分精細的研究。李因篤著有《古今韻考》，推廣闡發顧炎武的古音學說。[50]顧炎武的《音學五書》也多處參考了李因篤的研究成果。[51]此外，以考證見長的年輕學者閻若璩，對音韻學亦有興趣。他的詩中有「回首松莊稱韻學」句，[52]當是他和傅山在松莊討論音韻學的眞實紀錄。

金石學是山西學術圈的學者們致力的第二個領域。金石學的研究範圍包括「中國歷代金石之名義、形式、制度、沿革；及其所刻文字圖像之體例、作風；上自經史考訂、文章義例，下至藝術鑒賞之學」。[53]金石學的研究早在漢代便已萌芽，至宋代蔚然成風，卓然有成，卻於元、明兩代衰落。金石學在清初得以復興的主要原因是，古代金石文字保留了原始史料，可資考訂經史之用，因此引起清初學者的高度重視。利用這些金石文字來考訂文獻所載或失載的歷史事件，成爲考據學中不可或缺的部分。這一點，顧炎武〈《金石文字記》序〉作了說明：

> 余自少時，即好訪求古人金石之文，而猶不甚解。及讀歐陽公《集古錄》，乃知其事多與史書相證明，可以闡幽表微，補闕正誤，不但詞翰之工而已。比二十年間，周遊天下，所至名山、巨鎭、祠廟、伽藍之跡，無不尋求。登危峰，探窈壑，捫落石，履荒榛，伐頹垣，畚朽壤，其可讀者，必手自鈔錄，得一文爲前人所未見者，輒喜而不寐。一二先達之士知予好古，出其所蓄，以至蘭臺之墜文，天祿之逸字，旁搜博討，夜以繼日。遂乃抉剔史傳，發揮經典，頗有歐陽、趙氏二錄之所未具者，積爲一帙，序之以貽後人。[54]

山西學術圈中的其他成員，和顧炎武一樣熱衷於金石文字的收集和研究，而其中更有不少是清初這一領域中最有成就的學者。例如曹溶和朱彝尊，也有訪碑蓄碑的嗜好。曹溶是清初著名的金石收藏家，曾編纂《古林金石表》。[55]而朱彝尊則是「所至叢祠荒塚，金石斷缺之文，莫不搜剔考證，與史傳參互同異」。[56]曹溶和朱彝尊在山西期間多次訪碑，和曹、朱同時代的金石學家葉奕苞在《金石錄補》中有這樣的描述：

> 錫鬯（朱彝尊）同曹侍郎（曹溶）歷燕晉之間，訪得古碑，不憚發地數尺而出之。從者皆善摹搨及裝潢事。文人好古，近罕儔匹。[57]

在曹溶的《靜惕堂詩集》和朱彝尊的《曝書亭集》中，有許多關於訪碑拓碑的詩文。如《靜惕堂詩集》中的〈資耀寶入秦託其搨寄碑本〉和〈遣胥至曲陽搨北嶽廟碑〉等詩。[58]朱彝尊所著《曝書亭金石跋尾》六卷，和顧炎武的《金石文字記》一樣，是清初金石學的重要著作。[59]

王弘撰是明末著名的金石學家郭宗昌的忘年交。1663年，很可能是在周亮工的幫助下，王弘撰在揚州出版了郭宗昌撰寫的《金石史》。[60]郭宗昌去世後，其舊藏的一些漢碑拓本（如現藏北京故宮博物院的《曹全碑》和《華山碑》）也轉入王弘撰之手。[61]顧炎武在《金石文字記》中提到最多的就是王弘撰和朱彝尊，可知王弘撰曾多次和顧炎武討論金石文字。

早在明亡以前，傅山就已開始研究金石學，並以金石文字考訂史乘。一次，在和閻若璩討論謝承《後漢書》時，傅山說謝承《後漢書》「某家有之，永樂間揚州刻本。初郃陽《曹全碑》出，曾以謝書考證，多所裨，大勝范書。以寇亂亡失矣」。[62]不過，比較系統且深入的研究則是在1644年，特別是1660年後。在1660和1670年代，傅山所居松莊是文人學者們聚會討論金石文字的地方。朱彝尊、曹溶等人曾在傅山家中觀賞傅山收藏的碑帖，並爲之題跋。[63]

閻若璩1660年代到太原拜訪傅山時，兩人討論了金石學。閻若璩在著作中記載了他和傅山討論金石學的一些情形，可以想見當時的討論給他留下極爲深刻的印象：

金石文字足爲史傳正訛補闕。余曾與陽曲老友傅青主，極論其事。[64]

傅山先生長於金石遺文之學，每與余語，窮日繼夜，不少衰止。[65]

傅山對金石學的熱忱和他在這方面的學養，可從現藏寧波天一閣的傅山考訂《石鼓文》冊頁得到證明。[66]從書法的風格來看，這一冊頁很可能書於1655年後。傅山在這本冊頁中先以端正的小楷鈔錄石鼓上的十篇刻辭，並圈出那些難辨和不識的字，再於每篇刻辭後以更小的字書寫自己的考訂。其內容包括：比較不同學者對《石鼓文》的隸定釋文，以及傅山本人的考釋。他所徵引的文獻有《石鼓文》石刻本、薛尚功的《歷代鐘鼎彝器款識法帖》、鄭樵（1104-1162）的《金石略》等，也引用了《玉篇》、《汗簡》、《集韻》、《廣韻》等字書、韻書。從最後一開所鈐傅山名章來看，此冊當爲其考釋《石鼓文》的一個定本。正是這樣細緻的研究，使傅山成爲清初研究金石學的重要學者之一。

傅山對金石學、特別是漢碑的認眞研究，還可從他點校、批註的《隸釋》看出。宋代洪适的《隸釋》歷來被學者們認爲是研究漢代碑刻的重要金石學著作。[67]傅山批點的本子是萬曆戊子（1588）刊本，上面鈐有「傅鼎臣」的名章。傅山原名鼎臣，明亡以前就已改名山，所以，傅山很可能在明亡前就已收藏此書。如同晚明其他粗製濫印的書籍，此書也頗有缺漏和錯誤，傅山對照其他版本作了校訂。從批點和校訂文字的書法風格來看，基本可以肯定，大多數批語書於1660年代以後。傅山的批點包括了許多關於漢碑用字、用詞的評論，從中不難看出，傅山讀此書是極爲認眞的，表明他在這一時期對漢碑作了比較系統的研究。傅山有關篆隸在書法藝術中的重要地位的論述（詳後），很可能是在這一時期提出的。顧炎武等學者主要關心金石文字的史料價值，傅山作爲書法家，他還重視金石文字的藝術特徵。譬如他在《隸釋》卷七對他所藏且特別鍾愛的《孔宙碑》拓本（圖3.1）作了如下評語：「碑文开作开，古拙風流之極，似是弁字，而以弁爲變，用同聲耶。四字皆用古成語，獨一开字在中，不知當何識也。」（圖3.2）正是金石學的復興，人們有了更多的機會接觸古代金石文字，於是，晚明學者對古代碑刻書法萌發起來的興趣，在清初逐漸發展成爲一種與當時的學術取向互補的書法美學觀。

山西學術圈所致力的第三個學術領域是考據學，其中有幾位學者不但長於考證，而且是這方面影響巨大的領袖人物。顧炎武的《日知錄》、閻若璩的《潛邱箚記》就是考證古代名物制度的重要著作。傅山也和這些學者討論過古代名物制度的考證。《潛邱箚記》中收有一通閻若璩寫給傅山的信札，信中提到，1672年秋，閻若璩在太原時，傅山曾向他詢問，古人登席是否既脫屨復脫襪，否則就被認爲失禮。閻若璩當時沒有回答出來。數年後，閻若璩考索出這一古代禮俗的變遷，專門寫信給傅山，告訴自己的考證結果。[68]

當時學者們熱衷於考證，固然和他們的經史研究有關，但考證形成風氣之後，它本身又成爲衡量一個學者的學術功力和水平的標準。一旦這種標準確立，就促使更多的學者按照這種標準去從事學術活動。

當考據學日趨成熟完備，並成爲新的學術範式後，即使是千載經典、蓋代文豪，都可以成爲懷疑批評的對象。我們經常可以讀到山西學術圈的學者對前代學者的批評。閻若璩曾在傅山面前這樣尖刻地批評歐陽修的學問：

> 余嘗謂，蓋代文人，無過歐公，而學殖之陋，亦無過公。傅山先生聞之曰：「子得毋以劉原父（劉敞，1008-1069）有好箇歐九之云，從而和之乎？」余曰：「非敢然，實親驗之《集古錄》跋尾。」[69]

圖3.1
《孔宙碑》
164　局部
拓本　冊頁
紙本　尺寸不詳
北京故宮
引自啓功　《中國美術全集》
頁139　圖版84

圖3.2
傅山在洪适《隸釋》上的評點
局部
傅山舊藏
引自洪适《隸釋》

數個世紀以來，歐陽修的《集古錄》一直被認為是金石學的重要著作，從未被如此嚴厲地批評過，但到了清初，這位大文豪的學術竟被斥為「陋」！

被徐世溥認為代表了萬曆朝古文字學成就的著名學者趙宧光，這時也成為批評的對象。顧炎武在《日知錄》中，對趙宧光的《說文長箋》這本晚明最風行的文字學著作進行了尖銳的批評：

萬曆末，吳中（即蘇州）趙凡夫宧光作《說文長箋》，將自古相傳之五經，肆意刊改，好行小慧，以求異於先儒。乃以「青青子衿」為淫奔之詩，而為「衿」即為「衾」字（原注：詩中之有「衾」字，「抱衾與裯，錦衾爛兮」）。如此類者非一。其實四書尚未能成誦，而引《論語》「虎兕出於柙」，誤作《孟子》「虎豹出亏山」（原注：兕下）。然其於六書之指，不無管闚 。而適當喜新尚異之時，此書乃盛行於世。及今不辯，恐他日習非勝是，為後學之害不淺矣。故舉其尤刺謬者十餘條正之。[70]

如同顧炎武所指出的，趙宧光於文字學「不無管闚」，但在晚明「喜新尚異」的風氣中，趙宧光難免其俗，「好行小慧」，為倡新論，將《詩經》中一首描繪一群少年學子逃學在鄉間遊蕩的詩解釋為帶有「淫奔」的隱喻。[71]

古人和古書可以被懷疑和批評，對於當代學者及其著述也是如此。在當時學者的著作中，我們不難讀到學者們相互指正錯誤的文字。傅山在1671年批註《毛詩註疏》時，在「齊桓公知諸侯之歸己也，故使輕其幣而重其禮。諸侯之使，垂櫜而入，稛載而歸。言其空而來，重而歸也」這一段上面用墨筆眉批：

垂櫜，《管子》〈小匡篇〉及〈齊語〉皆有之。今行《國語》逕作櫜，音古刀反，大誣。宋但泥《左傳》「垂櫜」語，不詳文義而音之。近日李天生〈與顧寧人作〉五排律中，用「垂櫜」字，顧求其疵曰：「是錯用矣，經傳無垂櫜之文，但有左氏垂櫜。」謂李以「櫜」為「櫜」也。何言之易也？余不敢舉此以證，恐忌也。察士無凌誶之事則不樂。[72]

雖然，傅山說他不願和顧炎武辯論，恐為顧氏所忌。但顧炎武挑李因篤用詞不當的例子，說明當時的學者們（至少是相當一部分學者）對有關學問方面的事情，是多麼地嚴格乃至挑剔，一個字、一個詞都不輕易地放過。

不光顧炎武如此，博聞強記而又喜歡炫耀的考據學大師閻若璩在挑當代人的毛病時，更是不遺餘力，樂此不疲。[73]李因篤、汪琬（1624-1691）的論述中有誤，被他譏爲「杜撰故事」和「私造典禮」。[74]即使是博學如顧炎武，一旦著作中有錯誤，閻若璩也毫不留情地當面指出。1672年，閻若璩在太原和顧炎武會面時，當面指出顧炎武所犯的一個古代地理上的錯誤，並記錄如下：

> 顧寧人論幽、並、營三州在《禹貢》九州之外。……余時同客太原，面質正曰：此不過從肇者始也臆度耳，其實《周禮》〈職方氏〉：「並州，其澤藪曰昭餘祁。」昭餘祁在今介休縣東北三十二里，俗名鄔城泊。吾與君所共遊歷者，非石嶺關以南乎。[75]

在〈南雷黃氏哀詞〉一文中，閻若璩更進一步地談到了他和顧炎武在太原見面時，是如何激烈地爭論的：

> 顧余遇之太原，持論嶽嶽不少阿，久乃屈服我。[76]

閻若璩比顧炎武小整整一輩，他能和一位學術聲譽極高的前輩論辯，並「持論嶽嶽不少阿」，說明在山西學術圈中，學術氣氛相當活躍開放，論辯之風亦興盛一時。這種激烈的辯論造成了一種學術氛圍，處於其中的每一位學者都會因此感受到壓力，這種壓力促使他們更爲謹慎地從事學術活動，並認眞反思自己以往的研究成果。

和閻若璩的爭論給顧炎武留下極深的印象，他在修訂《日知錄》時認眞地參考了閻若璩的意見。[77]顧炎武在一通致友人的信札中寫道：

> 《日知錄》初本乃辛亥年（1671）刻。彼時讀書未多，見道未廣，其所刻者，較之於今，不過十分之二。非敢沽名衒世，聊以塞同人之請，代抄錄之煩而已。……《記》曰：「學然後知不足。」信哉斯言！今此舊編，有塵清覽。知我者當爲攻瑕指失，俾得刊改以遺諸後人，而不當但爲稱譽之辭也。[78]

辛亥年顧炎武已近六十歲。書寫上引書札時，最早也在1670年代的後半期了。[79]由於治學精神嚴謹，年近七十的顧炎武對自己學術上的一些失誤仍然耿耿於懷。這種心情在他致潘耒的一札中表露得更爲坦徹：

> 讀書不多，輕言著述，必誤後學。吾之跋《廣韻》是也。雖青主讀書四五十年，亦同此見。今廢之而別作一篇，並送覽以志吾過。平生所著，若此者往往多有，凡在徐處舊作，可一字不存。自量精力未衰，或未遽死，遲遲自有定本也。[80]

顧炎武在信中專門提到，傅山和他對學問持有相同的謹愼態度：急於出版沒有經過充分研究的著作，必定會貽害後人。因爲自己一些早年著作頗有錯訛，顧炎武認爲「可一字不存」。

傅山對學問所持的謹慎態度，可從閻若璩的記載中得見一斑：

傅山先生少耽《左傳》，著《左錦》一書，秘不示人。余初訪之松莊，年將六十矣。[81]

傅山著《左錦》一書約在1665至1675年間。[82]《左錦》的部分手稿現藏山西省博物館，部分爲美國收藏家John Elliott舊藏（現藏美國普林斯頓大學美術館，請見圖2.17，頁160）。從Elliott所藏《左錦》手稿筆蹟判斷，該手稿書於晚年。從傅山本人的朱筆圈點來看，傅山在晚年仍打算修改此作。因此，閻若璩所謂傅山「秘不示人」的做法，極可能就是出於慎重。學者們對己苛求如此，遑論指摘批評前人著述中的錯誤。在這種情況下，學者們對於其所持的觀點、所引用的書、所依賴的證據都漸漸變得更加謹慎。這正是考據學所特有的學風。

清初的考證之風又和當時的辨僞風氣緊密相關。[83]如果說考證古代的名物典章制度只是在具體的事物和制度上下功夫的話，辨僞則是運用考證的方法來辨別儒家經典的眞僞。在山西學術圈中，以辨僞聞名的是閻若璩，清初最令人震驚的辨僞成果就是閻若璩的《尙書古文疏證》。儘管宋明一直有學者（如宋代的吳棫和朱熹[1130-1200]、明代的梅鷟[?-1513]等）懷疑《古文尙書》是一部僞書，直到閻若璩證明了《古文尙書》並非由所謂的「古文」所寫成的先秦文獻，而是漢代或漢以後的僞作後，才成定案。[84]長久以來，《古文尙書》一直被認爲是儒學最重要的經典，現在閻若璩卻證實它是一部僞經，這一研究在學術思想界造成的巨大震動可想而知。梁啓超（1873-1929）在強調閻若璩研究的重要性時，將它與十九世紀達爾文的《物種起源》（*Origin of Species*, 1859）對當時的歐洲社會造成的衝擊相提並論。[85]

學術思潮對書法的影響

閻若璩的《尙書古文疏證》所造成的震撼也波及儒家經典以外的研究。閻若璩對《古文尙書》的致命一擊，很可能在清初就已導致這樣一個連鎖反應：一些學者懷疑許愼《說文解字》和某些宋代的金石學著作（例如《歷代鍾鼎彝器款識法帖》）未收錄的那些「古文」的可靠性。[86]這些文字是否也是漢以後的發明？既然一些儒家經典是僞作，難道這些經典中的古文就不是僞造的嗎？

上述學術風氣也不可避免地影響到書法。如前所述，傅山在1650年代的書法作品充斥著許多異體字。但是到了1660年代以後，他對書寫異體字似乎日趨謹愼。如果說，一個文人在晚明玩異體字或許可以爲他掙得一個博學的虛名，那麼，在清初的學界卻有可能被貼上一個「不識字」的標籤。書法家過去可以比較隨意地從字典中擷取冷僻的異體字，寫入自己的作品，現在卻不再那麼隨意了，選取異體字必須要有古文字學的依據。傅山早期書法作品中的異體字有許多出自宋、元的字書，但由於考據學的出現，這些字書的可靠性可能也遭到質疑。例如宋代的《集篆古文韻海》就很值得懷疑，因爲它沒有提供每個字的出處，且有許多不合六書的地方。因此，要珍惜自己的名聲的話，一個謹慎的作法便是在書法作品中少用、甚至完全捨棄來路不明的異體字。

傅山晚年書法的刻帖《太原段帖》似乎透露出這一訊息。《太原段帖》是傅山的學生段綷（段叔玉，活躍於1674-1685）彙集傅山晚年的一些書蹟所刻的一部帖。帖中大部分的作品是傅山於1675到1683年間所書。根據帖中段綷的自序，該帖始刻於癸亥（1683）春，二載告成。傅山去世的時間在1684或1685年，段綷開始刻此帖時，傅山尚健在。《太原段帖》中收有傅山致段綷的兩通信札，證明傅山曾與段綷討論過這部帖的刻拓。[87]傅山當然知道，這很可能是他有生之年所能見到的他的最後一部書作刻帖。有趣的是，整本帖中幾乎沒有冷僻的異體字，在七十來頁的刻帖中也未收入一件篆書作品，所有的書法都是用楷、行、草書寫成。傅山很可能意識到其早年篆書作品中存在著文字學方面的問題，故弟子爲其刻帖時，十分慎重。

然而，這並不意味著傅山完全捨棄了篆書和異體字。日本澄懷堂美術館藏有一件傅山書於晚年的十二條屏，即爲傅山晚年篆書的一個有趣的例子。這一作品的文本爲其自作〈遊仙詩〉。在十二條屏中，有八條是用行書書寫的（第一、二、三、四、六、七、八、九屏），一條是行楷（第五屏），最後三條屏是想像力極爲豐富的篆書，其中最後一條爲草篆，篆法在字體和風格上都極爲詭譎（彩圖19）。從今天文字學的角度來看，篆書中的一些字很可能存在訛誤。如第十一條屏第一行中倒數第三字字形爲一圓圈，中有四小圓圈。在這首詩中，此字讀爲「玉」字。[88]這一字收在金代韓道昭在泰和八年（1208）修纂的《五音類聚四聲篇海》（簡稱爲《五音篇海》）中。此書「文字的異體和冷僻字，收載甚多，而舛謬亦夥」。[89]在《五音篇海》中，此字寫作「㗊」，註明讀音爲「玉」，但字義未詳。明末朱謀㙔在釋此字時云：「《溯原》：魚欲切，云未詳。定爲古牧字、畜字，從此聲，外象籓牆，內所以分別牛羊也。」[90]傅山將其寫成圓形並作「玉」解，也許自有其根據。古代的玉璧即爲有圓孔的玉器。傅山

是否據此而將此字釋爲「玉」呢？

這件作品看來似乎與上述傅山晚年對異體字使用的謹慎心態相抵牾。但傅山在最後一條屏上的題識値得我們注意，若對傅山記錄這一作品的書寫情境進行一些推測，或許可以得到某種解釋。他說：

吾友鄭四舜卿、李五都梁，致款於山長，更累爲斑斕（斕）之助，須此醜鴉介之。口占手信，眞不知詩爲何法，字爲何體。老髦率爾，回看自笑而已。傅山。

「老髦率爾」說明這件作品書於傅山的晚年。但這段題識又告訴我們，此件作品是在友人的請求下所寫、作爲贈與書院或寺廟之禮的應酬作品。以書藝論之，此條屏並非傅山的最精彩之作。[91]山長、鄭舜卿、李都梁爲誰不詳。傅山或許與鄭、李二人爲故交，或是欠了他們的人情，或是他們付了錢，因此揮毫。但傅山似乎對他們的請求並非那麼重視。傅山很明白，人們向他求字常常只是爲了他的名聲，實際上並不那麼在乎藝術品質。在落款時，傅山以「醜鴉」強調那只是率爾塗鴉，似乎提醒觀者不必嚴肅地看待這件作品。

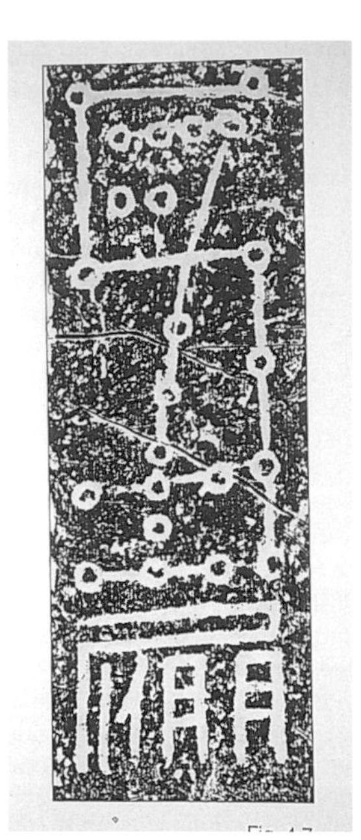

我們還可以從另一個角度來理解傅山的這一作品。傅山是一位道士，這件作品的文本又是和道教有關的「遊仙詩」，這便令人聯想起道教中畫符的傳統（圖3.3）。道教畫符的「字」，「無法被未受訓練的人所理解。它們是秘傳的神秘符號，……具有高度的原創性，並且是特別爲天、地、人三個領域而創造的」。[92]雖然篆書並不是畫符的一種，但傅山爲道士，又擅長書法，應該十分熟悉畫符，畫符對他怪異的書法應有一定影響。書寫古怪難辨的篆隸，容易爲宗教場所帶來一種神秘的氣氛。如果傅山這一作品是爲寺廟創作的話，這種字體很容易讓人作此聯想。無論傅山此處的用意爲何，「場合」與「功能」通常是傅山選擇字體的重要考量。[93]

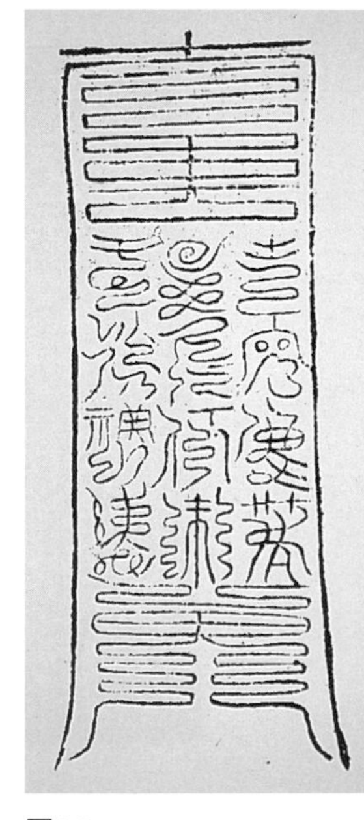

圖3.3
道教符咒
引自Tseng Yuho *A History of Chinese Calligraphy* pp. 80-81

我們可以見到的傅山最後一件有怪異篆字的作品，是他在1684年夏所書山西陽曲縣西村廟梁題記。題記共三十四字，其中用古文書者十二字，用篆文書者一字，用楷體書者五字。住持以下姓名十六字皆用楷體。張頷認爲，在這件作品中，傅山書寫古文的依據仍爲眞贗雜出的《汗簡》，用字也存在隨己意假借、在字形上加以附筆的現象，但傅山有自己一套文字學的思路可尋，似不完全是不加甄別地從字書中挑出冷僻字來書寫。[94]

傅山書法作品的複雜性頗能反映其複雜的人格和多元的哲學觀，而哲學思想的多元性也使傅山與山西學術圈中的正統儒家學者顧炎武、閻若璩、朱彝尊等人頗爲不同。顧炎武曾聲稱「生平不讀佛書」。[95]反觀傅山，他雖自幼受儒家學說薰陶，直稱孔子為「吾師」，[96]但他卻是一個戴黃冠、著朱衣的道士，同時又聲稱自幼遵循釋家戒律。[97]可以說，傅山的思想是晚明三教合一的具體體現。[98]

傅山思想上的多元性還有助於說明，儘管傅山在研究音韻學、金石學和考據學方面和山西學術圈的其他成員有相同的學術旨趣，但他的學術取向還是和其友人有很大的不同。顧炎武、閻若璩、朱彝尊等的學術成就主要在儒家經典和史學的研究上。而作為道士的傅山卻花了不少精力研究先秦諸子乃至漢初的各種學派，包括《老子》、《莊子》、《淮南子》等。他的著作也廣涉道教與佛教。楊向奎曾這樣評價傅山在清初學術界的地位：

傅青主挺然而出，於學無所不能，出入老莊而雜以禪釋，非荀、墨，斥程、朱而說氣在理先，固未可以儒家樊籬者。[99]

當正統的儒家學者認為經學研究比子學研究更重要時，傅山則認為兩者應當平等視之。傅山更提出孔孟之道原來也只是被稱為「孔子」與「孟子」，他們也僅是諸子百家中的二子：

經子之爭亦末矣。只因儒者知《六經》之名，遂以為子不如經之尊，習見之鄙可見。……《孔子》、《孟子》不稱為孔經、孟經，而必曰《孔子》、《孟子》者，可見有子而後有作經者也。[100]

傅山對哲學的廣泛興趣，使之成為清初學術史上最獨特的一位學者。[101]傅山對經史的專精雖不及顧、朱、閻等，卻更注重抽象的哲學思辨。當考據學在清初逐漸成為學術主流時，傅山率先對於這種研究方法在探求知識方面的完整性提出質疑。他有這樣一段發人深省的議論：

讀書難字過是老人真實話。不求甚解，亦是曠人通識，亦是懶散人自然處。頃見人士以讀書博學自雄者，見其所與致辨為勝，率皆人所易曉、不勞紬繹可知者，輒筆之以自鳴。至於精義奧物，寘而不論。豈得難字過不求解與宗耶？[102]

傅山的這段議論寫於1667年末或1668年初（丁未冬），正當山西學術圈的主要人物如顧炎武、閻若璩、朱彝尊等身體力行地提倡考據學之際。考據學從基本的歷史文獻出發，排比歸納，因此，所得結論「皆人所易曉」。而「紬繹」其「精義奧物」，作哲學層面上的闡釋，則需有另一番格物致知的思辨本領。傅山的這一議論，很可能是針對當時已經顯露出來的重考證、輕思辨的傾向所發。以後，清代學術沿著考據學的方向發展，抽象思辨爲之衰落，此竟不幸爲傅山言中。

以上討論已指出，晚年的傅山對考證和訓詁頗爲關注。但他主要是通過批註的方式來發揮自己的觀點。從這個意義上來說，和上述幾位學者相比，傅山的思想和寫作方式更能體現出晚明文化的遺風。他對晚明自由思想空氣的依戀，與他書法中狂放的一面相吻合。正因爲如此，顧炎武曾這樣評論傅山：「蕭然物外，自得天機。」[103]

若能理解傅山具有矛盾性的反叛人格，我們就不難明白爲什麼傅山在晚年會在某類作品中避免或減少使用冷僻的異體字，但卻又在其他場合重操舊好。藝術創作畢竟和學術研究有別，在藝術領域中，想像的餘地可以大些。同時我們也可看到，晚明的遺風在清初並未完全消失。晚明對古文奇字的熱忱在清初的衰退，有一個逐漸降溫的過程。[104]

終其一生，傅山從未停止過書寫異體字。以目前所見的傅山作品而言，使用異體字最多也最怪的篆、隸、行草作品，多書於1650年代。例如書於1652年左右的《嗇廬妙翰》雜書卷、1655年的篆書《妙法蓮花經》。這難道僅僅是一個巧合嗎？時至今日，還有一些傅山的作品散在世界各地的私人收藏家手中而不爲人知。上述假設有待於今後的新發現來進一步驗證。

不過，我們可以肯定的是，傅山在晚年已經清醒地意識到古體字中存在的問題。最有力的證據是他本人在一首詩中的自白：

篆籀龍蝸費守靈，三元八會妙先形。一庵失卓無人境，老至才知不識丁。[105]

篆、籀、龍、蝸指的都是古代篆書系統的字體。這首詩表明，傅山在晚年下了不少功夫研究古篆。「老至才知不識丁」一句雖有誇張的成份，但它至少說明，隨著學術研究的深入，傅山此時已明確意識到古代篆書系統的文字是極爲複雜的，他也越來越感到自己在這方面的研究和知識極爲有限。從一個更爲寬闊的視角來看，傅山對古體字的態度發生了轉變：由對「奇」的熱情追尋到對「古」的細緻研究，這也反映出當時文化風氣變遷的總趨勢。[106]

清初的訪碑活動

在清初特定的政治文化環境中，金石學的研究不僅僅是學術活動。對古器物、尤其是古代碑刻的研究還觸及了清初學者的感情世界，因爲古代碑刻及其所在地儲存著豐富的歷史記憶。

在一個冷寂孤獨的夜晚，傅山做了一個奇異的夢，一塊古碑進入了他的夢境。傅山在夢後用五言古詩體寫下了一首〈碑夢〉，這首詩使我們得以了解清初學者在研究古代碑刻時的情感活動。全詩如下：

古碑到孤夢，斷文不可讀。莪字皦馱大，夢迴尚停睩。

《醳名》臆莓草，是爲葵之蜀。炎漢在蠶叢，漢臣心焉屬？

奉此向日丹，雲翳安能覆？公門雖云智，須請武侯卜。[107]

這是一個夢，一個深懷亡國之恨的人所作的夢，或者更準確地說，它是一首記述夢見逝去朝代的詩。深懷亡國之恨的人似乎喜歡做夢，並用詩詞記下夢境以抒發對往昔生活的追戀和悔恨。多才多藝的南唐後主李煜（937-978）被俘至汴京軟禁爲囚後，多次在詞中寫下自己的夢，抒發對江南故國的思念：

多少恨，昨夜夢魂中。

還似舊時遊上苑，車如流水馬如龍，花月正春風。[108]

夢中的君王遊歷了他的舊宮，那個歡愉的所在如今僅存記憶之中。在夢中，亡國之恨被短暫地忘卻：

夢裏不知身是客，一晌貪歡。[109]

然而，美夢瞬間即逝，現實卻是悠長而淒涼：

故國夢重歸，覺來雙淚垂。[110]

又是那已逝的故國——那夢中才能重遊的故國！

當北宋皇帝宋徽宗（趙佶，1082-1135）被金人擄爲階下囚時，也在夢中作了故國之遊：

天遙地遠，萬水千山，知他故宮何處？

怎不思量，除夢裏有時曾去。[111]

在讀了這些詞後，我們不難理解爲什麼思念故國的夢會成爲傅山這位明遺民的詩章。

夢境存在睡眠中，但是詩的寫作卻在詩人清醒的時候。就算一首詩是夢境的忠實記錄，它也是有意識的表現。傅山的〈碑夢〉充滿著隱喻和象徵，需要仔細的解讀。詩中，一塊古碑進入夜夢，飽經歲月風霜的侵襲，殘斷的古碑上的文字已泐滅不可卒讀。但在漫漶的碑文中，有一個字卻是如此醒目，以至傅山在迴轉流動的夢中依然駐目凝視。這是「莪」字，《釋名》釋之爲戎葵，即蜀葵；由於蜀葵總是向著太陽，而陽光又代表著君王的恩澤，向陽的蜀葵成爲忠心的象徵。[112]但傅山在〈碑夢〉中使用蜀葵的用意則更為複雜。由蜀葵聯想到蜀地，由蜀地又想到三國時那承繼漢室正朔的蜀漢。而蜀漢的存在，維繫著效忠漢室的那些臣子們的希望。

所以，傅山〈碑夢〉中的「蜀葵」所象徵的忠誠並不是一般的臣之於君的忠誠，而是專指對蜀漢的忠誠。漢代是中國歷史上最強大的王朝之一，承兩本偉大的歷史著作──《史記》和《漢書》之賜，其強盛與輝煌已經深植於後世文人的集體記憶中。在傅山的詩中，有兩個字點出了歷史背景。「蜀葵」的「蜀」指涉「蜀漢」，「炎漢」則同時指涉「漢代」和漢人統治的朝代。在傅山的時代，使用「漢」這個字意味深長。當時，滿洲人稱為滿人，漢族人稱為漢人，「滿－漢」對稱，代表「滿人與漢人」，是常用的字眼。如今，傅山生活的山西，正在滿人的鐵蹄之下，「只有在夢中，我傅山才依然是一個漢臣呵」！因此，傅山在詩中藉著炎漢子孫永遠忠於漢室的表述來暗示自己將永遠忠於明朝。

我們在此討論〈碑夢〉，主要不是為了說明傅山對明朝是多麼忠誠。傅山完全可以用各種不同的夢境來表達他對於明朝矢志不移的忠誠和反清復明的熱烈期望。如果傅山要表達一個漢臣的忠心，「蜀葵」這一意象已足矣，他為什麼要做一個和碑有關的夢呢？碑在清初的政治文化語境中，是否具有特殊的象徵意義呢？我們所要探討的正是亡國之痛和古碑之間的關係。

雖說古代碑碣的形制、銘文、所在地點、立碑原因各有不同，但是所有碑碣都有一個共通點：它們都是用來銘功記事，具有紀念功能。[113]由於石材具有歷久不滅的性質，一些古代碑碣歷經戰亂、天災與朝代興替而幸存，成為歷史的見證。古代碑碣不僅僅是歷史學的重要文獻來源，其本身也是悠久的中國歷史和文化的象徵。

研究中國詩歌的學者早已注意到，在中國古代的詩歌中，忠於前朝的遺民經常被描繪成「徘徊在頹圮的京垣不忍遽去，一方面又籲請讀者體恤他『內心』的悲愴。中國上古詩歌總集《詩經》之中，便有如此忠國的一位周吏。他踽踽走訪舊京的斷垣殘壁，覆蓋其上的已是黍稷一片：

彼黍離離，彼稷之苗；

行邁靡靡，中心搖搖！

知我者，謂我心憂。

不知我者，謂我何求？

悠悠蒼天，此人何哉！」[114]

這就是遺民的「黍離之悲」。

顧炎武是清初這類遺民的典型。在1650與1660年代，他曾十多次拜謁南京與北京的明代皇陵，尤其是南京的孝陵（明太祖與馬皇后的陵寢）和北京的長陵（明成祖的陵墓）。1660年，當他第七次造訪孝陵時，寫下了〈重謁孝陵〉一詩：

舊識中官及老僧，相看多怪往來曾。

問君何事三千里？春謁長陵秋孝陵。[115]

在孝陵，顧炎武再次見到了永樂皇帝在1413年豎立的一塊豐碑。這一豐碑座落在大門內北向道路中央的碑亭裏，而早在1653年，顧炎武在拜謁孝陵時所作的〈孝陵圖〉一詩中，就曾提及：「其外有穹碑，巍然當御路。」[116]

顧炎武並非山西學術圈中唯一拜謁明代皇陵者，屈大均與李因篤等也有相同的經歷。1669年清明節，爲了哀悼亡明，李因篤和顧炎武一起前往北京昌平拜謁明陵。爲紀念這次活動，顧炎武撰寫了〈謁攢宮文三〉，文曰：

臣炎武，臣因篤，江左豎儒，關中下士。相逢燕市，悲一劍之猶存；旅拜橋山，痛遺弓之不見。時當春暮，敬擷村蔬，聊攄草莽之心，式薦園陵之事。告四方之水旱，及此彌年；乘千載之風雲，未知何日？付惟昭格，俯鑒丹誠！[117]

然而這並不是李因篤第一次拜謁明陵。在這之前，李因篤於1665、1667、1668年三次在昌平謁十三陵，並作軍都詩十三首詠十三陵。傅山深爲友人的行爲所感動，他向李因篤許諾，要用楷書莊重地鈔錄李詩，並配以十三景，寄託明遺民的故國之思。[118]

雖然對心懷故國的人來說，祭拜於皇陵之前，徘徊於故都殘垣之上，是悼念舊朝最具象徵意義的儀式，但是，對任何歷史遺跡的憑弔都可能喚起類似的深沉情感。我們在傅山、顧炎武、朱彝尊、李因篤、屈大均等人的著作中可以找到許多這樣的憑弔古跡的詩文。在著名的歷史遺址上弔古時，他們經常見到的就是碑碣，正如顧炎武在孝陵所見穹碑那樣。對於深抱懷舊情思的遺民們來說，碑碣象徵著永遠逝去的舊日輝煌。

早在南宋，詞人張炎（1248-1320）就曾用殘碑來隱喻故國的悲涼。1275年，蒙古人攻佔南宋的京城杭州。1278年，張炎過西湖慶樂園，當時，宋朝的全面覆亡已不可避免。他在荒煙漫草中發現了一座石碑，於是作〈高陽臺〉詞來抒發故園淪喪的哀痛，其中幾句是：

故國已是愁如許，撫殘碑，卻又傷今。[119]

詞中那個「撫」字值得注意。撫殘碑以傷今，詞人在過去與現在之間建立起一個連結點：逝者已往，現實卻仍在哀鳴。那些惶惶遊蕩在古跡殘垣間的人們，似乎都嘗試著在歷史中找尋自己的位置。不論是否接受王朝衰敗的現實，古跡都成爲他們沉思前人如何回應改朝換代悲劇的地點。

山西學術圈成員留下的詩作，足以顯示張炎的「撫殘碑」在清初明遺民中引起的共鳴。屈大均所作〈耒陽觀諸葛武侯碑〉有如下詩句：

終古英雄客，看碑淚泫然！[120]

在碑前潸然落淚的情境，可以追溯到三世紀中期爲羊祜（221-278）所立的「墮淚碑」。羊祜曾都督荊州，鎮守襄陽，其轄區包括峴山一帶，備受當地百姓愛戴。根據《晉書》記載：

（羊祜死後）襄陽百姓於峴山祜平生遊憩之所建碑立廟，歲時饗祭焉。望其碑者莫不流涕，杜預因名爲墮淚碑。[121]

此後，墮淚碑成爲著名的紀念碑，時常出現在後人的懷古詩中。唐代詩人孟浩然（689-約740）亦曾寫下〈與諸子登峴山〉詩：

人事有代謝，往來成古今。江山留勝跡，我輩復登臨。
水落魚梁淺，天寒夢澤深。羊公碑尚在，讀罷淚沾襟。[122]

在討論讀碑和古今的關係時，石慢（Peter Sturman）指出：「讀碑是一種弔古的行爲，是對過去歷史、偉人的沉思，讀碑者以此來反思自己在歷史上的角色。這種模式反覆地在峴山重現，當人們經過襄陽時，總會訪讀墮淚碑。」[123]屈大均在諸葛武侯碑前潸然落淚，也落入這一懷古的模式中。

在顧炎武的詩中，讀碑與憑弔朝代興廢之間的聯繫尤其明顯。1674年，顧炎武在傅山的學生胡庭（活躍於1640年代至1670年代）的陪同下，前往山西汾陽尋訪北齊碑。顧炎武有〈與胡處士庭訪北齊碑〉一詩記其事：

春霾亂青山，卉木苞未吐。繞郭號荒雞，中田散野鼠。
策杖向郊坰，幽人在巖户。未達隱者心，聊進蒼生語。
一自永嘉來，神州久無主。十姓迭興亡，高光竟何許？
棲棲世事迫，草草朋儕聚。相與讀殘碑，含愁弔今古。[124]

訪讀殘碑在這裏成爲一個「含愁弔今古」的儀式。

至此，我們已不難理解爲什麼傅山會做一個和古碑有關的夢。傅山的詩作涵括了以上討論過的種種意象：一塊古碑進入了亡國者的夢；它是一塊殘碑，漫漶的碑文隱喻著殘破的家國與孤臣孽子破碎的心；這樣的殘碑勾起了詩人的弔古情思；在弔古的沉思中，詩人反觀自己在歷史上的角色。

孫康宜（Kang-i Sun Chang）在討論朝代覆亡對遺民的意義時指出：「對中國人而言，朝代的覆亡是人間悲劇慘烈的象徵。特別是對那些拒絕承認舊秩序崩解的仁人志士來說，朝代的更替更是歷史悲劇，在這場悲劇中他們將面對以身殉國或苟延殘喘的難題。」[125]對於那些心懷故國的人，朝代的覆亡無疑是一場大災難，而憑弔廢墟、訪造古跡、撫讀殘碑也就提供了一個心靈上的依歸。至少這種憑弔古跡作爲一種超越了時空限制的與歷史的對話，可以爲因朝代更替而受創的心靈尋求一個慰藉的場所。

如果說徘徊於歷史遺跡上的弔古使得清初的文人有更多的機會「撫殘碑」的話，金石學的復興也促進了清初的訪碑活動。清初學者訪碑的主要地點在北方，因爲從先秦至隋唐，政治文化中心多在北方，那裏留存著許多早期的碑刻。閻若璩曾說：「棗梨文字，南方爲勝；金石文字，北方爲多。」[126]這也就是說，商周吉金文字、早期的石刻文字多在北方出土，而壽之棗梨的書籍（包括刻帖），南方頗多精品。我們從學者的著錄和筆記中可以發現，清初學者最常造訪的大都是漢唐之間的石刻。而在北方諸省中，山東境內存有大量漢代和六朝的石刻；河南洛陽一帶富於北朝石刻，而陝西西安附近則保留了大量的唐碑。[127]古代碑刻集中的地點，如泰山、孔子的故里曲阜、任城（在今山東濟寧），自然成爲訪碑者的必到之地。[128]

山西學術圈中大部分的成員都有訪碑活動，尤其是顧炎武，更將訪碑作爲旅途中必要的行程。1660年代中期，顧炎武遊陝西，正在山西任官的曹溶作了兩首詩懷念出遊的友人，其中之一如下：

懷賢宣室下，歇馬灞陵東。一灑興亡淚，誰云道路窮。

冰霜曾夢草，秦漢幾飛鴻。歸日論碑碣，英華滿橐中。[129]

曹溶深知顧炎武在旅途中必會訪碑拓碑，他期待著友人滿載而歸，一起觀賞研究新得的碑拓。由於曹溶本身亦有蓄碑之好，顧炎武在山東訪碑時，曾寄贈曹溶所拓漢唐碑刻拓本。曹溶作〈得寧人書，寄漢唐碑刻至〉記其事，詩中有「稽古見斯人，曠野獨揮涕」，「知我嗜琳琅，窮搜到遙裔」這樣的詩句。[130]

傅山也曾到他省訪碑。在一通寫給戴廷栻的信札中，傅山寫道：

且弟欲理前約，爲嵩、少之遊，稱此老病未死，略結此案。求兄一腳力度我，臨時並欲勞一得力使者幫之也。……盤費欲以一二字畫賣而湊之，不知貴縣能有此迂人否？[131]

嵩少乃嵩山之別名，嵩山西為少室山，故稱嵩少。[132]嵩山是五嶽中的中嶽，千百年來，吸引了無數的朝聖者。[133]嵩山保存了古代石刻，包括著名的《嵩山泰室石闕銘》與《嵩山開母廟石闕銘》。[134]觀覽這座名山上的石刻文字必然是傅山此行的重要目的之一。

1671年，傅山攜孫子傅蓮蘇造訪泰山和孔子的故里曲阜。傅山必定盼望此行已久。1666年曹溶在山西任官時便曾賦詩〈送傅青主恭謁孔林〉。[135]孔林在曲阜，為孔子家族的陵園，距泰山很近。但沒有文獻證明傅山是否曾在1666年前往孔林；如果那年恭謁孔林成行，傅山必定也曾登泰山。1671年登泰山、謁孔府、孔林後，傅山寫了〈蓮蘇從登岱嶽，謁聖林，歸，信手寫此教之〉一詩記述這次難忘的旅行。詩的前半段講的是泰山：

我十五歲時，家塾嚴書程。眼界局小院，焉得出門庭。

今爾十五歲，獨此重小丁。老病岱宗覽，許爾隨之乘。

先師小天下，亦於此焉登。登此不自振，虛俯齊魯青。

嵯峨藏礌砢，疏松孃霄冥。聊堪棲海鶴，小鳥傷短翎。

培塿茂小草，但足藏蒼蠅。人松不人草，後凋已自徵。

況松乎泰岱，結根萬仞嶒。奴人難攀援，神山蔭崢嶸。

小書不屑讀，小文焉足營！凌雲顧八荒，浩氣琅天聲。[136]

從這些詩句中，我們可以感受到傅山和傅蓮蘇攀登泰山時的激動心情。早在東周時代，泰山就被視為中國最神聖的一座山。西元前110年，漢武帝在泰山首次舉行封禪大典，感謝上天授命於他。以後的帝王也曾在泰山舉行類似的祭典。[137]隨著時間的推移，無數銘文被刻在山石上流傳下來，泰山有如巨大的豐碑矗立在天地之間。[138]巫鴻指出：「我們很少能找到一個像泰山那樣更值得追憶的地點。相對於個人的或特定的事件，泰山紀念著無數的歷史人物和事件，傳遞著不同時代的聲息。」[139]閱讀司馬遷的《史記》，吟誦杜甫的〈望嶽〉，泰山的傳奇在中國文人的心目中始終栩栩如生。

詩的後半段描述傅氏祖孫二人在曲阜訪碑的歷程。泰山和曲阜一直是保存許多古代碑刻（尤其是漢碑）的地方。在離曲阜不遠的孟子故鄉鄒縣，有不少北朝摩崖石刻，尤以鐵山、尖山、葛山、岡山的北朝刻經著名。在曲阜西南的濟寧，當地的孔廟

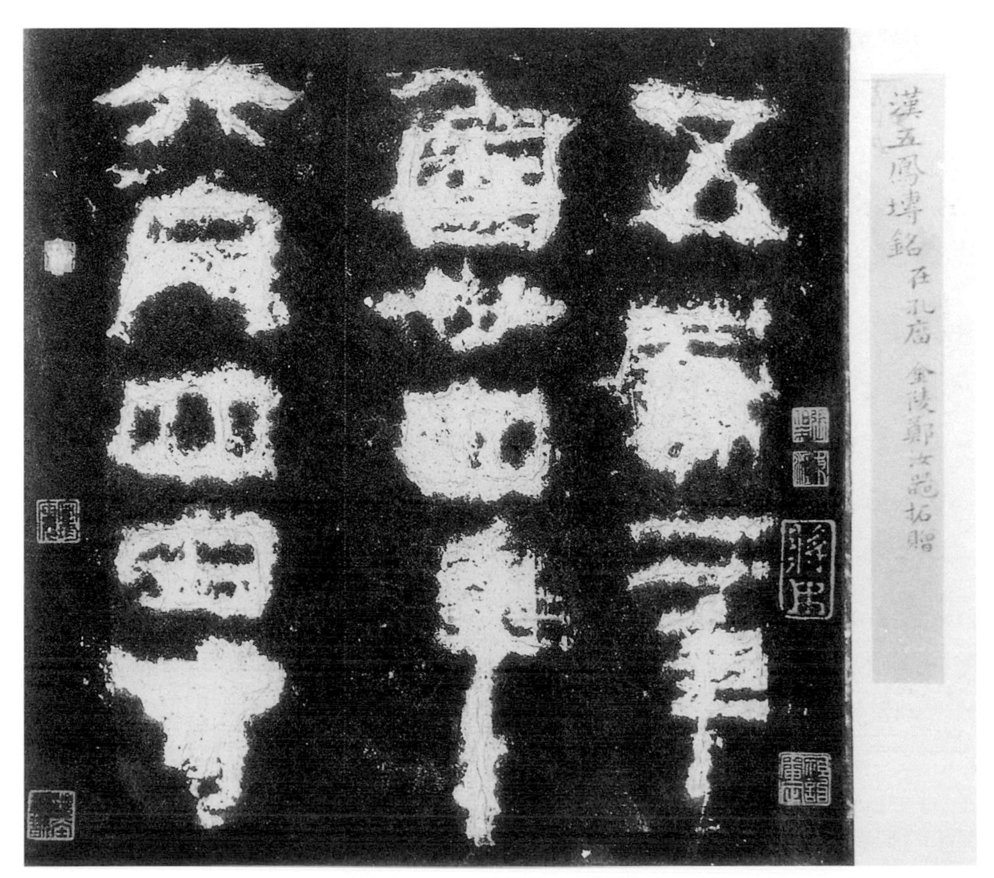

圖3.4 《五鳳刻石》 西元前56 拓本 冊頁 紙本 尺寸不詳
北京故宮 引自啓功 《中國美術全集》 頁64 圖版45

也有許多著名的漢碑，顧炎武和朱彝尊等都曾來此訪碑。傅山祖孫二人在泰安的岱廟和曲阜的孔廟並不只是觀賞那裏的漢碑，很可能還製作拓本。[140]在曲阜，傅山祖孫見到了西漢五鳳二年（西元前56年）所立的《五鳳二年刻石》（圖3.4）。傅山的詩繼續寫道：

檜北雄一碣，獨罹地震掏。有字駁難識，撫心領師靈。

爾愛五鳳字，戈法奇一成。當其摸擬時，髣髴遊西京。[141]

《五鳳二年刻石》因年代久遠而剝蝕殘損嚴重，但正是這種殘碑上漫漶的金石趣味，吸引著傅山和清初的書法家。臨摹古代碑拓，也像撫碑一樣，勾起了書法家的懷古情感。由於《五鳳二年刻石》是西漢的石刻，「當其摸擬時，髣髴 遊西京」，傅氏祖孫在臨摹這一石刻時，想像自己在遊覽漢代的都城長安。又是漢代，一個漢人的輝煌時代。

訪碑和收集金石銘文拓本，並非始自清代文人。根據北宋學者趙彥衛（活躍於1195年左右）的記載，北宋初的著名古文字學家徐鉉（916-991）曾訪《許鹹碑》。[142]北宋時期，收藏和著錄碑拓在文人中形成風尚，[143]當時的金石學著作也零星記載了學者的訪碑活動。例如，歐陽修在他的《集古錄》中提及，他在景祐年間（1034-1037）赴乾德縣令任時，途中曾訪東漢《玄儒婁碑》。[144]北宋金石學家趙明誠在他的《金石錄》中，也記載了他尋訪古碑的旅程。[145]然而，宋代時拓片多由工匠拓製，並且作爲商品出售，學者們主要通過文物市場獲得拓片。[146]

宋代金石學學者用金石文字證經史，爲以後的金石學建立了典範。正如韓文彬（Robert Harrist）所指出：「在北宋，對古代器物及銘文的研究是學術生活中的一個重要部分。」[147]不過，比之宋代，清初金石學的研究和學術思想界的關係更加密切，產生的影響也更爲重大。

在宋代，與收藏拓本的熱忱相呼應的是文人讀碑圖的出現；其中有些讀碑圖被認爲是隋唐時期的作品。大阪市立美術館所藏《讀碑窠石圖》（圖3.5），是現存年代最早的這類作品。雖然這件作品向來都被歸在李成（919-967）名下，但很可能是元人仿李成畫風的作品。在早期的繪畫著錄中，記載著比大阪《讀碑窠石圖》年代更早的同類作品。北宋的《宣和畫譜》記載著四件歸於隋代鄭法士名下的《讀碑圖》、[148]兩件歸在唐代韋偃（活躍於七世紀至八世紀）名下的《讀碑圖》、[149]以及兩件李成名下的《窠石讀碑圖》。[150]不論這些畫作是否眞是那些畫家所繪，《宣和畫譜》著錄這些畫起碼說明這一畫題的普遍性。至少在北宋末年，文人讀碑圖已成爲由詩歌首先建立起的文人懷古傳統的一部分。

金石學在元、明兩代衰落。明代尚有一些學者，如都穆（1459-1525）、楊愼（1488-1559）、郭宗昌、趙崡（活躍於1573-1620）等，繼續從事金石學的研究，並有訪碑活動。譬如，住在陝西的趙崡，經常尋訪「周畿漢甸」的漢唐碑刻。康萬民（1634年進士）在爲趙崡所著《石墨鐫華》作的序中這樣描述趙崡的訪碑活動：

> （趙崡）深心嗜古，博求遠購，時跨一蹇，掛偏提，注濃醞，童子負錦囊、搨工攜楮墨從，周畿漢甸，足跡迨遍。每得一碑，親爲拭洗，椎搨精緻，內之行簏。遇勝景韻士，輒出所攜酒，把臂欣賞。得佳句即投囊中。[151]

趙崡對金石學的態度反映出許多晚明文人的消閒心態。收藏與鑒賞通常在舒適的

圖3.5　（傳）李成　《讀碑窠石圖》
軸　綾本　水墨設色　126.3×104.9公分
日本大阪市立美術館阿部氏藏品

書齋和園林中進行，明代文人以「玩古」為題的畫作，描繪的都是寧靜雅致的環境(圖3.6)。如果這些畫作是可靠的視覺紀錄，那麼明代的許多文化活動，包括賞玩金石拓片，正是在這種優雅而閒散的氛圍中進行的。明代文人也喜歡談論「古」，但在他們的心目中，「古」和「雅」總是密切相關，具有精緻和把玩的特質，反映出文人們閒雅的生活情趣。[152]對於那些高雅的文人而言，研究和玩賞古代的銘文並不涉及惡劣的物質環境中的種種艱辛。

然而，在清初從事訪碑活動的主要是明遺民，他們並沒有條件享受宋代或明代文人在官職、經濟方面的優越條件。正如顧炎武的自述：「以布衣之賤，出無僕馬，往往懷毫舐墨，躑躅於山林猿鳥之間。」[153]他們有時會提到訪碑時遇到的艱苦、危險、孤寂。例如顧炎武就曾「登危峰，探窈壑，捫落石，履荒榛，伐頹垣，畚朽壤」這樣艱難地搜訪古代金石文字。有時候，這種活動如同探險，會有驚人的意外發現。朱彝尊曾經記載一則傅山的逸事：

> 予友太原傅山，行平定山中，誤墜崖谷，見洞口石經林列，與風峪等皆北齊天保間（550-559）字。[154]

清初南京畫家張風（卒於1662年）1659年所繪《讀碑圖》扇面，就抓住了這種時常瀰漫在訪碑過程中的孤寂氣氛（圖3.7）。如同顧炎武，明亡後張風曾北遊，在天壽山拜謁明皇陵。[155]可以想見，他也曾在皇陵徘徊。張風很清楚古代碑刻對明遺民的意義，他也深知一些仕清漢官依然心懷舊朝。在張風的畫中，一位官員裝束的人雙手背扣，仔細地閱讀碑文，旁有一隨從牽著坐騎的繮 繩。我們並不清楚畫中的人物是誰，可能是像曹溶那樣喜愛訪碑的官員。張風在畫上題道：「寒煙衰草，古木遙岑，豐碑特立，四無行跡，觀此使人有古今之感。」張風的題跋喚起一種孤寂之感，令人作古今之歎。明代玩古圖中的閒雅心境已不復見。

由書齋和庭園中賞玩碑刻拓本，到在荒野中直接訪讀古碑，清初的書法家身處古代碑刻眞實的物質環境中，更加關注那種殘破樸拙的意趣。現在的問題是，看誰能夠用簡潔有力的理論語言來概括這一新興的藝術品味。

碑學思想的萌芽

圖3.6 尤求 《松陰博古圖》 軸
紙本 水墨 108.6×33.6公分 台北故宮

圖3.7　張風　《讀碑圖》　1659
扇面裱成冊頁　紙本　水墨設色　16.6×50.1公分
蘇州市博物館　引自《中國古代書畫圖目》　冊6　頁64　「蘇1-213」

當追本溯源、回歸原典成爲清初主流學術活動的基本認知模式時，研究歷史、尋訪古跡不僅是學術的探索，還是懷舊的精神需求，清初書法嬗變的大環境已告成熟。學術上的追本溯源、金石學的復興、訪碑活動的活躍，都促進了審美品味的變化。巴克森達爾（Michael Baxandall）指出，人們的審美品味（taste）在很大的程度上和他們在日常生活中所珍視和運用的判斷能力有關。[156]在傳統中國，書法本是文化菁英們最爲珍視和喜愛的藝術，[157]它亦因此與學術思想有十分密切的關係。當樸實的學風在學術思想領域中受到崇尚後，先秦和秦漢的古樸書風亦開始爲清初的一些書家所激賞。學術思想界的領袖人物爲考證經史而提倡金石學，他們的好尚無疑促進了書家們對古代金石書法的重視。熱衷古代篆隸的書法家們和金石學的領袖人物有相當直接的交往。[158]在金石文字受到尊崇的大文化環境中，頻繁地接觸金石文字，使清初的書家對金石文字有了更爲敏銳的鑒別力。意識到書法品味正在發生重要變化的書法家們，面臨著兩個問題：追本溯源要溯什麼源？如何對這種追本溯源進行理論上的概括？

山西學術圈的許多成員都是清初學界的領袖人物，其中，傅山在書法藝術方面最具影響力。他不僅具有這方面的天份，而且以書法維持生計。他對書法的投入和成就使他成爲清初新的書法品味最雄辯的代言人。傅山從未撰寫過類似《書譜》那樣的長篇書論，他對書法的見解散見於其詩文、筆記和對古代碑拓的題跋中。不過，如果將這些零散的書論匯總起來仔細分析的話，可以發現其中存在著一個和清初學術界「追本溯源」相似的思維模式，這就是把學習早期篆隸作爲書法藝術革新的不二法門。傅山宣稱：

> 不作篆隸，雖學書三萬六千日，終不到是處，昧所從來也。予以隸須宗漢，篆須熟味周秦以上鳥獸草木之形始臻上乘。[159]
>
> 不知篆、籀從來，而講字學書法，皆寐也。[160]
>
> 楷書不自篆、隸、八分來，即奴態不足觀矣。此意老索（索靖，239-303）即得，看《急就》大了然。所謂篆、隸、八分，不但形相，全在運筆轉折活潑處論之。[161]
>
> 楷書不知篆、隸之變，任寫到妙境，終是俗格。鍾、王之不可測處，全得自阿堵。老夫實實看破，地工夫不能純至耳，故不能得心應手。若其偶合，亦有不減古人之分釐處。及其篆、隸得意，眞足吁駭，覺古籀、眞、行、草、隸，本無差別。[162]

中國文字的最早字體是篆類字體，秦代以前的文字（除秦隸外）可統稱爲篆書。到了漢代，隸書取代篆書成爲日常主要使用的文字。到了鍾繇和王羲之生活的魏晉時期，篆隸在日常書寫中基本被正、行、草三種字體所取代。隨著這些新字體的興起，篆隸變成了古字體。傅山等清初書法家追溯的書法本源，就是這兩種比王羲之優雅的法書傳統更久遠的古代字體。傅山宣稱，這些在鍾繇、王羲之生活的魏晉時期之前流行的篆隸，是書法的最高典範。他認爲鍾繇、王羲之之所以成爲正、行、草書的大師，正是因爲他們深諳篆隸古字體向今體字的演變，並保持了古字體的方法和精神。[163]

傅山並不是第一個指出這一古代書法演變的人。宋代的黃伯思（1079-1118）就曾指出：

> 自秦易篆爲佐隸，至漢世去古未遠，當時正隸體尚有篆籀意象。厥後魏鍾元常、士季及晉王世將、逸少、子敬作小楷法，皆出於遷就。漢隸運筆結體既圜勁淡雅，字率扁而弗橢。[164]

在清初人編的《佩文齋書畫譜》中，有一段署名爲李贄的討論書法演變的文字，幾乎和上引黃伯思的論述相同。[165]即使這段文字並不見得就出自李贄之手，但起碼可以說明，黃伯思的論述在晚明引起了回響。趙宧光在〈寒山帚談〉中也曾說：「眞書不師篆古，行書不師章分，如人食粟衣絲，而不知蠶繭禾苗所出也。」[166]傅山雖然不

圖3.8 《曹全碑》 185 局部
拓本 冊頁 紙本 每開24.2×12.5公分
傅山舊藏 引自《中國嘉德拍賣圖錄》
2001年4月24日 北京 第775件

圖3.9
王鐸 《河陽渡詩》 隸書 1644 局部
拓本 冊頁 紙本 尺寸不詳
引自王鐸 《擬山園帖》 頁172

是第一個提出這一觀點的人，但他以極爲清晰而有力的語言，反覆呼籲書法家們重新認識古體字向今體字轉變對書法的影響，追本溯源，以篆隸爲本來實現書法的創新。他還將這一理論認識付諸具體的書法實踐，並匯合當時其他學者的論述，逐漸形成深入人心的美學潮流。這是傅山的貢獻。

雖然傅山強調篆書在書法創造方面的重要性，但大部分的清初書家，包括傅山本人，對隸書的興趣似乎比篆書來得高。[167]這可能有兩個原因。其一，古代篆書的原拓只有兩個來源——石碑與青銅器。在傅山的時代，所能見到早於王羲之、且具有考古依據的篆書碑刻很稀有，僅有石鼓文與少數嚴重泐損的秦碑，而要獲得拓本就更難了。此外，商周青銅器銘文的拓本也很少在文人間流傳。顧炎武的《金石文字記》只記載了兩件青銅器和五件先秦碑刻，而且其中幾件甚至被認爲可能是後代的仿作。宋代出版的《歷代鐘鼎彝器款識法帖》等金石學著作以及晚明的翻刻本，只保存了字形，無法玩索筆法，而且沒有拓本的那種古樸的金石氣，它們可以用來研究金文，但

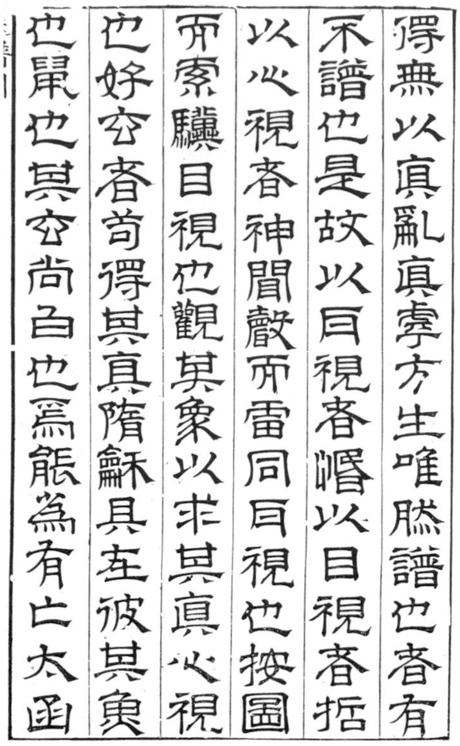

圖3.10　汪道昆　《方氏墨譜》序
隸書　1583
美國哈佛大學哈佛燕京圖書館

圖3.11　《張遷碑》　185　局部
拓本　冊頁　紙本　尺寸不詳
北京故宮　引自《漢張遷碑》

不宜作爲臨摹的範本。

不同的是，明末清初時，不但仍有許多存世的隸書漢碑可供椎拓，尚有新的隸書漢碑出土。如《曹全碑》（圖3.8）在萬曆年間出土後，其娟秀的書風與精緻的刻工立刻引起書法家們的興趣。[168]例如王鐸，曾對這塊新出土的漢碑下過功夫，《擬山園帖》所收王鐸1644年的隸書（圖3.9），優雅的結字和筆劃，都會令人聯想到《曹全碑》。曾經收藏《曹全碑》善拓的陝西收藏家郭宗昌，[169]是另一位以隸書聞名的晚明書法家。晚明出版的書籍中，用隸書刊刻的序言、題記很多。著名的晚明墨譜《程氏墨苑》和《方氏墨譜》中就有不少隸書書寫的文字說明和作品（圖3.10），這都反映出當時人們對隸書的興趣。有意思的是，隸書在清初的復興，卻是延續了晚明人的興趣。雖然清代學者抨擊晚明學術的不嚴密，但是明代自由多元的文化氛圍首先給予隸書以廣闊的發展空間。

清初的學者、收藏家、書法家都對漢碑拓本予以青睞。山西學術圈的成員如傅

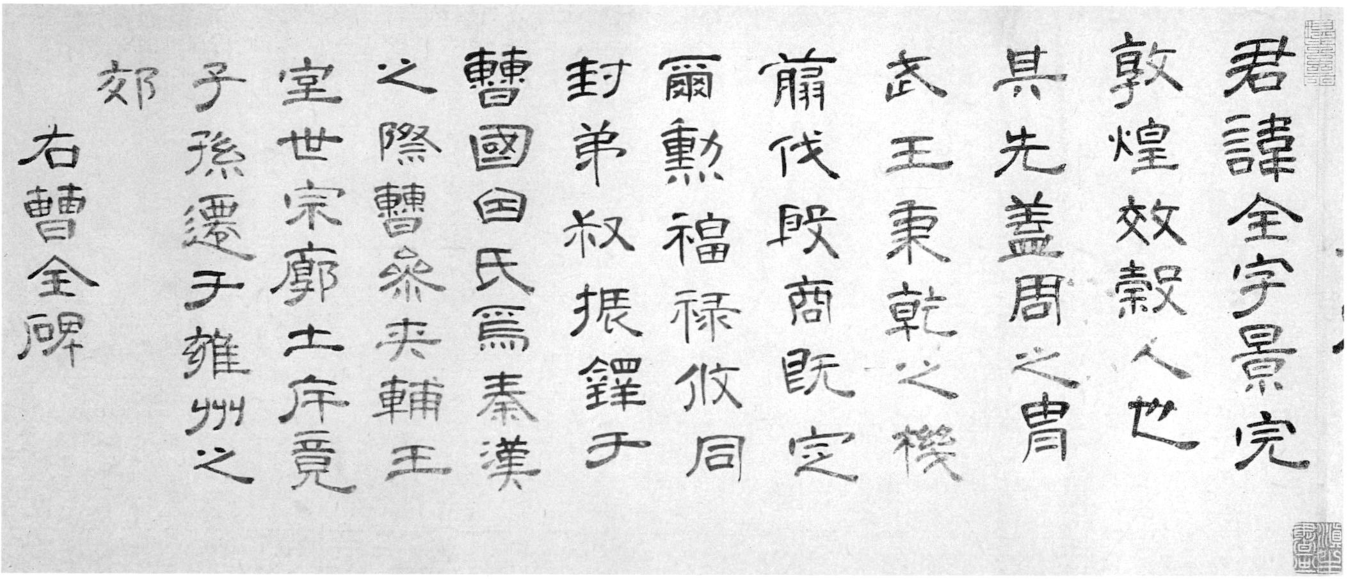

圖3.12　傅山　《臨曹全碑》　局部　卷　紙本　26.5×626公分
藏地不明　引自《佳士德紐約拍賣圖錄》　1990年5月　第84件

山、曹溶、朱彝尊、王弘撰、閻若璩等都有所收藏。傅山至少藏有九種漢碑的原拓：《張遷碑》（圖3.11）、《尹宙碑》、《孔宙碑》、《夏承碑》、《梁鵠碑》、《史晨碑》、《曹全碑》、《衡方碑》、《乙瑛碑》。[170]對於清初的書法家來說，數量可觀的漢碑存世是復興隸書的必要條件。

篆書在清初不如隸書那樣熱門的另一個可能原因是，雖然清初對研究古文字的興趣漸增，但遲至十八世紀下半葉，古文字學的研究才真正進入高峰。清初最重要的學者顧炎武、黃宗羲、朱彝尊、閻若璩等並沒有留下重要的研究篆書的古文字學專著。此時還沒有出現對漢代最重要的小學著作——許慎的《說文解字》的系統研究，[171]對商周青銅器銘文的編纂和研究，也同樣缺乏系統化。[172]在缺乏可靠的古文字研究的情況下，受考據學影響的書法家大概是不會輕易地去書寫篆書的。而小篆系統的字也比較規整，不似漢隸的古樸奇肆更能夠吸引受過晚明尚奇文化洗禮的清初書法家。

清初是宋代以來漢隸研究最爲鼎盛的時期。前文已經提到，傅山曾對洪适的《隸釋》作過認眞研究。傅山臨習漢隸似乎也多於臨習篆書。[173]傅山極有自信地認爲自己深得漢隸三昧。1666年，李因篤在跋王弘撰收藏的《華山碑》拓本時提到，他最近在太原和傅山見面時，兩人談及漢隸，傅山多次對他講起自己已經體悟到了失傳千年的漢隸筆法。[174]

在傅山的傳世作品中，有數量可觀的隸書，包括一些漢碑的臨作。傅山曾作一雜書卷，其中包括臨漢隸《梁鵠碑》、《夏承碑》、《曹全碑》的部分（圖3.12）。[175]此卷沒有紀年，但從筆墨鑒之，當是1660年代晚期或者1670年代之間的作品。[176]目前存世的一本曾經傅山收藏的《曹全碑》拓本（請參見圖3.8），很可能就是我們討論的雜書手卷中所臨的範本。《夏承碑》、《梁鵠碑》、《曹全碑》都是著名的漢碑。雖然自明代以來，就有學者對《夏承碑》的眞僞提出質疑，但包括傅山在內的許多學者和書法家，依舊認爲《夏承碑》是可靠的漢隸。[177]傅山曾多次臨摹《夏承碑》，並曾這樣寫道：

> 三復《淳于長碑》，[178]而悟篆、隸、楷一法，先存不得一結構配合之意。有意結構配合，心手離而字眞遁矣。[179]

傅山認爲書寫漢隸不得先存「結構配合之意」，和他鼓吹的「四寧四毋」中的「寧直率毋安排」的思想是一致的。當我們比較傅山臨本與《夏承碑》和《曹全碑》拓本時，可以明顯地看出，傅山是在大致形似的基礎上捕捉範本的神韻。

《曹全碑》屬於規整娟秀一路的漢碑。漢碑中尙有醜拙古樸的一路。這後一路漢碑更受到傅山的激賞。傅山曾用隸書書寫過一段討論漢隸的文字：

> 漢隸之妙，拙樸精神。如見一醜人，初見時村野可笑，再視則古怪不俗，細細丁補，風流轉折，不衫不履，似更嫵媚。始覺後世楷法標致，擺列而已。故楷書妙者，亦須悟得隸法，方免俗氣。[180]

但是在清初，這種醜拙古樸的漢隸並沒有被大多數人所接受。傅山在另一段論漢隸的文字中寫道：

> 至於漢隸一法，三世皆能造奧，每祕而不肯見諸人，妙在人不知此法之醜拙古樸也。吾幼習唐隸，稍變其肥扁，又似非蔡、李之類。[181]既一宗漢法，迴視昔書，眞足唾棄。眉得《蕩陰令》、《梁鵠》方勁璽法，蓮和尚（傅蓮蘇）則獨得《淳于長碑》之妙，而參之《百石卒史》、《孔宙》，雖帶森秀，其實無一筆唐氣雜之於中，信足自娛，難與人言也。吾嘗戒之，不許亂爲作書，辱此法也。[182]

儘管傅眉和傅蓮蘇的隸書作品已不易見到，但是傅氏三代確實認眞地研習過漢隸。不過，上引文字告訴我們，在清初接受傅山的漢隸品味的人並不多，因爲「人不知此法之醜拙古樸」。而欣賞這種風格獨具的漢隸在清初仍需要特殊的知識背景。在討論藝術

圖3.13
郭香察
《華山碑》
165　局部
拓本　冊頁
紙本　尺寸不詳
王弘撰舊藏
北京故宮
引自《宋拓華山廟碑三種合璧》

品味的本質時，巴克森達爾指出：

> 我們通常所說的「品味」(taste) 在很大程度上建築在一件畫作所必需的鑒賞力和一位觀眾所掌握的鑒賞技巧之間的一致性。我們在運用技巧時感到愉悅，尤其是當我們以遊戲的心態運用我們日常生活最喜歡運用的技巧時，我們感到格外地愉悅。如果一件畫作賦予我們運用被人們珍視的技巧的機會，使我們得以洞見畫家的巧思，則我們的好奇心將由於這一高超的洞見而得到報償，樂在其中，這就是我們的品味。[183]

巴克森達爾所言雖爲繪畫，但對我們理解書法的品味也有啓發。在收藏傅山書法的鄉紳、商人、官員中，似乎只有一小部分人具有足夠的知識和鑒賞力來眞正欣賞傅山追倣漢碑意趣的隸書作品。但在山西學術圈中，大部分傅山的友人都是漢隸的鑒賞家，他們的鑒別力得自於他們對金石學這一在當時的知識界受到尊崇的學術領域。在顧炎武、王弘撰、朱彝尊等的著作中都可見到對漢隸的討論，而朱彝尊更是用他自己的語彙對各種漢隸書法進行了藝術分類：

漢隸凡三種，一種方整，《鴻都石經》、《尹宙》、《魯峻》、《武榮》、《鄭固》、《衡方》、《劉熊》、《白石神君》諸碑是已；一種流麗，《韓勅》、《曹全》、《史晨》、《乙瑛》、《張表》、《張遷》、《孔彪》諸碑是已；一種奇古，《夏承》、《戚伯著》諸碑是已。惟《延熹華山碑》（圖3.13），正變乖合，靡所不有，兼三者之長，當爲漢隸第一品。[184]

朱彝尊對各種漢碑隸書特色的描述，和傅山的見解不盡相同。比如，傅山認爲《張遷碑》古拙，[185]朱彝尊卻將之歸爲「流麗」一類。儘管朱彝尊和傅山的評論並不完全一致，但他們都對漢碑的藝術特色進行了描述並加以分類，這就加入了清初的一種集體性努力：用語言來整理、描述和概括對漢隸的審美感受，將一種新興的、尚未定型的書法品味理論化。[186]

打破唐楷圖式

傅山和朱彝尊關於隸書的討論，顯示出和學術思想界追本溯源學術方法的一致性。但是，爲什麼追本溯源一定要上至漢代呢？漢代之後的隸書有什麼缺陷呢？傅山並沒有給予具體的說明，但是他的朋友王弘撰回答了我們的問題：

漢隸古雅雄逸，有自然韻度。魏稍變以方整，乏其蘊籍。唐人規模之，而結體運筆失之矜滯，去漢人不衫不履之致已遠。降至宋元，古法益亡。[187]

王弘撰用來描述漢隸的語彙和傅山的十分相似，有些甚至完全相同。比如說，傅山和王弘撰都用「不衫不履」來形容漢隸。對王弘撰來說，唐代書法的問題在於僵化的法則導致漢隸那種無拘無束的「自然韻度」的喪失。

在清初人對唐代書法、尤其是唐代隸書的評論中，王弘撰並非獨彈此調。唐代書法常被清初的一些學者和文人拿來襯托漢代書法的輝煌。如前所引，傅山說他幼習唐隸，但自從學了漢隸後，「迴視昔書，眞足唾棄」。他還因傅蓮蘇的隸書毫無唐代習氣而深感欣慰。[188]在《曹全碑》的跋尾上，傅山曾簡短地評論道：「至于質拙不事安排處，唐碑必不能到也。」[189]這和王弘撰把隸書的衰落歸因於唐人嚴苛的法則如出一轍。[190]

朱彝尊對於唐代隸書的批評更爲尖銳。他指出，由於魏晉以後行草開始流行，習隸書的雖說代有其人，但境況大不如先前。隸書沒落的眞正轉捩點發生在唐代的開元年間（713-741），當時發展出來的書寫隸書的新方法，已喪失古法。朱彝尊在贈清初

圖3.14　唐玄宗　《石臺孝經》　745　局部
拓本　冊頁　紙本　尺寸不詳
引自神田喜一郎、西川寧
《唐玄宗石臺孝經》　冊1　頁50

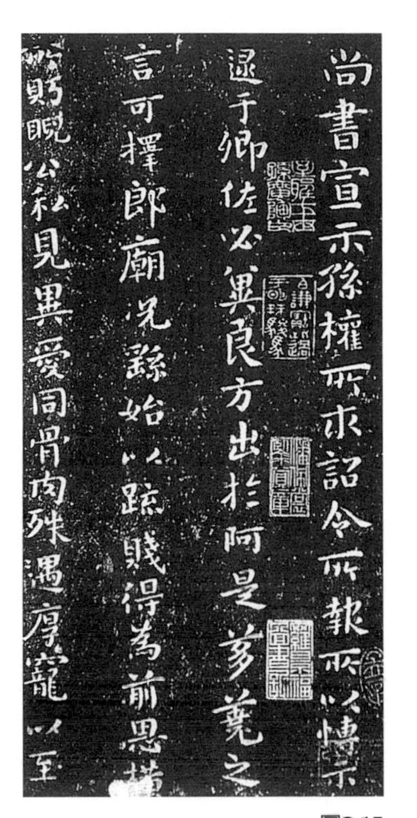

圖3.15
鍾繇　《宣示表》　221　局部
拓本　冊頁　紙本　尺寸不詳
引自《書道全集》　冊3　圖版107

隸書名家鄭簠的詩中，這樣寫道：

> 黃初以來尚行草，此道不絕眞如絲。開元君臣雖具體，邊幅漸整趨肥癡。寥寥知解八百祺，盡失古法成今斯。[191]

朱彝尊詩中所提到的開元君臣即唐玄宗（685-762）及其一些擅長隸書的廷臣。文獻記載與存世的碑刻都證實唐玄宗好寫隸書，[192]例如他書於745年的《石臺孝經》（圖3.14），除了篆額之外，全篇皆以一絲不苟的隸書寫成。然而在朱彝尊看來，唐玄宗的隸書太過整飭且「肥癡」，失去了古法。

朱彝尊的詩作並非細緻的藝術史分析，作者沒有詳述古法在唐代喪失的原因。王弘撰雖然指出那是由於「唐人規模之」所造成，但卻沒有說明唐人是以何種法則規模了隸書。

然而，如果我們循著中國書寫的演變史來看，朱彝尊和王弘撰所說的隸書古法式微的時期也正是楷書濫觴爲新的書寫典範的三國時期，亦即眞書之祖、魏國大臣鍾繇出現的時代。在詩中，朱彝尊只提到行草自魏之後成爲風尚，但是事實上，魏以後取代隸書成爲日常正體字的是楷書。即使是行書和草書也都受到楷書筆法的影響。[193]

早期的楷書和隸書有千絲萬縷的聯繫，保留了許多隸書的因素。我們可以在傳爲鍾繇的楷書作品中看出這點（圖3.15），例如筆劃厚實，起筆收筆簡樸，橫折呈圓轉之勢。正如清初的書法評論家馮行賢（?-1687之後）所說：「鍾王二家，去古未遠，鋒在畫中，由與篆隸近。而宋元專以側鋒取妍，所以古意漸減，而字學亡。」[194]由於「去古未遠」，所以魏晉時期的楷書尙能「與篆隸近」。傅山也認爲，鍾繇和王羲之書法的可貴之處在於它們保留了早期篆隸的元素。[195]

經過數百年的演變，楷書在唐代進入全盛時期，建立了嚴密的筆法與結字規則。[196]當楷書成爲日常使用的正體字後，它的書寫也影響到了包括隸書在內的其他字體。在此我們毋需詳細解說唐代楷書的法則，只要將唐玄宗的隸書和唐楷、漢隸作些比較，就足以顯示唐楷對唐隸的影響。

我們先以橫折筆劃爲例。漢隸中的橫折筆劃，不是以圓筆轉折，就是以橫豎二筆相接（圖3.16），這是通常的兩種寫法。第一種寫法在橫劃接近右角時，不是提筆後再下按以調整筆鋒走向，而是採用「使轉」筆法，令轉折略帶圓弧。隸書的這一筆法承自篆書平穩圓轉的筆法。第二種寫法在橫劃抵達右角時打住，逆鋒向上在高於橫劃之處翻筆向下書寫豎劃，使一橫折筆劃看似兩筆完成。[197]

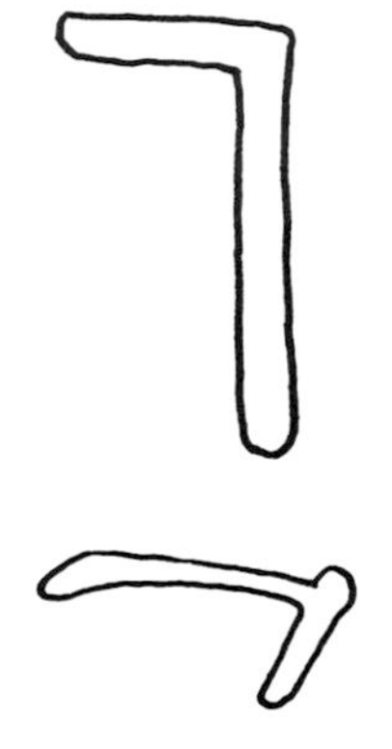

圖3.16
漢隸《熹平石經》和《曹全碑》中的「橫折」雙鉤

在唐楷中，書寫「橫折」時，先將筆稍稍擡起，向右下側斜頓後，調整筆鋒，再垂直向下走筆。這一先提後按的筆法會在轉捩點外側留下一個斜角。在唐楷的影響下，唐代隸書的橫折寫法已經不同於漢隸。比較唐玄宗《石臺孝經》和與顏眞卿早期楷書作品《多寶塔感應碑》中的轉折，我們就可以發現兩者使用的是相同的筆法（圖3.17）。此外，兩者還有其他一些相似處。如唐玄宗書寫「其」字下方兩點的方法和楷書的方法一樣。在結體方面，唐玄宗的字也有唐代楷書的意味。像唐玄宗書寫的「道」字，「首」中的短橫是如此均勻地分佈著，如同唐楷那樣精確。無論有意還是無意，唐代楷書的基本筆法和結體的原則已被帶入唐玄宗的隸書，我們找不出任何醜拙、古樸的特質。而醜拙、古樸正是傅山和王弘撰認定的漢隸精神所在。

我們難免會遇到這樣一個問題：如果傅山如此厭惡深受唐楷影響的唐隸，那麼他又爲何要臨習顏眞卿這位唐代書法家的楷書呢？上面用作比較的顏眞卿楷書，選自他

圖3.17　（從左至右第一、三個字）唐玄宗隸書「其」和「道」
（第二、四個字）顏真卿楷書「其」和「道」

圖3.18
文徵明
《谿石記》　隸書　局部
接於陸治（1496-1576）的一幅畫作之後
卷　絹本　（畫）水墨設色
31.43×85.72公分
美國納爾遜美術館
（The Nelson Atkins Museum of Art, Kansas City, Missouri, F75-44. Acquired through the 40th Anniversary Memorial Acquisition Fund）

書於西元752年的早期作品《多寶塔感應碑》（請參見圖2.24，頁164）。[198]而顏眞卿的書風在晚年發生了重要的變化。顏氏家族向有研習篆書的傳統，顏眞卿在這一家族傳統的影響下，晚年作品中的筆劃變得厚重圓渾，有篆籀遺意。[199]如本書第二章所論，傅山推崇的《大唐中興頌》（請參見圖2.23，頁164）、《顏氏家廟碑》（請參見圖2.20，頁162）、《麻姑仙壇記》（請參見圖2.12，頁157），都是顏眞卿晚年的作品。吸引傅山的不僅是顏眞卿的忠義形象，還有顏眞卿晚年的筆法，因爲傅山認爲傑出的書法必須根植於篆隸，而顏眞卿的晚期書風既驗證了他的理論，也給他以啓示。所以傅山稱頌顏眞卿的書法「支離神邁」，絕非偶然。

按朱彝尊的說法，隸書的古法在開元至晚明這八百年間喪失殆盡。在這幾百年間，文人們對隸書的興趣雖說不絕如縷，但僅有少數著名者，如元代的趙孟頫和明代的文徵明。但他們的隸書深受楷書筆法的桎梏，更甚於唐代開元君臣。[200]當唐隸被拿來與漢隸相比而不能差強人意時，這些書法家，尤其是文徵明，就成了眾矢之的。周亮工曾這樣尖刻地批評文徵明的隸書：「漢隸至唐已卑弱，至宋元而漢隸絕矣。明文衡山諸君稍振之，然方板可厭，何嘗夢見漢人一筆。」[201]當我們看到文徵明的隸書後，就可以理解為什麼他會受到清初書家這樣尖刻的批評。納爾遜博物館藏有一件陸治（1496-1576）的山水卷，卷後有文徵明用隸書書寫的《谿石記》（圖3.18）。通篇的佈局是如此小心翼翼，「狀如布算」。結字也相當拘謹，令人想起唐楷嚴格的法度。

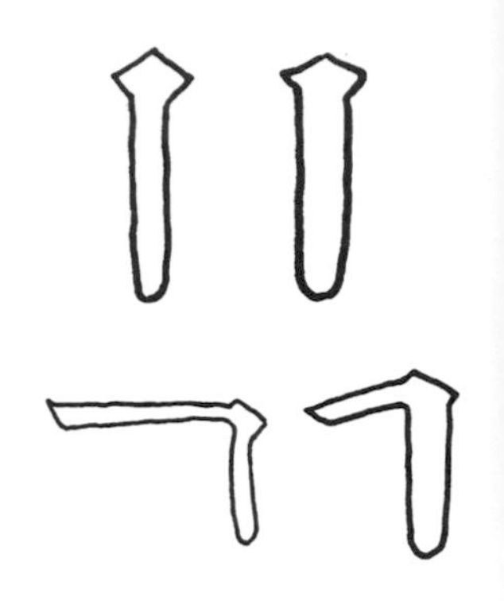

圖3.19
豎劃與「橫折」
左行文徵明隸書《谿石記》雙鉤
右行顏真卿《多寶塔感應碑》楷書雙鉤

楷書筆法的影響在文徵明的隸書中也顯而易見。在漢隸中，豎劃的起筆較為簡樸。而文徵明的豎劃通常會以釘頭起筆，那正是書寫楷書時所用的複雜筆法。《谿石記》中的橫折也有類似唐玄宗隸書的銳角，這同樣是楷書影響的結果（圖3.19）。

明代的文獻記載，文徵明也收集漢隸碑拓。[202]既然如此，何以在周亮工看來，文徵明連漢隸的一筆都不曾夢見？究竟是什麼擋住了文徵明的視野，使他連一點漢隸的影子都抓不到？文徵明必定十分珍惜自己收藏的那些漢隸碑拓，否則他不會收藏。即便如此，他並非以一雙純真如嬰的眼睛來觀看漢隸。文徵明的視覺經驗已受到唐楷圖式的制約，[203]唐楷筆法和結字的法則深入他的心中手上，有意無意間就顯示到他的隸書作品上，並以此為美。

清初人稱文徵明「何嘗夢見漢人一筆」，也頗能由清代中期的學者錢泳（1759-1844）的一段話來解釋：

> 唐人以楷法作隸書，固不如漢人以篆法作隸書也。或問漢人隸書碑碣具在，何唐、宋、元、明人若未見者？余答曰：猶之說經，宋儒既立，漢學不行。至本朝顧亭林、江慎修（江永，1681-1762）、毛西河（毛奇齡，1623-1716）輩出，始通漢學，至今而大盛也。[204]

因此，與其說清初學術風氣的轉向提供給清初書法以新的範本（如漢碑），還不如說是一種新的思路，一種重新審視中國書法特別是王羲之以前的書法的角度。

有了一種新的角度，傅山等清初書法家看書法史就不同於前代書法家了。對傅山等來說，唐楷複雜嚴謹的法度造就了重安排的書法，這使他們所激賞的自然古樸之趣蕩然無存。因此，他們告誡人們，不要像唐代以後的書法家那樣，讓晚出的字體影響古樸的隸書。善學書者應該按照中國書寫的歷史演進次序來學習各種字體，先熟悉較早的一種字體，然後練習下一種字體，這才能夠在寫後一種字體時，得古樸自然的旨趣。這種觀點由傅山同時代的馮班（1602-1671）付諸文字：「學前人書從後人入手，

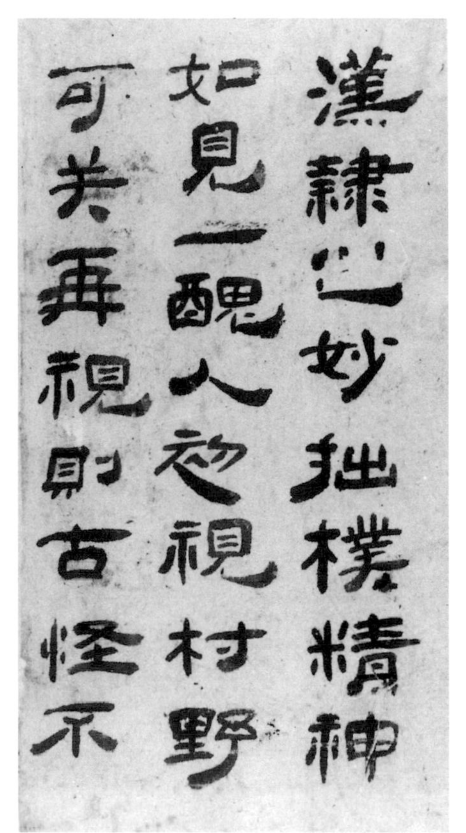

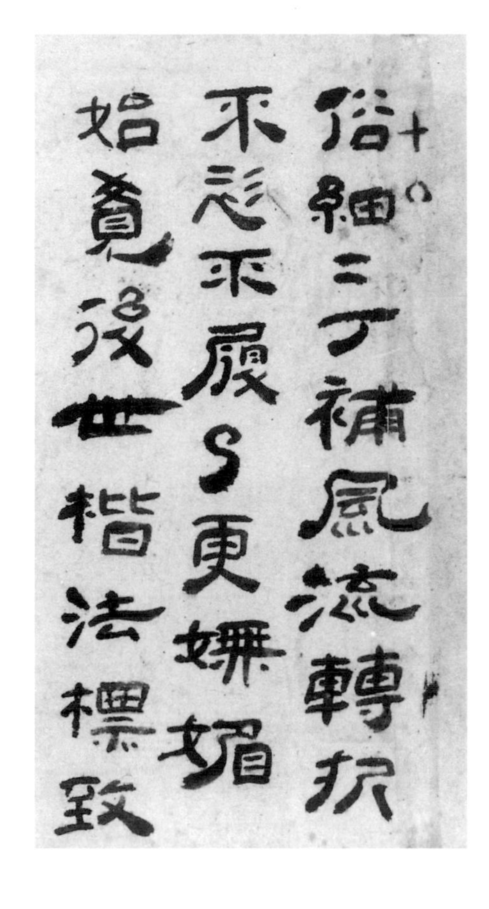

圖3.20　傅山　《論漢隸》隸書　局部
冊頁　紙本　尺寸不詳
上海博物館

便得他門戶；學後人書從前人落下，便有拏把。」[205]因此，問題的關鍵不在於學習的對象而更在於學習的方法。方法不同，就算臨習對象相同，也會收到不同的效果。一個書法家在研習了較早的字體後，再去研習較晚的字體時，就能夠得到人們珍視的古意。倘若反其道而行之，則可能重蹈文徵明之覆轍，用楷書而非篆書的法則來寫隸書，其結果便是「何嘗夢見漢人一筆」。

因此，傅山在討論書法時，常使用「從來」這個詞。在傅山看來，人們在書寫某一字體的時候，都應該將更早的字體的筆意融會其中。每一種字體都非無源之水，而有其歷史淵源。因此，寫小篆的時候，應該融合大篆的筆意。寫隸書的時候，應該具備篆書的技法。書寫楷書時，也同樣應該融合較早的字體使之顯得古樸。筆法和結字都應暗示其所從來，才有古意。但是這種暗示卻可能不被一般大眾所理解和賞識。欣賞書法的能力部分地得自於書法史的知識，就像賞析古典詩歌那樣，同樣依賴於知識，只有了解了詩中的用典後，其層層意蘊才得以彰顯。

但是，克服唐代的影響並非簡單的事情。因爲楷書在清初是日常使用的正體字，而且在學書時，唐代大師的楷書作品總是被拿來作爲入門教材，可以說唐楷籠罩著日常的書寫。當傅山說他的隸書「秘而不肯見諸人」，因爲其中的醜拙古樸「難與人言」時，他實際上已經承認了唐法在日常生活中的支配優勢。正因爲如此，傅山和其他清代書法家大聲疾呼要打破唐法。傅山不但反覆貶斥唐法的弊端，而且在書寫隸書時，還刻意追求漢隸「不衫不履」的浪漫自在。他的隸書有時顯得過於誇張，也許是矯枉過正的結果。

上海博物館所藏一件傅山的雜書冊（圖3.20），有隸書數開，雖不一定是傅山的隸書代表作，但將它與文徵明的隸書《谿石記》作一對比，也頗能說明問題。在傅山的作品中，字形長扁各異，結字嚴重變形。用筆時而豪放，時而厚重，時而輕盈，不拘一格。如第六行的「後世」二字，「世」字用筆厚實，而上面的「後」字則相對纖細，圓轉的線條令人想起篆書的筆法。這一輕重之間的對比，增加了細節上的變化。而全篇變化多端，頗具戲劇性。也正因爲如此，朱彝尊在推崇傅山的隸書時說：「太原傅山最奇崛，魚頏鷹跱勢不羈。」[206]

傅山等書法家對漢隸的鍾愛，推崇漢隸勝於唐隸，標誌著書法品味在清初發生了一個重大轉變。隨著新的藝術品味的倡導和宣揚，人們開始用新的目光來審視隸書，新的藝術標準也開始逐步建立。當書法家努力把漢碑隸書的特質融入自己的書法時，就意味著唐代書法在書法創作中的主導地位開始削弱。一旦回溯到漢，「古樸」不再只是理解和學習古代書法的一個認知架構，對書法家而言，它還是一種孜孜以求的創作目標。

對「古樸」的追求並不只侷限在書法領域內。文學領域中也有著相同的趨勢。申涵光在寫給周亮工的信札中說：「先生『寧質』二字，眞救時良藥也。」[207]潘耒在〈《李天生詩集》序〉中這樣評論李因篤的詩風：

> 百餘年來，學者之弊，佻而爲公安，纖而爲竟陵，浮而爲雲間。流派各別，去古滋遠。……先生嘗慨世不乏才人，而爭新鬥巧，日趨於衰颯。故其爲詩，寧拙毋纖，寧樸毋豔，寧厚毋漓。[208]

潘耒和李因篤的藝術見解，與傅山在〈訓子帖〉（見第二章）中提出的「寧拙毋巧，寧醜毋媚，寧支離毋輕滑，寧直率毋安排」不但內容一樣，連語言都如出一轍。然而，書法和文學上的這些觀念又都以學術上「樸學」的興起爲最重要的文化背景。

南方的回應

當我們用更宏觀的視野來看待清初碑學書法的萌芽時，南方書法家對上述學術新潮的反應也必須納入觀察的範圍。雖說清初學者和書法家們的訪碑活動主要在北方進行，而且當時碑學思想的主要倡導者傅山也是北方人，但山西學術圈中的許多成員，諸如顧炎武、曹溶、朱彝尊、閻若璩等，都是南方人。[209]這些學者也是江南學術圈的主要成員。十七世紀下半葉，研究隸書和書寫隸書的風氣在江南也相當興盛。來自文人文化重鎮蘇州一帶的學者，對金石學的貢獻尤大。顧炎武的同鄉崑山葉奕苞編撰了《金石錄補》這部清初卷帙最大的金石學著作。1718年，蘇州顧靄吉出版了《隸辨》，此書至今仍是最重要的一本隸書字書。福建的林侗（1627-1714）不僅四處訪碑，還編纂了《來齋金石刻考略》。

朱彝尊曾在一首讚揚鄭簠（1622-1693）的詩中，列舉了明末清初以隸書聞名的書家，其中包括安徽程邃、[210]蘇州顧苓（1609-1682以後）、金陵鄭簠、廣東譚漢等南方人。[211]此外，在南京，以收藏印章和漢碑拓本著稱的周亮工也寫隸書（彩圖20）。在南昌，明皇室後裔八大山人也從事金石學的研究，並且寫隸書。[212]在浙江，鄞縣的萬經（1659-1741）是康熙朝晚期重要的隸書名家。

南方文人對隸書的興趣是如此濃厚，以至隸書成爲當時文人們詩酒文會上討論的話題。1666年清明節，居住在揚州的著名詩人孫枝蔚（1620-1687）和陳維崧（1626-1682）、方文（1612-1669，字爾止）等在程康莊（昆侖）的官署小聚，孫枝蔚在記載這次雅集的詩的小註中這樣寫著：「是日爾止講篆隸八分。」[213]這一記載雖極爲簡略，但透露的文化訊息卻值得注意。從某種意義上來說，這種在雅集時由某位與會者就一個主題發表言論，使詩酒文會成爲一種學術聚會，而那次聚會的話題是篆隸八分。這說明，在1660年代，亦即傅山等在北方熱烈地討論隸書之際，南方的文人們也有相似的活動。

在書法理論方面，南方學者和書法家討論隸書時使用的語彙也和傅山十分相似。常熟馮行賢曾作〈隸字訣〉，開頭幾行便是：「枯老古拙，枯中有硬，老中有健，古中有奇，拙中有巧。」[214]

在這一理論背景下，清初出現了一些以專擅隸書而成名家的書法家，其中以南京

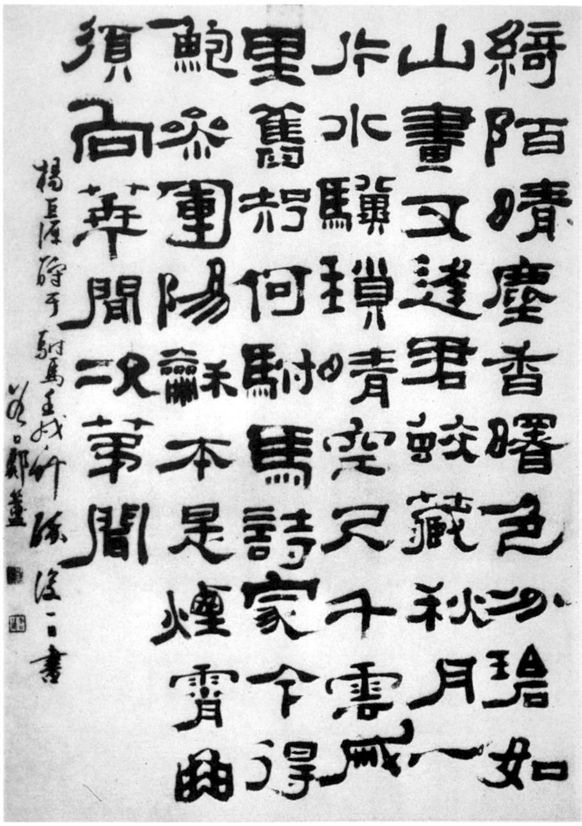

圖3.21
鄭簠
《楊巨源詩》
1682
軸
尺寸不詳
台北故宮

的鄭簠最有成就。[215]鄭簠也是著名的碑拓收藏者，並出遊四方訪碑拓碑。大約在1676年，鄭簠在山東曲阜、濟寧等地拓了許多漢碑。朱彝尊認爲鄭簠製作的拓本，在墨色、質感等方面都遠勝於一般工匠所拓。[216]除了自己收藏，鄭簠還將親自製作的拓本分贈友人（請參見圖3.4，頁233）。鄭簠也請朋友幫他收集碑拓。王弘撰在寫給鄭簠的一通信札中，對鄭簠的隸書倍加讚賞並提到鄭簠索碑拓一事：

> 曩在白門，從李董自處得承教緒，獨以未獲從容遊讌，挹汪汪千頃之度爲悵耳。嗣是每睹墨翰，分法直逼漢人，私擬爲近代第一手，太原傅青主、敝鄉郭胤伯兩先生差堪伯仲，王孟津所不逮也。弟有所求者，望即揮賜爲感。顧亭林先生云，索古碑刻，今以案頭所有《豆盧恩》、《馮刺史》二幅附寄。當塗令系弟至戚，凡有尊札，於彼寄之，易也。亭林囑致意，待《嵩山碑》搨到，當有嵩札耳。[217]

按照王弘撰的說法，鄭簠爲清初隸書第一高手，僅郭宗昌（胤伯）和傅山能與之匹敵，而王鐸（孟津）則要略遜一籌。如果王弘撰所言不虛，而且能代表清初書壇對鄭

圖3.22
石濤
《巢湖圖》
1695　局部
軸　紙本　水墨設色
96.5×41.5公分
天津市立藝術博物館
引自《四僧畫集：漸江、髡殘、石濤、八大山人》　頁165

簠的基本評價，那麼，對於鄭簠作品的分析，可使我們進一步了解清初文人理想中的優秀隸書的基本形態。

鄭簠書於1682年的一件隸書立軸，頗能體現清初書家努力追尋唐代以後被忽視的一些漢隸特徵（圖3.21，亦請見彩圖21）。比如說，唐楷的字形偏瘦長，大多數漢碑中的字形則呈扁平的矩形。而漢隸相對於唐隸，通常顯得自在開放，甚至古樸醜拙。鄭簠力圖重現漢隸的這些特質。立軸中，字的大小對比懸殊，引人注目。鄭簠追隨漢隸中恣肆一路，將字的結構變形，左右部位常不作平衡處理。我們在前面曾討論過漢隸中處理橫折筆劃的兩種方法（請參見圖3.16，頁246）。鄭簠書寫「陽」、「家」等字的橫折時就運用了漢隸的方法。

爲了追求古代金石殘損古樸的效果，鄭簠的線條墨色飽滿，用筆迅捷（一定程度地受到草書的影響），由於用的是軟毫和生宣，筆劃邊緣呈殘缺狀，令人想起漢碑上殘斷的筆劃。這件作品予人的整體印象是粗放古樸。清初文人汪琬用「盡破唐以來方整之習」來評論鄭簠的隸書。[218]

隨著書寫隸書熱情的逐日增長，南方的一些畫家也喜歡用隸書來書寫畫上的題跋。其中最著名的是石濤，這位才情橫溢的藝術家似乎比其他畫家更爲經常地在畫上用隸書題款跋尾。天津市立藝術博物館藏石濤1695年爲張純修（字子敏，號見陽）所繪《巢湖圖》，上有石濤四首題詩（圖3.22），其中三首是隸書寫的，一首是楷書寫的。大概是受到程邃和鄭簠兩位前輩的影響，石濤的隸書也帶有即興的特色。這種即興揮灑常能產生出乎意料的效果。在墨色方面，有些字的滃墨暈染到周遭的紙面，有些字則墨色乾枯，猶如老藤。

對筆墨偶然產生的「自然」效果的欣賞與日俱增，那些易於產生偶然效果的材料也受到歡迎。用黃鼠狼毛和兔毛等製造的硬毫筆彈性好，筆在運行時受到不同的壓力後，筆鋒比較容易歸復原位，適合書寫帖學傳統精緻的字。而羊毛製作的軟毫筆則不易歸位，使訓練有素的書法家在書寫時處於一種控制與非控制之間的狀態，容易出現無法預知的偶然性效果。而書法家的控制能力又能把這種偶然性限制在可以接受的範圍。所以這種出乎意料的偶然效果，又在乎情理之中。出於對偶然效果的欣賞，清初一些書法家對羊毫筆多有偏愛。[219]石濤曾在《爲微五作山水》的題識中記下他用羊毫筆寫字時的樂趣：

> 打鼓用杉木之捶，寫字拈羊毫之筆，卻也快意一時。千載之下，得失難言。[220]

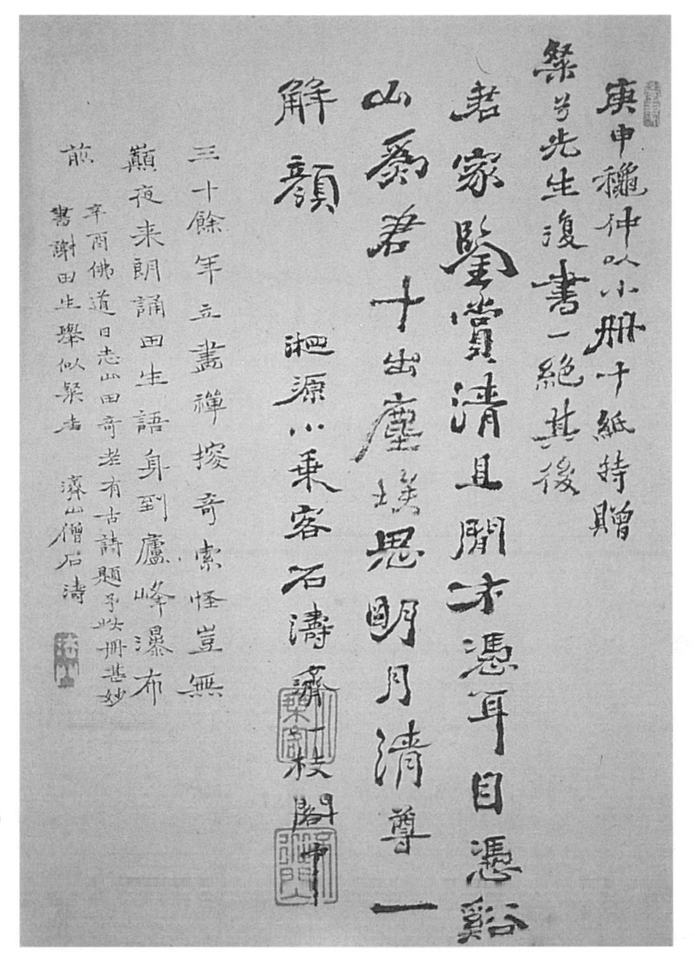

圖3.23
石濤
跋山水畫
1680（該畫作於1667年）
冊頁
紙本
水墨
24.8×17.2公分
引自《石濤書畫全集》冊1 圖版13

從書畫用紙上也可看出這種轉變。石濤的絕大部分作品都是使用吸水性強的生宣，這對其藝術產生了明顯的效果。天津市立博物館所藏《巢湖圖》的四首題詩之一，就是由漲墨的筆劃起始。若是在明代以前，這種情形可能被認爲是敗筆。然而生宣在清初的廣泛使用和漲墨筆劃的頻繁出現，顯示人們欣賞這種效果。生宣比上礬的熟紙或者絹綾吸水性強，更容易產生意料之外的效果。同時，羊毫筆蓄墨多，筆毫容易鋪開，寫出的筆劃厚重。[221]書法家用軟毫筆在生宣上作書，更容易擺脫唐楷的整飭潔淨，製造出殘損漫漶的金石氣。

本書第一章中曾論及，晚明一些書法家喜歡用滃墨作書，造成筆劃邊緣漶漫的效果，可能導因於晚明對古璽印的興趣。流傳到十六、十七世紀的先秦、秦漢璽印，因歷時久遠而常有殘損。晚明文人對於奇和古的愛好使他們試圖在篆刻中重現古印殘破的意趣。石章的肌理和刀法的運用，使篆刻常能取得無法預測的偶然效果。晚明和清初的篆刻家故意敲擊捽打新刻的印面，就是爲了模仿古印經過時間洗禮留下的殘損效果（請參見圖1.47，頁105）。篆刻中的這種癖好，可能就是書法家開始用羊毫、生宣、澀墨來取得偶然效果的先聲。石濤和許多清初的書法家一樣，都對篆刻極有興趣。石濤在一首詩中這樣寫道：

書畫圖章本一體，精雄老醜貴傳神。[222]

石濤的詩句說明，在清初，書畫印這三門文人藝術的基本追求是一致的，「老」與「醜」已成爲當時常見且被讚賞的特質。

石濤的作品也能說明這一點。在北京故宮藏石濤1680年秋所畫的山水冊的題跋中（圖3.23），不但許多字的結體都嚴重變形，石濤還用顫筆來追求殘破的效果，整個作品因此顯得「老醜」。

石守謙在討論十七世紀的南京繪畫時指出，入清後，南京瀰漫著懷舊的氣氛，在這一文化氛圍中，藝術品味出現了由晚明的「奇」向清初的「古」的轉變。[223]類似的轉變也發生在書法領域。金石文字由於可資經史考證而重新得到重視，書法家們也試圖去捕捉古代金石文字的古樸氣息。然而，在這一轉變的初始階段，「奇」與「古」依然彼此相容。正如傅山的《訓子帖》所說：「人奇字自古。」古是奇的某一個面相，奇也是古的一部分，所以馮行賢在〈隸字訣〉中說：「古中有奇。」傅山、石濤等清初書畫家也常常在他們的作品中討論奇與古，[224]此時的古並不具有迂腐的學究氣。直到清代中期，書法家逐漸將重點放在古而非奇上，對奇的追求才失去了往日的光彩。

1676年，鄭簠應一位高官之邀赴京，沿途曾在山東等地訪碑拓碑。赴京前，鄭簠和清初著名詩人施閏章（1619-1683）小聚。酒席間，鄭簠「歷敘八分及漢隸諸碑書法」，給施閏章留下了深刻印象，[225]施閏章即席作七言古詩〈酒間贈鄭谷口〉：

八分健手天下知，片紙尺璧傳京師。諸王列第遍題楔，五嶽名藍半寫碑。
收藏富有羅百代，上窮岣嶁下李斯，篆籀銅盤及石鼓，銘刻重搜太子池。
中年慘澹工漢隸，借問苦心摹阿誰？溧陽校官郃陽令，石門禮器皆神奇（以上皆古碑名）。
摩挲軟勁非筆墨，剝落金石光迷離。錦帙牙籤盡書畫，旁通不合兼軒岐。
公侯延佇爭倒屣，車騎刺促無閒時。勞人作達轉清暇，解衣揮翰明燈下。
匹絹殘箋氣磅礴，態遲勢速人驚詫。義急窮交不顧身，興耽古物寧論價。

高齋別墅夏猶花，留我過從每涼夜。飲君巵酒顏欲酡，火雲滿眼鼓鼙多。

單車見説燕山去，谷口閒園奈若何？[226]

按照施閏章的說法，鄭簠在北上前，已在京師享有相當高的知名度。這位擅長隸書的藝術家所到之處皆受到各界菁英的熱烈歡迎，他題寫的碑匾也遍佈全國各地。鄭簠從京師南歸時，當時正在潞河（今河北通縣）的朱彝尊作長歌〈贈鄭簠〉。[227]詩是這樣開始的：「金陵鄭簠隱作醫，八分入妙堪吾師。揭來賣藥長安市，袞袞諸公多莫知。」[228]雖然朱彝尊描述鄭簠初到京師時，公侯們對他的藝術還不甚了解，但他本人在詩中卻傾訴了對鄭簠隸書成就的仰慕。

朱彝尊和施閏章都是清初著名的學者和詩人，在當時的文化藝術界有很大的影響。儘管他們關於鄭簠在北京享有的名聲的描述不盡相同，但對鄭簠的隸書成就卻都極口稱讚，無一異詞。由於對漢隸的重視和書寫隸書風氣的興盛是以金石學的復興爲學術思想背景，所以清初的知識界和書法界之間存在著極爲密切的關係。正因爲如此，當閻若璩在列舉包括顧炎武、黃宗羲等人在內的十四位當代「聖人」時，鄭簠也榮列其中。[229]書法雖爲中國文人最重要的藝術愛好之一，但向來被認爲是小技。以閻若璩在當時知識界的地位，由他把書法家鄭簠和錢謙益、顧炎武、黃宗羲等大文豪、大儒一起列爲「聖人」，可謂史無前例。這標誌著，不但金石學是清初學術生活中不可或缺的一部分，以古代金石文字爲典範的隸書在清初的學術和文化生活中也扮演著越來越重要的角色。

然而，傅山這位碑學書法萌芽期的中堅人物，卻不在閻若璩的名單上。很可能是因爲傅山的道家背景不符合閻若璩的聖哲形象，也可能閻若璩認爲傅山的學術與書法成就不足以和名單上的其他人物匹敵。但是這並不影響我們對傅山的基本評價。和其同時代人相比，傅山對於碑學書法的闡述，最直接明瞭、簡潔有力，也最能反映他那個時代的審美觀念。

註釋

1. 《傅山全書》，冊7，頁5302-5305。
2. 郝樹德，《傅山傳》，頁33-47。
3. 屈大均，〈書孝獻皇帝紀後〉（《翁山文外》，卷9，頁7a）的原文是：「人誰非漢之臣子乎？漢雖亡，而漢之人心不亡，則皆昭烈之臣子也。」屈大均所談雖爲漢魏易代之際的事，但「漢」在此有雙關之意。

4. 這裏是指西方研究清代學術思想史的學者多關注南方，特別是江南的學術文化。近年來已有一些關於清初北方學者的研究，例如關於李顒的研究。見Birdwhistell, *Li Yong (1627-1705)*。

5. 余英時認爲，在清初學術思想的發展中，顧炎武是一個「典範」(paradigm)。「在任何一門學術中建立新『典範』的人都具有兩個特徵：一是在具體研究方面其空前成就對以後的學者起示範作用；一是他在該學術領域之內留下無數的工作讓後人接著做下去，這樣便形成了一個新的研究傳統。」見余英時，〈清代思想史的一個新解釋〉，頁144-145。關於顧炎武的生平，見Peterson, "The Life of Ku Yen-wu"。

6. 關於爲何在1660、1670年代有這麼多學者跑到山西、陝西的原因，是一個十分有意思的問題。馬曉地在解釋這一歷史現象時，認爲明遺民是抱著反清復明的目的來到西北的（馬曉地，〈唱盡哀笳出塞歌〉）。馬曉地的看法頗能反映以往一些史學家在研究清初遺民們在西北地區活動的基本觀點。王春瑜和Peterson等認爲顧炎武北遊和武裝抗清並無直接關係。見王春瑜，〈顧炎武北上抗清說考辨〉；Peterson, "The Life of Ku Yen-wu," p. 142。筆者也以爲，馬曉地的觀點似有值得進一步探討之處。如陳上年這個人物，是李因篤、顧炎武、屈大均和傅山的好友，曾給予當時活動在西北的明遺民們很多的幫助。而陳上年在1663年清政府的考績中晋大夫第一時，李因篤曾作〈伏喜祺公先生考績晋大夫第一恭賦七言排體五十韻〉(《受祺堂詩集》，卷6，頁3a）一詩相賀，盛讚其爲清保邊的功績。其中有句云：「高霞忽聚燕門前，大國風流説潁川。父老同心欣保塞，朝廷一意委承邊。」康熙年間，吳三桂在廣西稱帝，陳上年當時正任廣西布政司參議。吳三桂攻陷梧州後，強迫陳上年到其政權中爲官，陳不從，被囚致死。見《畿輔通志》，卷230，〈列傳38〉，冊6，頁8093。

7. 關於潘耒的生平，見Hummel, *Eminent Chinese of the Ch'ing Period*, pp. 606-607。

8. 顧炎武，《顧亭林詩文集》，頁363。

9. 同上註，頁114-116。

10. 顧炎武，《顧亭林詩文集》，頁364。

11. 周可真，《顧炎武年譜》，頁336-338。此年譜述顧炎武和潘氏兄弟的關係甚詳，見頁290-292、297-301、336-338、389-392、449-450、470、490。

12. 張穆，《閻若璩年譜》，頁24-48。

13. 《傅山全書》，冊7，頁5503-5504。

14. 閻若璩，《尚書古文疏證》，卷7，頁4b。

15. 入清後，屈大均曾遊歷四方，他也是1660年代山西學術圈中的一個活躍人物。見汪宗衍，《屈翁山先生年譜》，頁69-89。申涵光的生平請參見申涵煜、申涵盼，《申鳧盟年譜》。

16. 閻若璩，《尚書古文疏證》，卷4，頁54a。

17. 李因篤，〈答戴二楓仲見懷兼申緒五首〉之三，自註云：「顧亭林將起山堂祁之南山，戴力任之。」《受祺堂詩集》，卷18，頁4a。

18. 轉引自吳懷清《關中三李年譜》頁333-334所引《同州志》、《國史儒林傳》。

19. 關於王弘撰的生平，見趙儷生，〈王山史年譜〉，收錄於趙儷生，《顧亭林與王山史》，頁117-222。

20. 請參見杜聯喆（Tu lien-che）撰寫的曹溶小傳，載Hummel, *Eminent Chinese of the Ch'ing Period,* p. 740。
21. 楊謙，《朱竹垞先生年譜》，頁15b-18a。
22. 王弘撰，《山志》，初集，卷1，頁21。
23. 顧炎武，〈鈔書自序〉（《顧亭林詩文集》，頁30）云：「炎武之遊四方十有八年，未嘗干人。有賢主人以書相示者則留，或手鈔，或募人鈔之。子不云乎：『多見而識之。知之，次也。』今年至都下，從孫思仁先生得《春秋纂例》、《春秋權衡》、《漢上易傳》等書，清苑陳祺公資以薪米紙筆，寫之以歸。」陳上年對學術活動的贊助，由此可見一斑。
24. 在傅山、屈大均、曹溶、李因篤等人的詩文中（尤以李因篤爲多），多次提到在陳上年雁門寓所的聚會。詳見吳懷清，《關中三李年譜》，頁311-351。
25. 同上註。
26. 徐氏兄弟的〈爲舅氏顧寧人徵書啓〉，收錄於汪宗衍，〈顧亭林先生年譜書後〉，載於存萃學社，《顧亭林先生年譜彙編》，頁365-366。
27. 徐元文爲順治十六年（1659）的狀元，徐乾學爲康熙九年（1670）的探花，徐秉一爲康熙十二年（1673）的探花，三兄弟在當時有「三徐」之稱，在康熙朝的政治和文化界有重要影響。關於徐氏兄弟的生平，見Hummel, *Eminent Chinese of the Ch'ing Period,* pp. 310-312, 327。
28. 徐乾學，〈《七頌堂詩集》序〉，見劉體仁，《七頌堂詩集》。
29. 劉體仁並非唯一在蘇門築堂的孫門弟子。魏一鼇在1657年辭官後，也曾四度前往蘇門拜訪其師孫奇逢，在第三次造訪時，更在蘇門建「雪亭」，並自稱雪亭先生。
30. 清初官員追隨遺民文化領袖的風氣，還可從宜興儲方慶（1633-1683，1667年進士）和傅山的交往中看出。儲方慶在山西清源縣任縣令時，慕傅山名，派門人牛兆捷持信及詩作訪傅山，向傅山表明自己並非一介「俗吏」，請求交往。信中這樣寫道：「僕非俗吏也。然其所爲甚有似於俗吏。蓋處斯世者，皆有不得已之心，故不得不以俗吏自居。而當世之高人偉士或鄙而遠之。格於其形也。形不相接則無以自明。……僕之詩數章，亦可以見僕之志也。先生試覽之，儻不以俗吏視僕，則僕與先生豈形之所能格乎？」見儲方慶，〈與傅青主書〉，《儲遯庵文集》，卷1，頁16a-16b。
31. Peterson, "The Life of Ku Yen-wu," pp. 202-206。顧炎武〈答人書〉（《顧亭林詩文集》，頁205）云：「壬寅以後，歷晉抵秦，於是有僕從三人，馬騾四匹，所至之地，雖不受饋，而薪米皆出主人。」此處所說的「主人」當也包括那些爲官者。
32. 關於山西學術圈對傅山晚年學術活動的影響，請參見白謙慎，〈十七世紀六十、七十年代山西的學術圈對傅山學術與書法的影響〉。
33. 參見第一章，註2。
34. 晚明菁英精緻的物質和文化生活，不僅在晚明文人的筆記中多有記載，入清後明遺民的懷舊文字也屢屢可見，其中最著名者爲張岱的《陶庵夢憶》。
35. Elman, *From Philosophy to Philology,* p. 3，中譯轉引自艾爾曼，《從理學到樸學》，頁5。
36. 顧炎武著、黃汝成校釋，《日知錄集釋》，頁672。

37. 同上註，頁1001。
38. 余英時認爲，「回歸原典」的意向在明中葉時即已萌芽，這是儒家內部「尊德性」和「道問學」兩派爭論合乎邏輯的必然發展結果：「就儒學內在發展說，『尊德性』之境至王學末流已窮，而『道問學』在明代則始終不暢。雙方爭持之際，雖是前者占絕對上風，但『道問學』一派中人所提出『取證於經書』的主張卻是一個有力的挑戰，使對方無法完全置之不理。」見余英時，〈從宋明儒學的發展論清代思想史〉。然而直到清代，追本溯源、回歸原典才成爲思想的主導模式。
39. 顧炎武，〈初刻日知錄自序〉，《顧亭林詩文集》，頁27。
40. 張世祿，《中國音韻學史》，頁261-301。艾爾曼，《從理學到樸學》，頁147-153。林慶彰，《明代考據學的研究》，頁391-430。
41. 見羅常培，〈耶穌會士在音韻學上的貢獻〉。
42. 顧炎武，《顧亭林詩文集》，頁73。
43. 同上註，頁95。
44. 胡奇光指出：「從許愼到段王一千七百多年間，我國語文的指導思想發生了根本的轉變：從主張字形爲依據闡明本義到以聲韻爲關鍵進行名物訓詁。」見胡奇光，《中國小學史》，頁231。胡奇光所指的段玉裁（1735-1815）、王念孫（1744-1832）乃乾嘉時代的人物，但他所指出的轉變應在清初就已開始。
45. 王弘撰的一段筆記提供了陳上年（至少是部分地）贊助刊刻《廣韻》的證據：「李子德嘗得《廣韻》舊本。顧亭林言之陳祺公，託張力臣（張弨）爲鋟木淮陰。」見王弘撰，《山志》，二集，卷4，頁272。
46. 顧炎武，《顧亭林詩文集》，頁110-111。
47. 傅山批註《廣韻》，已由汪世清先生輯錄，收入《傅山全書補編》一書中（見該書卷23-28）。此處所引，乃汪世清先生在1995年12月14日給筆者的信中所提供的資訊。在給筆者的另一封信中（1995年6月23日），汪世清先生指出：「傅山按《廣韻》手書杜詩摘句，似即爲其韻學研究之一端，或亦其獨創之一種研究方法，殊堪注意。」「從摘錄杜句以使《廣韻》之研究深入一步，此亦傅山之功。」
48. 此冊原爲台灣袁守謙先生藏，現藏者不詳。
49. 關於此冊的全部釋文，見《傅山全書補編》，卷15。
50. 見王力，《漢語音韻學》，頁146-158、289。
51. 顧炎武在〈《音學五書》後序〉（《音學五書》，頁4-5）中說：「《詩本音》十卷，則李君因篤不遠千里來相訂正，而多採其言。」
52. 閻若璩，〈訪馬長逸〉，《潛邱劄記》，卷6，頁49a。
53. 朱建新，《金石學》，頁3。
54. 顧炎武，《顧亭林詩文集》，頁28-29。
55. 葉奕苞云：「秋岳先生倦圃收藏古今碑刻名金石表約數百種，仿趙氏例自周秦至五代錄入表中。」見《金石錄補》，載《石刻史料新編》，冊12，頁9134。
56. 王士禛，〈《曝書亭集》序〉，收錄於朱彝尊，《曝書亭集》。
57. 葉奕苞，《金石錄補》，頁9133。
58. 曹溶，《靜惕堂詩集》，卷6，頁7b-8a。

59. 朱建新云：「自國初顧炎武、朱彝尊輩重在考據，以爲證經訂史之資，此風一開，踵事者多，凡清人之言金石者，幾莫不以證經訂史爲能事。」見朱建新，《金石學》，頁35。
60. 在一封寫給周亮工的信中，王弘撰提到該書的出版計劃。請參見王弘撰，〈與周元亮司農〉，《砥齋集》，卷8下，頁9a-b。
61. 這兩件漢碑拓本都鈐有王弘撰的印章。
62. 閻若璩，《困學紀聞箋》，卷13，頁2a。
63. 從朱彝尊在傅山藏《尹宙碑》和《衡方碑》後的跋語，可知曹溶與朱彝尊曾在1665年秋天二度觀賞傅山的收藏。請參見朱彝尊，《曝書亭集》，卷47，頁5b-6a。
64. 閻若璩，〈移寓雜興贈陳子壽先生五十首〉自註，《潛邱劄記》，卷6，頁15a。
65. 閻若璩，《潛邱劄記》，卷1，頁38b。
66. 《中國古代書畫圖目》，冊11，「浙35-94」，頁290。
67. 1935年上海商務印書館刊行了這部曾由傅山收藏和點校批註的《隸釋》。
68. 閻若璩，《潛邱劄記》，卷5，頁9a-b。
69. 閻若璩，《潛邱劄記》，卷2，頁4a-b。
70. 顧炎武著，黄汝成校釋，《日知錄集釋》，卷21，頁755。
71. 同上註。
72. 《傅山全書》，冊4，頁2448-2449。
73. 《尚書古文疏證》及《潛邱劄記》中此類的文字很多，此處不一一列舉。
74. 閻若璩，《潛邱劄記》，卷5，頁15a-b。
75. 閻若璩，《潛邱劄記》，卷3，頁1a-b。閻若璩在另一則筆記中提到此事時說：「有爲寧老護法者聞之，謂顧先生必有出處，未可輕議。及愚面詰寧老，果是臆說。人之好名而不務實如此。」見前引書，卷4下，頁29a。
76. 閻若璩，〈南雷黄氏哀詞〉，《潛邱劄記》，卷4上，頁34b。
77. 閻若璩曾爲顧炎武訂正《日知錄》。閻若璩的《潛邱劄記》卷4下（頁1a-34a），專門有〈補正《日知錄》〉一節。錢大昕，〈閻先生傳〉（《潛研堂文集》，卷38，頁9a）云：「崑山顧先生炎武游太原，以所撰《日知錄》相質，即爲改訂數條，顧虛心從之。」
78. 顧炎武，《顧亭林詩文集》，頁190。
79. 顧炎武在〈初刻《日知錄》自序〉（《顧亭林詩文集》，頁27）中也有類似的記載：「炎武所著《日知錄》，因友人多欲鈔寫，患不能給，遂于上章閹茂之歲刻此八卷。歷今六七年，老而益進，始悔向日學之不博，見之不卓，其中疏漏往往而有，而其書已行於世，不可掩。漸次增改，得二十餘卷，欲更刻之，而尤未敢自以爲定，故先以舊本質之同志。」
80. 顧炎武，《顧亭林詩文集》，頁169。
81. 《潛邱劄記》，卷2，頁14a。
82. 閻若璩，《尚書古文疏證》（卷5上，頁10a）記載：「壬子秋過陽曲松莊，傅山先生字青主者適讀《左傳》。」壬子爲1672年。
83. 關於清初的辨僞活動，見林慶彰，《清初的群經辨僞學》；艾爾曼，《從理學到樸學》，頁22。

84. 雖然閻若璩在1683年才完成《尚書古文疏證》的第一卷，而且全書是在閻若璩去世四十一年後的1745年，由其子閻詠整理出版的，但閻若璩早在二十歲（1655年，即傅山南遊訪閻氏父子於山陽的前一年）時就已開始懷疑《古文尚書》。在該書正式完稿以前，他的主要觀點在當時的學界已經流傳。1672年，閻若璩曾在太原就《古文尚書》的眞僞問題和顧炎武進行過討論。顧炎武、朱彝尊本不疑《古文尚書》，後在閻的影響下，對《古文尚書》的態度發生一些轉變，足見閻若璩對《古文尚書》的考辨在當時學術界的影響之鉅。見《尚書古文疏證》，卷7。
85. 梁啓超，《清代學術概論》，頁13-15。
86. 李零，〈漢簡、古文四聲韻出版後記〉。李零並沒有具體指出清初是否就已存在這一懷疑。由於閻若璩對《古文尚書》的研究在清初就已開始，並且閻在書出版前，已和眾多學者討論過自己的觀點，對古文的懷疑很可能在清初就已在那些接受了閻若璩觀點的人們中存在了。
87. 段綷是刻碑的專家，他於1674年拜入傅山門下。《太原段帖》中收有傅山致段二札：「勞斤運醜字，當重邀武騎之榮，面謝不盡。賤名寫來三行，大小唯擇過之。末借重芳名，禮也。叔玉文兄。弟山頓首。」「盡此字排之石上，不必輒滿，寧橫勿順，在叔玉兄編排。山拜。」有一種可能性，即《太原段帖》所收，都是段綷所藏傅山的書法，作品的覆蓋面有限。帖中所引乃傅山求段綷刻其他的作品，並非《太原段帖》。在此指出這種可能性，供讀者參考。有關討論，見林鵬，《丹崖書論》，頁12-14。
88. 傅山這一作品的前十條屏的詩題爲〈遊仙十首〉（《傅山全書》，冊1，頁277-278），最後兩條屏爲〈贈陳十二首〉（見同書，頁278-279）。《傅山全書》所收詩的文字與十二條屏中的文字略有差異。
89. 劉葉秋，《中國字典史略》，頁216。《五音篇海》萬曆年間有重刊本，對明末清初人來說還是比較容易見到的。
90. 朱謀㙔，《古文奇字》，卷12，頁10a。
91. 傅山晚年的書法是比較老到的。筆者以爲此件作品的前十一條屏可能出自爲傅山代筆的傅眉或傅仁之手。最後一條則爲傅山所書。例如第十及第十一屏，其用筆有些圓滑，缺乏運筆時筆鋒受阻後產生的力量感。最後一屏應出自傅山本人之手，但某些線條仍顯得不穩定，比一般作品更粗糙。由於率意揮運通常被認爲是書法家不羈人格的表現，文人藝術理論也認可這樣的藝術創作，對當時的人們來說，這可能是值得稱賞的藝術實踐。
92. 見Tseng, *A History of Chinese Calligraphy*, p. 80。關於道教與中國書法的討論，請參見陳寅恪，〈天師道與濱海地域之關係〉；祁小春，《王羲之論考》；Ledderose, "Some Taoist Elements in the Calligraphy of the Six Dynasties"。關於道教畫符的討論，見Little, et al., *Taoism and the Arts of China*, pp. 200-207。
93. 關於爲各種社交場合創作書法以及這些社交場合對書法創作的影響和制約，見白謙愼，〈從傅山和戴廷栻的交往論及中國書法中的應酬和修辭問題〉及《傅山的交往和應酬》。在1680年，傅山曾抄錄《孝經》贈予已致仕的康熙朝刑部左侍郎高珩。1684年時，也曾贈魏象樞（1617-1687）自己珍藏多年的舊作《曾子問》。這兩件作品都是小楷冊頁，其精謹的程度頗與受贈者的身份相稱。
94. 張頷，〈山西陽曲縣西村廟梁傅山古文題記考釋〉。廟梁題記，和宗教有關。書寫古怪難辨的篆隸，容易給宗教的場所帶來一種神秘的氣氛。作爲道士的傅山在書寫和宗教有關的文字時，相對地放縱，人們似不以一般常情究之。

95. 顧炎武，《顧亭林詩文集》，頁242。

96. 《傅山全書》，冊1，頁413。

97. 傅山曾說：「道人雖戴黃冠，實自少嚴秉僧律。」請參見香港葉承耀醫師收藏的手卷《丹崖墨翰》中致魏一鼇第一札。

98. 這種思想上的多元性還可在本書第一章所引傅山的〈如何先生傳〉一文中見到。

99. 楊向奎，《清儒學案新編》，頁81。

100. 《傅山全書》，冊1，頁631。

101. 研究中國思想史的學者們，已注意到傅山是他那個時代中思想極爲寬博的十分特殊的代表。見侯外廬，《中國思想通史》，冊5，頁266-288。

102. 見傅山贈其友人古古之雜書冊，載《書法叢刊》，1997年，第1期，頁52。

103. 顧炎武，〈廣師〉，《顧亭林詩文集》，頁134。

104. 關於明末清初書寫異體字風氣更爲詳細的討論，見白謙慎，〈明末清初書法中書寫異體字風氣的研究〉。

105. 《傅山全書》，冊1，頁266。對這首詩的註釋，見侯文正，《傅山詩文選註》，頁26。

106. 石守謙，〈由奇趣到復古〉一文亦曾指出了清初繪畫中一個相似的變化。

107. 《傅山全書》，冊1，頁51。《醳名》即《釋名》，書名，漢代劉熙撰。蠶叢爲蜀地的別稱。武侯即諸葛亮。傅山該詩並無紀年，但從其中表達的情感和政治隱喻來看，應當可定在1644年鼎革之後。由於詩中提到三國時期的蜀漢，下限可能是在1662年南明政權滅亡之前。

108. 李煜，〈望江南〉，收錄於俞平伯，《唐宋詞選釋》，頁59。

109. 李煜，〈浪淘沙〉，同上註書，頁61。

110. 李煜，〈菩薩蠻〉，同上註書，頁60。

111. 趙佶，〈燕山亭：北行見杏花〉，收錄於胡雲翼，《宋詞選》，頁125-126。

112. 在藝術中把蜀葵作爲忠誠的象徵，尚可在早於傅山的明代中期吳門畫家沈周（1427-1509）的一件扇面中見到。見Barnhart, et al., *The Jade Studio*, pp. 78-79。

113. 關於古代碑刻與其他石刻的討論，見馬衡，《凡將齋金石叢稿》，頁65-101。

114. Chang, Kang-i Sun, *The Late-Ming Poet Ch'en Tzu-lung*, pp. 102-104。中譯引自孫康宜，《陳子龍柳如是詩詞情緣》，頁252-253。引文中的詩乃《詩經・王風》中〈黍離〉篇。又見Owen, *Remembrance*, p. 21。

115. 顧炎武，〈重謁孝陵〉，《顧亭林詩文集》，頁348。

116. 顧炎武，《顧亭林詩文集》，頁306。

117. 同上註，頁120。

118. 李因篤，〈復許學憲〉(《受祺堂文集》，卷3，頁13a）一札云：「拙集内篇頗多散葉。軍都詩其在太原徵君家者，嘗許作楷書又繪十三圖。」然而李因篤所作詩和傅山所作書畫似皆未能傳世。

119. 張炎，〈高陽臺〉，《山中白雲詞》，頁55。

120. 屈大均，《翁山詩外》，卷8，頁15b。

121. 房玄齡等，《晉書》，冊4，頁1020、1022。
122. 孟浩然著、李景白校註，《孟浩然詩集校註》，頁24。有關討論，見Owen, *Remembrance*, pp. 23-24。
123. Sturman, "The Donkey Rider as Icon," pp. 86-87.
124. 顧炎武，《顧亭林詩文集》，頁234。
125. Chang, Kang-i Sun, *The Late-Ming Poet Ch'en Tzu-lung*, p. 3，中譯參考了李奭學的譯文。見孫康宜，《陳子龍柳如是詩詞情緣》，頁45。
126. 閻若璩，〈移寓雜興贈陳子壽先生五十首〉，《潛邱劄記》，卷6，頁15b。
127. 翁闓運，〈論山東漢碑〉，頁12。
128. 關於該地漢碑的保存與分布，見宮衍興，《濟寧全漢碑》。
129. 曹溶，〈懷顧寧人遊秦二首〉，《靜惕堂詩集》，卷20，頁6a。
130. 曹溶，《靜惕堂詩集》，卷7，頁6b-7a。
131. 《傅山全書》，冊1，頁477。傅山此札並未紀年，但在另一通給戴廷栻的、內容十分相似的信札中（前引書，頁480），傅山也提到了他前往嵩山的計劃。傅山提到他的孫子傅蓮蘇將與他一同前往，需攙扶才能上馬。故將此札的寫作時間定爲1670年代初。不過，我們並不清楚傅山最終是否成行，因爲他在同一信中還提到山東的李吉老邀他前往山東。但可以肯定的是，傅山夢想前往嵩山朝聖久矣。
132. 惠棟註王士禛〈送愚山遊嵩山〉一詩引戴延之〈西征記〉云：「其山，東謂之太室，西謂之少室，相去十七里。嵩其總名也。以其下各有室焉，故謂之室。」見王士禛，《漁洋精華錄集釋》，中冊，卷4，頁661。
133. 關於五嶽的緣起和嵩山在歷史上的重要性的詳細討論，見Wu, Hung（巫鴻）, "The Competing *Yue*"。
134. 顧炎武，《金石文字記》（卷1，頁8-11）鈔錄了這些銘文。
135. 曹溶，〈送傅青主恭謁孔林〉，《靜惕堂詩集》，卷28，頁1b。
136. 《傅山全書》，冊1，頁49。
137. Wu, Hung, "The Competing *Yue*."
138. 對於泰山摩崖的討論，尤其是唐玄宗的《紀泰山銘》，見Harrist, "Records of the Eulogy on Mt. Tai"。
139. 同上註。
140. 從傅山的著作、尤其是他的《孔宙碑》跋語中，我們知道傅山收藏並臨摹過《孔宙碑》。見《傅山全書》，冊1，頁411、862。不詳其所藏《孔宙碑》拓本是否是親自手拓而得。
141. 傅山，〈蓮蘇從登岱嶽，謁聖林，歸，信手寫此教之〉，《傅山全書》，冊1，頁49。《五鳳二年刻石》最後一字爲「成」。
142. 趙彥衛，《雲麓漫鈔》，卷9，頁11-12。
143. 關於金石學在北宋時期的興盛，見夏超雄，《宋代金石學的主要貢獻及其興起的原因》，頁66-76。
144. 歐陽修，《歐陽修全集》，冊2，頁1126。
145. 趙明誠，《金石錄》，頁333、441、461。

146. 全漢昇，〈北宋汴梁的輸出貿易〉。這並不是說清初就沒有經營碑拓的文物市場。
147. Harrist, "The Artist as Antiquarian," p. 237.
148. 《宣和畫譜》，頁76。
149. 同上註，頁102。
150. 同上註，頁92。
151. 趙崡，《石墨鐫華》，頁18583。
152. 對於晚明文人的生活環境，請參見屈志仁與李鑄晉先生分別在Li and Watt, *The Chinese Scholar's Studio*中的文章，pp. 1-13, 37-51。
153. 顧炎武，〈《金石文字記》序〉，《顧亭林詩文集》，頁29。
154. 朱彝尊，〈風峪石刻佛經記〉，《曝書亭集》，卷67，頁6a。同篇文字中，朱彝尊還描述了1666年春他自己在太原縣西五里處的風峪山，在當地土人手持火把的協助下，查看一洞穴內的古代佛經。
155. 周亮工，《讀畫錄》，收錄於盧輔聖等，《中國書畫全書》，冊7，卷3，頁955。
156. Baxandall, *Patterns of Intention*, p. 34.
157. Ledderose, "Chinese Calligraphy: Art of the Elite."
158. 如隸書名家鄭簠就同顧炎武有交往。見王弘撰，〈寄鄭谷口〉，《砥齋集》，卷8下，頁19a-b。
159. 陳玠，《書法偶集》，頁5b。
160. 《傅山全書》，冊1，頁853。
161. 《傅山全書》，冊1，頁519。八分是漢代通用的字體，有些學者認爲八分與隸書不同，但也有人持相反的意見。傅山在一則題爲〈分書隸書之別〉（前引書，頁854）的筆記中認爲，八分與隸書雖然類似卻不相同，而且隸書是由八分演化而來，即「八分爲小篆之捷，隸又八分之捷」。傅山的理解不見得正確。關於隸書與八分的討論，見華人德，《中國書法史．兩漢卷》，頁12-13。
162. 《傅山全書》，冊1，頁855。
163. 傅山同時代的學者中持有相同觀點的甚多，如姜宸英（1628-1688）認爲：「眞出於隸，鍾太傅眞書妙絕古今，以其全體分隸。右軍父子模仿元常，所以楷法尤妙。欲學鍾王之楷而不解分隸，是謂失其原本。」見姜宸英，〈湛園題跋〉，收錄於盧輔聖等，《中國書畫全書》，冊7，頁965。
164. 黃伯思，《東觀餘論》，頁884。士季即鍾繇之子鍾會（225-264），王世將即王羲之叔父王廙。值得注意的是，黃伯思發表這段評語的時候，正是北宋文人（包括書家）對金石文字的興趣高漲的時期。元代也曾有復古的書學思想，所以元人論書中也有與黃伯思類似的觀點。見莫家良，〈元代篆隸書法試論〉，頁81-84。
165. 孫岳頒、王原祁，《佩文齋書畫譜》，冊2，頁41。
166. 見崔爾平，《明清書法論文選》，上冊，頁264。
167. 近年來，關於清代隸書的學術討論甚多，見王冬齡，《清代隸書要論》；王珅（Shen Wang）關於朱彝尊隸書的論文，"The Intellectual Climate of the Early Qing and Zhu Yizun's Clerical Script Calligraphy"；何碧琪，〈清代隸書與伊秉綬〉。
168. 《曹全碑》在萬曆年間的出土是當時書壇的一件大事。周亮工曾這樣說：「《郃陽碑》

近今始出，人因《郃陽》而始崇重《禮器》，是天留漢隸一線，至今日始顯矣。」見周亮工，《賴古堂集》，冊下，卷20，頁19a。

169. 郭宗昌的許多收藏後來轉入王弘撰之手。曾經郭宗昌和王弘撰收藏的《曹全碑》，是存世最好的拓本，目前藏在北京故宮博物院。

170. 我們從傅山和朱彝尊的著作中，得知傅山藏有這九種碑拓。

171. 清代研究《說文解字》的「許學」一直要到十八世紀才成爲顯學。見林明波，《清代許學考》。

172. 傅山在晚年從事古文字的研究，但並沒有比較系統的研究成果。

173. 傅山與傅眉都曾臨習小篆《嶧山碑》，所據拓本不詳。從存世的傅山大篆作品來看，傅山的篆書充滿想像力，從字書中學習的東西要比原拓來得多。不過如前所述，他到晚年時，已經意識到自己以往對篆書的理解存在著問題。

174. 李因篤題跋的原文爲：「頃在太原，傅公之他數爲予言漢分法，自云頗得數千年不傳之秘。」該拓本目前藏在北京故宮。李因篤的題跋雖無年款，但寫明是夏天時在西安所寫，因而我們得以將之定爲1666年。因爲李因篤於該年春天經太原返老家陝西富平，並在夏天訪西安。見吳懷清，《關中三李年譜》，頁337-338。

175. 從筆墨來看，此卷可能是一件摹本。

176. 太原晉祠博物館藏傅山題《曹全碑》手稿（《傅山全書》，冊1，頁414）云：「乙巳冬（1665或1666）郃陽范年家寄來。」根據閻若璩的說法，傅山在明末就曾收藏過一件萬曆年間的《曹全碑》拓本，但卻在戰亂中遺失了。本卷中所臨的《曹全碑》拓本應是1665或1666年傅山所得到的另一拓本。見閻若璩，《困學紀聞箋》，卷13，頁2a。

177. 明代學者都穆，在他的《金薤琳琅》中提到《夏承碑》可能有僞本。我們知道唐曜在嘉靖二十四年（1545）翻刻了《夏承碑》（顧炎武，《金石文字記》，頁9201）。而現存的所謂宋拓《夏承碑》是否爲原拓仍然有爭議。請參見方若、王壯弘，《增補校碑隨筆》，頁95-96。

178. 即《夏承碑》。《夏承碑》的全名爲《淳于長夏承碑》。

179. 《傅山全書》，冊1，頁856。

180. 這段文字在一雜書冊頁中，冊頁現藏上海博物館。

181. 蔡氏和李氏應爲蔡有鄰和李潮這兩位唐開元、天寶年間擅長隸書的書法家。。

182. 《傅山全書》，冊1，頁862。

183. Baxandall, *Painting and Experience in Fifteenth-Century Italy*, p. 34。巴氏重視的是生活中受人們珍視的技巧和品味形成之間的關係。此處"taste"一詞，大陸學者多譯成「趣味」。

184. 朱彝尊，〈跋漢華山碑〉，《曝書亭集》，卷47，頁7a-b。

185. 《傅山全書》，冊1，頁421。

186. 用語言來概括我們的審美經驗十分重要。關於藝術語言對人們豐富的審美經驗的概括、或簡單化、甚至歪曲，以及語言在視覺經驗中的提示作用，見Baxandall, *Painting and Experience in Fifteenth-Century Italy*, pp. 29-38。

187. 王弘撰，〈書鄉飲酒碑後〉，《砥齋集》，卷2，頁26b。

188. 朱彝尊也有類似傅山的經驗。康熙四十一年（1702）他在爲宋犖臨寫的《曹全碑》手卷後，用行書題道：「余九齡學八分書，先舍人授以《石臺孝經》，几案牆壁塗寫怠遍。

及壯睹漢隸，始大悔之，然不能更而古矣。」《中國古代書畫圖目》，冊22，頁197，「京1-4293」。

189. 《傅山全書》，冊1，頁414。

190. 在清初，劃分漢唐隸書的區別在書法家中甚是流行。在康熙年間成長的隸書名家萬經在〈分隸偶存〉曾這樣描述漢唐隸書的異同：「漢多拙樸，唐則日趨光潤；漢多錯雜，唐則專取整齊；漢多簡便如眞書，唐則偏增筆劃爲變體，神情氣韻之間，迥不相同耳。」可以說，清初人的這些討論開了以後「卑唐説」的先河。

191. 朱彝尊，〈贈鄭簠〉，《曝書亭集》，卷10，頁2b。黃初（220-226）爲魏文帝曹丕的年號。

192. 竇泉、竇蒙，〈述書賦並注〉，見《歷代書法論文選》，上冊，頁255。

193. 行書和今草始於東漢末年，和楷書的形成差不多同時，可能略早些。但在楷書成爲日常的正體字和學習書寫的入門字體後，楷書的筆法影響到行草。

194. 馮行賢，《餘事集》。

195. 《傅山全書》，冊1，頁855。

196. 潘良楨認爲楷書在唐代法度化的趨勢並不是一個孤立的藝術現象，而是和唐代統治者在戰亂後重建帝國秩序（包括複雜的法典和高度發展的官僚體系）的一系列政治文化政策有關。請參見潘良楨，〈學王管見〉。關於中國書法史中的筆法演變，尤其是楷書筆法發展對其他幾種字體書寫的影響，請參見邱振中，〈關於筆法演變的若干問題〉。

197. 關於漢隸筆法和結字特徵的討論，見華人德，《中國書法史．兩漢卷》，頁153-160。

198. 關於顏眞卿的早期作品和唐玄宗朝書法品味間的關係，見McNair, *The Upright Brush*, p. 29。

199. 關於顏氏家族研習篆書的傳統，見朱關田，《唐代書法考評》，頁122。篆書對顏眞卿晚期風格的影響，請參見McNair, *The Upright Brush*, pp. 118-120。

200. 元代有不少書家寫篆隸，但莫家良也指出他們的隸書深受楷書的影響。見莫家良，〈元代篆隸書法試論〉，頁92。

201. 周亮工，〈與倪師留〉，《賴古堂集》，冊2，卷20，頁19a。王弘撰也有類似的評語：「漢隸之失也久矣，衡山（文徵明）尚不辨，自餘可知。」見王弘撰，〈書郭胤伯藏《華山碑》後〉，《砥齋集》，卷2，頁1a。

202. 明代學者楊愼曾提及文徵明贈與他《張遷碑》的拓本。見楊愼，《金石古文》，卷7，頁8b。

203. 這裏使用的「圖式」（schema）乃借用英國藝術史家貢布里希提出的一個重要的理論概念。關於這一理論的討論，請參見林夕等譯貢布里希的名著《藝術與錯覺》。在林夕等中譯本後，附有譯者的〈譯後記〉，對幫助中文讀者閱讀《藝術與錯覺》甚有助益。在〈譯後記〉中有這樣一段文字（頁593-594），和我這裏的討論有直接的關係：「藝術家習得的圖式對知覺組織有巨大影響，我們的心靈是根據已知的概念去分類和記錄我們的新經驗。」

204. 錢泳，〈書學〉，收錄於《歷代書法論文選》，下冊，頁619。

205. 馮班，〈鈍吟書要〉，收錄於《歷代書法論文選》，下冊，頁557。書法家的追本溯源與學術界的理念完全一致。例如顧炎武對《詩經》的研究是爲了重建古代的音韻系統，以期能更深入地研究五經。傅山用杜甫詩中的用韻來勘比《廣韻》也是同樣的道理。

206. 朱彝尊，〈贈鄭簠〉，《曝書亭集》，卷10，頁2b。

207. 申涵光，〈與周減齋〉，收錄於周亮工，《尺牘新鈔》，冊2，頁17。

208. 潘耒，《遂初堂集》，卷8，頁36a-b。

209. 閻若璩祖籍山西，但在南方的山陽長大。

210. 程邃傳世的隸書作品不多。在安徽省博物館與歙縣博物館所藏的兩本冊頁上，有程邃用隸書書寫的題款，其風格類似鄭簠，但更加厚重古拙。關於程邃的生平和繪畫藝術的研究，見李志綱，〈程邃（1607-1692）繪畫研究〉。

211. 朱彝尊，〈贈鄭簠〉，《曝書亭集》，卷10，頁2b。

212. 八大山人的早期書法明顯受到董其昌的影響。但是在1680年代後期，他的書法開始出現濃重的篆隸意味。關於八大山人晚年書風和金石學復興的關係，見白謙慎，〈清初金石學的復興對八大山人晚年書風的影響〉。

213. 孫枝蔚，〈清明同方甪止陳其年飲程昆侖署中〉，《溉堂集》（續集），卷1，頁21a。

214. 馮行賢，〈隸字訣〉，載《餘事集》。馮行賢是清初書法理論家、常熟馮班的長子。1678年，他在北京參加博學鴻辭特科考試時結識傅山。

215. 目前存世的鄭簠作品，除一件篆書外，其餘的都是隸書。關於鄭簠的隸書及其訪碑活動，見何傳馨，〈清初隸書名家鄭簠〉，頁132-135。還請參見胡藝，〈鄭簠年譜〉。雖然我們無法確定鄭簠和傅山是否相識，但鄭簠和傅山的一些朋友熟識。

216. 朱彝尊，〈書韓敕孔廟前後二碑并陰足本〉（《曝書亭集》，卷47，頁10a）云：「闕里孔子廟庭，漢魯相韓敕叔節建碑二。……金陵鄭簠汝器相其陷文深淺，手搨以歸，勝工人椎拓者百倍。」

217. 王弘撰，〈寄鄭谷口〉，《砥齋集》，卷8下，頁19a-b。

218. 請參見何傳馨，〈清初隸書大家鄭簠〉。汪琬和傅山應相識，因爲1678至1679年博學鴻辭特科考試期間，兩人都應薦在北京。汪琬和傅山的許多朋友（如顧炎武、朱彝尊、閻若璩、李因篤等）相熟。

219. 關於羊毫筆對清代書法的影響，見華人德，〈論長鋒羊毫〉；〈回顧二千年以來的文房四寶〉。

220. 該畫目前藏於四川省博物館，見《石濤書畫全集》，卷上，圖58。

221. 謝肇淛（1567-1624）在《五雜俎》（頁130）中說：「近代書者，柔筆多於剛筆，柔則易運腕也；偏鋒多於正鋒，則易取態也。然古今之不相及，或政坐此。」雖然謝肇淛所闡述的軟毫筆受歡迎的原因與筆者不同，但他的評論顯示出晚明以後軟毫筆的流行。清初著名詩人王士禛（1634-1711）在《香祖筆記》（卷2，頁35）中說：「近日湖州專用羊毛，殊柔軟無骨，形貌亦醜。」王士禛雖和清初的藝術家（包括傅山）有廣泛的交往，但很顯然，他並不欣賞醜拙的書法。不過，他的筆記證實了羊毫筆在清初的流行。

222. 見上海博物館藏石濤1693年所作書畫冊。收錄於《石濤書畫全集》，卷上，圖98，《書畫合璧》之十三。

223. 石守謙，〈由奇趣到復古——十七世紀金陵繪畫的一個切面〉。

224. 傅山，《傅山全書》，冊4，頁2781。本書頁255，圖3.23石濤的題詩中也有「三十餘年立畫禪，搜奇索怪豈無巔」句。

225. 這種在詩酒文會中以隸書藝術爲話題的現象，和前引十年前方文等在雅集中討論篆隸八分的情形相似。

226. 施閏章，〈酒間贈鄭谷口〉（時谷口歷敘八分漢隸諸碑書法，又被大司馬敦促入都），《施愚山集》，冊2，頁418。施閏章的詩並沒有紀年，但是根據胡藝，〈鄭簠年譜〉，鄭簠赴京只有一次。而朱彝尊作於1676年的〈贈鄭簠〉一詩，專門提到鄭簠到達了北京。因此將鄭簠赴京繫於1676年。大司馬爲兵部尚書的別稱，而當時任兵部尚書的是王熙（1628-1703）。著名藝術收藏家梁清標（1620-1691）曾在1656年至1666年任兵部尚書。所以，邀請鄭簠赴京的也可能是梁清標。

227. 朱彝尊是年在潞河。見楊謙，《朱竹垞先生年譜》，頁22。由於朱彝尊的詩中有「子今南去生凌澌」句，所以詩似在鄭簠南歸之際寫的。

228. 朱彝尊，〈贈鄭簠〉，《曝書亭集》，卷10，頁2b。

229. 閻若璩的原文如下：「十二聖人者：錢牧齋（謙益）、馮定遠（班）、黃南雷（宗羲）、呂晚村（留良）、魏叔子（禧）、汪苕文（琬）、朱錫鬯（彝尊）、顧梁汾（貞觀）、顧寧人（炎武）、杜于皇（濬）、程子上、鄭汝器（簠），更增喻嘉言（昌）、黃龍士（蚪）凡十四人。謂之聖人，乃唐人以蕭統爲聖人之聖，非周孔也。」見《潛邱劄記》，卷5，頁93b。原版因避文字獄，挖去數位，無「錢牧」和「晚村」，筆者根據當時名人的名號推測而補。括弧內的名也爲筆者所加。

第4章
文化景觀的改變和草書

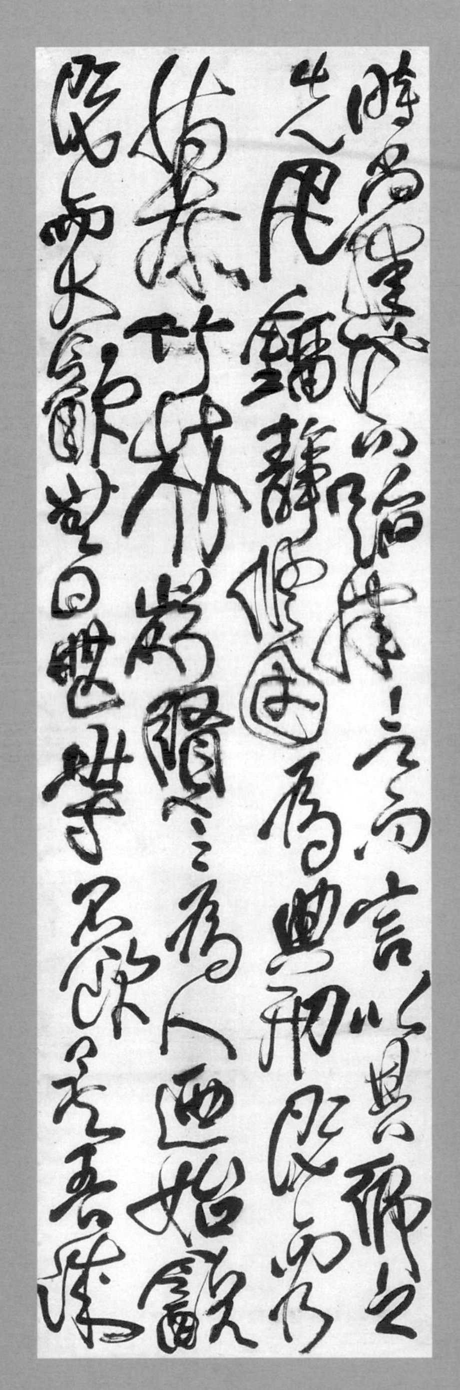

本書前兩章，已經討論了清初政治文化背景中傅山對顏眞卿書法、書寫異體字、雜書卷冊和古代金石書法的興趣。然而，傅山留給後世印象最深刻的還是他的行書和草書。在他的存世作品中，不但行草書的數量最多，而且有些作品的幅面很大，書風特徵非常鮮明，給觀者留下極其深刻的印象。本書在最後一章才討論傅山的行草，是因爲傅山被視爲明末清初最後一位草書大師，[1]對其草書作品的研究，將可闡明碑學在清初開始萌芽之後，其他字體的書法發生了哪些變化。可以說，草書在傅山身後開始的衰落，實際上反映出文化景觀的變化導致了美學價値的重大轉變。而標誌著清初文化景觀變化的一個關鍵事件，就是發生在傅山晚年（1679）的博學鴻詞特科考試。

傅山的晚年生活

到1670年代，滿族人入主中原已有三十年。雖然全國局勢尚未完全穩定——1674年，仕清將近三十年的吳三桂和另外兩位藩王叛亂（史稱「三藩之亂」），[2]對清廷構成相當的威脅。但是許多遺民對匡復明室已經不抱任何希望。抗爭日漸減少，緊張的情勢隨著時間推移趨於和緩，清廷在全國範圍內已經逐步鞏固了統治。當其政權穩固之際，漢族菁英對於清政府的態度也在發生改變。雖然不少遺民繼續效忠業已覆亡的明朝，拒絕與清廷合作，但他們的子弟卻很少繼承他們的衣缽。正如與傅山同時代的徐介（1627-1698）所言，遺民身份是無法世襲的。[3]在清朝的統治下成長起來的遺民後嗣，已經失去了父輩效忠明朝的那種道德責任感，對他們而言，效忠前朝是個比較陌生的話題。時代的變遷迫使他們去適應新的生活環境，在康熙朝，已有相當多的遺民子弟投身科舉，即使當時他們的父輩仍然在世。清初文人戴名世（1653-1713）曾說：「自明之亡，東南舊臣多義不仕宦，而其家子弟仍習舉業取科第，多不以爲非。」[4]有些遺民子弟成爲府、州、縣學的生員，有些則在中進士後任高官，享厚祿。最顯著的例子是，顧炎武的七個姪甥中有五人考取了進士（三名成爲高官），其餘二人，一爲諸生，一爲太學生。[5]

趙園指出，遺民是一個時間現象。[6]隨著時間的推移，有的明遺民死去，有的改變了對前朝的忠誠，轉而與新政權合作，明遺民的人數因此逐漸減少。變節行爲在那些固守忠貞的遺民中引發了焦慮感。顧炎武在1673年爲戴廷栻撰寫的傅山小傳所題的跋語中，再次提起了儒家行爲規範中「行藏」這個重要問題。顧炎武寫道：「行藏兩途是人一生大節目，古聖前賢皆於此間著意，一失其身，百事瓦裂，戒之戒之。」[7]

次年，顧炎武寄贈傅山一首詩，其中有如下詩句：

太行之西一遺老，楚國兩龔秦四皓。[8]

春來洞口見桃花，儻許相隨拾芝草。[9]

顧炎武把「太行之西一遺老」的傅山比作古代著名的遺民，並以「相隨拾芝草」相期許，他的詩字裏行間透露出明遺民通過相互鼓勵來堅定自己的道德信念。從理論上來說，人們應當堅持道德原則，但在實際生活中，心志脆弱的人們卻常常會因爲周邊環境的變化而搖擺不定。雖然同儕中的變節確實導致了一些人的猶豫和動搖，但許多遺民仍從彼此的鼓勵中獲取力量。這種鼓勵包括像顧炎武那樣援引爲人傳頌的古代遺民事跡，相信他們的選擇將贏得後世的敬仰，名垂青史。

1674年夏，傅仁去世，享年三十六歲。傅仁是傅山的兄長傅庚的兒子，四歲失怙，由傅山撫養成人。傅山教其讀書識字，爲其娶親，視同親生骨肉。在1670年代以前，傅眉已有子女多人，並在太原城中經營傅家的藥鋪。所以傅山出外旅遊時，常由傅仁爲伴，叔姪之間的感情極深。[10]傅仁的英年早逝，對傅山打擊極大，悲痛中他覺得自己一下子衰老了許多，因此萌生隱居深山之意。在傅仁去世後不久，傅山寫信給戴廷栻，請老友幫他賣畫籌款在山中結茅以度殘年。傅山在信中這樣寫道：

弟老矣。遭此小阮之痛，筋骨衰憊十倍於前。栁栗一肩，無復遠意。欲結茅丹崖之下，送此殘年。而苦無芟蒼鑿翠之資，未免有待於我輩。而我輩之可煩者，莫過吾兄。而吾兄此時之囊政復羞澀，可當奈何！自過河西分單破梵，外境內情，逐處不堪，無聊排遣，作得絹畫數幅，煩楓仲道丈爲我作一風流頭陀，代爲韻募。[11]

1675年秋，即傅仁去世一年後，山西著名理學家范鄗鼎（1667年進士）晤傅山於太原。范鄗鼎在其所編《三晉詩選》中所收傅山〈題自畫蘭〉詩後有段小跋記其事：

乙卯秋（1675）晤先生于大鹵山廟，黃冠破衲，門外蒿草成林。言及著作，便云擱筆已久，舊有一二，亦付之斷崖深谷中矣。歸而索諸楓仲，乃得詩章一百一十張，皆從斷崖深谷中掇出。今雖壽木，出於楓仲之手，圖藏名山，非傳海內也。余恐來世無傳，謹採其可解者，以見大略。附識。[12]

這段小跋說明，傅山此時還隱居在山中的寺廟裏，未能從傅仁去世的打擊中振作起來。

上引致戴廷栻的信中，傅山請戴爲其籌款，以在山中築室隱居。此事是否辦成不詳。但有一點可以肯定，傅山晚年常住山中。范鄗鼎長子范翼也有〈謁傅公他先生歸，賦此就正〉一詩，記在山中拜訪傅山：

傳云險絕處，高士隱其中。斷峽愁飛鳥，梵堂愛老翁。

畏人甚畏虎，常色亦常空。不意桃源路，偶然爲我通。

（原註：先生居東山古廟）[13]

范翼的詩很可能作於1670年代的下半期，[14]「不意桃源路，偶然爲我通」這兩句說明，顯貴者如范家子弟，此時要見隱居中的傅山也不那麼容易了。

爲什麼傅山會「畏人甚畏虎」呢？傅山在1660年代已享有很高的文化聲譽，加之戰後的經濟也在逐漸復甦，各地前來拜訪和求字的人也越來越多。傅山在1660年代末，已對知名度之大所帶來的麻煩頗有感慨。他在爲友人作的一個冊頁上這樣寫道：「莫愁前路無知己，天下何人不識君，常笑此兩句。知己遍天下，尙有已哉！何人不識，與鴉噪鮑佐何異！」[15]傅山名氣大，應酬就多。於是，這裏便出現了一個中國社會常見的矛盾：當一個文化人年事越來越高，身體越來越弱時，他的名氣卻隨著年齡與日俱增，越來越大，應酬之類的事也越來越多。這樣的狀況令傅山感到窘迫，因此，他不得不依靠別人代筆來完成他的書債。

傅山有兩個代筆人，一是其子傅眉，一是其姪傅仁。傅仁雖然自幼身體羸弱，但天資很高，寫得一手好字（圖4.1）。傅山晚年時，傅仁常爲他代筆。1675年夏天，傅山在一篇札記中寫道：

又輒云能辨吾父子書法，吾猶爲之掩口。大概以墨重筆放、滿黑椏杈者爲父，以墨輕筆韶、行間明爐者爲子。每聞其論，正詅癡耳。三二年來，代吾筆者，實多出姪仁，人輒云眞我書。人但知子，不知姪，往往爲吾省勞。悲哉！仁徑捨我去一年矣。每受屬撫筆，酸然痛心，如何贖此小阮也？乙卯五月偶記。[16]

傅仁的逝世不僅是情感上的打擊，還使傅山突然失去了爲他省勞的主要臂膀，導致他無法有效率地對付種種應酬。所以，年邁的傅山「畏人甚畏虎」，儘量回避訪客的打擾。范翼曾寫過一首題爲〈聞有訪公他（傅山）先生者，先生辭以疾〉的詩，詩的第一句便是：「客來病即發。」[17]

傅山聲稱自己「擱筆已久」，不過是個藉口。其實，傅山的家中保存著一些他的學術著作，但他並不願意將此公諸於世。他這樣做大概出於以下幾個原因：一是傅仁剛去世，他無心與人論學。二是他像顧炎武一樣，不輕言著作。三是他儘量避免外界

圖4.1
（左）傅仁　《小楷雜詩四首》局部
冊頁（共兩頁）紙本　24.5x13.8公分
太原晉祠博物館
引自林鵬等　《中國書法全集》　冊63
《清代編：傅山卷》　頁354　圖版77

（右）傅眉　《自作詩》行草
軸　絖本　220x50公分
日本橋本大乙收藏

的煩擾。實際上，傅山在晚年仍然在鑽研古代文化。他對哲學、史學的研究主要保存在他的筆記以及《荀子》和《淮南子》等書的批註中。如本書第三章所述，傅山在晚年意識到早期篆書中存在著許多問題，花了不少時間研究古文字。傅山對於《說文解字》這部重要的古文字學著作的興趣漸增，在其晚年的著作中，他常常引用《說文解字》。十八世紀，文字學成爲重要的學術領域，而傅山對《說文解字》的興趣正是這股學術潮流的先聲。

除了學術研究外，傅山還花了不少精力來教育他的兩個孫子傅蓮蘇和傅蓮寶。他親自傳授經、史、文學、書法，並教導他們遵循儒家的倫理道德處世行事。入清後，傅山一直過著相當清貧的生活，他教導兩個孫子要對學者的樸素生活感到知足，「粗茶淡飯，布衣茅屋度日，儘可打遣」，不要汲汲於積累財富。[18]雖然傅山一直想在平靜的環境中以教育孫兒和著述終其天年，但他的名聲卻依然給他帶來了意想不到的麻煩。

博學鴻詞特科考試

康熙十七年戊午（1678）正月二十一日，康熙皇帝諭內閣：

> 自古一代之興，必有博學鴻儒，振起文運，闡發經史，潤色詞章，以備顧問著作之選。朕萬幾時暇遊心文翰，思得博洽之士，用資典學。我朝定鼎以來，崇儒重道，培養人材。四海之廣，豈無奇才碩彥，學問淵通，文藻瑰麗，可以追蹤前哲者？凡有學行兼優、文詞卓越之人，無論已仕未仕，著在京三品以上及科道官員，在外督、撫、布、按各舉所知，朕將親試錄用。其餘內外各官，果有真知灼見，在內開送吏部，在外開報督、撫，代爲題薦，務令虛公延訪，期得真才，以副朕求賢右文之意。[19]

這次考試就是康熙朝著名的博學鴻詞特科考試。[20]各地薦舉的一百八十餘位學者中，包括傅山、朱彝尊、閻若璩、李因篤、王弘撰、潘耒、曹溶。[21]

被薦舉的學者，政治背景不同，對這次考試的反應也各異。有七十六人在清代進士及第，十八人爲舉人，另有兩位是已仕清的明代進士。因此，約有五成的人員已是新朝政治菁英階層的成員。此外，還有不少被薦學者，如傅山的友人、直隸陳僖（活躍於1640年代至1680年代），曾多次參加清政府舉行的科舉考試，但屢屢落榜。[22]對這些人來說，參加清廷主持的這次特科考試並不涉及政治立場的改變。

但是，對於那些依然效忠明王朝的人士，特別是那些在成年後才遭逢易代之變的遺民們，是否參與博學鴻詞特科考試卻是一個重大的考驗。對他們而言，姑且不論考試的結果如何，參加博學鴻詞特科考試本身就等於承認了清政府的合法性，是一種向新朝妥協的行為。如果堅守遺民立場，除了拒絕，他們別無選擇。顧炎武得知自己可能被薦舉後，再三致書有關官員，表達了寧死也不參加考試的決心。有關官員知其志不可屈，才沒有將其列入薦舉名單。[23]顧炎武的友人、陝西遺民李顒（1627-1705）則被迫採取了更激烈的行動來抵制這次特科考試。被薦之後，李顒便稱病不赴，當地方政府持續向他施加壓力時，他絕食五天，迫使地方官員知難而退。[24]

年輕的學者對薦舉的反應不一。在清朝統治下成長的新一代，對明代的忠誠和眷念自然遠不如他們的父輩。許多明遺民並沒有要求他們的子弟克紹箕裘，對子弟們參加新朝的科舉採取默許的態度。如傅山的友人閻修齡，在明亡後便過著隱遯的生活。他的兒子閻若璩卻汲汲於功名，曾經屢次參加科舉，儘管總是名落孫山。[25]當閻若璩聽說自己被薦舉參加博學鴻詞特科考試時，極為興奮地寫了一封信給友人劉珵（劉超宗）：

> 見閒送單有仁和吳志伊（吳任臣，1628-1689），深快人意。……作字與季貞（丘象隨）云：安得將杜于皇濬（1611-1687）、閻古古爾梅、周茂三容（1619-1679）、屈翁山大均、姜西溟宸英（1628-1699）、彭躬庵士望（1610-1683）、邱邦士維屏（1614-1679）、顧景范祖禹（1631-1692）、劉超宗某、顧寧人炎武、嚴蓀友繩孫（1623-1702）、彭爰琴桂、顧梁汾貞觀（1637-1714）一輩數十人，盡登啓事，齊集金馬門，眞可賀野無遺賢矣！[26]

閻若璩在1678年被薦舉時，尙沒有通過正常的科舉獲取功名，博學鴻詞特科為他提供了一個極好的入仕機會。

並非所有的年輕學者都像閻若璩那樣興奮。潘耒對特科考試的態度就十分矛盾。為了抵制這個曾經誅殺其兄的政權，潘耒一直拒絕參加清代的科舉。當被薦舉的消息傳來時，他頗感吃驚，以老母需人服侍和自己體弱多病為由予以拒絕。在一首給曹溶的詩中，潘耒表達了要像古代隱者那樣平靜地度過一生的願望。[27]

然而地方政府無視潘耒的意願，要求他前往北京。潘耒擔心，若一再拒絕可能會觸怒政府反而招致覆巢的危險——十餘年前兄長死於文字獄的情形依然記憶猶新。他作於這一時期的一組〈寫懷〉詩也透露出矛盾的心情：

昔賢心跡太分明，蹈海焚山事可驚。

桑樹掛書人不見，羊裘把釣水長清。

吾生豈得孤行意，隱去何當復啖名。

只合從容求放免，林泉深處好偷生。[28]

潘耒的進退兩難可能還另有原因。當時他年僅三十三歲，如果他像老師顧炎武那樣選擇退隱，其一生只能過著樸素的生活。然而，出仕總是吸引著儒家學者，輔佐君王治理天下本來就是儒家的責任，官職畢竟還能帶來物質利益，更可以光宗耀祖，而且潘耒出生於明清鼎革後。不管是屈從地方官員的壓力還是抵抗不住官場的誘惑，年輕的潘耒最後選擇了前往北京。

在各級政府的不懈努力下，約有一百五十名被薦學者前往北京赴試。傅山由京官李宗孔（1618-1701）和劉沛先舉薦，最初他也稱病拒絕赴京。在一首作於1678年六月題爲〈病極待死〉的詩中，傅山清楚地表明了自己的心志：

生既須篤摯，死亦要精神。

．．．．．．．．．．．．．

誓以此願力，而不壞此身。[29]

雖說傅山屢辭薦舉，地方政府並沒有因此放棄努力。七月，陽曲縣知縣戴夢熊（卒於1680年）親備驢車，極力勸行。[30]戴夢熊是傅山的朋友，大概平時曾在各方面給傅家提供過不少方便，若傅山拒絕赴京，會令這位地方官難堪。傅山勉強接受了戴氏提供的驢車，在傅眉和兩個孫子的陪同下啓程前往北京。[31]大概在啓程前或在旅途中，傅山致函戴夢熊，「纍纍數百言，慮其衰老不復能把握也」。[32]很顯然，傅山雖已同意赴京，但依然不打算參加考試，他寫信給戴夢熊是希望戴有所準備。當一行人接近北京時，傅山聲稱身體不適無法繼續前行，停宿在崇文門外的一個荒寺中。這是一個具有象徵性的行動──拒絕入城。在這段時間，傅山寫了不少以死亡爲題的詩。[33]死亡在這裏具有雙重意義，藉著談老死，傅山爲他拒絕參加考試製造藉口，同時他也表達了這樣的決心，倘若清廷執意逼他參加考試，他準備以死殉節。

由於傅山的名望，他到達的消息很快在北京傳開，被薦學者和漢族官員紛紛前去拜訪。[34]訪客中包括老友閻若璩和李因篤，但更多的是彼此仰慕已久但不曾謀面的新知。傅山下榻的寺廟一時成爲文人聚會的地點。[35]

康熙年間的這次博學鴻詞特科考試向來爲治清史的學者所注意，但以往的研究大多著眼於這次考試的政治意義，對它在清初的學術和藝術方面的重要意義則重視不夠。這次特科與一般的會試有所不同。第一，參加會試的的舉人中雖然也有已經成名的學者，而大多數特科的被薦者早已在士林聲名卓著。第二，會試的考試日期有規定，[36]參加會試的舉人如果想節省開支，不會太早地抵達北京。清朝的科舉考試，會試以四書五經和論、表、判、策爲內容，殿試考策問，[37]赴考者到了京城之後仍然可能會孜孜不倦地讀書備考。但是參加博學鴻詞特科的學者被薦抵京後，並不知道考試將在何時舉行。[38]其中有一半左右的被薦者已是進士，特科的試題若不同於會試和殿試，大概也無從準備。況且，許多被薦舉的學者很有成就，讓他們參加考試，與其說是對他們的才學作嚴格的測試，倒不如說更像是拉攏他們進入朝廷的手段。此外，參加會試全屬自願，赴試者當然願意中式。而特科被薦者中有些人並不情願仕清，自然也不會去備考。總之，參加博學鴻詞特科的學者應比參加會試的學子們有更充裕的時間自由打發。

大部分博學鴻詞特科的應薦者在1678年秋天抵京，但考試卻在次年三月才舉行，學者們有長達六、七個月的時間交遊、討論學術。結果，這次特科考試變成了一次長達數月的學術聚會。被薦者和在京任官的知名文化人物如著名詩人王士禛、收藏家高士奇（1645-1704）、詩人兼收藏家宋犖（1634-1713）等也有不少的互動交流。[39]在這些互動中，有些是爲了學術交流，但更多的人是在結交權貴，謀取晉陞的機會。王士禛在寫給王弘撰的一信中，描述了當時在京學者的種種行徑：「頃徵聘之舉，四方名流，雲會輦下，蒲車玄纁之盛，古所未有。然自有心者觀之，士風之卑，惟今日爲甚。如孫樵所云：『走健僕，囊大軸，肥馬四馳，門門求知者，蓋什有七八。』」[40]

明代文人好結社，聚會也多。[41]崇禎六年（1634）春，復社在蘇州虎丘舉行大會，以舟車至者數千餘人，堪稱一時盛舉。[42]入清後，清政府禁止士子立盟結社，雖說一些文人社團採取了隱蔽的方式，文人的詩酒文會也從未斷過，[43]但要想舉行跨地區的大型聚會已很難了。博學鴻詞特科考試絕不是爲結社的目的而開，實際上卻爲來自全國各地的學者文人提供了聚會的條件。如此眾多的傑出文化人物聚集一地，必然引起全國文化藝術界的注意。在此期間，不但一些被薦學者將自己收藏的藝術品帶到北京，一些藝術家和收藏家也攜帶著自己的作品或藏品來到北京，向被薦學者和在京的漢官索求題跋，請益交流，拓展自己及藏品在文人圈中的知名度。王弘撰把自己收藏的定武《蘭亭》五字未損本、宋克臨趙孟頫十七跋、《漢華山碑》拓本、李成《古木圖》、沈周《秋實圖》、唐棣《水仙圖》等名蹟帶到了北京。[44]戴廷栻也在此時來到北京探視傅山，[45]可能在京城購買了一些書畫。在戴廷栻收藏的一本安徽畫家戴本孝所繪十二開的山水冊上，傅山在每開的對頁題了詩。這本冊頁應爲戴廷栻在京城所得。[46]戴廷栻在京期間，還請人爲他的收藏題跋，如戊午冬戴廷栻請王弘撰爲他題丹楓閣畫冊。[47]揚州篆刻家童昌齡（活躍於十七世紀晚期，字鹿遊）也在此時來到北京宣傳自己的篆刻，並成功地得到韓菼、朱彝尊、梁清標、高士奇、陳僖、王弘撰、徐元文等在內的多位學者和官員爲他的印譜撰寫的題詞。[48]

在那些帶有學術性質的聚會中，曾參與山西學術圈的學者們扮演了重要的角色。閻若璩時常出入各種聚會，和其他學者論辯古代經典和名物制度，由於他「博物洽聞，精于考證經史，獨爲諸君所推重。過從質疑，殆無虛日」。[49]傅山雖然稱病蝸居在崇文門外的寺廟中，但由於學者們頻頻造訪，他仍然得以參與許多學術交流。例如，閻若璩「日與傅山人青主遊處」，[50]和許多前去拜訪傅山的學者們討論學術問題。一些同樣稱病不出的學者不能前來拜訪傅山，傅眉則代表其父前往拜訪。如傅山和王弘撰就通過雙方的兒子傳遞書信，就《易經》交換學術意見。[51]

考據學和金石學也是這些文人學術聚會的重要話題。閻若璩的著作中收錄了不少他在北京和其他學者考證古代經典和名物制度的筆記和信札。[52]長於金石學的昆山學者葉奕苞在博學鴻詞特考落榜後，返回故里，完成了金石學專著《金石錄補》。葉奕苞在北京曾拜訪過傅山，[53]並與朱彝尊、閻若璩、王弘撰、陳僖等討論過金石學，《金石錄補》中有簡略的記載。[54]從書中徵引的他人研究成果來看，葉奕苞非常熟悉當代學術研究。由此可見，博學鴻詞特科考試的目的雖不是爲了促進學術，但在客觀上爲學者們提供了一個交流學術的絕好機會。

與金石學息息相關的取法古代金石書法的觀念，也必定隨著來自全國各地的學者間的交流得到進一步發展。當時，董其昌書風深受康熙皇帝和一些廷臣的青睞，但1680年代之後，金石書法的品味便開始在藝術家中更爲廣泛地流行起來。[55]

博學鴻詞特科還使被薦學者和在京漢官有了更廣泛的接觸。許多官員（其中不乏飽學之士）曾前往寺廟拜訪傅山。在被薦學者與清廷之間，漢官扮演了調停者的角色。他們向朝廷報告某些明遺民因年邁病重而無法赴考，以成全這些爲數不多的遺民的道德名節，緩解了遺民和清廷的緊張關係。傅山和王弘撰雖稱病抵制考試，卻與大學士馮溥（1609-1692）、刑部侍郎高珩（1612-1697）以及戶部郎中王士禛等不少漢官結爲友人。馮溥是特科考試的主持人之一，曾專門前往寺廟拜訪傅山，並賦詩二首稱頌傅山。[56]他和眾多被薦學者過從甚密，並因爲人謙恭而在學者中有很好的口碑，許多文人都曾前往他的別墅萬柳堂參加詩酒文會。[57]1678年十二月五日（1679年1月16日）馮溥七秩大壽時，包括傅山、王弘撰在內的被薦學者，或賦詩文、或作書畫爲馮溥祝壽。[58]被薦學者和漢官之間的交往一直延續到考試結束之後，如傅山和高珩、王士禛還保持著聯繫。[59]一些學者以後還參與了當時在北京結交的官員所主持的學術項目。

1679年三月一日，博學鴻詞考試在體仁閣舉行，試題爲〈璿璣玉衡賦〉（四六序）和〈省耕詩〉（五言排律二十韻）。試題的政治寓意一目了然。璿璣玉衡是以玉爲飾的天體觀測儀器，《尚書・舜典》云：「在璿璣玉衡，以齊七政」，是王者正天文之器。省耕是指古代帝王巡視春耕。讓應試學者以這兩個題目作詩賦，無疑是讓他們承認清朝是受命於天的合法統治者，並爲康熙皇帝歌功頌德。而從目前與試學者的詩文集收錄的〈璿璣玉衡賦〉和〈省耕詩〉來看，大都充溢著稱頌大清王朝和康熙皇帝的文詞。

一百四十三個與試者中有五十名通過，包括朱彝尊、李因篤、潘耒。最終未能逃避考試但又不願出仕的王弘撰在作〈省耕詩〉時，寫下了「素志懷丘隴，不才媿稻粱」句，得旨回籍。據說，王弘撰得知放歸後，欣然曰：「余今歸去，寧敢言高，庶幾得免『無恥』二字焉。」[60]而傅山稱病未試。當傅山的老友、都察院左都御史魏象樞向康熙皇帝報告傅山等老病無法與試時，皇帝非但未予深究，還授予傅山等內閣中書的頭銜。[61]

當傅山返鄉之際，許多在京學者與官員前往送行。傅山對孫茂蘭的兒子孫川說：「此去脫然無累矣！」[62]他知道，由於自己年屆高齡，清政府不會再打擾他了。1679年八月，即放歸後的五個月，傅山前往陝西旅行，這次沒聽說他有任何疾病。

許多研究清史的學者都認爲，康熙十八年的這次特科考試是清政府拉攏漢族菁英尤其是南方文人的一大努力，標誌著清政府調整治國政策的一個轉捩點。[63]在五十名上榜的學者中，有二十六名來自江南（即江蘇、安徽二省），[64]十四名來自浙江，三名來自江西，南方學者占了絕大部分。這一結果除了反映出江南的文化學術水準高於其他地域外，還反映出清政府力圖尋求漢官階層構成的平衡。順治初年的反清運動主要發生在南方，而「江陰慘案」、「嘉定三屠」、「揚州十日」的慘痛記憶仍無法從南方學者的腦海中抹去。雖然有一些南方的前明官員在順治朝爲官，但是來自北方的漢官在朝中佔據著更爲重要的職位。當時清廷出於全局的考慮，將遼瀋、華北士紳集團列爲首要的爭取對象，所以華北、遼東士紳在順治和康熙初年的漢官階層中據有絕對的政治優勢。清朝於1646年舉行的第一次會試中，大多數進士爲北方人，因爲當時南方的一些省份還在南明的領導下進行著抗清活動。

康熙登基之初，鰲拜攝政八年（1661-1669），南方文人先後經歷了「哭廟案」和「奏銷案」兩個事件的重大打擊。[65]這兩個事件發生在清政府的政策本應由武功開始轉向文治的時期。此時，「雖然東南沿海地區的反叛仍騷擾著清朝的統治者，但滿洲統治者與漢人菁英間的社會和政治關係卻呈現出更嚴重、更急迫的問題」。鰲拜實行的政策進一步加劇了滿漢矛盾，說明滿洲統治集團中的一些人關心的只是滿洲人的短期利益，而對清王朝的長遠戰略目標卻視而不見。[66]康熙皇帝主持的特科考試是清廷政策上的重要轉變，它通過特科的途徑將一批南方的文化人才納入朝廷，以此來消弭政府和漢族菁英之間的對立。

博學鴻詞特科考試後，所有通過考試的學者皆授予翰林院官職，根據他們以往的官職和這次考試的成績，分別任命爲翰林院侍讀、侍講、編修、檢討，皆入史館纂修《明史》。顧炎武的外甥、翰林院大學士徐元文出任《明史》監修，其餘總裁也全部任用漢人。一些明遺民和沒有參加特科考試的優秀學者也被邀參加《明史》的纂修，史館一時人才濟濟。[67]

許多明遺民在明朝覆亡之初就已開始著手纂寫明朝歷史，有的則專門記載明清鼎革史跡，如谷應泰（1620-1690）作《明史紀事本末》、黃宗羲作《行朝錄》、王夫之（1619-1692）作《永曆實錄》、顧炎武作《聖安紀事》、計六奇（活躍於1662-1671）作《明季南略》、《明季北略》，「有關明代歷史的著作紛紛問世，形成了清初私修明史的高潮」。[68]但私修明史在政治和意識型態上都爲清政府所不容，鰲拜攝政之初發生的震驚全國的莊廷鑨「明史案」，完全可以看作是清廷向全國發出的嚴禁私修明史的明確信號。當私修明史的風氣被遏制後，官方主持的《明史》修纂計劃卻兼顧了清政府和漢族學者的利益。對於清政府而言，這無疑是用以籠絡人心的舉措。對於漢族文人而言，由漢族學者修纂《明史》，追述逝去的王朝，是他們深重的職責，可以平復他們內心對前朝那種永無休止的負疚感。[69]《明史》計劃是滿清政策步入一個新階段的標誌，而康熙皇帝扮演了重新塑造政治與文化環境的重要角色。

清政府其他的政策也影響著清初的文化景觀。早在順治九年（1652），清政府就下令禁止話本小說的流傳。雖然我們還不十分清楚這一禁令的實際效果如何，但可以肯定，清政府視晚明以來流行的戲曲、話本小說爲傷風敗俗的瑣語淫詞，把它們作爲影響社會穩定的因素而加以討伐。康熙時期則更廣泛且嚴厲地執行該項政策，燒書燬版，懲罰印刷和販賣這類書籍的坊肆、書賈，以及執行不力的官員。[70]江蘇曾是晚明通俗文化的出版中心之一，當孫奇逢的弟子湯斌在康熙年間（1684-1686）出任江寧巡撫（即後來之江蘇巡撫）時，他嚴令禁止小說戲曲的出版。在〈嚴禁私刻淫邪小說戲文告諭〉中，湯斌懷著一個衛道士的沈重使命感這樣寫道：

> 爲政莫先於正人心，正人心莫先於正學術。朝廷崇儒重道，文治修明，表章經術，罷斥邪説，斯道如日中天。獨江蘇坊賈，惟知射利，專結一種無品無學、希圖苟得之徒，編纂小説傳奇，宣淫誨詐，備極穢褻，汙人耳目。繡像鏤版，極巧窮工，致遊佚無行與年少志趣未定之人，血氣搖蕩，淫邪之念日生，奸僞之習滋甚。風俗陵替，莫能救正，深可痛恨。合令嚴禁。……若仍前編刻淫詞小説戲曲，壞亂人心、傷風敗俗者，許人據實出首，將書板立行焚燬，其編次者、刊刻者、發賣者一並重責，枷號通衢，仍追原工價，勒限另刻古書一部，完日發落。[71]

在嚴禁小說戲曲的同時，湯斌還令書坊用舊版印十三經、二十一史，如舊版已燬失，照原式翻刻，「不得聽信狂妄後生輕易增刪，致失古人著作意旨」。[72]顯然，湯斌和顧炎武一樣，對晚明改竄古書的風氣深惡痛絕，認爲「人心之邪，風氣之變，自此而始」，[73]並企圖以「正學術」來「正人心」。

湯斌和顧炎武一樣，也厭惡晚明開始流行的其他一些娛樂活動。被顧炎武所批評的馬吊也是他在任上所嚴令禁止的：

> 民生於勤，荒於嬉，故禮有遊惰之罰，律嚴賭博之禁。何意乃有馬吊紙牌一事，士農工商各有本業，一執紙牌，曠時廢業。無賴棍徒引誘富豪子弟，一幅之內，動經數千，一夕之間，輸輒盈萬。夜以繼日，叫呼若狂，主僕混雜，上下無分。姦淫竊盜，乘間而起，眞可痛恨。合行嚴飭以後，概不許印造紙牌，如再不遵，立拿重究。[74]

我們不能簡單地把湯斌看成只是一個朝廷命官。他不但是清初大儒孫奇逢的入室弟子，而且和顧炎武、黃宗羲等許多遺民學者交往頗深，他是一個在仕途上取得高位的正統儒家學者，所以，他對小說戲曲和馬吊紙牌下的禁令和顧炎武的口誅筆伐十分相像。如果說，顧炎武只能以其學術領袖的身份來批判晚明文化，湯斌則可以利用體制的力量來發佈和推行禁令。那些曾在晚明孕育出諷刺、挑戰古代經典的小說戲曲和尚奇美學觀念的城市文化，遭到了來自清政府和正統儒家學者的夾擊。在這方面，清政府和明遺民（至少是部分明遺民）的立場一致。如果說晚明是一個禮崩樂壞、經典權威衰落的時代，那麼它也是文學與書畫藝術的創作空前活躍的時代。道德的鬆弛有時與創造的活力並駕齊驅；當敬畏傳統經典的意識發生消解之際，肆無忌憚地戲擬經典的慧黠很快到達了高峰。印刷出版業的擴展，朝廷管束的鬆動，也刺激和加速了新思潮的產生和傳播。雖然晚明文化時常流於淺薄、輕浮、無聊、怪誕、乃至愚蠢，但它卻有蓬蓬勃勃的一面，衝擊著人的耳目和心智，於是有些人振奮，有些人困惑，有些人痛恨。晚明的文化風尚終於在清初開始發生改變，晚明的餘音遺響正在消逝。

雖然政治環境和文化氛圍都在康熙年間逐漸改變，但這些變化對書法的衝擊卻不是那樣清晰，文化景觀的變化給書法領域帶來的後果要等到數十年之後才彰顯出來。

傅山的行草與草書

明末清初草書中的理想和現實衝突

談起傅山的書法，今天人們印象最深的便是他的連綿草書。傅山一生留下了數量眾多的草書作品，其中很多是條幅。由於尺幅高大，用筆狂肆，這類作品具有強烈的視覺衝擊力，很容易攫取觀者的注意力。然而，如果我們關注的不僅僅是傅山草書作品的風格，而且還有它們的社會背景和功能的話，我們必然會發現這樣一個事實：許多傅山的草書立軸是應酬之作。[75]「應酬」的「應」是對某種需求或期待的「回應」；「酬」則帶有「報償」或「酬謝」之意。應酬一語點出了書寫者和受書者之間的互惠關係。這種互惠的關係在中國社會中是以「報」爲其道德基礎。[76]在中國傳統社會，固然有類似商品的書法作品，但書法經常被用於各種社交應酬。在書法的創作和收藏中，應酬書法是一個極爲普遍的現象。我們甚至可以這樣說，在現存的中國古代書法作品特別是明清以後的作品中，除去書家們的信札、手稿和日課作品，爲應酬而書寫的作品在數量上很可能多於爲適情自娛而創作的作品。應酬是一個能涵蓋相當廣泛的社會現象的概念，我們這裏的應酬書法的概念，比通常理解的應酬還要寬泛。因爲在藝術品的買賣中，由於有人情的參預，很可能是半買半送，或是象徵性地收一點錢。因此，凡創作時不是爲抒情寫意，而旨在應付各種外在的社會關係（如出於維繫友情、人情的往還、物品的交換、甚至買賣）而書寫的作品，廣義地來說，都可以視爲應酬作品。

和應酬作品相對應的，便是那些為抒情寫意而創作的作品。文人藝術家聲稱他們的藝術是為了「適情自娛」，如倪瓚所稱：「僕之所謂畫者，不過逸筆草草，不求形似，聊以自娛耳。」[77]儘管我們不應漠視文人藝術中具有的實用因素，在文人藝術創作中，以自娛、抒情為主要動機的創作一直存在。而且自娛和應酬在書法創作中的比例，也會依時代的變更而有所不同。簡言之，我們在此把「適情自娛」以外的作品都統稱為應酬作品。[78]

雖說每一位書法家在日常生活中都曾書寫過應酬作品，藝術史學者卻極少關注書法藝術中的應酬現象。部分的原因是，許多世紀以來，書法一直被視為「心畫」——一種表現和反映自我的藝術。雖說草書在日常生活中常用於應酬，但從唐代開始，草書便不斷地被歷代的文人神秘化，將草書從「塵世」之中分離出來。這一分離過程當然和字體的書寫特徵不無關係。楷、隸、篆是正體字，書寫時通常被置放於大小基本相同的平面空間中，筆劃的長短與形狀也受限於約定俗成的規矩，這種局限留給書家的自由發揮空間遠少於變化多端的草書。草書源於日常生活中文書尺牘的速寫，書寫速度通常較快。由於是草體字，其結字和章法得以享受更大的自由。草書作品中，字與字之間的大小變化幅度，有時可以相差十倍以上。在手卷或冊頁上，有時一個字可能會佔據一整行（見圖1.7，頁62-63）。為了藝術效果，書法家可以更為自由地改變字的形狀，調整筆劃的長短，讓一行中的字偏離中軸線左右欹側，墨色乾濕濃淡的變化也更豐富。由於書寫速度快，少假思索，如從胸中傾瀉而出。這些特點使人們相信草書能夠比其他字體的書法能更直接、更淋漓盡致地表現書家的內在世界。

然而，這種認為草書比其他字體更具表現力的觀念本身就是一個歷史發展的結果。在初唐書法評論家孫過庭（約648至687/702）的書論名著〈書譜〉中，有一段文字經常為人們所引用：

> 寫《樂毅》則情多怫鬱；書《畫贊》則意涉瑰奇；《黃庭經》則怡懌虛無；《太史箴》又縱橫爭折；暨乎蘭亭興集（《蘭亭序》），思逸神超；私門誡誓（《告誓文》），情拘志慘。所謂涉樂方笑，言哀已歎。[79]

孫過庭在這段文字中涉及了六件王羲之的作品，用以說明王羲之的不同作品是如何呈現了他書寫時的不同情緒的，其中四件是楷書，《蘭亭序》是行書，《太史箴》不傳已久，故不知其字體為何。孫過庭的評論表明，他認為用不同字體書寫的作品都能夠反映書家的內在世界，楷書的表現力並不亞於行草。

孫過庭的下一個世紀，亦即盛唐時期，伴隨著狂草的出現，人們開始認爲草書在抒發人們的情感方面更爲直接、暢達。書法理論家張懷瓘（活躍於714-760）把草書和楷書作了如下的比較：

草與眞有異，眞則字終意亦終，草則行盡勢未盡。……或寄以騁縱橫之志，或託以散鬱結之懷……可以心契，不可以言宣。[80]

唐代散文大家韓愈（768-824）評論張旭的書法時，草書在張顚的筆下已是一種能夠酣暢地表現宇宙萬物和人們喜怒哀樂的藝術：

往時張旭善草書，不治他技。喜怒窘窮，憂悲愉佚，怨恨思慕，酣醉無聊，不平有動於心，必於草書焉發之。觀於物，見山水崖谷，鳥獸蟲魚，草木之花實，日月列星，風雨水火，雷霆霹靂，歌舞戰鬥，天地事物之變，可喜可愕，一寓於書。故旭之書，變動猶鬼神，不可端倪，以此終其身而名後世。[81]

從那時開始，人們便相信草書具有神奇的魔力，草書幾乎變成了一個文化神話。

然而，草書的神奇性，並不能保證其書寫者免於批評。宋代書法家米芾在評價唐代的草書時說：「張顚俗子，變亂古法，驚諸凡夫。自有識者。懷素少加平淡，稍到天成，而時代壓之，不能高古。高閑而下，但可懸之酒肆。𧦬光尤可憎惡也！」五百年後，當晚明書法家王鐸在他的〈草書頌〉中以無限的熱情謳歌草書時（見第一章有關討論，頁64-65），他的忘年交董其昌卻坦白地承認自己的許多行草作品不過是應酬之作：

吾書無所不臨仿，最得意在小楷書。而懶於拈筆，但以行草行世，亦多非作意書，第率爾酬應耳。[82]

在另一段筆記中，董其昌又談到了應酬：

作書不能不揀擇，或閒窗遊戲，都有著精神處。惟應酬作答，皆率易苟完，此最是病。今後遇筆研，便當起矜莊想。古人無一筆不怕千載後人指摘，故能成名。[83]

董其昌的筆記指出了兩種現象：其一，在古人的書法中有率爾酬應之作和提筆時作「矜莊想」的嚴肅創作，對藝術史學者來說，兩者的差異不可不辨。其二，應酬之作常以行草書書寫。這兩種字體在董其昌的時代特別受歡迎，除了它們易於張揚個性外，還因爲書寫速度快，書法家可以在最短的時間內完成應酬作品。

應酬書法早已存在，但在晚明人的題跋和筆記中，我們可以看到對於應酬活動越來越多的抱怨和討論。[84]這種情形並非偶然，因爲書法創作的社會文化環境正在改變。一般說來，在社會階層的分野比較清晰嚴格的歷史時期，書法是菁英專擅的領域，那時雖然也有應酬書法，但是應酬之作主要使用、周轉於具有相同文化背景和審美觀念的社會階層。不但在數量上可能會相對少，而且由於受書人和觀眾的藝術鑒賞力比較高，從而約束應酬之作的品質保持在比較高的水準上。像東晉時期士大夫那樣的書作，應和那時等級森嚴的門閥制度造成的文化環境有關。但在有的歷史時期，社會階層的分野由於社會經濟文化的急劇發展和社會錯位而變得模糊，上下文化之間的互動關係也因此變得頻繁，這也給書法的創作和使用帶來影響。[85]晚明就是一個明顯的例子。由於教育的發展，普通民眾的識字率提高，粗通文墨的人數增多。出版業推出的文化書籍向民眾提供了一些菁英階層的生活方式的知識，而經濟的發展又爲生活優裕的人們提供了追求藝術的物質條件，他們模仿社會菁英，[86]附庸風雅，收藏書畫。王正華在一篇討論晚明通俗版日用類書中的〈書法門〉和〈繪畫門〉的論文中，對當時識字率的提高，出版業的發達，書畫知識的商業化，粗通文墨的人們通過何種途徑來獲取書畫知識，文人士大夫處在上下階層界限變得模糊的時代所採取的應對策略等等，都有深入的探討。[87]晚明書法家面臨著一個書法需求不斷增長的局面。許多書法家大概也像董其昌那樣，多以行草書來應酬。萬曆年間改編、出版的草書入門讀物《草訣百韻歌》，比宋元兩朝的《草訣百韻歌》篇幅都長。[88]而這一時期出版的家庭日用類書也常收入草訣歌的部分內容，這一事實既說明了草書知識普及，大概也可證明對草書的需求在增長。[89]

在這種情況下，認爲草書是表現內在自我的最佳藝術形式的理念，便與草書在現實生活中的應酬功能發生了衝突。特別是當書法家爲生計所迫而增加書寫的數量時，這一壓力會迫使他們在一些基本原則上妥協。不但文人書法家有時候成爲爲人所役的書奴，這種負擔更導致其有意識地製作草率的作品，或者讓代筆人來完成應酬作品。

傅山正是這樣一個典型。當改朝換代使他的經濟陷入窘境時，他不得不靠鬻書贈字來換取日常生活所需要的物品和幫助。傅山曾說：「因無貸之難，遂令老夫役人之役。凡人來，不忠厚者多。」[90]他還說自己時常被「俗物」面逼，當場揮毫。[91]那麼，「俗物」爲何要「面逼」呢？因爲他們想要確定買到的作品不是出自代筆之手。[92]「俗物」可能指的是山西的商賈，或是一些尚能買得起傅山的字但文化修養又不那麼高的地方士紳。他們在文化事業方面出手可能並不大方，[93]即便付得起錢，大概也吝於付給書家所期望的價碼。

對傅山而言，應付那些缺乏文化教養和品味的客戶不啻是一種煩擾。但對那些求書人來說，傅山的書法對他們的附庸風雅卻頗具意義。傅山是在全國範圍內享有聲譽的學者、山西文壇的祭酒、著名書畫家、名醫，在家中懸掛傅山的書法意味著一種社會身份。從這個意義上來說，書寫者的名氣常比作品本身的品質還要重要。傅山也很清楚，許多向他索取書作的人，關心的只是他的名聲而非作品的品質。而那些人又缺乏基本的鑒賞知識來判別優劣，所以傅山爲他們揮毫不必太經意。存世許多傅山無上款的狂放的巨幅行草書條屏，可能就是傅山爲了迅速地打發那些煩擾不休的「俗物」而草率應付的產物。傅山曾說，他在書寫應酬作品時，由於有「俗物」面逼，「先有忿懣于中」，寫出的字「無一可觀」。[94]傅山甚至把自己的一些應酬作品明明白白地稱爲「死字」：

> 凡字畫、詩文，皆天機浩氣所發。一犯酬措請祝，編派催勒，機氣遠矣。無機無氣，死字、死畫、死詩文也。徒苦人耳。[95]

傅山告訴我們他寫過死字，畫過死畫，作過死詩文，而他的那些「一無可觀」的「死字」因傅山的名聲留傳後世。當然，同樣是因爲這些作品，傅山也常常受到尖刻的批評。[96]

在傅山那裏，「俗物」面逼時的揮毫以草書最爲適用，因爲草書的書寫具有戲劇性效果，能成爲米芾所說的「驚諸凡夫」的表演。[97]傅山在清初被譽爲「奇士」、「高士」，[98]書寫狂放奇肆的作品也和他的「奇士」聲譽頗爲吻合。這種頗具戲劇性的當場揮毫可以一箭數鵰：在巨幅的紙張或綾絹上書寫墨氣淋漓的連綿大草，這樣的表演極有觀賞性；狂肆的草書也更容易掩飾書法本身的草率；而書寫的迅捷還可大大縮短「俗物」面逼的時間。思及這種場景，傅山禁不住玩世不恭地嘲弄道：

> 西村住一無用老人，人絡繹來不了，不是要藥方，即是要寫字者。老人不知治殺多少人，汙壞多少綾絹扇子，此輩可謂不愛命、不惜財，亦愚矣。[99]

傅山自己已經坦白地承認他的許多草書作品是粗陋的，當我們評價其草書藝術時，又該如何將其粗製濫造的作品區分出來呢？毫無疑問，鑒定的訓練依然是分辨優劣的關鍵。[100]研究中國書法的德國學者雷德侯指出：「每個書法家都熟諳那些經典名作，學習這些作品，並在此基礎上發展個人的書風。每個書法家也因此可以用衡量自己的書法的同一標準去評斷其他書法家。當一個可以體現風格和美學標準的經典系統

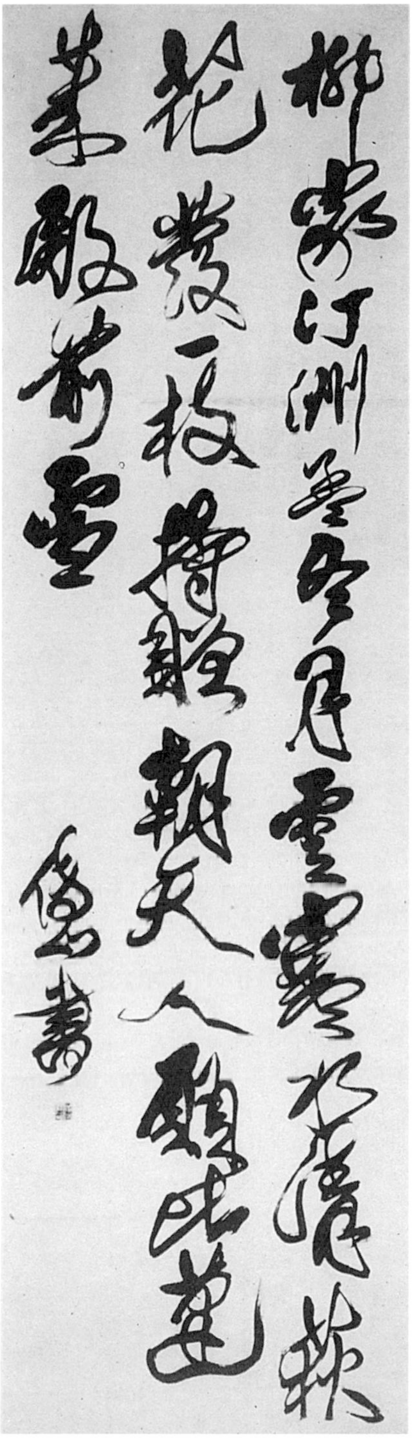

建立後，不同時代的書法家都會用相同物質材料，遵守相同的規則，展開一場競技。每位書法家在看任何一件書法作品時，猶如挨著作者的肩膀看他揮毫，儘管他們相去千里或相隔幾個世紀。」[101]在分析傅山的作品時，我們可以在技術的層面上來判斷一些作品是否逾越了長期以來書法家們遵循的規則，以及那些反常的筆墨形式究竟是有意識的美學創新還是草率應酬的失誤。如果是有意識的創新，應能找到反覆出現的基本模式。如果只是偶發性的，可能是技術上的失誤。例如，在晚明以前，漲墨在書法中僅為偶見，很明顯不是有意識的追求。然而到了晚明，書法中經常出現漲墨，由此我們可以肯定，這是一種新的藝術嘗試和審美標準的發軔。當然，反覆出現的某些筆墨特徵，也可能是由功力不夠所引起的重覆性失誤，或是一種習氣。

傅山的許多粗糙作品都是巨大的條幅。其中有一件相當平庸的作品是寫在一百七十八公分的綾上（圖4.2）。此作用筆相當草率，許多用筆的細節都沒有到位。第二行的「天人」二字，用筆十分輕浮，捺筆顯得薄弱。「人」的左撇細且尖，呈現「鼠尾」形的敗筆。從書風來看，應為傅家的作品。此作究竟是傅山的眞蹟還是代筆仍有待研究，但有一點可以肯定，傅山及其代筆人書寫過許多質量不高的作品。

然而，指出書法中的應酬現象以及草書在明末清初應酬書法中的角色，並不意味著中國文人對草書的謳歌只是些美麗而空泛的修辭。許多人珍惜藝術中的自我表現，並且高懸為理想，一旦環境允許，他們便會努力地去追求。也正是意識到了理想

圖4.2
傅山
《柳家汀詩》　行書
軸　綾本　178×50公分
山西省博物館
引自《傅山書畫選》　頁10

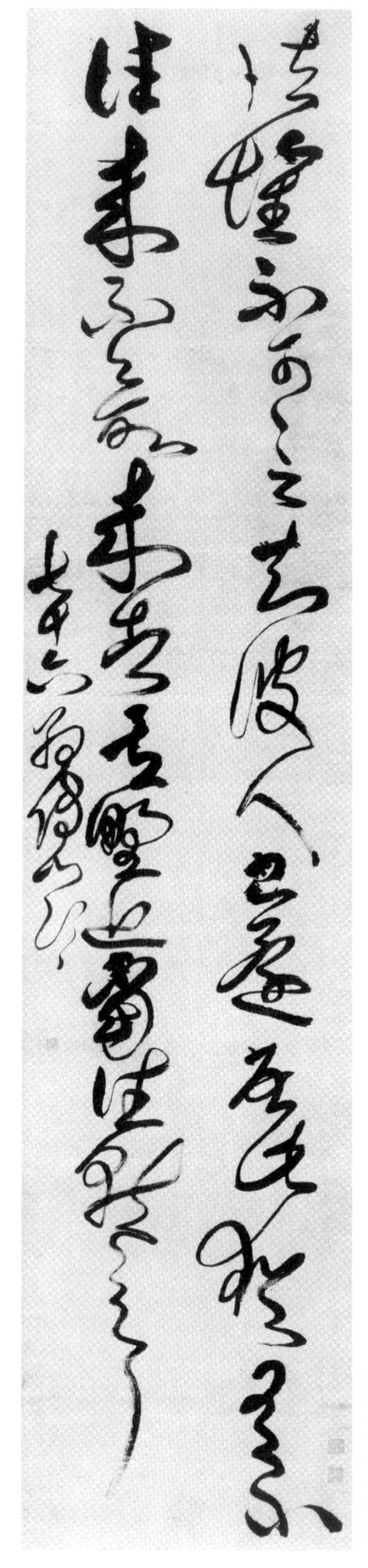

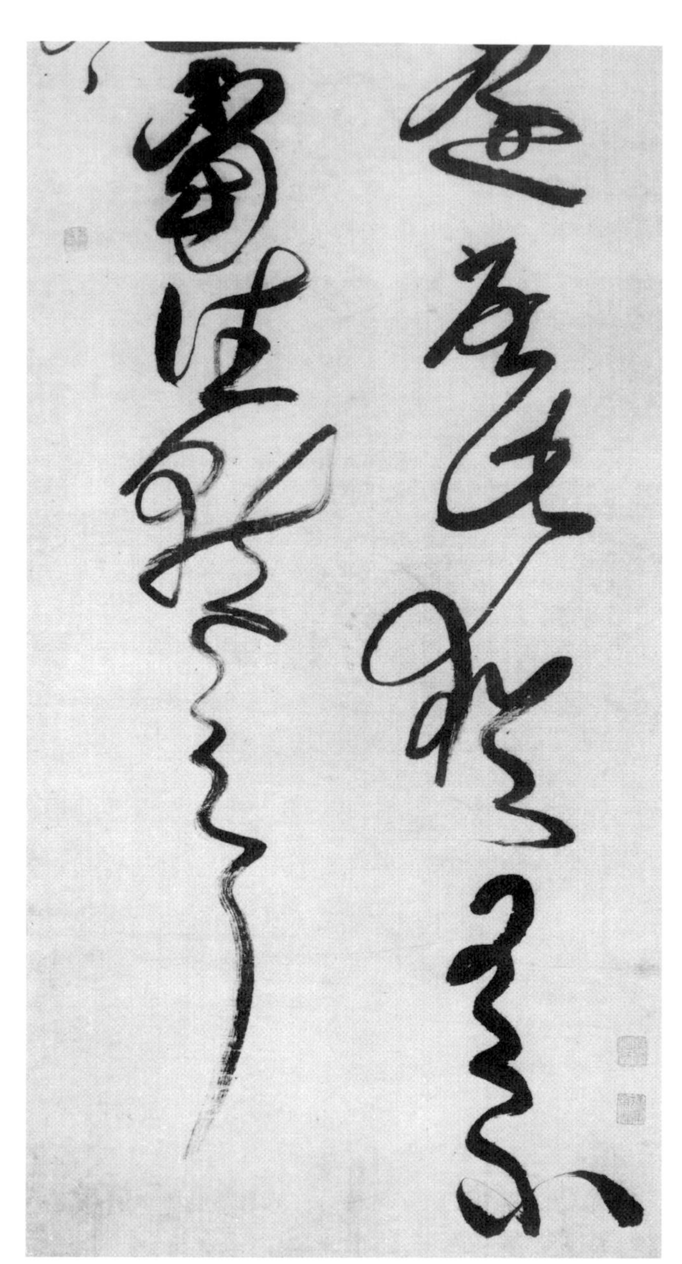

圖4.3之局部

圖4.3
傅山
《臨王羲之諸懷帖》
1682
軸
200×43公分
藏地不明
引自山内観
《傅山の書法》

和現實之間的衝突，董其昌才會提醒自己「今後遇筆研，便當起矜莊想」。藝術史研究的任務之一，正在於分辨出一個時代的藝術理想與現實之間會發生怎樣的衝突，觀察兩者在什麼情況下、在多大的程度上相互妥協。認爲中國文人鼓吹書法中的自我表現是侈言空洞的理想，和否認最傑出的大師書法有時也有世俗的一面一樣，是片面武斷的。[102]

因此，傅山雖然常用草書來打發那些他認爲是「俗物」的求書者，但這並不等於他不珍視草書。正是出於熱愛和天份，傅山才創作了那麼多的草書作品。爲應酬而書寫並不見得與自我表現扞格不入，許多爲應酬而作的草書並不一定因爲應酬的功能而消弱其表現力。有時，當書法家爲其所敬佩或喜愛的人們作書時，同一個創作過程可以同時達到應酬和表現這兩個目標。在應酬時，藝術家也完全有可能自由地表現自己，與同道或友人作精神上的溝通。即使是一些無上款的連綿草書條幅，書寫時若神態平靜，心手雙暢，筆墨相發，也會產生佳構。傅山七十六歲時（1682）所臨王羲之《諸懷帖》草書條幅（圖4.3），無上款，全篇用筆翻轉自如，流暢飛動，字形欹側多姿，章法疏密相間，是難得的一件晚年精品。此作不似「俗物」面逼的產物，也可能是閒時偶然欲書，用以應酬或備日後出售或贈人。

許多書法作品帶有包括受書人上款的題跋，我們可以從中辨別出受書人的社會文化背景，進而了解作品的大致創作情景。對傅山作品的仔細分類研究，也可以幫助我們辨識出漫不經心的作品。我們可以假設，那些沒有上款的粗糙之作乃爲文化教養不高且喜歡在傅山經濟拮据時迫使傅山壓低價錢的「不忠厚者」所作。[103]而贈給比較重要的文化菁英的作品，通常會比較精緻。換言之，並非所有傅山的應酬作品都是粗劣之作，其中有些也相當精彩。總而言之，傅山在書寫應酬作品時是否作「矜莊想」，和受書人爲誰有一定的關聯，這應是一個合乎情理的假設。

請注意，這裏把受書人的社會文化背景和爲他們書寫的作品的藝術品質作對應，只是一個總體性的判斷，若涉及每一件具體作品，則影響創作過程及其結果的因素甚多。比如說，王鐸曾爲他所敬重的德國傳教士湯若望書一詩冊，在第六首詩後的題款中，王鐸這樣寫道：

> 書時，二稚子戲於前，遂落數（如）龍、形、萬、壑等字，亦可噱也。書畫事，須深山中松濤雲影中揮灑乃爲愉快。安可得乎？

在詩冊末尾的款識中，王鐸又寫道：

月來病，力疾，勉書。時糧絕，書數條賣之，得五斗粟，買墨，墨不佳耳，奈何。[104]

此時，王鐸正在窘迫中，爲湯若望所書詩冊也不能佳。

存世的傅山爲好友戴廷栻所書的《草書千字文》也頗能說明問題。戴廷栻託傅山用草書書寫《千字文》，傅山拖了三四年，某年春，傅山將入山，戴遣人來催，傅山匆匆應命，作品顯得也不那麼精緻。[105]即使是傅山在1657年於魏一鼇辭官北還之際代表山西的朋友的贈別之作（見第二章和本章下一節有關討論），算得是在十分鄭重的場合書寫的作品，但筆墨和章法也有不夠協調處。即使是下筆時作「矜莊想」，主觀上希望能夠寫好，結果也並非總如人意。

選擇某種字體來書寫應酬作品，除了和受書人有關，[106]還和時代風氣有關。晚明的應酬作品喜歡使用草書的原因，除了書寫速度的考慮外，還和時代的風尚有關。清代中葉以後，許多書家以楷書、隸書或篆書書寫對聯作應酬。儘管用草書創作的速度較快，但這一時期留下的奔放的連綿草作品並不多。隨著金石學和文字學的發展，在一般有教養的公眾中，古文字佔有重要的文化地位。其結果便是篆、隸兩種古代字體取代草書而成爲應酬書法中受珍視的字體。文化環境明顯地影響了字體與風格的喜好和選擇。一個時代中最精緻與最草率的作品可能出自同類的字體（如明末清初的行、草）寫成的作品，因爲這些字體在當時最受歡迎。

意識到應酬書法的問題，對我們將採取何種方法來分析傅山的草書作品大有關係。以下所要討論的草書作品，是從傅山存世的數百件書法中遴選出來，有的作品有明確紀年，有的有題跋而無紀年，但可從題跋或書寫風格推斷出書寫的大約時間，並大致可判斷受書人的身份。這些作品雖屬應酬之作，但我們可以假設，它們並不是傅山在「忿懣於中」時當眾揮毫的作品。選擇傅山爲友人所書作品來分析其草書藝術，也可以暫時擱置傅山書法中的代筆問題，因爲對熟識的友人，傅山會親自揮毫。迄今爲止，書法史學者和文物鑒定家還不能有效地解決如何判別傅山和他的兩個代筆人的作品。這有兩個原因：第一，從存世極爲有限署款傅眉和傅仁的作品來看，極似署款傅山的作品。第二，沒有足夠的傅眉和傅仁的作品來排比分析，從而找出傅山和代筆人之間的區別。傅山本人在世時，就曾有人試圖找出他的書法和傅眉的書法的差別。傅山譏笑這些人的努力是徒勞。[107]除了這些題贈友人的作品外，本書還將一些沒有紀年和上款、但尚屬可靠的作品納入討論，以展示傅山草書的其他面貌。

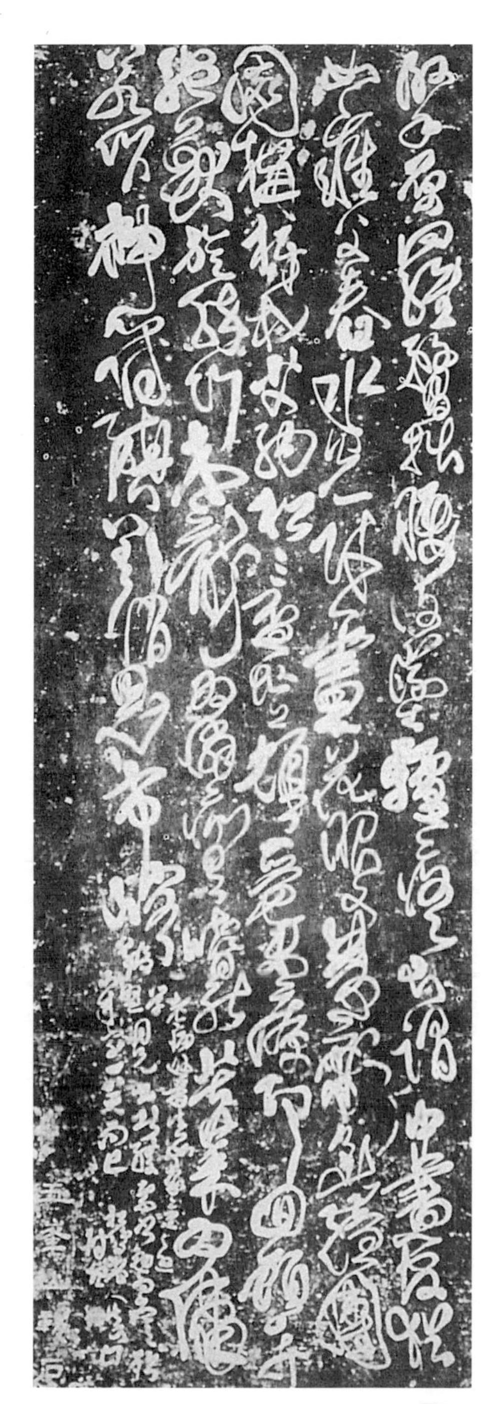

圖4.4
傅山
《五峰山草書碑》
拓本
紙本
178×61公分
藏地不明
引自《傅山書法》 頁173

傅山的行草書

作爲一個擅長草書的書法家，傅山嫻熟章草和今草（包括小草和狂草）。在討論傅山的草書時，有一個問題需要在這裏說明一下。從字體的分類來看，在傅山一些被今人歸爲草書的作品中，有一些是純粹的草書，如前面提到的他爲老友戴廷栻書寫的草書《千字文》。但也有許多作品從字的結構來定義的話，算是行草書，其中有不少字的結構並不是草書體，卻是草書的筆勢，如傅山爲老友郝德新（字舊甫，號鑑盤）所書《五峰山草書碑》（又作《題書自笑八韻》），其中的許多字是行書的結體，但有學者視其爲「傅山連綿大草中最具代表性的作品」，[108]大概是從連綿的草書筆勢來界定的（圖4.4）。傅山的這種創作方式和晚明的書法傳統有關，即：在追求草書奔放不羈之氣勢的同時，增加單字結構和全篇章法的視覺複雜性。這裏我們也將這類作品放到草書裏來討論。

目前所知傅山最早的一件行草作品，紀年爲1641，是一件以拓本傳世的立軸（見圖1.50，頁111）。但最能反映傅山早年草書訓練的是傅山書贈摯友陳謐的一個冊頁（共三十八開，其中傅山書二十八開）。[109]陳謐，字右玄，山西陽曲縣人，從傅山遊。甲申冬，傅山避難山西盂縣，陳謐追隨傅山來到盂縣，向傅山學詩和學醫。丙戌冬（1646年冬或1647年初），傅山轉至汾州，僑寓友人處，陳謐又從盂縣追隨至汾州。戊子夏（1648），陳謐出示冊頁向傅山索近作，傅山在冊頁上抄寫了二十六首詩。詩皆爲甲申國變後所作，字裏行間充滿著悲涼的黍離之痛和今昔之感。[110]

在傅山的早期作品中，這本冊頁最爲精采，充分顯示了傅山在草書方面的功力和才華。從書蹟來看，書寫的速度很快，但牽絲、映帶、提按、轉折都交代得極爲清楚，沒有絲毫含混之處，表現了作者嫻熟的技法。以第十三開爲例（圖4.5），結字與運筆尤其優美。起始「園外」二字運筆肯定，圓潤流暢。在「園」的「囗」寫完之後，傅山用極細的用筆勾出「囗」內的線條，然後以精緻的遊絲將此字的最後一劃和下一個字「外」牽連在一起。而第三開「索居無筆，偶折柳作書，輒成奇字二首」也可見傅山下筆之迅捷（圖4.6）。以小草技法的精微而論，實可與明代中期天才的書法家陳淳媲美。

在傅山的作品中，此冊又是相當特殊的一件。初觀時，令人覺得與一般常見的傅山草書頗有不同，但細細尋繹，確屬傅山的手筆。我們只能概言其淵源於二王和元、明秀美一路的草書，很難確指受了哪家哪家的影響。傅山少年學書時，曾受趙孟頫的影響。此冊書法雖也有趙氏書法之秀美風韻，但趙書在運筆結字上華貴矜持，而傅山此作則瀟灑飄逸。傅山的行草書在1650年代時開始變化，顏書和米書的意味加重。這件作品對我們了解傅山書法的整體面貌及其變化過程，都很有幫助。

贈陳謐冊頁充分體現了傅山在草書方面的功力與天份，以及合乎傳統規範的優

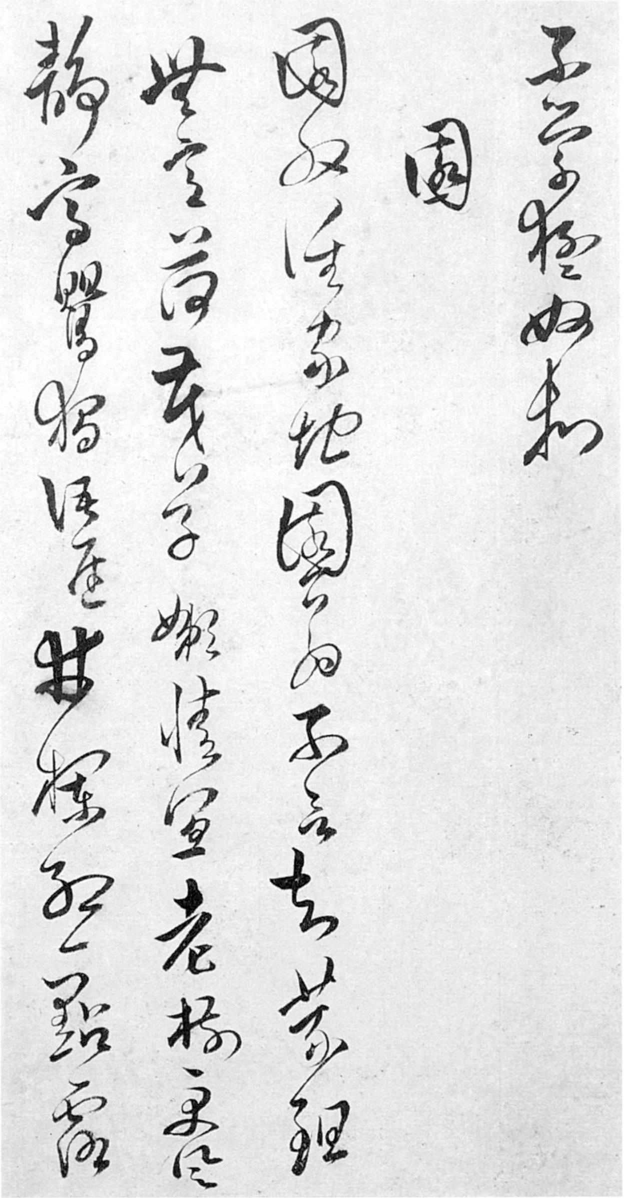

圖4.5
傅山
《贈陳謐草書詩冊》 第十三開
1647
冊頁（全38開 包括題跋10開）
紙本
台北何創時書法藝術基金會

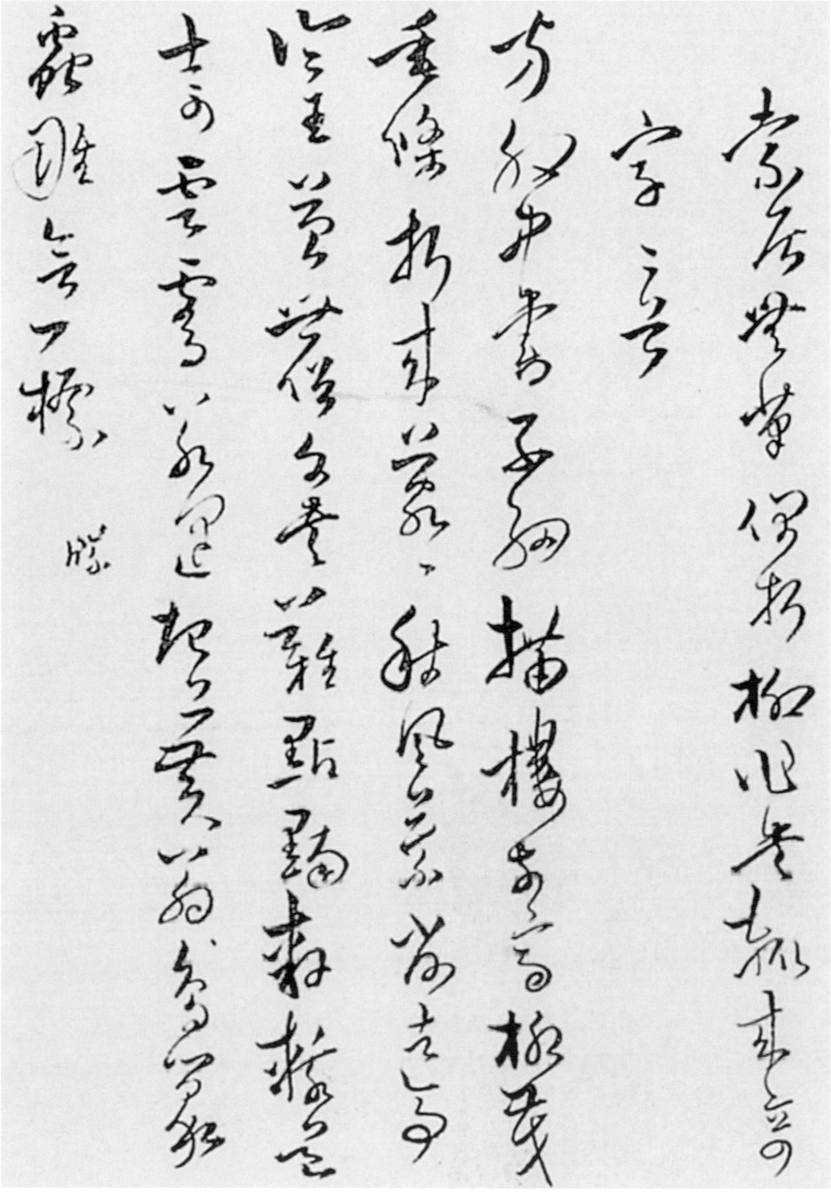

圖4.6
傅山
《贈陳謐草書詩冊》　第三開

（4）

（3）

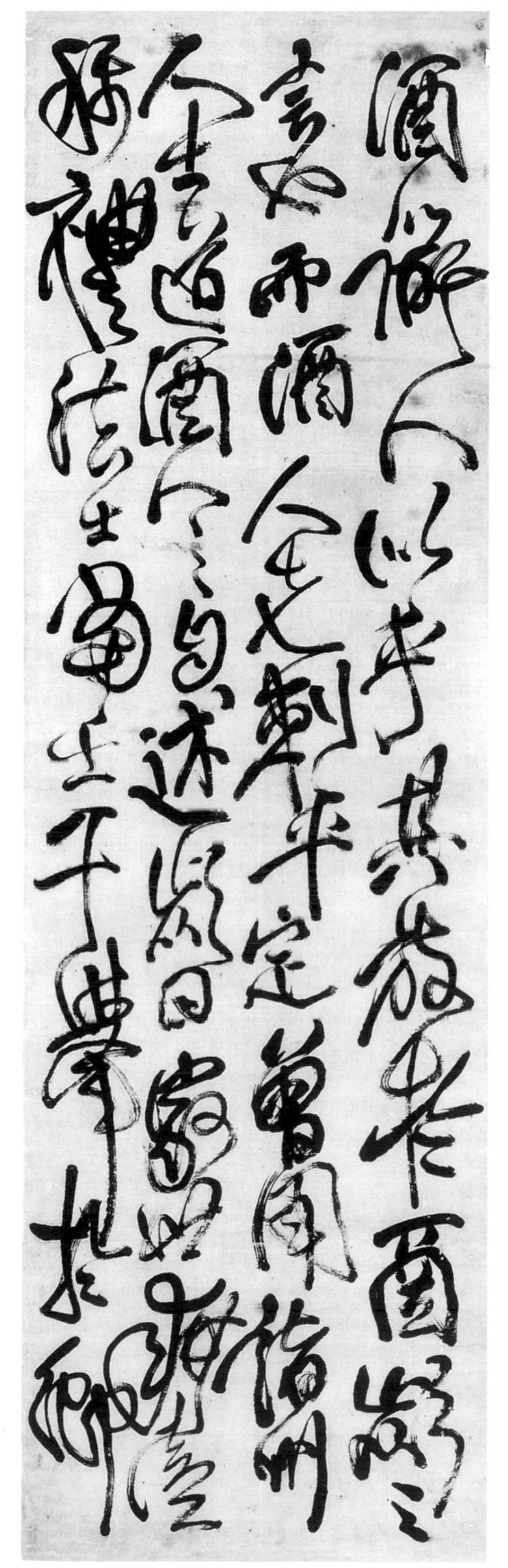

（2）

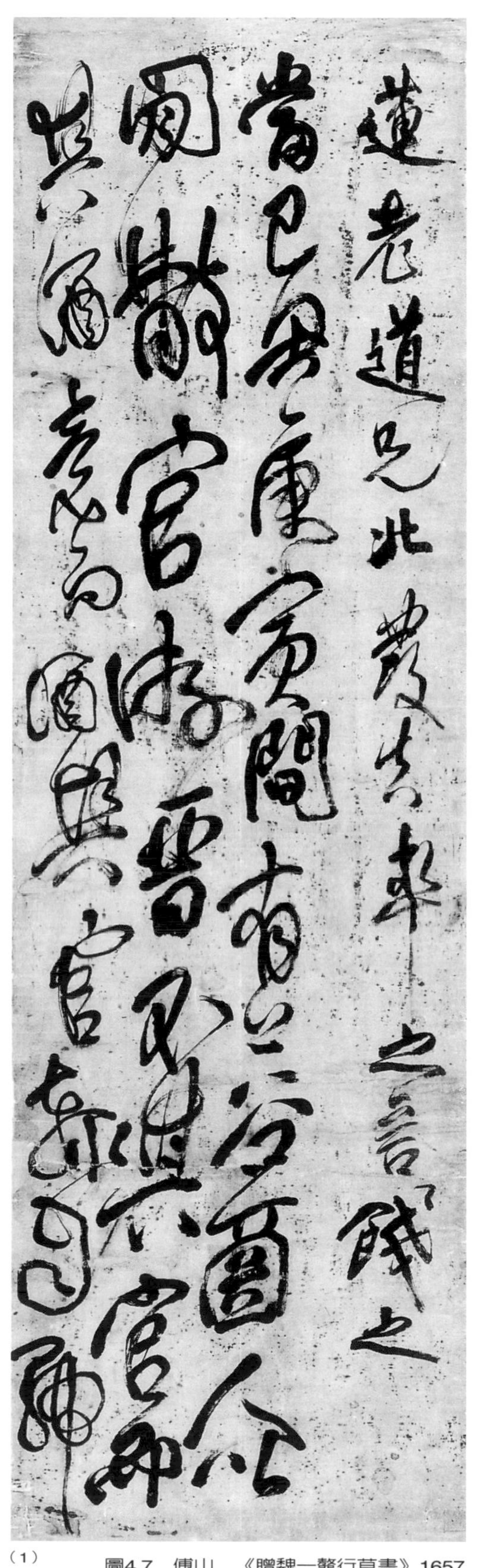

（1）

圖4.7　傅山　《贈魏一鼇行草書》1657
十二條屏　絹本　每軸167.6×50.5公分
美國紐約路思客先生收藏

（8）

（7）

（6）

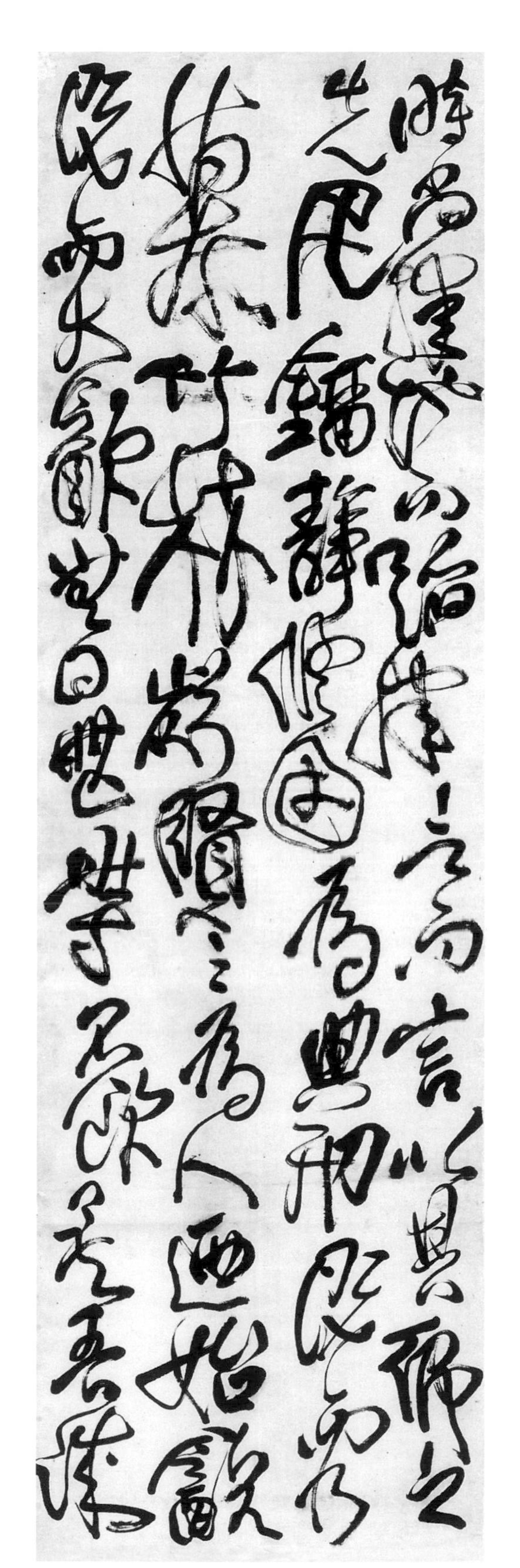
（5）

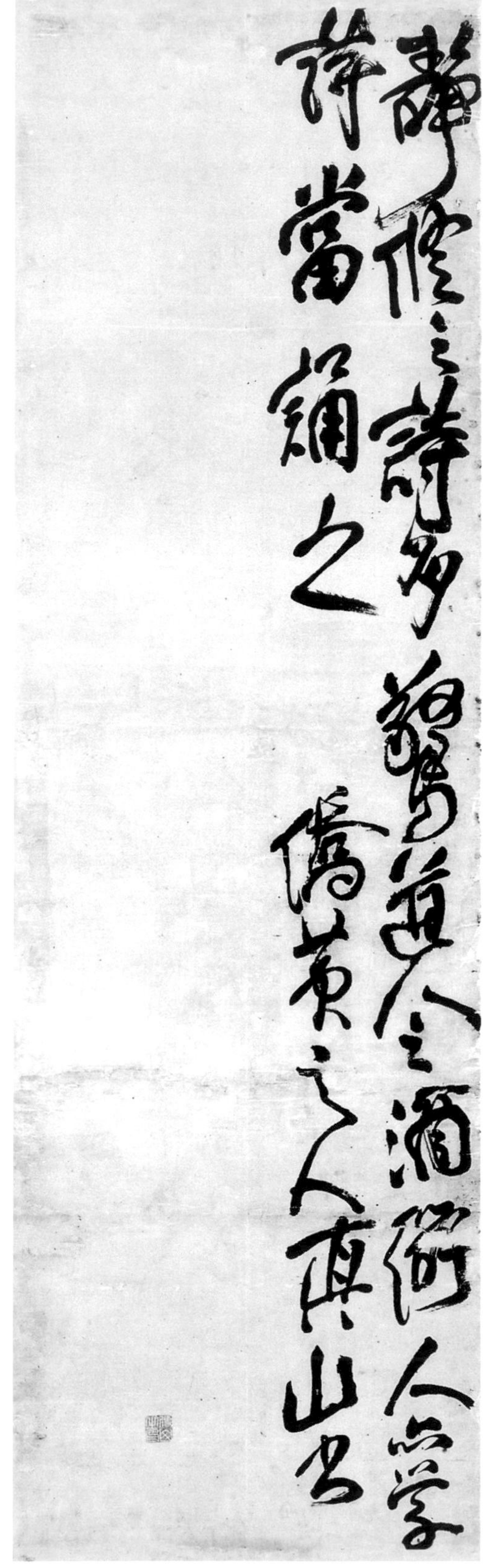

（12）

（11）

（9）

（10）

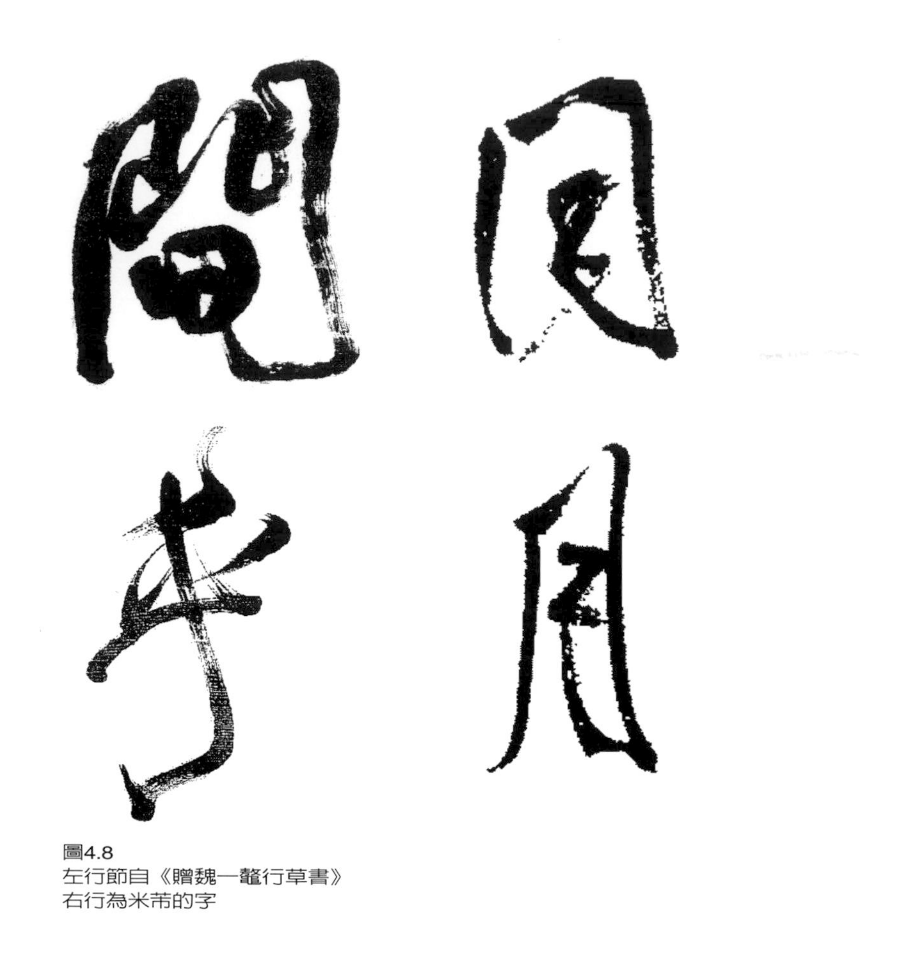

〔a〕

〔b〕

〔c〕

〔d〕

圖4.8
左行節自《贈魏一鼇行草書》
右行為米芾的字

雅品味。然而，只有傅山的連綿行草才更能反映那個時代最有代表性的美學思潮。傅山大部分的行草作品是條幅，有的是超過兩米的堂堂立軸。從有紀年的作品看，我們目前尚未發現傅山書於1657年前的連綿行草作品，但我們完全有理由相信，他在這之前應該已經開始寫這種風格的作品。存世年代較早的狂放作品是1657年爲魏一鼇書寫的十二條屏（圖4.7），本書第二章曾詳細討論過其文本（見頁138-143）。由於這是一篇寓意深長的贈別文字，傅山無疑希望這十二條屏能被人、至少是魏一鼇及其友人讀懂。因此，傅山在這件作品中用的異體字不多，選擇的字體嚴格來說是行草，亦即行書草書兼用。不過，這一作品的結字、用筆、章法、行氣均極爲奇詭、怪肆，賦予這些條屏類似狂草的樣貌和精神。

這十二條屏的文本是一篇精心構思的短文，所以，傅山一定是先撰就文稿，然後

〔e〕

〔f〕

〔g〕

〔h〕

才在絹上揮灑。文章的主題是酒。酒在此隱喻著政治抵抗，同時也象徵著眞純而不受禮法拘束的精神。既然傅山嗜好杯中物，有可能他是在酒後書寫這件作品。[111]當藝術家的創造力在酒精作用下獲得釋放時，其作品或許能表現出意想不到的效果。事實上，這件作品看來正是在模仿唐朝草書家，利用酒後的狀態作書。傅山在第一條屏中以穩健的書風寫下標題「蓮老道兄北發，眞率之言餞之」，但「酒」力（不管是眞的或是想像的）很快地發生效用。碩大的字中粗獷強健的筆劃立刻攫住了觀者的視線，顏眞卿和米芾的書風構成此作的基本用筆特徵（圖4.8）。有些字，如「敌」（「敢」之異體，見附圖[a]）和「講學」諸字（見附圖[b]），顏眞卿書風的基調十分明顯。米芾的影響則表現在那些較爲細瘦、用筆跳蕩、生動的筆劃上，如「道人」（見附圖[c]）和「荒」等字（見附圖[d]）。

本書第一章已指出，晚明一些書家在書寫行草時，筆劃盤繞穿插，造成複雜的視覺效果。如我們所見，「長嘯」之「長」比通常的寫法要多繞了些圈子，與字的文義倒也暗合（見附圖[e]）。「靜修」二字中，有些筆劃如空中飄蕩的綢帶，盤旋穿插（見附圖[f]）。「龍鸞」二字的用筆相對結實（見附圖[g]），但也有龍飛鳳舞之勢。贈魏一鼇之作另一個引人注目的特色則是字與字之間的強烈對比。例如在第七條屏中的某些字墨色飽滿，凝重而氣勢宏偉，但是在第十一條屏的一些字卻是纖細而輕盈。各個條屏的空間安排亦相異。第七條屏的章法寬疏；而第十一條屏，卻又緊密。大概在書寫時，傅山不時地根據所剩空間來調整著尙未書寫的文字的大小。

除了顏眞卿與米芾，傅山還受惠於晚明書家，這一點在章法的處理上尤爲明顯。十二條屏的字左右欹側，幾乎沒有一行可以找出固定的中軸線，這正是王鐸草書的一個重要特色（見圖1.9，頁65）。第十一條屏緊密的章法，和徐渭的《觀潮詩》軸（圖4.9）相似。在《觀潮詩》軸中，字的「大小隨意變化，寬鬆的獨立結構與緊湊的行間製造出章法上的狂亂印象」。[112]徐渭揮灑得汪洋恣肆，「歸」的最後一筆豎劃，在波磔中延伸，超過七個字的長度。然而，仔細審視，徐渭的每個單字都達到很好的平衡，我們仍可以在每一行中畫出一條筆直的中軸線穿過每一個字，這和傅山贈魏一鼇的條屏是相當不同的。

如同徐渭的字，傅山的字也經常變形。在第二條屏的第四行中，「禮」字被嚴重地扭曲，左邊偏旁的豎畫向右傾斜，而右邊的下半部也被傅山盡可能地將之向左挪移，整個字看來搖搖欲墜（見附圖[h]）。這種處理方法賦予了傅山的書法具有晚明以來藝術家所崇尚的特質──「奇」。

《贈陳謐草書詩冊》顯示了傅山紮實的功力，證明他完全有能力按照約定俗成的標準寫出優美的書法。但是，他爲何要打破成規，書寫如此怪異的行草呢？雖然傅山幾乎沒有在其著作或筆記中提到草書（這點頗令人感到奇怪），但他對隸書的討論或可幫助我們了解他爲何這樣書寫草書。傅山曾經說道：

> 漢隸之不可思議處，只是硬拙，初無佈置等當之意。凡偏傍左右，寬窄疏密，信手行去，一派天機。[113]

我們完全有理由相信，傅山在他的行草書中也追求硬拙，信手行去，不論寬窄疏密，因爲他認爲「拙」能表露人心更原始、更自然的狀態──「天機」。在傅山的書法理論中，「天」是書法的最高境界。傅山在一段筆記中專門談到了「字中之天」：

> 舊見猛參將標告示日子「初六」，奇奥不可言。嘗心擬之，如才有字時。又見學童初寫仿時，都不成字，中而忽出奇古，令人不可合，亦不可拆，顚倒疎密，不可思議。才知我輩作字，卑陋捏捉，安足語字中之天！此天不可有意遇之，或大醉後，無筆無紙復無字，當或遇之。世傳右軍（即王羲之）見大令（即王獻之）擬右軍書，看之云：「昨眞大醉。」此特掃大令興語耳。然亦須能書人醉後爲之。若不能書者，醉後豈能役使鍾、王輩到臂指乎？既能書矣，又何必醉？正以未得酒之味

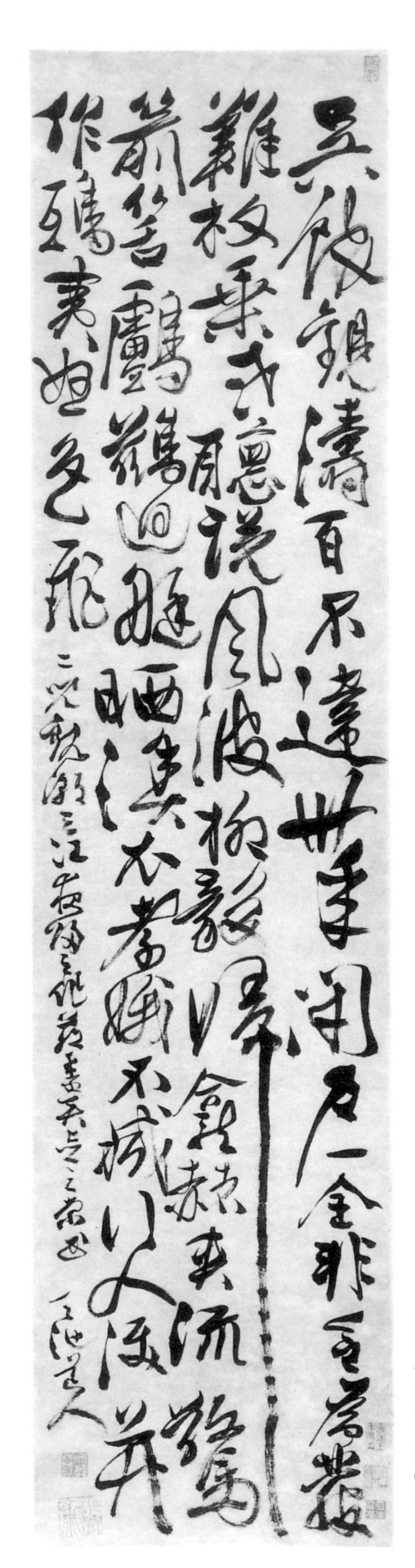

圖4.9
徐渭
《觀潮詩》
軸
紙本
131.1×31.6公分
美國弗利爾美術館
（Freer Gallery of Art, Purchase-Regents' Collections Acquisition program, F80.12）

時，寫字時作一字想，便不能遠耳。[114]

這則筆記的前半段說的是素人之書的自然美。書寫告示的猛參將顯然沒有受過系統的書法訓練，但傅山認爲其所書告示中有些字（當然並非所有的字）是「奇奧不可言」。一些幼童雖初學臨仿，尚未入書法之門，但恰恰在他們「顛倒疎密」（亦即歪歪扭扭、疏密不成行）的書寫中，傅山發現了「如才有字時」的「奇古」。兒童書寫的原始、不假修飾的眞誠，達到了「令人不可合，亦不可拆」的和諧完美境界，令傅山讚歎「字中之天」。傅山激賞那些沒受過很多教育的人們的書寫，和他經歷過晚明文化的洗禮應有很大的關係。把兒童書寫與「天」聯繫起來，無疑是由李贄的哲學衍生而來。李贄認爲，人的本性純良，有著一顆童心，能夠以自然的澄明去洞徹體察道德準則。此外，在晚明，非菁英的文化獲得了空前的關注、甚至高度的評價和尊崇。這種思想遺產可能影響了傅山，進而賞識文化水準不高的人們和孩童的書寫，這種態度也與傅山對古代無名氏碑刻的推崇是一致的。

傅山的筆記提出的另一個問題是酒和書法的關係。對於那些技法純熟的書家，傅山認爲飲酒不啻爲衝破傳統法度藩籬的有效途徑，大醉後，書法家或許能得到「字中之天」。借助酒的精神來書寫草書，就像認爲草書具有神異的魅力一樣，是一個古老的傳統。唐朝孫過庭〈書譜〉裏記載了「二王」的一個故事，涉及「醉」與書法的關係，但是「醉」並不具有激發創造力的神性，相反，「醉」還導致了平庸的書法：

義之往都，臨行題壁。子敬密拭除之，輒書易其處，私爲不惡。義之還見，乃歎曰：「吾去時，眞大醉也！」敬乃內慚。[115]

然而，在草書大盛的盛唐時期，酒變成對書法有所助益的靈物。杜甫〈飲中八仙歌〉對張旭的描述爲學書者所熟悉：

張旭三杯草聖傳，脱帽露頂王公前，揮毫落紙如雲煙。[116]

張旭在大醉時揮毫，古代文獻中還有這樣的描述：

旭飲酒輒草書，揮筆而大叫，以頭搵水墨中而書之，天下呼爲張顛。醒後自視，以爲神異，不可復得。[117]

這段關於張旭的描述建立了酒與草書間的關聯，並成爲一個行之久遠的傳統。

不過，石慢在其關於北宋時代酒與書法的關係的研究中指出，宋代的大書家們對酒持不同的態度。米芾在《論書帖》（又稱《張顚帖》）中說，高閑與其他一些書家的草書作品，「但可懸之酒肆」，[118]明顯具有貶義。蘇軾頗愛小酌，他也首肯揮毫時的飲酒，但自己卻很少寫草書。黃庭堅是繼張旭與懷素以後的一個草書大家，並不認爲酒對藝術的創造力有所裨益。相反，他將那個「把酒和不受拘束的解脫狀態與譁眾取寵的表現癖視爲同義詞的傳統，轉變爲高度自覺的內省活動」。[119]石慢作了如下結論：

在中世紀的中國，醉象徵著自然，一種澄明狀態下表達與闡述外在世界的自由。北宋晚期那些有個性的書法家對藝術中的「自然」的自覺探索，要求他們重新審視酒與創造力之間的關係。他們的實踐也許並沒有完全揭示出酒在藝術上的價值，但的確點出了這樣一個事實：只要對「自然」的追求被認定爲藝術創作的目標，則創造力的源泉多半來自人的內心而非外界。[120]

即便如此，讚揚酒對於書法（主要是草書）的積極作用依然代不乏人。蘇軾曾宣稱：「僕醉後，乘興輒作草書數十行，覺酒氣拂拂，從十指間出也。」[121]王鐸也有類似的文字，他在給周亮工的一通信札中寫道：「余書酒後指力一輕。如作山水墨畫，筆過風生。」[122]

如果我們接受石慢的觀點，認爲激發草書創作的泉源有外在的「唐代的表演型」與內在的「宋代的內省型」兩種，那麼曾經歷過晚明城市文化（注重表演）和心學（注重內省）洗禮的傅山便可以左右逢源，同時受到兩者的激蕩和啓發。傅山曾在一件草書立軸上寫下一首絕句：

右軍大醉舞蒸豪，顛倒青蘺白錦袍。

滿眼師宜欺老輩，遙遙何處落鴻毛。[123]

雖然歷史上曾有傳說，王羲之的《蘭亭序》爲醉中所書，醒後自認爲不可復得；文獻著錄的王羲之尺牘也談到酒，但王羲之似乎並不善飲。我們也沒有可靠的歷史資料可以證明這位書聖喜歡酒後揮毫。[124]因此，傅山對於王羲之的描述是富於想像的，因爲從來沒有人像他那樣將王羲之的書法與大醉聯繫在一起。不管傅山的描述具有多少可靠性，對傅山而言，酒有益於書法創作。

讚揚酒給予書法的積極作用，等於是鼓吹非理性的因素在藝術創作上的重要性。認爲藝術受益於非理性因素的觀點和這樣兩個信念有關：其一，只有在擺脫了理性的控制後，人（尤其是藝術家）的本性才能最充分地呈現出來；其二，由於草書（尤其是狂草）源於內心自然的流露，是最具有表現性的字體，故最能反映書家的內在本性。正如清代文藝批評家劉熙載（1813-1881）所言：

觀人於書，莫如觀其行草。東坡論傳神，謂：「具衣冠坐，斂容自持，則不復見其天。」《莊子》〈列禦寇〉篇云：「醉之以酒而觀其則。」皆此意也。[125]

傅山那段討論酒與書法的筆記顯示了他堅信最高境界的書法必然具有「字中之天」。兒童書寫即具有這種「天倪」，因為它稚拙原始，「如才有字時」。酒有可能幫助成年人回歸到這種「如才有字時」的原始階段。傅山在贈魏一鼇的十二條屏中，讚美酒是「眞醇之液」。不過，我們並不清楚傅山是否在微醺或大醉的狀態下寫下了那十二條屏。即便不是，也無妨。傅山在作品中讚頌「眞醇之液」，與其說是一種實際狀況，不如把它理解爲一種觀念。既然在飲酒時或喝醉後書寫早已是流傳久遠的傳統，最重要的還是應該看書法是否有「醉」意，換言之，看起來不受覊絆，而不是非得創作者本人眞的在酒醉的狀況下書寫。在傅山贈魏一鼇的書法中，我們可以感受到這種酒的精神。而長期以來酒與書法的關聯，也允許書家對其怪異的行草自圓其說，並說服觀者讚賞或至少容忍這種怪異。

如果酒的作用有時不過是一種抽象的理念或修辭，書法家本無需每書必飲，因此我們也無需對以下這個事實有所驚訝：傅山存世最狂肆的連綿行草作品之一《五峰山草書碑》很可能是他在相當清醒的時候書寫的（見圖4.4，頁293）。傅山在這件書法上鈔錄了一首自己的詩，敘述他從驢背上摔下來、腰受傷之後書寫草書的情形。詩中他這樣描述自己的書法：

> 掔原羅鶩拙，腰復墜驢痛。不謂中書管，猶如雍父舂。
>
> 水光財一畫，花眼又雙彫。斷續團圝媾，枒杈艾納松。
>
> 三杯忙上頓，一覺未療邛。回顧奔馳獸，旋駭竹木龍。
>
> 爲憐痴有嗜，能苦菜爲傭。若作神符鎭，差消鬼市峪。[126]

傅山在詩後有如下題款：「老病逃書，眞如蒙童之逃學。鑑盤兄出此綾索書，勉而應之，殆不成字，一笑而已。」[127]除了這一碑拓外，山西省博物館藏有傅山此詩的手稿，文字和上面所引詩碑文字略有差異，題款也不相同：「郝舊甫持綾子索書，書已自顧，逕似正一家治鬼符一張，不覺失笑，遂有此作。」[128]傅山爲郝舊甫所作草書和詩中的自我描述相合：筆劃相互盤結穿插，如群獸狂馳，其怪異的程度不僅駭人，還如道教的符籙，令鬼神震驚：「若作神符鎭，差消鬼市峪。」

傅山在贈予鑑盤的詩軸中雖然也提到了「三杯忙上頓」，[129]但我們並不十分清楚，此作是否酒後所書。但是，此軸帶有酒的精神——不拘成法的奇肆。不論傅山書時是否飲酒，也不論傅山自己本人自視此作的藝術水準如何，傅山狂放的草書正是晚

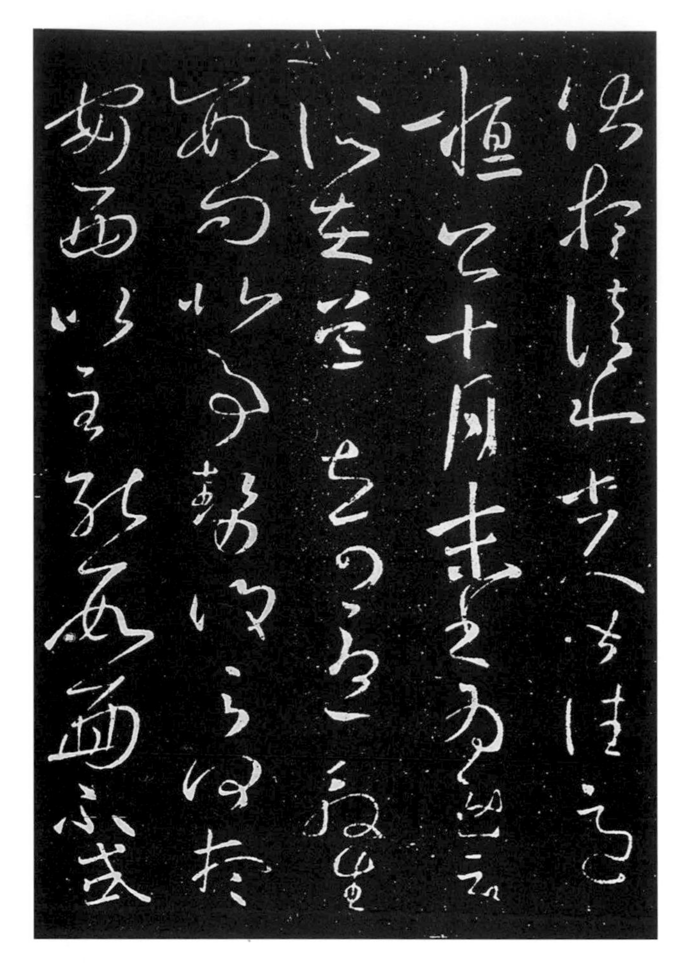

圖4.10
王羲之
《伏想清和帖》
拓本
冊頁
紙本
尺寸不詳
引自《淳化閣帖》 卷8

明以降書家追求「奇」合乎邏輯的結果。傅山是一位樂於向古人和當代人挑戰的書家，他曾宣稱：「莫說看今人不上眼，即看古人，上得眼者有幾個？」[130]通過比晚明書家更爲劇烈的變形，更爲繁複的盤繞，更爲恣肆的用筆，不管究竟是來自內心的衝動還是外界的刺激、或是兩者兼而有之，傅山把十七世紀張揚的草書運動推向最激進的極端。

傅山的草書受惠於晚明書法甚多。存世傅山的草書立軸中有相當數量是臨寫《淳化閣帖》和《絳帖》所收法書名蹟，[131]而且傅山的「臨」書方法也無疑受到董其昌和王鐸的影響。比較王羲之的《伏想清和帖》（圖4.10）與傅山1661年的臨本（圖4.11），[132]就能發現臨本與原帖極爲不同。王羲之的作品是典型的小草，許多字並不相連。然而，在傅山的臨作中，字與字之間的空間被壓縮，而且有許多縈帶。另外，王羲之的

圖4.11
傅山　《臨王羲之伏想清和帖》　1661
軸　綾本　180×47公分
山西省博物館
引自《傅山書法》　頁105

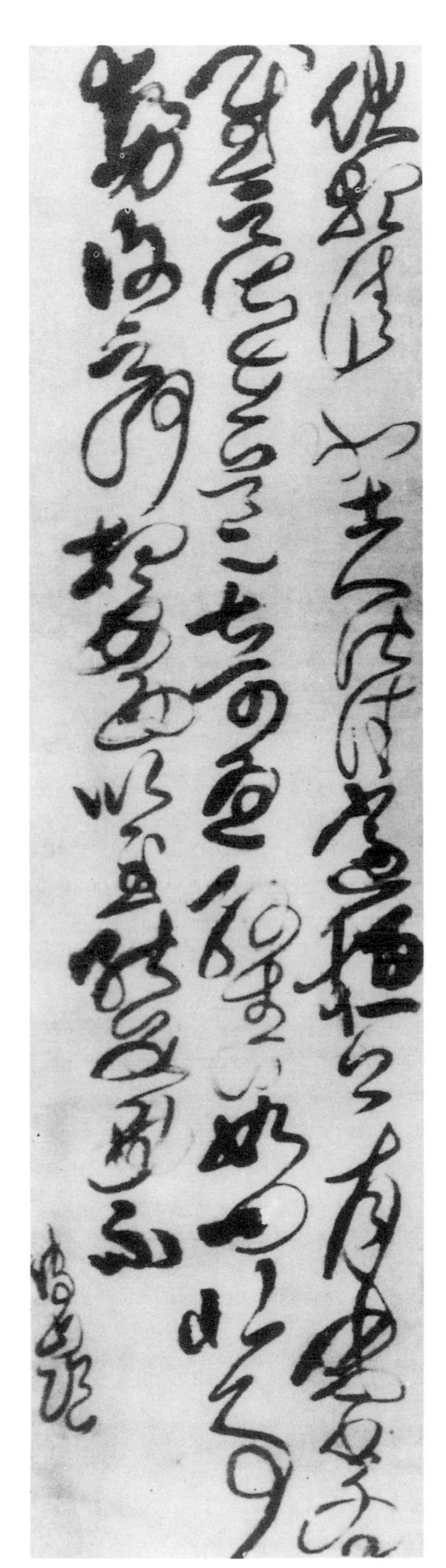

圖4.12
傅山　《臨王羲之伏想清和帖》
軸　綾本　180×47公分
太原晉祠博物館
引自《傅山書法》　頁104

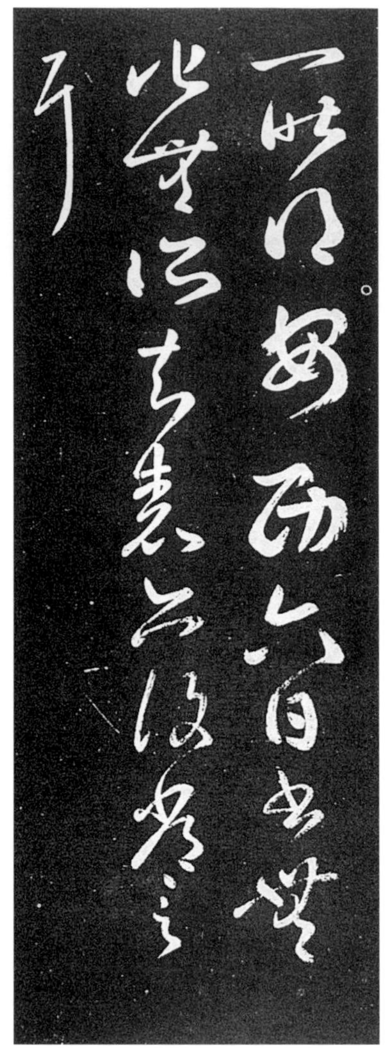

圖4.13
王羲之
《安西帖》
拓本　冊頁
紙本　尺寸不詳
引自《淳化閣帖》　卷8

圖4.14
傅山
《臨王羲之安西帖》
軸　綾本　225×40公分
山西省博物館
引自《傅山書法》　頁107

筆劃與結字嚴謹，帶有令人讚歎的精巧與優雅。反觀傅山的作品，用筆十分狂放。這種狂放在另一件《伏想清和帖》的臨本上更爲明顯（圖4.12）。此作字間的空隙比起前一件臨本更爲狹窄，筆劃連綿不斷，使這件作品幾乎成爲典型的「一筆書」。雖然這兩件臨作的範本是同一個法帖，但二者頗有不同。

傅山臨寫王羲之的《安西帖》（圖4.13）是另一個晚明式臨書的例子。在傅山的臨本中（圖4.14），「常」的下半部與王羲之在《安西帖》中所寫的完全不同（圖4.15）。雖然這不過是個很小的變動，但我們可以確定，當傅山臨寫的時候（儘管他宣稱是臨），他並沒有仔細對著原帖臨寫。這種隨意並不表示傅山從未仔細地臨摹過原帖，恰恰相反，正是對古代法帖的熟悉，他才能夠相當自由地背臨，並根據己意對範本進行挪用、拼湊。傅山臨本的前半段（到第二行第一個字爲止）節錄自《安西帖》，後半段的文字卻節錄自王羲之的《二書帖》（圖4.16）。節取王羲之的兩通尺牘再行合併，令人想起王鐸的拼湊式臨摹。雖然上述傅山的三個臨本沒有一個忠於原帖，但傅山卻在每件作品上直接題上「傅山臨」。儘管以考據學爲根基的新學風在清初已開始發展，但很明顯，傅山承繼了晚明的「臆造性臨摹」。

傅山還將草書的元素摻入其他字體。在山西博物館藏的一件立軸中，傅山將草書的技巧運用到篆書上（圖4.17）。此軸的文本是傅山1656年所作的〈夜談〉（又作〈與眉仁夜談〉）三首之一：

何必許家第，乃云多聞人。長空看高翼，一過即無痕。

世廟私王號，尼山自聖尊。唐虞眞道士，龍德脫其身。[133]

草篆由晚明書家趙宧光所發明（見圖1.23，頁85），但傅山的草篆與趙宧光的有兩個不同。首先，趙宧光是用草書技法寫小篆，傅山將之運用到大篆上。山西博物館藏的這件立軸上有不少字是所謂的「古文」，屬大篆系統的文字。其次，趙宧光每個字中的筆劃都像草書那樣常相互連接，但字字獨立。在傅山的作品中，不僅每個篆字都用草法寫成，而第一行的第三、第四、第五字也以遊絲相互牽連，這通常只有在行草或草書中才能見到。此外，傅山用筆迅捷，造成了一般篆書中不易見到的飛白。和傅山同時的其他一些清初書家也曾不同程度地將草書的要素引入其他字體的書寫，從這點來說，晚明書寫草書的風氣持續到清初，依然對書法產生著影響。[134]

雖然傅山是清初最能體現晚明草書傳統的書家，這並不意味著清初出現的新的美學觀念對他的行草書沒有產生任何影響。相反，傅山晚年的行草書作品已開始透露出

圖4.15
（左）王羲之《安西帖》中之「常」
（右）傅山臨書中的「常」

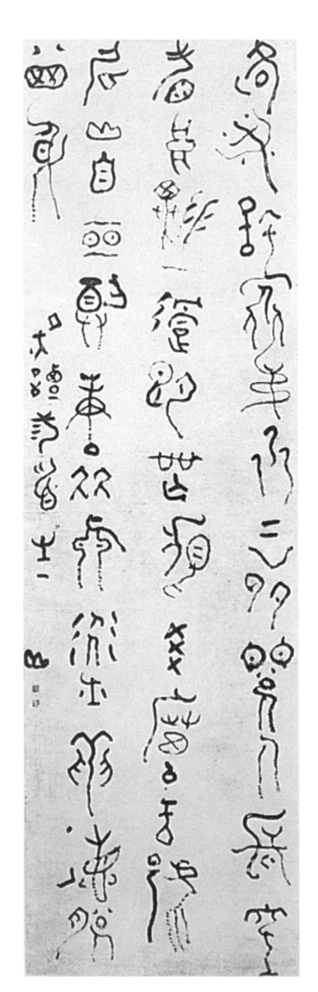

圖4.17
傅山
《夜談三首》　草篆
軸
山西省博物館
引自《傅山書畫選》

圖4.16
王羲之
《二書帖》
拓本　冊頁
紙本　尺寸不詳
引自《淳化閣帖》　卷7

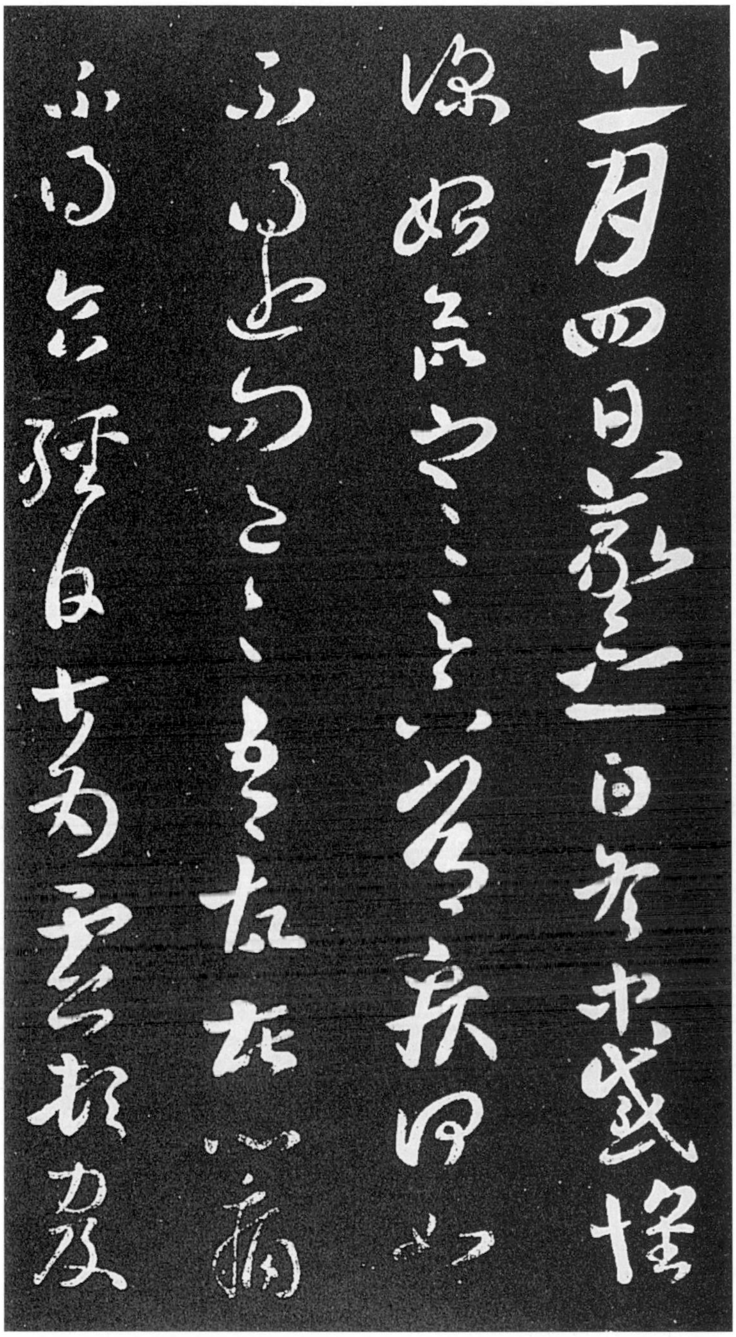

圖4.18
王羲之
《冬中帖》
拓本　冊頁
紙本　尺寸不詳
引自《淳化閣帖》　卷8

碑學思想的訊息。

傅山晚年的作品

研究書法史的學者常常將傅山與王鐸作比較。[135]例如，傅申指出王鐸生氣勃勃的行草書對傅山的影響。就地域文化而言，王鐸和傅山都是生活在一個以南方書家爲主導的時代的北方人；就藝術風格而言，他們的草書多爲典型的「連綿草」。但學者們也指出了他們的草書風格之間的顯著不同。[136]王鐸的草書提按分明，許多筆劃的起筆和轉折稜角比較明顯，令人想起他寫的柳體楷書（彩圖22）。相比之下，傅山的草書（尤其是晚年作品）多用使轉筆法，提按並不明顯。[137]傅山草書的這一特點並不僅僅是其個人品味和書寫習慣的產物，而是一種有意識的藝術探索，反映了嬗變中的清初書法美學觀。

如前所論，在晚明，受文人篆刻和追求古意風氣的刺激，人們對於篆隸古體字的興趣逐漸濃厚。然而，當時還沒有人有意識地將篆、隸筆法運用到書寫其他字體上。例如，王鐸也寫隸書，但他似乎不曾試圖將隸書的風格融入他的行書或草書中。[138]

傅山不同，他把研習古代篆書和隸書視爲學習書法的不二法門。在一則筆記中，他宣稱：「不知篆、籀從來，而講字學書法，皆寐也。」[139]在另一則筆記中，他又說：「不作篆隸，雖學書三萬六千日，終不到是處，昧所從來也。」[140]傅山研習篆、隸的一個主要原因，是爲了將這兩種早期字體的筆法融入較晚出現的字體的書寫中，以使這些晚出的字體更有古樸之意。

除了研習篆、隸外，傅山對章草亦相當留意。他在一則可能書於1674年以後的筆記中寫道：

> 吾家現今三世習書，眞、行外，吾之《急就》，眉之小篆，皆成絕藝。蓮和尚能世其業矣，其秀韻又偏擅於天賦，臨王更早於吾父子也。[141]

傅山在晚年視章草（《急就章》）爲其最具代表性的書法，值得深思。在中國文字演變史上，章草是一個承前啓後的重要環節，它上承古體字隸書，下接今體字今草、行書。傅山之所以對章草如此重視，是因爲他認爲鍾繇與王羲之的偉大成就源於章草。傅山的觀點可以通過比較《淳化閣帖》所收王羲之的草書作品（圖4.18）和傳爲東漢張芝（約卒於192年）的章草作品（圖4.19）得到證明：王羲之的書法用筆圓轉，就像張芝的書法一樣，帶有濃重的篆、隸色彩。

張芝和索靖是傅山仰慕的兩位早期章草大師，傅山留下了一些追仿他們書風的章

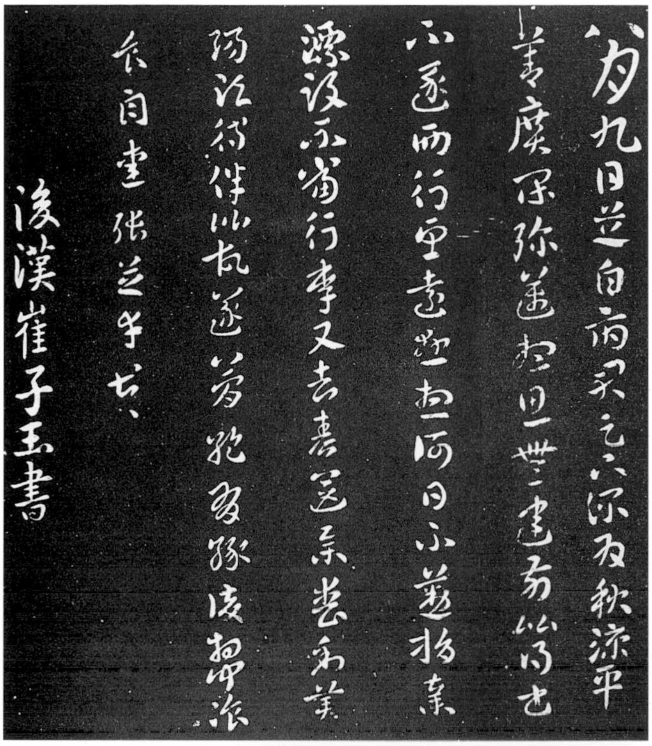

圖4.19
張芝
《八月帖》
拓本　冊頁
紙本　尺寸不詳
引自《淳化閣帖》　卷2

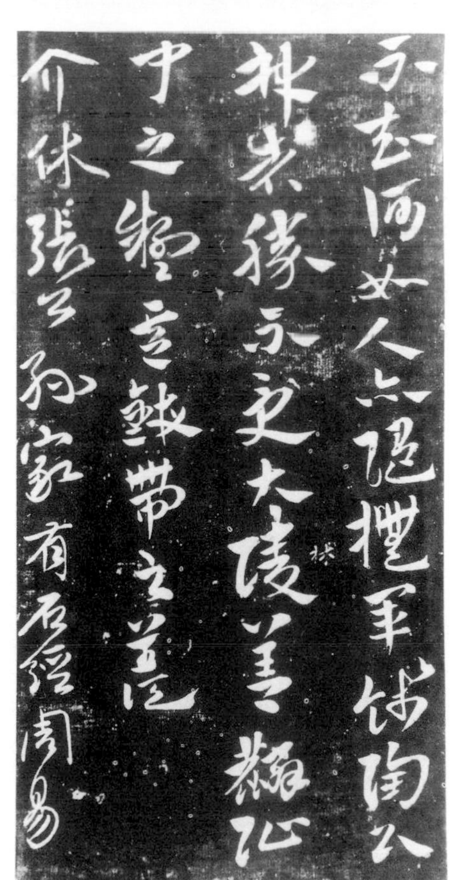

圖4.20
傅山
《章草冊》　局部
拓本　冊頁
紙本　尺寸不詳
引自《傅山書法》　頁169

（4）

（3）

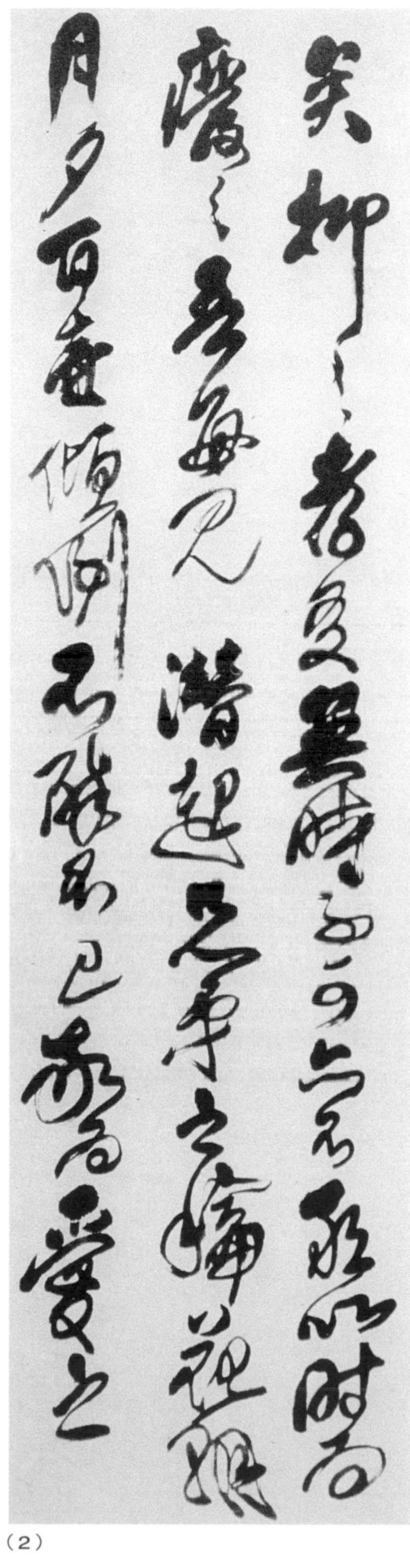

（2）　（1）

圖4.21
傅山
《晉公千古一快》　1684
四條屏　綾本
每軸110.1×51.7公分
太原晉祠博物館
引自《傅山書畫選》　頁7-8

草作品，其中一件以拓本傳世的章草作品即展現出這方面的功力（圖4.20）。此作字形矮扁，筆劃渾圓厚實，上挑的燕尾更是章草與今草的重要分野。

在上海博物館藏傅山晚年爲友人旭翁祝壽所作的立軸中（彩圖23），我們可以看到傅山努力將章草的元素融入今草。從結字來看，這件作品可被歸爲今草，但章草意味十分濃重。如果我們將這件作品和傅山大約在二十年前（1657）書贈魏一鼇的十二條屏（圖4.7，頁296）作比較的話，馬上可以發現這件作品的字形較爲寬扁，這正是隸書與章草的特點，與王羲之草書的特徵相符。在上海博物館收藏的立軸上，不少短橫呈鐮月形，這也是傅山取法章草的結果。

目前藏於太原晉祠博物館的《晉公千古一快》四條屏可作爲傅山晚年行草書的代表作之一（圖4.21）。款署「七十八翁傅眞山書」說明這件作品書於傅山生命的最後一年。條屏的文本是一篇優美的散文，傅山在文中讚譽老友潛起爲人高潔，兄弟關係和諧。[142]他在文末寫道：「早起寫此于杏花小亭前，代簡。」由此可知，傅山是在神清氣爽的情形下爲老友書寫此作的。此作在文本與書風上都新穎別致且具原創性。歷代許多書法傑作（包括王羲之的許多作品）都是尺牘，但這類作品大部分尺幅都很小。然而，傅山卻以四幅高大的條屏「代簡」。

傅山爲潛起所書四條屏，不論是結字還是章法都相當穩健，不似贈魏一鼇十二條屏那樣具有戲劇性。此作沒有一個字在結構上嚴重變形，每一行中的字也沒有向左右劇烈欹側傾斜，行距分明。除了尺幅高大而予人深刻印象外，厚重遒勁的筆劃也令人注目。條屏起始「晉公千古」四個墨色飽滿的字爲全篇定了基調，許多字的筆劃圓渾，有篆籀之氣。

篆隸筆意還可以在傅山存世的最後一件作品中見到。這件作品是傅山爲哀掉兒子傅眉所書。傅眉死於1684年二月九日，享年五十七歲。傅山二十六歲時，妻子就過世了，此後終身未娶。傅山父子相依爲命數十年，並一同度過了朝代更替之際的艱難日子。傅山性喜出遊，家中大小事多由傅眉打理，包括經營太原的藥鋪。傅山十分注意培養傅眉，向他傳授經史、詩賦、書畫、醫學，考課極爲嚴格。[143]傅眉長大後成爲傅山在學術、文學、藝術上的伴侶。傅家的許多藏書上都有傅山、傅眉父子的批點和印章，一些留傳至今的作品也爲父子二人的合作（彩圖24）。傅眉的文學才能在清初的文人圈頗有聲譽。但傅山十分留意他的活動，以保證兒子保持對前朝的忠誠，並避免陷入政治漩渦中。[144]

喪子之痛令傅山難以承受。他在悲痛中沈吟，作了一組〈哭子詩〉來哀悼傅眉。存世的〈哭子詩〉有幾個不同版本，目前所知最長的一組〈哭子詩〉包括十六首詩和傅眉的小傳，有的版本則少了幾首詩，並在部分字句上有些許出入。估計傅山曾經多次抄寫〈哭子詩〉來抒發內心的悲痛。[145]這些〈哭子詩〉是目前能見到的傅山最晚的作品，也代表了他對行草書法的最後探索。

台北石頭書屋所藏傅山書《哭子詩》手卷，是一件極爲精彩的行草作品（彩圖25）。[146]這一手卷只收了九首詩：1.〈哭忠〉2.〈哭孝〉3.〈哭賦〉4.〈哭詩〉5.〈哭文〉6.〈哭志〉7.〈哭書〉8.〈哭字〉9.〈哭畫〉。[147]第一首詩〈哭忠〉是這樣開始的：

元年戊辰（1628）降，十七丁甲申（1644）。

靡他四十年，矢死崇禎人。

．．．．．．．．．．．．．

人間何容易，培此草莽臣。

四十年來，傅眉像傅山一樣，拒絕與清政府合作，至死都恪守著儒家的道德操守。傅山在第二首詩〈哭孝〉裏回憶了傅眉是如何在艱難的歲月中，侍奉祖母，爲父代勞，努力維持著家業。「忠」、「孝」乃儒家的兩個基本教條，不論傅氏父子受了多少道、釋的影響，儒家思想仍深植在他們的心中。傅山在《哭子詩》起始二首中讚揚傅眉的忠孝美德，爲其在後面幾首詩中讚揚傅眉的文學與藝術才華作了道德上的鋪墊。

傅眉是在傅山的指導下學習書法的，因此，傅山追念傅眉書法的詩也反映了他自己的美學觀。在〈哭字〉一詩中，傅山寫道：

似與不似間，即離三十年。青天萬里鵠，獨爾心手傳。

章草自隸化，亦得張（張芝）、索（索靖）源。覃法寄八分，漢碑斤戲研。

小篆初茂美，嫌其太熟圓。《石鼓》及《嶧山》，領略醜中妍。

追憶童稚時，即縮《岣嶁》鐫。黝黓日會通，卒成此技焉。

云不能執筆，疾革一日前。此筆眞絕矣，黑淚硯池漣。

這首詩很可能是傅山留給後世關於書法藝術的最後一段文字。值得注意的是，詩中提到的書法範本都是晉代以前的篆、隸或章草名蹟。傅眉必定曾經臨習過許多書法名作，但傅山在此只拈出「二王」以前的範本，與他鼓吹書法家必須熟諳篆隸之變、以古代篆隸爲本的理論完全一致。

這件手卷也提供了傅山晚年努力將篆隸融入其行草的最佳範例。手卷起始的行書略微拘謹，但運筆很快變得自由奔放，草書的成分也越來越多。和贈潛起的四條屏相比，《哭子詩》手卷的筆劃更顯圓實。具有篆書意味的筆劃相對簡樸，但許多字的結構卻相當繁複。例如「熟」與「野」字（圖4.22），用筆無明顯的提按頓挫，流暢簡潔，但筆劃的反覆穿插盤繞卻增加了視覺上的豐富性。

雖然此卷婉而通的字形與用筆頗具篆籀遺意，但隸書的筆意仍貫穿其中，尤其是一些上揚的橫與捺（圖4.23）。迅捷的用筆、圓勢的轉折、上挑的燕尾，令人聯想到漢簡上的章草（圖4.24）。[148]「前」字的鐮月形豎劃頗似一枚東漢木簡上的豎劃（圖4.25）。當然，傅山很可能從未見過漢代簡牘，但他可能受到漢代隸書名作《石門頌》（圖4.26）和《五鳳刻石》中（見圖3.4，頁233）略帶弧度的修長豎劃的啓發，而傅山在1670年代初訪問曲阜時就曾看過《五鳳刻石》。

《哭子詩》手卷並非狂草，但傅山的用筆卻異常迅捷，此得益於狂草的訓練。書寫「如瘋」二字時（圖4.27），輕盈流轉的行筆完成了「如」字後，筆端迅速下移，彎曲作點後，立刻提筆完成左邊的部首。書寫「風」外框的最後一筆時，毛筆順勢向上挑起，自然地帶出了一個奔放不羈的長弧，與「瘋」字本義暗合。這一長弧的形狀應受到章草的影響，但行筆的自由奔放則源於晚明的草書傳統。

傅山和許多清初學者一樣，信奉追本溯源的理念。但在書法領域中，這一理念意味著回歸古老的字體，挖掘其原始、古拙、隨機的特質，而這些特質都會給作品帶來「奇」。對傅山和一些清初書法家來說，溯源與求奇有許多重合之處，相行不悖。因此可以說，傅山對上述特質的系統探索很可能是在清初才開始的，但和這些探索相關的某些因素卻根植於晚明文化。

明清之際學術風氣的轉變，對清初的草書影響並不大。許多清初學者對晚明的學術思潮大加撻伐，卻極少批評晚明的書法。[149]清初的書法在相當的程度上繼承了晚明的文化精神。毫無疑問，一個時代的藝術和學術思潮之間會有互動，但學術思潮的改變卻不一定會導致藝術當下的改變。學術氣氛的改變是否會立即影響藝術風格，取決於藝術家與其所處特殊的歷史環境之間複雜的互動關係。經歷了明清兩朝的傅山，在投入清初學術新潮的同時，也將晚明的文化藝術遺產帶入了一個新的歷史時期。也正是因爲他積極地投入清初學術的新潮流，他才得以在一個新的社會文化環境中，以一種新的方式繼續追尋晚明的藝術目標。

從很多方面來說，傅山晚年的書法是晚明和清初文化交織的結果，它匯合了兩股

圖4.22
傅山《哭子詩》中的「熟」和「野」二字

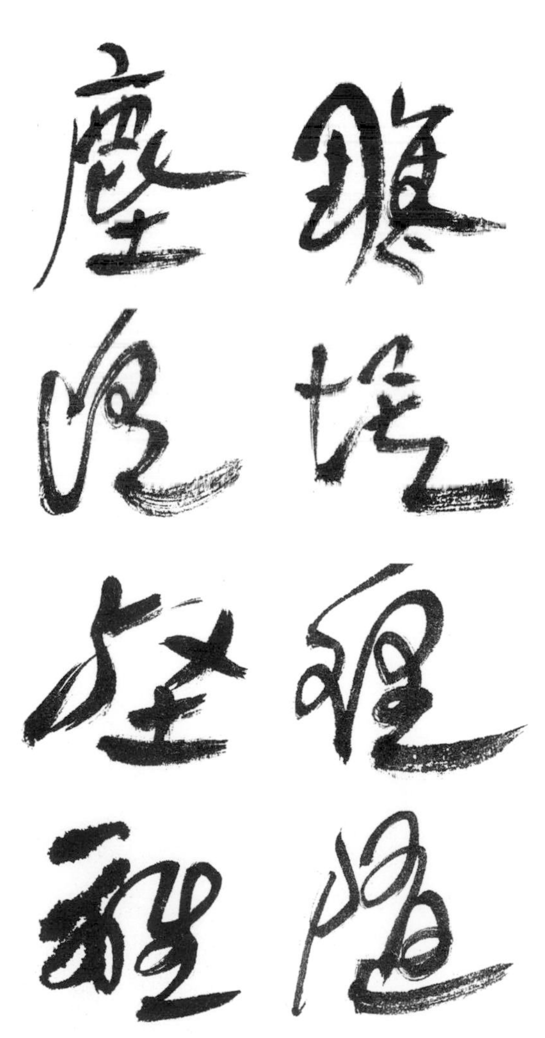

圖4.23
節自傅山《哭子詩》中帶有章草筆意的一些字

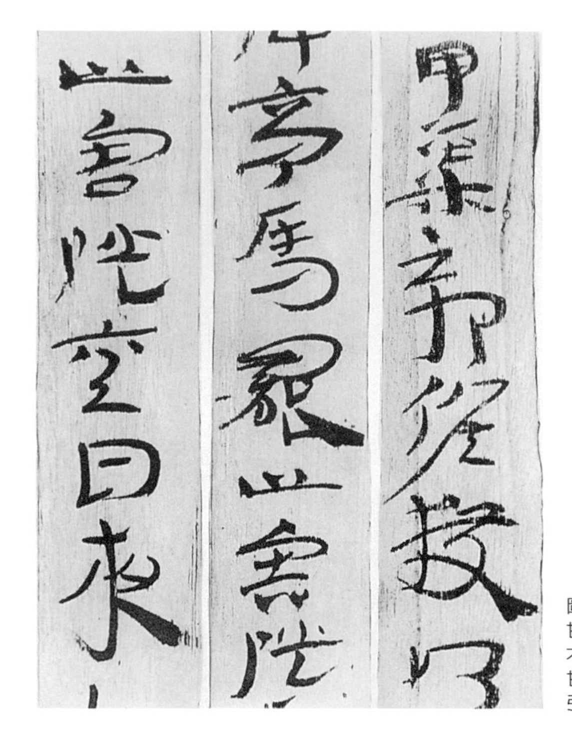

圖4.24
甘肅居延漢簡　27
木簡　22.3-22.7×1.2-1.3公分
甘肅省文物考古所
引自啓功　《中國美術全集》　頁84　圖版54

圖4.26
《石門頌》
148　局部
拓本　冊頁
紙本　尺寸不詳
北京故宮
引自《中國美術全集》
頁115　圖版73

圖4.25
（左）節自傅山《哭子詩》中的字
（右）甘肅居延漢簡上的「年」字
木簡　22.5×1.3公分
甘肅省文物考古所
引自啓功　《中國美術全集》　頁83　圖版54

圖4.27
傅山《哭子詩》中的「如瘋」二字

潮流——明末狂放的草書以及清初開始萌芽的金石書法。這種綜合發生在一個特殊的歷史背景中：雖然學術思想環境在明亡以後開始發生重大轉變，但晚明文化依然延續了一段時間。清初學者對形而上的哲學及社會問題尚未完全失去興趣。[150]十七世紀晚期的社會文化環境依然容忍狂放恣肆的草書，即使在當時它已開始成爲日漸微弱的遺響。

晚明和清初的文人不但喜歡談「奇」，還喜歡談「狂」，李贄如此，傅山也如此。傅山在晚年曾自稱「老來狂更狂」。[151]在一篇名爲〈狂解〉的短文中，傅山討論了不同種類的「狂」。[152]在另一段筆記中又寫道：「讀過〈逍遙遊〉之人，自然是以大鵬自勉。」[153]以〈逍遙遊〉中大鵬自相期許的傅山，在新的政治與文化環境中保持著他在晚明形成的基本人格取向。當傅山在《哭子詩》手卷中把自己的書法比作「青天萬里鵠」時，[154]他並沒有想到，他身後的書法史證明，他是中國步入近代社會之前的最後一位草書大師。

註釋

1. 傅山和倪元璐的學生許友（約1620-1663）被視爲狂草的最後兩位大師，但許友比傅山早二十年逝世，僅留下極少量的作品。關於許友的生平和藝術，見杉村邦彥，〈許友の生涯と書法〉；張佳傑，〈明末清初福建地區書風探究——以許友爲中心〉。
2. 關於「三藩之亂」的討論，詳見Wakeman, *The Great Enterprise*, vol. 2, pp. 1099-1127。雖然叛亂之初的確對清廷構成威脅，但卻沒有得到漢族菁英的廣泛支援。顧炎武甚至對之嗤之以鼻（請參見前引書，p. 1110）。然而，屈大均參與了在廣東的叛亂。見汪宗衍，《屈翁山先生年譜》，頁111-116。
3. 全祖望〈題徐狷石傳後〉引徐氏言：「吾輩不能永錮其子弟以世襲遺民也。」《鮚埼亭集》（外編），卷30，頁13a。
4. 戴名世，〈朱銘德傳〉，《戴名世集》，卷7，頁209。
5. 關於明遺民後代仕清的討論，見何冠彪，〈論明遺民子弟之出仕〉，載於《明末清初學術思想研究》，頁125-167。
6. 趙園，《明清之際士大夫研究》，頁373-401。
7. 戴廷栻，〈石道人別傳〉，《傅山全書》，冊7，頁5026。
8. 「楚國兩龔」指龔勝與龔舍——兩位不願臣服於新莽的漢代遺民。王莽篡漢時，二人俱謝病不仕。「秦四皓」指四位由秦入漢的隱士，因四人鬚眉皆白，故稱四皓。秦時，他們爲避亂而隱居商山。漢初呂后曾用張良計，欲迎四皓侍太子，但後罷此議。
9. 顧炎武，〈寄問傅處士土堂山中〉，《顧亭林詩文集》，頁394。

10. 傅仁去世後，傅山作詩〈哭姪仁六首〉，其中有「卅年風雨共，此姪比人親」，「自喜習吾字，人看亂老蒼」等句。《傅山全書》，冊1，頁182。

11. 陸心源，《穰梨館過眼續錄》，卷11，載於盧輔聖，《中國書畫全書》，冊13，頁329。如同傅山其他存世的書札一樣，此札無年月日。但札中所謂「小阮之痛」使我們可以把此札的書寫日期定爲1674年傅仁去世後不久。信中傅山的落款爲「期服弟山頓首」，説明傅山寫此信時，尚在傅仁的服喪期之內。

12. 范鄗鼎，《三晉詩選》，卷9，頁18b-19a。

13. 范翼，《敬天齋詩稿》，載於范鄗鼎等，《五經堂合集》。

14. 范鄗鼎初次結識傅山在1672年。見《五經堂合集》中載范翽，《先子類記》，「壬子年」條。

15. 傅山爲古古書雜書冊載《書法叢刊》，1997年第1期，頁56。

16. 傅山，《傅山全書》，冊1，頁864。

17. 范翼，〈謁傅公他先生歸，賦此就正〉，《敬天齋詩稿》，載於范鄗鼎等，《五經堂合集》。

18. 《傅山全書》，冊1，頁522。

19. 李集，《鶴徵前錄》，頁5a-b。

20. 關於1678至1679年這次考試的討論，見孟森，〈己未詞科錄外錄〉；Kessler, "Chinese Scholars and the Early Manchu State"；趙剛，〈康熙博學鴻詞科與清初政治變遷〉；Bai, "Turning Point"。關於特科考試的討論，見Miyazaki, *China's Examination Hell*, chap. 9, "The Special Examinations"；商衍鎏，《清代科舉考試述錄》，頁142-143。

21. 曹溶也被薦舉，但以丁憂爲由，未赴北京。

22. 陳僖曾多次鄉試落第，見陳僖，〈己未出都留別諸公〉，《燕山草堂集》，卷5，頁14a-b。

23. 張穆《顧亭林先生年譜》（頁262）云：「時朝議以纂修《明史》，特開博學宏儒科，徵舉海內名儒，官爲資送，以是年冬，齊集都門候試。先生同邑葉訒庵閣學及長洲韓慕廬侍講，欲以先生名應薦，已而知先生志不可屈，乃已。」顧炎武還寫信給大學士李天馥和户部尚書梁清標，爲李因篤陳情，以李母年邁多病爲由，請他們爲李因篤疏通，使他可以避免參加博學鴻詞考試。見《顧亭林詩文集》，頁50、198。博學鴻詞後，又有人欲推薦顧炎武參與纂修《明史》，顧炎武致函葉方藹云：「七十老翁何所求？正欠一死！若必相逼，則以身殉之矣！」見《顧亭林詩文集》，頁53。

24. 吳懷清，《關中三李年譜》，頁79-85。

25. 見張穆，《閻若璩年譜》，頁24、27、34、37、48。

26. 閻若璩，〈與劉超宗書〉，《潛邱劄記》，卷6，頁88a。

27. 潘耒〈曹秋嶽先生招飲倦圃作四首〉有詩句：「五株楊柳千株桔，安穩菟裘足此生。」詩中小註云：「先生守制不赴召，余亦以病辭薦舉。」見《遂初堂詩集》，卷2，頁25b。

28. 潘耒，〈寫懷十首〉，《遂初堂詩集》，卷3，頁1b-2a。

29. 《傅山全書》，冊1，頁74。

30. 戴夢熊，〈傅徵君傳〉，《傅山全書》，冊7，頁5028。

31. 儲方慶，〈我詩集原序〉，《傅山全書》，冊7，頁5113。

32. 戴夢熊，〈傅徵君傳〉，《傅山全書》，冊7，頁5028。
33. 《傅山全書》，冊1，頁74-75、199、221。
34. 鈕琇，〈傅徵君〉，《傅山全書》，冊7，頁5034。
35. 不少被薦學者和在京官員的詩文集中收錄了他們拜訪傅山的文字。如閻若璩，〈與李天生書〉，《潛邱劄記》，卷5，頁8a；陳僖，〈與傅青主先生書〉，《燕山草堂集》，卷1；吳雯（1644-1704），〈秋日同葉九來、徐勝力、馮圃芝訪傅青主先生〉，《蓮洋詩鈔》，卷8，頁4b；陳維崧（1625-1682），〈除夕前二日，同儲廣期過慈雲寺訪傅青主先生〉，《湖海樓詩集》，卷6，頁11b-12a；馮溥，〈奉贈徵君傅青主先生二首〉，《佳山堂詩集》，卷4，頁24a-24b；葉奕苞，〈戊午暮秋呈徵君傅老先生〉，《傅山全書》，冊7，頁5011；張穆，《閻若璩年譜》（頁19）引〈行述〉云：「十七年，應鴻詞制科，日與傅山人青主處遊。」
36. 商衍鎏，《清代科舉考試述錄》，頁102-103。
37. 商衍鎏，《清代科舉考試述錄》，頁63、103、109-116。
38. 《施愚山集》（冊4，頁122-123）載施閏章1678年十月十六日寫給兒子的一通信札，札云：「御試杳無定期。」信札無年款，但「御試」二字應指1678至1679年的博學鴻詞特科考試。
39. 在博學鴻詞特考的這段時間，王士禛、高士奇、宋犖正在北京。見王士禛，《王士禛年譜》，頁37-38；又見王弘撰，《北行日札》中寫與王士禛的信札；張穆，《閻若璩年譜》，頁55；宋犖，《西陂類稿》，冊6，頁2361-2364。大約在1686年，宋犖在陳僖的要求下，在傅山爲陳僖作的畫後題詩（前引書，冊2，頁474）。陳僖與宋犖很可能就是在博學鴻詞特科考試期間結識的。
40. 王弘撰，《山史》，2集，卷5，頁280-281。
41. 請參見謝國楨，《明清黨社運動考》，頁119-208；郭紹虞，〈明代文人結社年表〉，〈明代文人集團〉。
42. 郭紹虞，〈明代文人集團〉，頁604。
43. 謝國楨，《明清黨社運動考》，頁204-208。
44. 王士禛，《池北偶談》，下冊，頁296；王士禛，〈同施愚山、陳藹公集山史從兄昊天寺寓，觀唐子華水仙圖〉，《帶經堂集》，「戊午稿」，頁15a-15b。
45. 儲方慶，〈太原傅先生病臥燕京，其友戴君不遠千里來視之。余高戴君之義，亦知先生能擇友也，賦詩紀其事〉，載《傅山全書》，冊7，頁5008。
46. 傅山在最後一開上題款：「舊作憶書，不復計戴晉人之笑我。七十三歲病夫傅山。」傅山七十三歲時正是1679年。而自稱「病夫」正說明此時傅山在北京稱病拒試。由於戴廷栻此時在北京，所以傅山題款中所言「戴晉人」爲戴廷栻無疑。戴本孝是年不在北京，畫很可能由他人攜至北京求售。此冊目前爲上海博物館所藏。
47. 見王弘撰，〈書戴楓仲丹楓閣冊子〉，載《北行日札》，頁16b-17a。
48. 童昌齡的印譜《史印》現藏西泠印社。承余正先生幫助，得見印譜全部題詞。部分題詞收錄於韓天衡，《歷代印學論文選》，下冊，頁530-531。梁清標的題詞云：童子鹿遊「來遊長安，薦紳長者競相引重」。由此可知，童昌齡是在博學鴻詞期間來到北京的。
49. 張穆，《閻若璩年譜》，頁49。

50. 同上註。
51. 王弘撰《北行日札》（頁4b）有〈答王阮亭太史〉一札，云：「病夫不出寺門左右。」可知，王弘撰也稱病不出。王弘撰《北行日札》（頁11b-13a）又有〈答傅青主先生〉一札，札云：「昨小兒歸，承先生問《易》中義，弟故不知《易》，小兒語又不甚詳。今據其詞以復，不知竟合否？……前令郎匆匆行，未及作答，並諒。」可知傅眉和王弘撰的兒子爲傅、王傳遞資訊。
52. 閻若璩和其他學者間的學術交流記錄在閻若璩此時寫給其他被薦學者的信中，見閻若璩，《潛邱劄記》，卷6。
53. 葉奕苞曾和徐嘉炎（生於1632年）、馮行賢、吳雯造訪傅山。見吳雯，〈秋日同葉九來、徐勝力、馮圃之訪傅青主先生〉，《蓮洋詩鈔》，卷8，頁4b。
54. 葉奕苞，《金石錄補》，頁8989（卷1）、9003（卷3）、9046（卷12）、9070（卷17）、9091（卷21）、9135（卷27）、9136（卷27）、9140（卷27）。
55. 見白謙慎，〈清初金石學的復興對八大山人晚年書風的影響〉，頁98-100。
56. 馮溥，《佳山堂詩集》，卷4，頁24a-b。當傅山離開北京回太原時，馮溥又賦詩二首爲傅山送行，詩中將傅山比作陶淵明。見《佳山堂詩集》，卷6，頁20a-b。
57. 李因篤在其爲馮溥七十壽辰所作賀詩的小註中寫道：「時屢承枉顧並見招。」見《受祺堂詩》，卷20，頁6a-b。李因篤尚有〈益都馮相國萬柳堂五首〉。見《受祺堂詩》，卷21，頁4a-6a。潘耒在〈壽馮益都相公〉一詩的小註中也寫道：「耒抵京，辱公先賜顧。」見《遂初堂集》，卷3，頁5b。當時在北京的文人的詩文集中，收錄了不少詠萬柳堂的詩文。如毛際可的〈萬柳堂記〉，見《安序堂文鈔》，卷17，頁8a；儲方慶的〈萬柳堂記〉，見《儲遯庵文集》，卷3，頁13a-15a；邵長蘅的〈萬柳堂記〉，見《青門旅稿》，卷4，頁4a。
58. 王弘撰爲馮溥賀壽的文章收於《北行日札》。傅山也爲馮溥作一手卷（是書法還是繪畫不詳），並請王弘撰題引首。見王弘撰《北行日札》中所收王弘撰致傅山札。馮溥的門人陳玉璂將祝壽的詩文輯成《佳山堂壽冊》。章培恒先生在他的《洪昇年譜》（頁180，註15）中引用了這一壽冊。
59. 1680年，傅山用小楷書《孝經》冊頁贈高珩，該冊目前藏於南京市博物館。傅山和高珩兩人應在北京就曾經有所交往。傅山和王士禛的交往也應始於博學鴻詞特科考試期間。1680年，傅山還曾寄贈王士禛一幅水墨荷竹圖，王士禛作詩答謝傅山。見〈傅青主徵君寫荷竹見寄奉答，兼懷戴楓仲〉，載《漁洋精華錄集釋》，卷9，下冊，頁1442。
60. 陳僖，〈送王山史歸華陰序〉，載《燕山草堂集》，卷2，17b-18a。
61. 據說，傅山未領此銜。李元度，《國朝先正事略》，冊2，頁1186。
62. 《傅山全書》，冊7，頁5013。
63. Kessler, "Chinese Scholars and the Early Manchu State."
64. 清順治二年改明南直隸爲江南省。康熙六年（1667）分置爲江蘇、安徽二省。但此後習慣上仍合稱此二省爲江南。李集的《鶴徵前錄》在提及中取的五十名學者的省籍時，也稱江蘇、安徽學者爲江南人。
65. 關於這兩個事件及其政治意義的討論，見註63。
66. Kessler, "Chinese Scholars and the Early Manchu State," pp. 179-180。
67. 黃愛平，〈《明史》纂修與清初史學〉；喬治忠，《清朝官方史學研究》，頁177-236。

68. 黃愛平，〈《明史》纂修與清初史學〉，頁84。

69. 同上註：Struve, "Ambivalence and Action"。

70. 來新夏等，《中國古代圖書事業史》，頁319。

71. 湯斌，《湯子遺書》，卷9，頁23b-24b。

72. 同上註。

73. 顧炎武著，黃汝成校釋，《日知錄集釋》，頁672。

74. 湯斌，〈禁印造馬吊紙牌告諭〉，《湯子遺書》，卷9，頁21b-22a。

75. 關於應酬書法的討論，見白謙慎，《傅山的交往和應酬》。筆者對於應酬現象的研究是受了龔繼遂對中國文化背景中應酬畫的研究所啓發。龔繼遂的研究見Gong, "*Yingchouhua*: A Study of Gift Painting"（〈論應酬畫〉）。

76. 《禮記》云：「太上貴德，其次務施報。禮尚往來。往而不來，非禮也；來而不往，亦非禮也。」見《禮記正義》，載於阮元校刻，《十三經註疏》，上冊，頁1231。關於中國社會中以「報」爲基礎的互惠關係的討論，見Yang, Lien-sheng, "The Concept of 'Pao' as a Basis for Social Relations in China"。中譯本見楊聯陞，〈報──中國社會關係的一個基礎〉，載於費正清，《中國思想與制度論集》，頁350。

77. 倪瓚，〈答張藻仲書〉，載於《清閟閣全集》，卷10，頁7a-7b。

78. 在討論應酬書法時，我們還要注意到這種現象，即一些原本不是用來應酬的作品，以後也可能被用作應酬。一些書家平時的日課習作和嘗試性的作品，因名氣大了，也常有人索要。一些信札、筆記、藥方，興致所至揮毫自娛的作品，也都會被用作應酬。但這些書法和爲應酬而創作的作品不同，這是在討論應酬書法時應予以注意的。

79. 《歷代書法論文選》，上冊，頁128。

80. 張懷瓘，〈書議〉，見《歷代書法論文選》，上冊，頁148。

81. 韓愈，〈送高閑上人序〉，見《歷代書法論文選》，上冊，頁292。關於草書傳統的兩個基本轉變的討論，見Sturman, *Mi Fu*, pp. 129-132。

82. 董其昌，《容臺別集》，卷4，頁29a。

83. 董其昌，《畫禪室隨筆》，收錄於《中國書畫全書》，冊3，頁1001。

84. 王鐸書法的題跋中常談及應酬事。見劉正成、高文龍，《中國書法全集》，卷61，《清代編：王鐸》，頁605-607、640。關於傅山應酬書法的討論，見白謙慎，〈從傅山和戴廷栻的交遊論及中國書法中的應酬和修辭問題〉、《傅山的交往和應酬》。

85. 宋代可能是中國應酬書法史的分水嶺。

86. Ko, *Teachers of the Inner Chambers,* pp. 45-47.

87. 王正華，〈生活、知識與社會空間：晚明福建版《日用類書》與其書畫門〉。

88. 梁披雲，《中國書法大辭典》，下冊，頁1939。

89. 關於明清之際出版的日用類書中的介紹書法藝術的部分，見吳蕙芳，《萬寶全書：明清時期的民間生活實錄》，頁488-497。

90. 《傅山全書》，冊1，頁866。

91. 同上註，頁864。

92. 同上註，頁866。

93. 相關的研究見趙汝泳，〈明清山西俊秀之士何以「棄仕從商」〉。

94. 《傅山全書》，冊1，頁863-864。

95. 同上註，頁819。

96. 稍晚於傅山的清代學者何焯（1661-1722）曾這樣評價傅山的書法：「景州了無舊帖，僅得見傅青主臨王大令字一手卷，又楷書杜詩一冊頁。王帖極熟，乃是其皮毛，工夫雖多，犯馮先生楷字之病，不及慈溪先生遠甚。楷書專使退筆，求古而適得風沙氣。」見何焯，〈與友人書〉，《義門先生集》，卷4，頁6b。何焯稱傅山的作品有風沙氣，絕非妄言。傅山有相當部分的作品十分粗糙。如果我們比較一下傅山早期的書法精品，如台北何創時書法藝術基金會所藏爲陳謐作草書冊（書於1648年，詳見下節討論），我們會看出，傅山早年的作品雖不及晚年一些精品（如第二章所引美國普林斯頓大學藏行草《左錦》手稿）那樣老到成熟，但顯得精緻。這說明長期頻繁地書寫應酬書法，直接地影響了一個書法家的藝術水準。

97. Sturman, "Wine and Cursive," p. 203.

98. 在1650年代，已經致仕的仕清漢官、汾州朱之俊（約1594-1663後，1622年進士）在一首詩中稱讚傅山是一位「高士」。見鄧之誠，《清詩紀事初編》，下冊，頁723。在甲申冬（1664年末或1665年初），南京詩人紀映鍾（活躍於十七世紀下半）在給傅山的一通信札中說：「僕聞太行之右，有傅青主先生，奇士也。爲文磊落峭峻如其人，如其地。」見紀映鍾，〈寄傅青主〉，收於周亮工，《尺牘新鈔》，冊3，頁170-171。

99. 《傅山全書》，冊1，頁900。

100. 這裏提出這個問題有兩個原因。一是針對近年來西方藝術史界對藝術鑒定工作的日益忽視。二是曾有西方學者提出這樣的問題，生活在傅山三百多年後的人們，如何能夠以十七世紀的標準來判斷傅山作品的優劣。由於中國書法史的研究者過去多爲書法家（大陸的書法研究仍然帶有這種特點），所以一般不會提這樣的問題。因爲對技法的熟悉使他們相信，能夠對古代書法的優劣作基本的判斷。

101. Ledderose, "Chinese Calligraphy: Its Aesthetic Dimension and Social Function," p. 43。中譯參考了張觀教的譯文。見雷德侯著，張觀教譯，《晉唐書法考》，頁10-11。

102. 關於這一觀點更爲詳細的討論，見白謙愼，《傅山的交往和應酬》，頁134-140。

103. Kathlyn Liscomb在"Social Status and Art Collecting" (p. 133)一文中作過一個有趣的觀察，當她比較明代中期文人畫家沈周（1427-1509）和商人王鏊（1424-1495）的繪畫收藏時，她說：「王鏊的收藏中沒有一件畫是爲他製作的，構成他的收藏核心的作品是他購買來的藝術家爲他人所作的畫作，這點顯示出他並非菁英藝術圈中的成員。」

104. 見劉正成、高文龍，《中國書法全集》，冊61，《清代編：王鐸卷》，頁220；冊62，《清代編：王鐸卷》，頁606。關於這一作品的討論，又見黃一農，〈王鐸書贈湯若望詩翰研究〉。

105. 關於這件作品的圖版，見林鵬等，《中國書法全集》，冊63，《清代編：傅山卷》，頁231-266。

106. 譬如，傅山常爲有學養的漢官書寫小楷。

107. 傅山，《傅山全書》，冊1，頁864。

108. 林鵬等，《中國書法全集》，冊63，《清代編：傅山卷》，頁370。

109. 關於這一冊頁的詳細討論，見白謙愼，〈傅山爲陳謐作草書詩冊研究筆記〉。原文誤將傅山的另一位友人文玄錫（玄道人）的生卒年當作陳謐的生卒年。關於文玄錫和傅山交往的考證，見姚國瑾，〈傅山《天泉舞柏圖》贈與人考〉。

110. 傅山贈陳謐冊頁中的詩，都收入了《傅山全書》。但《傅山全書》部分詩的標題和文字與此冊中的詩有些許出入，當是傅山曾多次鈔寫過這些詩並曾在文字上作過修改所致。

111. 魏一鼇曾在〈題傅青主畫〉（見《雪亭詩文稿》）的詩中寫道：「醉後突兀興不已，灑作粉壁石傾斜。」是知傅山喜歡酒後創作。

112. Fu, Shen C. Y., et al., *Traces of the Brush*, p. 95.

113. 《傅山全書》，冊1，頁855。

114. 《傅山全書》，冊1，頁862。

115. 《歷代書法論文選》，上冊，頁125。這個故事亦見《法書要錄》，卷3，李嗣眞，《書品後》，「逸品五人」，文略異，説明這個傳説在唐朝的流行。見盧輔聖等，《中國書畫全書》，冊1，頁102。

116. 杜甫，〈飲中八仙歌〉，收錄於仇兆鰲，《杜詩詳註》，卷2，頁84。

117. 李肇，《唐國史補》，頁17。

118. Sturman, "Wine and Cursive," pp. 201-203.

119. 同上註，p. 225。

120. 同上註，p. 226。

121. 蘇軾，〈跋草書後〉，《蘇軾文集》，卷69，頁2191。

122. 周亮工，《尺牘新鈔》，冊2，頁140。在另一通致周亮工的信札中，王鐸自稱爲「酒人」（見前引書）。

123. 這件立軸目前藏於南京博物館。師宜官（活躍於168-188）是東漢末年的書法家，以隸書聞名。師宜官對自己的名氣頗有信心，他經常「不持錢詣酒家飲」，在牆上寫書法來換取酒客的賞錢。待籌到酒錢後，他就把牆上的書蹟擦去。見衛恒，〈四體書勢〉，收於《歷代書法論文選》，上冊，頁15。詩的最後一句可能是對王羲之的讚揚，説王羲之喝酒之後，便身輕猶如鴻毛；而這或許暗示著王羲之的醉書猶如飛鳥般輕盈。這句也有可能是關於師宜官書法風格的描述。梁武帝蕭衍（465-549，502-549在位）曾評道：「師宜官書如鵬翔未息，翩翩而自逝。」見蕭衍，〈古今書人優劣評〉，收於《歷代書法論文選》，上冊，頁82。

124. 2004年6月17日，筆者曾就王羲之與酒的問題請教王羲之專家祁小春先生。

125. 劉熙載，〈藝概〉，載於《歷代書法論文選》，下冊，頁715。

126. 原作本爲立軸，劉霦（活躍於1854年）將之摹勒上石。關於這一作品的詳細討論，見林鵬，〈五峰山草書碑註釋〉，《丹崖書論》，頁28-35。

127. 《傅山全書》，冊1，頁241-242。

128. 同上註，頁242。

129. 杜甫〈飲中八仙歌〉有「張旭三盃草聖傳」句。林鵬先生釋「上頓」爲大飲。見林鵬，〈五峰山草書碑註釋〉，載於《丹崖書論》。但大飲後尚有「一覺」。傅山此軸應在一覺醒後所書。詩所描述的是否就是這一立軸上的書法，也待考。

130. 《傅山全書》，冊1，頁762

131.《絳帖》由北宋山西文人潘師旦在1049到1064年間刻成。關於這部刻帖，見容庚，《叢帖目》，冊1，頁49-66。傅山曾擁有一部宋拓《絳帖》。見《傅山全書》，冊1，頁529。

132. 這個臨本的紀年很可能是辛酉（1681）而非辛丑（1661）。此干支紀年中的第二個字幾乎無法辨識，而在草書中，酉與丑相當接近。

133.《傅山全書》，冊1，頁152。《傅山全書》所錄文字和此軸文本略有差異。

134. 在清初一些書家的隸書作品中，也可以發現草書的元素。例如，前一章曾討論的鄭簠的隸書軸（見頁252-254），用筆迅捷，造成飛白。許多評論家認爲鄭簠將草書的技法融入了他的隸書。那麼，鄭簠是否練習過草書或狂草呢？他所有的存世作品都是篆書或隸書，其中隸書占絕大多數，他只有在爲其篆隸作品落款時才使用行草。因此，鄭簠應是全力鑽研隸書而極少留意草書的。即便如此，他的隸書風格依然反映了十七世紀的書法潮流。鄭簠成長在一個草書藝術發達的文化氛圍中，即便他不曾深研草書，但耳濡目染已足使他能自然地將草書特質融入他的隸書中。

135. Fu, Shen C. Y., et al., *Traces of the Brush*, p. 96；林鵬，《丹崖書論》，頁53-61。

136. Fu, Shen C. Y., et al., *Traces of the Brush*, p. 96.

137. 關於使轉和提按筆法的討論，見邱振中，〈關於筆法演變的若干問題〉；潘良楨，〈學王管見〉。

138. 在王鐸之前，其他書家如文徵明，也曾臨習篆、隸書法。然而，很少有書法家努力將篆隸的筆法運用到書寫楷、行、草等字體中。

139.《傅山全書》，冊1，頁853。

140. 陳玠，《書法偶集》，頁5b。

141.《傅山全書》，冊1，頁862。這段文字被定爲他晚年的作品有兩個理由：首先，傅山提到了孫子傅蓮蘇（蓮和尚）在書法上的天份。傅蓮蘇生於1657年，最早大概也要到十多歲才會在書法方面顯示出才能。故這段筆記不大可能早於1670年。其次，傅山沒有提到傅仁。因此這段筆記很可能寫於1674年傅仁逝世之後。

142. 此作的文本載於《傅山全書》，冊1，頁779。

143. 王士禛，《池北偶談》（上冊，頁172），〈傅山父子〉條云：「山工分隸及金石篆刻，畫入逸品。子眉，字壽毛，亦工畫，作古賦數十篇。常粥藥四方，兒子共輓一車，暮抵逆旅，輒篝燈課讀經史騷選諸書，詰旦成誦，乃行；否即予杖。」紀映鍾也有類似的記載。見紀映鍾致傅山信札，收錄於周亮工，《尺牘新鈔》，冊3，頁170-171。

144. 1664年末或1665年初（甲辰冬），傅眉在北京拜訪知名文人，以詩賦很快在北京文人圈中贏得名聲。當傅山得知傅眉在北京引起注意後，立即要求他歸鄉。見尹協理，〈新編傅山年譜〉，收錄於《傅山全書》，冊7，頁5320。

145.《傅山全書》，冊1，頁302-317。

146. 1980年代初，筆者在上海經先師金元章先生介紹首次見到這件手卷。金師請友人拍攝了這件手卷。金師當時所贈《哭子詩》手卷照片對筆者在1990年代研究傅山的晚年書法極有助益。

147. 手卷中〈哭志〉與〈哭書〉二詩已經遺佚。

148. 雖然某些宋代文人的文字記載了漢隸簡牘的出土（見黃伯思，《東觀餘論》，頁857-858），但在二十世紀以前，大概很少有書法家將它們作爲書法的範本。傅山見過古代簡牘的可能性不大。

149. 傅山在《訓子帖》中對董其昌稱讚趙孟頫頗有微辭（見第二章有關討論）。但傅山對董其昌書法的批評卻並不像有些人想像的那樣激烈。傅山曾說：「董太史書，一『清媚』外，原無大過人處。晚年始學米襄陽，徑五寸以上者，乃有大合處。」見陳玠，《書法偶集》，頁4b-5a。

150. 許多清初學者（包括顧炎武）仍然在很大程度上受到從宋明理學的影響。見余英時，〈從宋明儒學的發展論清代思想史〉，頁87-119。

151. 此爲范翼〈謁傅公他先生歸此就正〉詩中的一句，范翼註明此爲傅山語。見《敬天齋詩稿》。該詩沒有紀年，由於范翼是在山中寺廟拜訪傅山的，所以應在其父范鄗鼎1675年在山廟中拜訪傅山之後。

152.《傅山全書》，冊1，頁545-547。關於十七世紀文化背景中「狂」與「奇」關係的討論，見Burnett, "The Landscapes of Wu Bin," pp. 125-126。

153.《傅山全書》，冊1，頁762。

154. 此處的「鵠」字當隱含「鴻鵠志」之意。

結語

茶圖一卷圖中破屋竹爐之湯未談而長川多方偃樹而習側可謂妙乎畫者矣茶品又嘗愛法乎高士浪而真知其味者不與之譚斯事哉

杭人金農書

自知將不久於人世，傅山開始考慮其文集的編纂事宜。1684年夏，傅山在寫給兩個孫子的遺囑中，希望他們搜集他和傅眉的詩文，「無論長章大篇、一言半句」，皆須「收拾無遺」，編成「山右傅氏之文獻」。他宣稱：「人無百年不死之人，所留在天地間，可以增光岳之氣，表五行之靈者，只此文章耳。」[1]

大約在1685年正月或二月，傅山去世。[2]臨終前，他寫下了《辭世帖》：

終年負贅懸疣，今乃決癰潰疽，眞返自然。禮不我設，一切俗事謝絕不行，此吾家莊、列教也，不訃不弔。[3]

在1680和1690年代，許多在晚明就已成年的遺民文化領袖相繼謝世：顧炎武卒於1682年；思想家王夫之卒於1692年；史學家黃宗羲卒於1695年。隨著明遺民的凋零，晚明多元文化中萌生的心智和明清鼎革最直接的記憶也隨之消逝。雖然遺民們破碎不全的記憶會通過口述歷史和諸如私修史書或筆記之類的文字留存下來，但文字記錄的歷史永遠無法像經歷那些事件的人們的直接記憶那樣具體生動。而隨著每個世代的更替，鮮活的親身經驗總被風乾的史學敘述和詮釋所取代。

對前朝的忠誠也受到時間流逝的影響。即使是傅眉那一代，仍有一些人拒絕參加科舉以承繼父輩們對明朝的忠誠，但比起父輩那種對先朝深沈的感情，忠誠在這裏更像是一種抽象的道德原則。第一代明遺民的消逝不但進一步消弭了滿、漢之間的緊張，也爲他們的友人和下一代提供了一個喘息的空間。傅山死後，戴廷栻出任山西聞喜縣訓學；[4]1720年，傅山的長孫傅蓮蘇出任靈石縣訓導。[5]逐漸地，文人們按照中國社會長久以來的規範，恢復了與政府的那種「學」與「仕」的互動。

學術景觀沿著1679年博學鴻詞特科考試開啓的方向繼續發展。除了《明史》，康熙皇帝敕命廷臣主持完成了其他一些浩大的文化工程，如編纂卷帙浩繁的《淵鑒類涵》（454卷）和《佩文韻府》（444卷）等。這些由朝廷出面主持的大型文化工程向漢族學者展示著，什麼樣的學術活動是朝廷允許和鼓勵的。這些文化工程和嚴酷的文字獄一起，對塑造十八世紀的學術氛圍產生了重要的影響。許多有才華的學者將他們的精力投入到政治上不會犯忌的學術事業。

同樣值得注意的是，在康熙年間還出現了由漢族官員贊助或部分贊助的一些重要文化工程。1687年，顧炎武的外甥徐乾學以禮部侍郎出任《大清一統志》總裁。1690年，時任刑部尚書的徐乾學被彈劾，上章乞歸。康熙皇帝准以書局自隨，回鄉繼續編纂《大清一統志》，參加者包括閻若璩、顧祖禹（1631-1692）、胡渭（1633-1714）等優秀學者。《大清一統志》成為清初由漢官主持和參與贊助的一個大規模的文化工程。風氣既開，漢族官員贊助學術活動在十八世紀變得相當普遍。[6]

考據學在十八世紀的學術生活中扮演著關鍵性角色。學者們在古代文化方面作了許多工作，並且取得了卓越的成就。然而，把主要精力放在古代名物制度的考據上，導致了學者們對當下的社會問題缺乏批判性的思考。清代的學術著實令人敬佩，人文領域中湧現出大量學識淵博的學者。但這些學者沒有一位像那些由晚明多元的文化中孕育出來的學者那樣，可以被稱為傅山筆下的「如何先生」（參見第一章相關討論，頁116）。

文字學在清代中期進入了全盛時期。《說文解字》的研究成績斐然，段玉裁（1735-1815）的《說文解字註》（1813至1815年間出版）便是這個領域中的經典著作。書法家現在可以從段玉裁等學者的著作中獲得篆書的新知識，進而更準確也更自信地書寫篆書。

金石學也是十八世紀學術主流的重要組成部分，古代碑刻得到更廣泛、更有系統的研究。1802年，孫星衍（1753-1818）和邢澍（1790年進士）刊行了《寰宇訪碑錄》，此書的書名即展現了學者們的勃勃雄心。[7]訪碑已成為一件令人神往的事業，著名金石學家黃易（1744-1802）在其《紫雲山探碑圖》的題款中，簡略地談到了他訪碑的樂趣：

辛亥三月六日，訪武氏石室畫像。得碑之多，莫過此役。圖以自喜。[8]

清初明遺民和漢官在訪碑時「撫殘碑，而又傷今」、追悼前朝的哀思，業已煙消雲散。

在書法方面，雜書卷冊仍然是書家們鍾愛的形式，因為清代許多書家擅長篆隸，雜書卷冊能讓他們一展才華。對篆刻的熱忱終有清一代不曾衰落，越來越多的優秀書家兼工篆刻，而古代印章的研究也成為金石學的一部分而逐漸深入。明末清初之際，有標新立異和好古之癖的書家喜歡書寫異體字。而現在，文字學方面的研究成果卻成為慎重的書法家書寫異體字時不得不考慮的因素。在清代中、晚期書家的作品中，我們依然能發現異體字，但其怪異的程度，遠遠不及傅山的作品。

篆書和隸書在那些生於康熙中期、活躍於雍、乾二朝的書家中越來越流行。「揚州八怪」中的高鳳翰（1683-1749）繼承了鄭簠的隸書風格；金農（1687-1764）創造了令人耳目一新的隸書風格（圖5.1）；鄭燮（1693-1765）融篆、隸、行、草而成特

圖5.3
伊秉綬
隸書對聯
尺寸不詳　藏地不明
引自《伊秉綬隸書墨蹟選》　頁4

圖5.1
金農
《漆書劉松年玉川子嗜茶圖記》
軸　絹本　125.5×50公分
台北石頭書屋

圖5.2
鄧石如
篆書
1792 局部
冊頁 紙本
每開29.7×44.2公分
引自《書道全集》 冊24 圖版4

殊的「六分半書」。這些藝術家確實「怪」，但是和傅山的「奇」相較，他們的作品顯得溫和而有節制，缺乏明末清初人的「狂」氣。

當篆、隸成為許多重要書家的代表性書體時，碑學書法也在十八世紀下半葉進入了它的黃金時期（見圖5.2、圖5.3），成為足以與帖學傳統抗衡的藝術流派。名家譜系以外名不見經傳的工匠刻在青銅器、磚瓦、摩崖上的古代銘文，也成為書法學習的範本，中國書法的經典體系為之擴大。到了清末，康有為更是鼓吹「魏碑無不佳者，雖窮鄉兒女造像，而骨血峻宕，拙厚中皆有異態，構字亦緊密非常」（圖5.4）。[9]進入二十世紀後，考古發現的簡牘卷子帛書，也成為了書法家們取法的對象（見圖4.25，頁323）。這些考古材料雖為墨蹟，不是範鑄和鑿刻的金石文字，但是，取法傳統帖學經典以外的文字遺跡，向名家譜系以外的無名氏的書寫之蹟尋求啓發，這樣的思路是清代碑學的思想和實踐的延伸，依然是碑學的邏輯。[10]

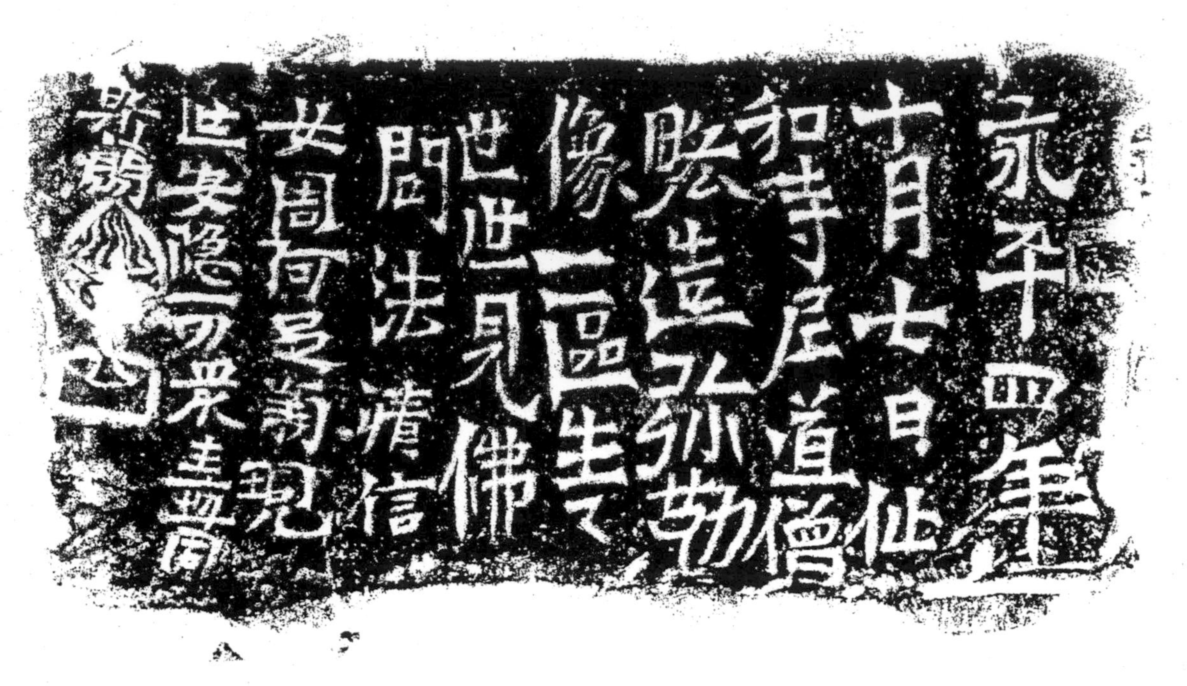

圖5.4
北魏龍門造像記
拓本
華人德收藏

反觀狂放的草書，儘管它曾經擁有悠久且輝煌的歷史，卻在十八世紀時倏然沒落。[11]具有諷刺意義的是，當傅山和清初書家在鼓吹篆隸爲學書的不二法門時，他們力圖把篆、隸的元素融入其他字體（包括草書）的書寫中。對他們而言，草書是書法藝術重要的表現形式之一。他們並沒有預見到，篆、隸復興後，草書卻衰落了。篆書和隸書是正體字，在古代常被用作青銅器和碑碣上的銘文，具有儀式性的內涵。[12]清中葉以後，人們在書寫篆、隸時，更強調其平穩的結字、沈勁的用筆、莊重的風姿。運筆的速度減緩了，書家們漸漸變得不那麼習慣寫狂草的飛快揮毫。順理成章，同樣具有儀式性的對聯形式得到了擅長篆隸的書家的青睞。[13]而這正與儒家儀禮在康熙到清中葉這一期間的復興在時間上基本對應，似乎並非偶然。[14]但是狂草的衰落主要還得歸因於政治文化和學術環境的改變。在一個漸漸無法包容內省式和想像性思維的時代，「狂」和「怪」不再是令人欣賞欽羨的美學訴求。隨著碑學在十八世紀的興起，張揚狂肆的草書便銷聲匿跡。而它的再次復甦一直要等到二十世紀——又一個天翻地覆的時代。

註釋

1. 《傅山全書》，冊1，頁522。由於缺乏資金，傅山的孫子們無法實現他的遺願。傅山的文集在乾隆年間才首次刊行，其時傅山已經去世幾十年了。
2. 傅山的卒年目前還不能確定。一般認爲傅山是在傅眉過世數個月後去世，時在甲子年（1684）六月十二日。見《傅山全書》，冊7，頁5035。然而，由後人編輯的傅山詩文集《霜紅龕集》收錄了一件《上谷詩冊》，紀年爲1685年初。見上冊，卷14，頁393-401；也見《傅山全書》，冊1，頁317-321。羅振玉（1866-1940）認爲這件作品是僞作，理由是傅山在保定（上谷即保定）沒有任何朋友，故他在晚年沒有任何理由去保定。見《霜紅龕集》，下冊，頁1345-1347。許多學者接受了羅氏的看法。但筆者對傅山和魏一鼇關係的詳細研究證明，魏一鼇當時住在保定，所以傅山完全有可能在晚年去保定見魏一鼇。傅山的老友魏象樞等的〈祭傅青主先生文〉，作於「康熙二十四年乙丑三月辛酉」，其中提到「儒林慟失其師表兮，四方聞訃而含顰」。見《霜紅龕集》，下冊，頁1180-1183。由於訃文一般總是在卒後發出，親友聞訃祭奠也大都在喪期（死後「七七」四十九天）以內，不會遲至半年以後。汪世清先生認爲，如果祭文所記年月無誤，而且確寫於喪期，則傅山也可能卒於康熙二十四年乙丑（1685）正、二月間。見汪世清先生1994年8月5日寫給筆者的信中關於傅山卒年的討論。關於傅山生卒年的詳細討論，見白謙慎，〈傅山卒年獻疑〉。
3. 《傅山全書》，冊1，頁506。
4. 《祁縣志》，卷6，〈選舉〉，頁35b。
5. 《陽曲縣志》，卷5，〈選舉〉。
6. 關於徐乾學和《大清一統志》以及十八世紀官方與半官方的學術贊助活動，見艾爾曼，《從理學到樸學》，頁72-80。
7. 關於晚清訪碑活動的討論，見Chuang（莊申）, "Archaeology in Late Qing Dynasty Painting"。
8. 見佳士德紐約拍賣目錄（Christies' New York auction catalogue），1986年12月1日（Dec. 1, 1986），p. 128，Lot 137。
9. 康有爲，《廣藝舟雙楫》，載《歷代書法論文選》，下冊，頁827。
10. 關於碑學對中國書法經典體系的衝擊，見白謙慎，《與古爲徒和娟娟髮屋》。
11. 高鳳翰曾在其草書中作了有趣的創新。見Fu, Shen C. Y., et al., *Traces of the Brush*, p. 188, 200, pl. 74。然而就狂放而言，清初以後的書法家不能與明末清初的書家相比。
12. 方聞（Wen Fong）曾指出篆、隸所具有的儀式性。見Fong, "Chinese Calligraphy: Theory and History," p. 32。
13. 劉一葦（Cary Liu）在關於書法對聯的討論中指出：「對聯最早作爲一種書法形式出現，就與儀式活動和建築相關。」見Liu, "Calligraphic Couplets as Manifestation of Deities and Markers of Building," p. 361。
14. 請參見Chow, *The Rise of Confucian Ritualism in Late Imperial China*。

圖版目錄

彩圖1　董其昌　《行草詩》　1631　局部
彩圖2　張瑞圖　《孟浩然詩》　1625　局部
彩圖3　黃道周　《答孫伯觀詩》
彩圖4　王鐸　《贈郭一章詩》　1650　局部
彩圖5　董其昌　《臨顏真卿爭座位帖》　1632　局部
彩圖6　蔡玉卿　《山居漫詠》　局部
彩圖7　王鐸　《贈單大年》　1647
彩圖8　傅山　《臨顏真卿麻姑仙壇記》　約1650年代　局部
彩圖9　傅山　《嗇廬妙翰》中的楷書部分
彩圖10　傅山　《嗇廬妙翰》中的草書部分
彩圖11　宋克　《趙孟頫蘭亭十三跋》
彩圖12　李日華　《行楷六硯齋筆記》　1626　局部
彩圖13　王鐸　《贈愚谷詩》
彩圖14　傅山　《嗇廬妙翰》中包含其造字「 賨 」的部分
彩圖15　傅山　《嗇廬妙翰》中的隸書部分
彩圖16　傅山　《嗇廬妙翰》中的大篆部分
彩圖17　孫克弘　《銷閒清課圖》　局部
彩圖18　陳彭年　《廣韻》　1011　顧炎武1667年重印本　1667年後傅山在此版本上批註
彩圖19　傅山　《遊仙詩》　約1670年代　第十一條屏與第十二條屏
彩圖20　周亮工　為茂叔書《黃河舟中作》　1660年代《清初金陵名家山水花鳥書法》
彩圖21　鄭簠　《楊巨源詩》　1682
彩圖22　王鐸　《延壽寺碑》　局部
彩圖23　傅山　《草書雙壽詩》
彩圖24　傅山、傅眉　《山水花卉》　其中二開　傅山山水作於1657年　傅眉山水作於1650年代中期
彩圖25　傅山　《哭子詩》　1684

圖1.1　《遠西奇器圖說錄最》插圖
圖1.2　吳彬　《十六羅漢》　1591　局部
圖1.3　《萬曆全補文林壬子刊妙錦萬寶全書》插圖
圖1.4　趙孟頫　《湖州妙巖寺記》　約1309-1310　局部
圖1.5　董其昌　《楷書自書誥命》　1636　局部
圖1.6　《楷書自書誥命》中之「璧」、「箴」二字
圖1.7　董其昌　《行草書》　1603　局部

圖1.8　《答孫伯觀詩》中之「落」字
圖1.9　王鐸　《憶過中條語》　1639
圖1.10　黃庭堅　《廉頗與藺相如傳》　約1095　局部
圖1.11　王鐸　《贈張抱一行書》　1642　局部
圖1.12　顏真卿　《爭座位帖》　764　局部
圖1.13　董其昌　《臨張旭郎官壁石記》　1622
圖1.14　張旭　《郎官壁石記》　741　局部
圖1.15　王鐸　《臨二王帖》　1643
圖1.16　王獻之　《豹奴帖》
圖1.17　王羲之　《吾唯辨辨帖》
圖1.18　王羲之　《家月帖》
圖1.19　王鐸　《臨米芾跋歐陽詢書法》　1641　局部
圖1.20　米芾　《跋歐陽詢度尚庾亮二帖》　1090　局部
圖1.21　晚明小說《麒麟墜》插圖
圖1.22　陳淳　《仿米氏雲山圖》　1540　局部
圖1.23　趙宧光　《跋張即之金剛經》　1620　局部
圖1.24　龜形鈕官印　六朝
圖1.25　何震　「聽鸝深處」印及邊款
圖1.26　胡正言　「倪元璐印」
圖1.27　何通　《印史》
圖1.28　張灝　《學山堂印譜》中之兩方印文　「儲淚一升悲世事」和「當視國如家，除兇雪恥，毋分門別戶，引類呼朋」　約1633
圖1.29　古璽《日庚都萃車馬》　戰國時代
圖1.30　杜從古　《集篆古文韻海》
圖1.31　楊鉤　《增廣鐘鼎篆韻》
圖1.32　胡正言之兩方印文　「集虛」與「思在」　約1646
圖1.33　陳洪綬之三方私印　「蓮子」
圖1.34　郭忠恕　《汗簡》
圖1.35　趙宧光　《說文長箋》序　1633
圖1.36　包世瀛　《周文歸》序　約1628-1644
圖1.37　倪元璐　《飲酒自書詩》
圖1.38　《飲酒自書詩》中「地」的異體字以及《玉篇》中「地」的異體字
圖1.39　《山居漫詠》中「靈」的異體字以及《玉篇》中「靈」的異體字
圖1.40　王鐸　《柏香帖》中「古」的異體字
圖1.41　王鐸　《臨顏真卿八關齋會記》　1646　局部

圖1.42　梅膺祚　《字彙》

圖1.43　薛尚功　《歷代鐘鼎彝器款識法帖》

圖1.44　「楷書範例」　《萬書淵海》之〈書法門〉

圖1.45　景德鎮製帶有書寫裝飾的瓷瓶　約1650

圖1.46　漢印「梧左尉印」

圖1.47　何通　「陳勝之印」

圖1.48　彩圖7之「無」字

圖1.49　王鐸私印

圖1.50　傅山　《上蘭五龍祠場圃記》　1641

圖1.51　傅山早年所用名章「傅鼎臣印」

圖2.1　傅山　《小楷行書詩詞》　1645　局部

圖2.2　傅山　《致魏一鼇第一札》　約1647　《丹崖墨翰》

圖2.3　夏允彝　《行書尺牘》　局部

圖2.4　傅山　《致魏一鼇第四札》　約1648　《丹崖墨翰》

圖2.5　傅山　《致魏一鼇第六札》　約1648　《丹崖墨翰》

圖2.6　傅山　《致魏一鼇第七札》　約1648　《丹崖墨翰》

圖2.7　傅山　《致魏一鼇第九札》　約1652　《丹崖墨翰》

圖2.8　傅山　《致魏一鼇第十札》　約1652　《丹崖墨翰》

圖2.9　傅山　《致魏一鼇第三札》　約1652　《丹崖墨翰》

圖2.10　傅山　《致魏一鼇第十八札》　約1657　《丹崖墨翰》

圖2.11　王羲之　《東方朔畫像贊》　356　局部

圖2.12　顏真卿　《小楷麻姑仙壇記》　局部

圖2.13　傅山　《臨王羲之東方朔畫像贊》　約1650年代　局部

圖2.14　傅山　《臨顏真卿麻姑仙壇記》　約1650年代　局部

圖2.15　傅山　《小楷禮記》　1653-1654　局部

圖2.16　傅山　《小楷莊子》　1653-1654　局部

圖2.17　傅山　《左錦手稿》　約1660年代　局部

圖2.18　顏真卿　《祭姪文稿》　758　局部

圖2.19　《水牛山文殊般若經碑》　北齊　局部

圖2.20　顏真卿　《顏氏家廟碑》　780　局部

圖2.21　傅山　《阿難吟》　局部

圖2.22　傅山書《阿難吟》中之「羅」「我」「擾」三字，以及《水牛山文殊般若經碑》中之「羅」「我」「提」三字的比較

圖2.23　顏真卿　《大唐中興頌》　約771　局部

圖2.24　顏真卿　《多寶塔感應碑》　752　局部
圖2.25　傅山　「而不得罪於人」
圖2.26　傅山　「踬」
圖2.27　傅山　「推」
圖2.28　傅山　「顏」
圖2.29　傅山　山水
圖2.30　石濤　《梅》　約1705-1707
圖2.31　髡殘　山水
圖2.32　（傳）趙孟頫　《六體千字文》　1316　局部
圖2.33　《魏三體石經》　240-248　局部
圖2.34　凌鶴、天南遯叟、吳仕清、黎鼎元、梁慶桂、及楊松芬等　跋王洪《瀟湘八景》約1150
圖2.35　張中　《桃花幽鳥》
圖2.36　李日華　《行楷六硯齋筆記》　1626　局部
圖2.37　傅山　《嗇廬妙翰》　約1652
圖2.38　傅山《嗇廬妙翰》中各字體間相互打亂的情形
圖2.39　傅山　「為」
圖2.40　傅山《嗇廬妙翰》中有大量異體字的部分
圖2.41　傅山　「於」字的三種寫法
圖2.42　傅山的異體字與其字源的比較
圖2.43　傅山　「諸」「動」「壽」三字
圖2.44　傅山《嗇廬妙翰》中的象形文字
圖2.45　傅山　《篆書妙法蓮華經》　1655　局部
圖2.46　王俅　《嘯堂集古錄》
圖2.47　傅山在《嗇廬妙翰》中的批註
圖2.48　傅山在《嗇廬妙翰》中的批註
圖2.49　程君房　《程氏墨苑》
圖2.50　晚明戲曲集《堯天樂》
圖2.51　晚明日用類書《新鐫眉公陳先生編輯諸書備采萬卷搜奇全書》

圖3.1　《孔宙碑》　164　局部
圖3.2　傅山在洪适《隸釋》上的評點　局部
圖3.3　道教符咒
圖3.4　《五鳳刻石》　西元前56
圖3.5　（傳）李成　《讀碑窠石圖》

圖3.6　尤求　《松陰博古圖》
圖3.7　張風　《讀碑圖》　1659
圖3.8　《曹全碑》　185　局部
圖3.9　王鐸　《河陽渡詩》　1644　局部
圖3.10　汪道昆　《方氏墨譜》序　1583　局部
圖3.11　《張遷碑》　185　局部
圖3.12　傅山　《臨曹全碑》　局部
圖3.13　郭香察　《華山碑》　165　局部
圖3.14　唐玄宗　《石臺孝經》　745　局部
圖3.15　鍾繇　《宣示表》　221　局部
圖3.16　漢隸《熹平石經》和《曹全碑》中的「橫折」雙鉤
圖3.17　唐玄宗隸書「其」和「道」，以及顏真卿楷書「其」和「道」的比較
圖3.18　文徵明　《谿石記》　局部
圖3.19　豎劃與「橫折」：文徵明隸書《谿石記》雙鉤，以及顏真卿《多寶塔感應碑》楷書雙鉤的比較
圖3.20　傅山　《論漢隸》　局部
圖3.21　鄭簠　《楊巨源詩》　1682
圖3.22　石濤　《巢湖圖》　1695　局部
圖3.23　石濤　跋山水畫　1680（該畫作於1667年）

圖4.1　傅仁　《小楷雜詩四首》；傅眉《自作詩》
圖4.2　傅山　《柳家汀詩》
圖4.3　傅山　《臨王羲之諸懷帖》　1682
圖4.4　傅山　《五峰山草書碑》
圖4.5　傅山　《贈陳謐草書詩冊》　1647　第十三開
圖4.6　傅山　《贈陳謐草書詩冊》　1647　第三開
圖4.7　傅山　《贈魏一鼇行草書》　1657
圖4.8　《贈魏一鼇行草書》及米芾的字的比較
圖4.9　徐渭　《觀潮詩》
圖4.10　王羲之　《伏想清和帖》
圖4.11　傅山　《臨王羲之伏想清和帖》　1661
圖4.12　傅山　《臨王羲之伏想清和帖》
圖4.13　王羲之　《安西帖》
圖4.14　傅山　《臨王羲之安西帖》
圖4.15　王羲之《安西帖》中之「常」，以及傅山臨書中的「常」的比較

圖4.16　王羲之　《二書帖》
圖4.17　傅山　《夜談三首》
圖4.18　王羲之　《冬中帖》
圖4.19　張芝　《八月帖》
圖4.20　傅山　《章草冊》　局部
圖4.21　傅山　《晉公千古一快》　1684
圖4.22　傅山　《哭子詩》中的「熟」和「野」二字
圖4.23　傅山　《哭子詩》中帶有章草筆意的一些字
圖4.24　甘肅居延漢簡　27
圖4.25　傅山　《哭子詩》中的字，以及甘肅居延漢簡上的「年」字的比較
圖4.26　《石門頌》　148　局部
圖4.27　傅山　《哭子詩》中的「如瘋」二字

圖5.1　金農　《漆書劉松年玉川子嚐茶圖記》
圖5.2　鄧石如　篆書　1792　局部
圖5.3　伊秉綬　隸書對聯
圖5.4　北魏龍門造像記

參考書目

中、日文參考書目

《十三經註疏》，阮元校刻，北京：中華書局，1980。

《山西通志》，1734。

《山西通志》，道光年間刊本。

《王覺斯書八關齋會記（分楷合冊）》，台北：名實出版社，1977。

《四庫全書珍本叢書》，台北：商務印書館，1971-1982。

《四僧畫集：漸江、髡殘、石濤、八大山人》，天津：天津人民美術出版社，1991。

《平定州志》，乾隆年間刊本。

《石刻史料新編》，台北：新文豐出版社，1982。

《石濤書畫全集》，天津：天津美術出版社，1995。

《宋拓華山廟碑三種合璧》，上海：有正書局，出版年不詳。

《宣和畫譜》，收錄於《中國書畫全書》，冊2，1993。

《莊子》，郭象註，台北：藝文印書館，2000。

《絳州志》，康熙年間刊本。

《陽曲縣志》，道光年間刊本。

《萬曆全補文林壬子刊妙錦萬寶全書》，晚明刊本。

《漢張遷碑》，北京：文物出版社，1986。

《趙松雪六體千文》，北京：古物陳列所，1931。

《畿輔通志》，上海：商務印書館，1934。

《歷代書法論文選》，上海：上海書畫出版社，1979。

《歡喜冤家》，收錄於《古本小說集成》，冊38，輯1，上海：上海古籍出版社，1990，頁378-386。

丁度編，《宋本集韻》，北京：中華書局，1989。

下中彌三郎編，《書道全集》，東京都：平凡社，1961。

大阪市立美術館編，《大阪市立美術館藏上海博物館藏中国書畫名品図録》，大阪：《中国書画名品展》実行委員會，1994。

山内観編，《傅山の書法》，東京都：二玄社，1994。

山西省社會科學院編，《傅山研究文集》，太原：山西人民出版社，1985。

中田勇次郎、傅申合編，《歐米收藏中國法書名蹟集》，東京都：中央公論社，1981。

中田勇次郎編，《書道藝術》，東京都：中央公論社，1981。

中國古代書畫鑒定組編，《中國古代書畫圖目》，冊2、6、11，北京：文物出版社，1987、1988、1994。

程君房，《程氏墨苑》，北京：中國書店出版社，1996。

中國書法家協會山東分會編，《漢碑研究》，濟南：齊魯書社，1990。

中國書法編輯組編，《顏眞卿》，北京：文物出版社，1985。

尹協理，〈新編傅山年譜〉，收錄於《傅山全書》，冊7。

仇兆鰲，《杜詩詳註》，北京：中華書局，1979。
卞永譽，《式古堂書畫彙考》，台北：正中書局，1958。
孔仲溫，《類篇研究》，台北：學生書局，1987。
方以智，《方以智全書》，上海：上海古籍出版社，1988。
方去疾編，《明清篆刻流派印譜》，上海：上海書畫出版社，1980。
方若、王壯弘，《增補校碑隨筆》，上海：上海書畫出版社，1981。
方聞，《傅青主先生大傳年譜》，台北：台灣中華書局，1970。
毛際可，《安序堂文鈔》，康熙年間刊本。
牛光甫，〈淺試傅山書論中的四寧四毋—兼談他晚年墨蹟冊頁的書法藝術特色〉，《書法研究》，1982年，第4期，頁58-65。
王力，《漢語音韻學》，北京：中華書局，1956。
王又樸，《詩禮堂雜纂》，收錄於金鉞編，《屏廬叢刻》，北京：中國書店，1985。
王士禛，《王士禛年譜》，北京：中華書局，1992。
———，《池北偶談》，北京：中華書局，1982，1997年重印。
———，《香祖筆記》，上海：上海古籍出版社，1982。
———，《帶經堂集》，1711。
王士禛著，李毓芙等編纂，《漁陽精華錄集釋》，上海：上海古籍出版社，1999。
王冬齡，〈清代的隸書〉，收錄於上海書畫出版社編，《書學論集》，上海：上海書畫出版社，1985，頁178-205。
———，《清代隸書要論》，上海：上海書畫出版社，2003。
王弘撰，《山志》，北京：中華書局，1999。
———，《北行日札》，1679年序言。
———，《砥齋集》，康熙年間刊本。
王正華，〈生活、知識與文化商品：晚明福建版「日用類書」與其書畫門〉，《中央研究院近代史研究所集刊》，第41期（2003），頁1-85。
王守義，〈傅山和李贄〉，收錄於山西省社會科學院編，《傅山研究文集》，太原：山西人民出版社，1985，頁158-170。
王利器，《顏氏家訓集解》，北京：中華書局，1993。
王尚義、徐宏平，〈宋元明清時期山西文人的地理分佈及文化發展的特點〉，《山西大學學報》，1988年，第3期，頁38-49。
王南溟，〈清代碑學興起時期的漢碑隸書創作及其美學意義〉，收錄於中國書法家協會山東分會編，《漢碑研究》，濟南：齊魯書社，1990，頁221-233。
王思治，《清代人物傳稿》，冊1，北京：中華書局，1984。
王春瑜，〈顧炎武北上抗清說考辨〉，《中國史研究》，1979年，第4期，頁35-50。
王秋桂編，《善本戲曲叢刊》，台北：學生書局，1984。
王俅，《嘯堂集古錄》，北京：中華書局，1983。
王連起，〈俞和及其行書蘭亭記〉，《書法叢刊》，第28輯（1991），頁1-8。
王著編，《淳化閣帖》，宋拓貫刻本，杭州：浙江古籍出版社，1988。
王餘佑，《五公山人集》，康熙年間刊本。

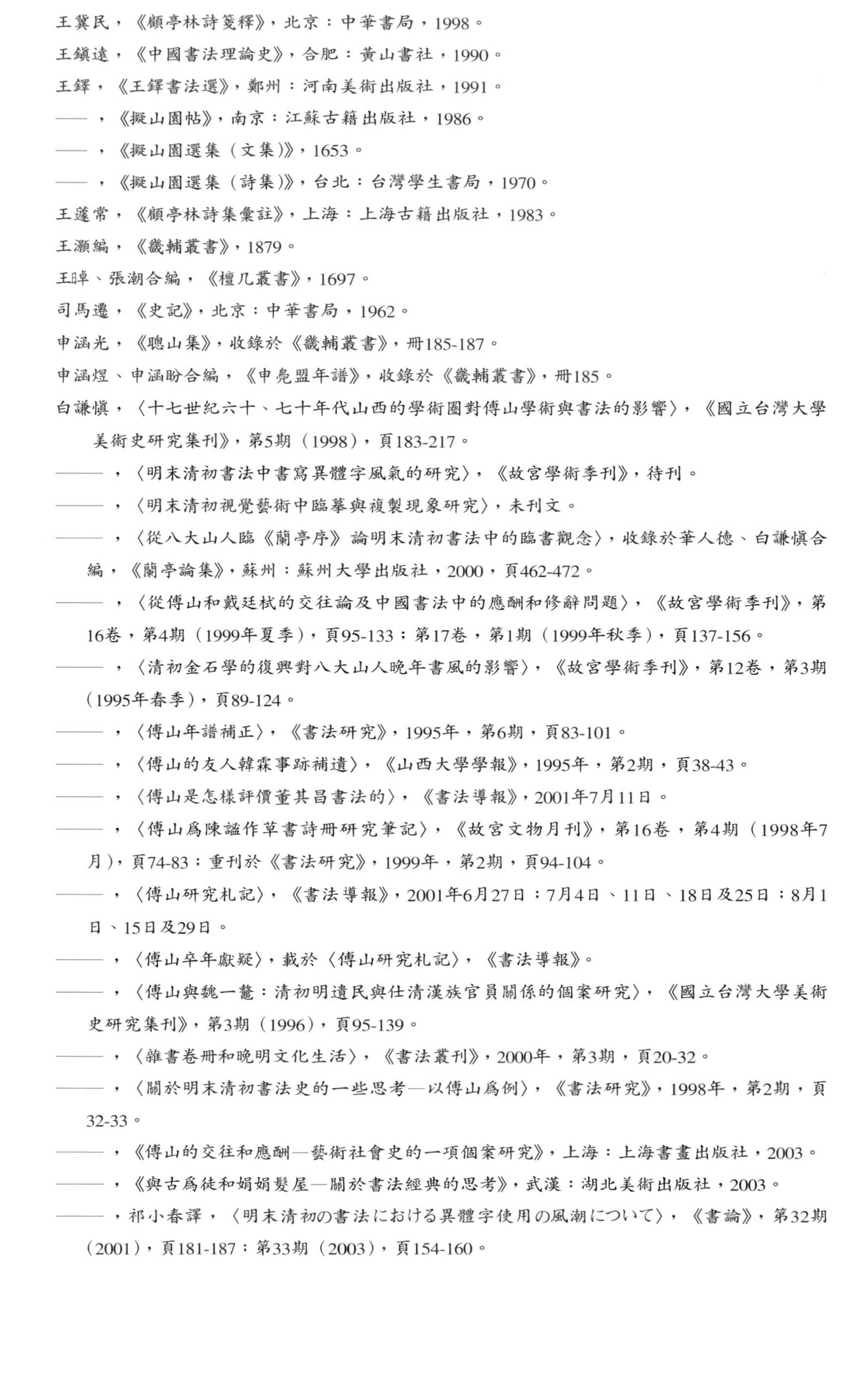

王冀民，《顧亭林詩箋釋》，北京：中華書局，1998。

王鎮遠，《中國書法理論史》，合肥：黃山書社，1990。

王鐸，《王鐸書法選》，鄭州：河南美術出版社，1991。

——，《擬山園帖》，南京：江蘇古籍出版社，1986。

——，《擬山園選集（文集）》，1653。

——，《擬山園選集（詩集）》，台北：台灣學生書局，1970。

王蘧常，《顧亭林詩集彙註》，上海：上海古籍出版社，1983。

王灝編，《畿輔叢書》，1879。

王晫、張潮合編，《檀几叢書》，1697。

司馬遷，《史記》，北京：中華書局，1962。

申涵光，《聰山集》，收錄於《畿輔叢書》，冊185-187。

申涵煜、申涵盼合編，《申鳧盟年譜》，收錄於《畿輔叢書》，冊185。

白謙慎，〈十七世紀六十、七十年代山西的學術圈對傅山學術與書法的影響〉，《國立台灣大學美術史研究集刊》，第5期（1998），頁183-217。

——，〈明末清初書法中書寫異體字風氣的研究〉，《故宮學術季刊》，待刊。

——，〈明末清初視覺藝術中臨摹與複製現象研究〉，未刊文。

——，〈從八大山人臨《蘭亭序》論明末清初書法中的臨書觀念〉，收錄於華人德、白謙慎合編，《蘭亭論集》，蘇州：蘇州大學出版社，2000，頁462-472。

——，〈從傅山和戴廷栻的交往論及中國書法中的應酬和修辭問題〉，《故宮學術季刊》，第16卷，第4期（1999年夏季），頁95-133；第17卷，第1期（1999年秋季），頁137-156。

——，〈清初金石學的復興對八大山人晚年書風的影響〉，《故宮學術季刊》，第12卷，第3期（1995年春季），頁89-124。

——，〈傅山年譜補正〉，《書法研究》，1995年，第6期，頁83-101。

——，〈傅山的友人韓霖事跡補遺〉，《山西大學學報》，1995年，第2期，頁38-43。

——，〈傅山是怎樣評價董其昌書法的〉，《書法導報》，2001年7月11日。

——，〈傅山爲陳謐作草書詩冊研究筆記〉，《故宮文物月刊》，第16卷，第4期（1998年7月），頁74-83；重刊於《書法研究》，1999年，第2期，頁94-104。

——，〈傅山研究札記〉，《書法導報》，2001年6月27日；7月4日、11日、18日及25日；8月1日、15日及29日。

——，〈傅山卒年獻疑〉，載於〈傅山研究札記〉，《書法導報》。

——，〈傅山與魏一鼇：清初明遺民與仕清漢族官員關係的個案研究〉，《國立台灣大學美術史研究集刊》，第3期（1996），頁95-139。

——，〈雜書卷冊和晚明文化生活〉，《書法叢刊》，2000年，第3期，頁20-32。

——，〈關於明末清初書法史的一些思考—以傅山爲例〉，《書法研究》，1998年，第2期，頁32-33。

——，《傅山的交往和應酬—藝術社會史的一項個案研究》，上海：上海書畫出版社，2003。

——，《與古爲徒和娟娟髮屋—關於書法經典的思考》，武漢：湖北美術出版社，2003。

——，祁小春譯，〈明末清初の書法における異體字使用の風潮について〉，《書論》，第32期（2001），頁181-187；第33期（2003），頁154-160。

石守謙，〈由奇趣到復古—十七世紀金陵繪畫的一個切面〉，《故宮學術季刊》，第15卷，第4期（1998年夏季），頁33-76。

伊秉綬，《伊秉綬隸書墨蹟選》，上海：上海書店，1985。

全祖望，《結埼亭集》，收錄於《續修四庫全書》，集部，別集類，1428，上海：上海古籍出版社影印嘉慶九年史夢蛟刻本，1995-1999。

全漢昇，〈北宋汴梁的輸出貿易〉，《中央研究院歷史語言研究所集刊》，第8輯（1939），頁189-301。

存萃學社編，《顧亭林先生年譜彙編》，香港：崇文書店，1975。

朱之俊，《朱滄起先生詩文集》，汾陽，1935。

朱建新，《金石學》，上海：商務印書館，1955。

朱惠良，〈臨古之新路：董其昌以後書學發展研究之一〉，《故宮學術季刊》，第10卷，第3期（1993年春季），頁51-94。

———，《雲間書派特展圖錄》，台北：國立故宮博物院，1994。

———，《董其昌法書特展研究圖錄》，台北：國立故宮博物院，1993。

朱謀垏，《古文奇字》，萬曆年間刊本。

朱關田，《唐代書法考評》，杭州：浙江人民美術出版社，1992。

朱關田編，劉正成主編，《中國書法全集》，冊25、26，《隋唐五代：顏眞卿》，北京：榮寶齋，1993。

朱彝尊，《曝書亭集》，上海：中華書局，1936。

艾爾曼（Benjamin Elman）著，趙剛譯，《從理學到樸學—中華帝國晚期思想與社會變化面面觀》，南京：江蘇人民出版社，1984。

艾儒略（Giulio Aleni），《職方外紀》，收錄於《守山閣叢書》。

———，謝方校釋，《職方外紀校釋》，北京：中華書局，1996。

何炎泉，*Fu Shan's World: The Transformation of Chinese Calligraphy in the Seventeenth Century.* By Qianshen Bai書評，《中央研究院近代史研究集刊》，第43期（2004年3月），頁237-242。

何冠彪，〈明季士大夫對忠與孝之抉擇〉，《九州學刊》，第5卷，第3期（1993年2月），頁5-23。

———，《明末清初學術思想研究》，台北：學生書局，1991。

何惠鑑、何曉嘉，〈董其昌對歷史和藝術的超越〉，收錄於《朵雲》編輯部編，《董其昌研究文集》，上海：上海書畫出版社，1998，頁267-268。

何焯，《義門先生集》，1909。

何傳馨，〈清初隸書名家鄭簠〉，《故宮文物月刊》，第8卷，第8期（1990年11月），頁130-137。

何碧琪，〈清代隸書與伊秉綬〉，香港中文大學藝術系碩士論文，2001。

何應輝、周持編，劉正成主編，《中國書法全集》，冊7、8，《秦漢：刻石》，北京：榮寶齋，1993。

何鏜，《高奇往事》，晚明刊本。

何寶善，《漢郭有道碑考》，出版地不詳，後守拙軒出版，1993。

何齡修、張捷夫編，《清代人物傳稿》，冊4，北京：中華書局，1987。
余英時，〈從宋明儒學的發展論清代思想史〉，收錄於《歷史與思想》，頁87-119。
——，〈清代思想史的一個新解釋〉，收錄於《歷史與思想》，頁120-165。
——，《歷史與思想》，台北：聯經出版事業公司，1976。
余嘉錫，《世說新語箋疏》，北京：中華書局，1983。
利瑪竇（Matteo Ricci）、金尼閣（Nicolas Trigault）著，何高濟、王遵、李申譯，何兆武校，《利瑪竇中國札記》，北京：中華書局，1983。
吳任臣，《字彙補》，上海：上海辭書出版社，1991。
吳雯，《蓮洋詩鈔》，上海：中華書局，1936。
吳蕙芳，《萬寶全書：明清時期的民間生活實錄》，台北：政治大學歷史學系，2001。
吳懷清編著，陳俊民點校，《關中三李年譜》，台北：允晨文化事業有限公司，1992。
宋犖，《西陂類稿》，台北：學生書局影印康熙年間刊本，1973。
宋濂等，《元史》，北京：中華書局，1976。
李元度，《國朝先正事略》，長沙：嶽麓書社，1991。
李日華，《味水軒日記》，上海：上海遠東出版社，1996。
李因篤，《受祺堂文集》，1827。
——，《受祺堂詩集》，1699。
李孝定，〈中國文字的原始和演變〉，收錄於李孝定，《漢字的起源與演變論叢》，台北：聯經出版事業公司，1986，頁92-98。
李志綱，〈程邃（1607-1692）繪畫研究〉，香港中文大學研究院碩士論文，1995。
李集，《鶴徵錄》，收錄於《昭代叢書》，1876。
李零，〈出土發現與古書年代的再認識〉，《九州學刊》，第3卷，第1期（1988年12月），頁105-136。
——，〈汗簡、古文四聲韻出版後記〉，收錄於《汗簡、古文四聲韻》，北京：中華書局，1983，頁1-9。
李肇，《唐國史補》，上海：古典文學出版社，1957。
李贄，《焚書：續焚書》，北京：中華書局，1975。
杜從古，《集篆古文韻海》，上海：商務印書館，1935。
杜維運，《清代史學與史家》，北京：中華書局，1988。
杉村邦彥，〈許友の生涯と書法〉，《澄懷》，第1號（2000），頁11-42。
沙孟海，《沙孟海論書叢稿》，上海：上海書畫出版社，1987。
沈新林，《李漁評傳》，南京：南京師範大學出版社，1998。
汪宗衍，《屈翁山先生年譜》，澳門：于今書屋，1970。
來新夏編，《中國古代圖書事業史》，上海：上海人民出版社，1990。
卓爾堪編，《明遺民詩》，上海：中華書局，1960。
周可眞，《顧炎武年譜》，蘇州：蘇州大學出版社，1998。
周采泉，《杜集書錄》，上海：上海古籍出版社，1986。
周亮工，《印人傳》，杭州：西泠印社，1910。
——，《因樹屋書影》，1814。

———，《賴古堂集》，上海：上海古籍出版社影印康熙年間刊本，1978。
———，《讀畫錄》，收錄於盧輔聖等編，《中國書畫全書》，冊7，頁943-963。
周亮工編，《尺牘新鈔》，冊1-3，上海：上海雜誌公司，1935-1948。
孟浩然著，李景白校註，《孟浩然詩集校註》，成都：巴蜀書社，1988。
孟森，〈己未詞科錄外錄〉，收錄於《明清史論著集刊》，北京：中華書社，1959，頁494-518。
屈大均，《屈翁山詩集》，康熙年間刊本。
———，《翁山文外》，康熙年間刊本。
———，《翁山文鈔》，康熙年間刊本。
———，《翁山詩外》，康熙年間刊本。
———，《道援堂詩集》，康熙年間刊本。
房玄齡編，《晉書》，北京：中華書局，1974。
林明波，《清代許學考》，台北：嘉新水泥公司文化基金會，1964。
林侗，《來齋金石刻考略》，收錄於《四庫全書珍本叢書》，1977。
林崗，《明清之際小說評點學之研究》，北京：北京大學出版社，1999。
林慶彰，《明代考據學研究》，台北：學生書局，1986。
———，《清初的群經辨僞學》，台北：文津出版社，1990。
林鵬，〈傅山書法論〉，收錄於中國書法家協會學術委員會編，《全國第四屆書學討論會論文集》，重慶：重慶出版社，1993，頁179-195。
——，《丹崖書論》，太原：山西人民出版社，1989。
林鵬、姚國瑾合編，劉正成主編，《中國書法全集》，冊63，《清代：傅山》，北京：榮寶齋，1996。
明清文人研究會編，内山知也監修，《傅山》，東京都：藝術新聞社，1994。
祁小春，《王羲之論考》，大阪：東方出版，2001。
邵長蘅，《邵子湘全集》（《青門簏稿．青門旅稿．青門賸稿》），康熙年間刊本。
邱振中，〈章法的構成〉，收錄於《書法的形態與闡釋》，頁63-100。
———，〈關於筆法演變的若干問題〉，收錄於《書法的形態與闡釋》，頁30-60。
———，《書法的形態與闡釋》，重慶：重慶出版社，1993。
金尼閣，《西儒耳目資》，北平：國立北京大學、國立北平圖書館，1933。
侯文正編，《傅山詩文選註》，太原：山西人民出版社，1985。
侯文正等，《傅山論書畫》，太原：山西人民出版社，1986。
侯外廬，《中國思想通史》，北京：人民出版社，1980。
俞平伯，《唐宋詞選釋》，北京：人民文學出版社，1978。
姚國瑾，〈傅山《天泉舞柏圖》贈與人考〉，《傅山研究通訊》，第4期（2001），頁6-9。
故宮博物院、劉九庵編，《中國歷代書畫鑒別圖錄》，北京：紫禁城出版社，1999。
施閏章，《施愚山集》，合肥：黃山出版社，1993。
洪适，《隸釋》，萬曆刊本（內附傅山的校勘與批點），上海：涵芬樓影印，1935。
胡正言，《十竹齋印譜》，上海：上海古籍出版社，1982。
胡奇光，《中國小學史》，上海：上海人民出版社，1987。

胡雲翼編，《宋詞選》，上海：上海古籍出版社，1978。
胡聘之，《山右石刻叢編》，收錄於《石刻史料叢書甲編》，冊15，台北：藝文印書館，1967。
胡樸安，《中國文字學史》，上海：商務印書館，1937。
胡藝，〈鄭簠年譜〉，《書法研究》，1990年，第2期，頁109-124。
范金民，〈清代禁酒禁曲的初步研究〉，《九州學刊》，第1卷，第3期（1991年10月），頁81-113。
范鄗鼎編，《三晉詩選》，1673-1682。
范鄗鼎等，《五經堂合集》，1714。
范翼，《敬天齋詩稿》，收錄於范鄗鼎編，《五經堂合集》，1714。
倪瓚，《清閟閣全集》，台北：國立中央圖書館，1970。
凌濛初，《拍案驚奇》，上海：上海古籍出版社，1982。
唐蘭，《中國文字學》，上海：上海古籍出版社，1979。
夏超雄，〈宋代金石學的主要貢獻及其興起的原因〉，《北京大學學報》，1982年，第1期，頁66-76。
夏竦，《古文四聲韻》，北京：中華書局，1983。
孫尚揚，《基督教與明末儒學》，北京：東方出版社，1994。
孫岳頒、王原祁合編，《佩文齋書畫譜》，北京：中國書店，1984。
孫枝蔚，《溉堂集》，上海：上海古籍出版社，1979。
孫星衍、邢澍，《寰宇訪碑錄》，1802。
孫康宜著，李奭學譯，《陳子龍柳如是詩詞情緣》，台北：允晨文化實業股份有限公司，1992。
孫鈞錫，《中國漢字學史》，北京：學苑出版社，1991。
孫慰祖，《孫慰祖論印文稿》，上海：上海書店，1999。
宮衍興，《濟寧全漢碑》，濟南：齊魯書社，1990。
容庚，《叢帖目》，香港：中華書局，1980-1986。
師道剛，〈明末韓霖事跡鉤沈〉，《山西大學學報》，1990年，第1期，頁28-34。
徐世昌，《大清畿輔書徵》，天津徐氏刊本。
徐邦達，《古書畫僞訛考辨》，南京：江蘇古籍出版社，1984。
班固，《漢書》，北京：中華書局，1962。
神田喜一郎、西川寧合編，《北齊雋修羅碑／水牛山文殊般若經碑》，東京都：二玄社，1977。
——————，《唐玄宗石臺孝經》，東京都：二玄社，1977。
——————，《清傅山書》，東京都：二玄社，1977。
秦瀛，《己未詞科錄》，收錄於《昭代叢書》，1876。
翁闓運，〈論山東漢碑〉，收錄於中國書法家協會山東分會編，《漢碑研究》，濟南：齊魯書社，1990，頁12-23。
袁珂，《山海經校註》，上海：上海古籍出版社，1980。
袁黃，《訓子言》，長沙：商務印書館，1937。
袁繼咸，《三立祠傳》，1765。
——，《六柳堂遺集》，收錄於《四庫禁燬書叢刊》，集部，冊116，北京：北京出版社影印清鈔本，1997。

貢布里希著，林夕等譯，《藝術與錯覺》，杭州：浙江攝影出版社，1987。

————，范景中等譯，《理想與偶像——價值在歷史和藝術中的地位》，上海：上海人民美術出版社，1989。

郝樹德，《傅山傳》，太原：山西教育出版社，1985。

馬孟晶，〈文人雅趣與商業書坊—十竹齋書畫譜和箋譜的刊印與胡正言的出版事業〉，《新史學》，第10卷，第3期（1999年9月），頁1-54。

馬曉地，〈唱盡哀笳出塞歌—清初明遺民詩人在西北邊地之生活與創作〉，《東洋學》，第64號（1990），頁60-78。

馬衡，《凡將齋金石叢稿》，北京：中華書局，1977。

高珩，《棲雲閣集》，1777-1791。

商衍鎏，《清代科舉考試述錄》，北京：生活讀書新知三聯書店，1958。

崔爾平編，《明清書法論文選》，上海：上海書店，1994。

————，《歷代書法論文選續編》，上海：上海書畫出版社，1993。

啓功，〈從《戲鴻堂帖》看董其昌對法書的鑒定〉，收錄於《朵雲》編輯部編，《董其昌研究文集》，上海：上海書畫出版社，1998，頁624-631。

——，《啓功叢稿》，北京：中華書局，1981。

啓功編，《中國美術全集．書法篆刻編》，冊1，《商周至秦漢書法》，北京：人民美術出版社，1987。

張世祿，《中國音韻學史》，上海：商務印書館，1936。

張佳傑，〈明末清初福建地區書風探究—以許友爲中心〉，國立台灣大學藝術史研究所碩士論文，2002。

張岱，《張岱詩文集》，上海：上海古籍出版社，1991。

——，《陶庵夢憶．西湖夢尋》，北京：作家出版社，1995。

張炎著，吳則虞校輯，《山中白雲詞》，北京：中華書局，1983。

張紀仲，《山西歷史政區地理》，太原：山西人民出版社，1992。

張湧泉，《漢語俗字研究》，長沙：嶽麓書社，1995。

張潮編，《昭代叢書》，1876。

張穆，《閻若璩年譜》，北京：中華書局，1994。

——，《顧亭林先生年譜》，收錄於存萃學社編，《顧亭林先生年譜彙編》，香港：崇文書店，1975。

張頷，〈山西陽曲縣西村廟梁傅山古文題記考釋〉，《文物季刊》，1995年，第3期，頁43-46。

張灝，《學山堂印譜》，1633。

曹軍，〈王鐸與《閣帖》〉，《書法研究》，1997年，第6期（總80輯），頁72-103。

馬孟晶，〈耳目之好—從《西廂記》版畫插圖論晚明出版文化對視覺性之關注〉，《美術史研究集刊》，第13期（2002），頁201-276。

曹淑娟，《晚明性靈小品研究》，台北：文津出版社，1988。

曹溶，《古林金石表》，長洲顧氏，1830。

——，《靜惕堂詩集》，1725。

梁披雲編，《中國書法大辭典》，香港：香港書譜出版社；廣州：廣東人民出版社，1984。
梁啓超，朱維錚導讀，《清代學術概論》，上海：上海古籍出版社，1998。
梅膺祚，《字彙》，1615年序言。
莫家良，〈元代篆隸書法試論〉，收錄於李郁周編，《2000年書法論文選集》，台北：蕙風堂，2000。
許慎，《說文解字》，北京：中華書局，1963。
許禮平編，《董其昌：大唐中興頌》，香港：翰墨軒，1996。
郭宗昌，《金石史》，收錄於《知不足齋叢書》，冊16。
郭忠恕，《汗簡》，1691。
郭松義等編，《清朝典制》，長春：吉林文史出版社，1993。
郭紹虞，〈明代文人結社年表〉，收錄於《照隅室古典文學論集》，上編，頁498-512。
———，〈明代文人集團〉，收錄於《照隅室古典文學論集》，上編，頁518-610。
———，《照隅室古典文學論集》，上海：上海古籍出版社，1983。
陳玠，《書法偶集》，收錄於金鉞編，《屏廬叢刻》，北京：中國書店，1985。
陳振濂，〈從比較學的角度論傅山〉，《書譜》，1989年，第6期，頁42-46；1990年，第1期，頁29-31。
陳振濂編，《書法學》，南京：江蘇教育出版社，1992。
陳祖武，《清初學術思辨錄》，北京：中國社會科學出版社，1992。
陳寅恪，〈天師道與濱海地域之關係〉，《國立中央研究院歷史語言研究所集刊》，第3輯，第1號（1933），頁439-466。
陳彭年編，《宋本廣韻》，北京：中國書店，1982。
陳智超，《美國哈佛大學哈佛燕京圖書館藏明代徽州方氏親友手札七百通考釋》，合肥：安徽大學出版社，2001。
陳萬益，《晚明小品與明季文人生活》，台北：大安出版社，1988。
陳僖，《燕山草堂集》，1681。
陳維崧，《湖海樓詩集》，1689。
陳繼儒，《太平清話》，上海：商務印書館，1936。
陸心源，《穰梨館過眼續錄》，收錄於《中國書畫全書》，冊13，1998。
陸世儀，《復社紀略》，上海：上海古籍出版社，1995。
章培恒，《洪昇年譜》，上海：上海古籍出版社，1979。
曾藍瑩，《中國書齋：晚明文人的藝術生活》書評，《九州學刊》，第4卷，第3期（1991年10月），頁119-120。
傅山，《傅山全書》，太原：山西人民出版社，1991。
——，《傅山全書補編》，太原：山西人民出版社，2003。
——，《傅山書法》，太原：山西人民出版社，1987。
——，《傅山書畫選》，北京：人民美術出版社，1962。
——，《傅青主先生阿難吟手蹟》，台北：山西文獻社，1987。
——，《霜紅龕墨寶》，太原：山西人民出版社，1936。
——，段綷編刻，《太原段帖》，太原：山西人民出版社，1983。

——，丁寶銓編，《霜紅龕集》，太原：山西人民出版社，1985。

傅申，〈王鐸及清初北方鑒藏家〉，《朵雲》，1991年，第1期，頁73-86。

——，鄭達譯，〈題跋與法書〉，《書法研究》，1996年，第1期，頁102-118。

傅惜華編，《中國古典文學版畫選集》，上海：上海人民美術出版社，1981。

喬治忠，《清朝官方史學研究》，台北：文津出版社，1994。

揚雄著，李軌註，《法言》，1817。

湯斌，《湯子遺書》，1703。

湯顯祖，《湯顯祖集》，上海：上海人民出版社，1973。

程康莊，《自課堂集》，上海：上海書店，1994。

程曦編，《明賢手蹟精華》，香港：燕笙波，1977。

華人德，〈回顧二千年以來的文房四寶〉，《中國書法》，2001年，第3期，頁58-61。

———，〈清代的碑學〉，《書譜》，1985年，第6期，頁66-77。

———，〈評帖學與碑學〉，《書法研究》，1996年，第1期，頁12-20。

———，〈論長鋒羊毫〉，《中國書法》，1995年，第5期，頁69-71。

———，《中國書法史・兩漢卷》，南京：江蘇教育出版社，1999。

華淑，《閑情小品》，1617。

馮行賢，〈隸字訣〉，收錄於馮行賢，《餘事集》，中國國家圖書館藏抄本。

馮作民編，《金石篆刻全集》，台北：藝術圖書公司，1980。

馮溥，《佳山堂詩集》，1680。

馮夢龍編，《警世通言》，北京：人民文學出版社，1956。

黃一農，〈王鐸書贈湯若望詩翰研究—兼論清初貳臣與耶穌會士的交往〉，《故宮學術季刊》，第12卷，第1期（1994年秋季），頁1-30。

———，〈明清天主教在山西絳州的發展及其反彈〉，《中央研究院近代史研究所集刊》，第26輯（1996），頁1-39。

黃仁宇，《萬曆十五年》，北京：中華書局，1982。

黃伯思，《東觀餘論》，收錄於《中國書畫全書》，冊1，1993。

黃宗羲，《宋元學案》，北京：中華書局，1986。

———，《明儒學案》，北京：中國書店，1990。

———，《南雷文定》，上海：國學基本叢書，1937。

黃苗子，〈八大山人年表（八）〉，《故宮文物月刊》，第10卷，第1期（1992年4月），頁92-106。

黃庭堅，《山谷題跋》，收錄於《中國書畫全書》，冊1，1992。

黃惇，〈明代印論發展概述〉，《書法研究》，1987年，第2期，頁100-107。

——，〈傅青主四寧四毋論之由來與其本義〉，《書法報》，1994年4月27日。

——，〈董其昌僞本書帖考辨〉，《故宮文物月刊》，第12卷，第10期（1995年1月），頁116-121。

——，《中國古代印論史》，上海：上海書畫出版社，1994。

——，《中國書法史・元明卷》，南京：江蘇教育出版社，2001。

黃惇編，劉正成主編，《中國書法全集》，冊54，《明代：董其昌》，北京：榮寶齋，

1992。
黃愛平，〈《明史》纂修與清初史學—兼論萬斯同、王鴻緒在《明史》纂修中的作用〉，《清史研究》，1994年，第2期，頁83-93。
楊仁愷編，《中國美術全集：書法篆刻編》，冊3，《隋唐五代書法》，北京：榮寶齋，1989。
楊向奎，《清儒學案新編》，冊1-2，濟南：齊魯書社，1985。
楊愼，《金石古文》，收錄於《石刻史料新編》，冊12。
楊聯陞，〈報—中國社會關係的一個基礎〉，收錄於費正清編，段國昌等譯，《中國思想與制度論集》，台北：聯經出版事業公司，1981年修訂版，頁349-372。
楊謙，《朱竹垞先生年譜》，出版者不詳，出版年不詳。
楊鉤，《增廣鐘鼎篆韻》，上海：商務印書館，1935。
萬經，〈分隸偶存〉，崔爾平編，《歷代書法論文選續編》，頁424-428。
葉奕苞，《金石錄補》，收錄於《石刻史料新編》，冊12。
——，《經鋤堂詩稿》，收錄於《四庫禁燬書叢刊》，集部，冊147，北京：北京出版社影印康熙年間刊本，1997。
葉德輝，《書林清話》，北京：中華書局，1957。
董其昌，《容臺別集》，1630年序言，台北：國立中央圖書館，1968。
——，《畫禪室隨筆》，楊補編纂於1720年，收錄於《藝術叢編》，冊29，台北：世界書局，1989；亦收錄於《中國書畫全書》，冊3，1993。
——，《戲鴻堂法帖》，北京市：新華出版社，1998。
裘錫圭，《文字學概要》，北京：商務印書館，1988。
雷德侯（Lothar Lederrose）著，張觀教譯，《晉唐書法考》，北京：人民美術出版社，1990。
廖新田，《清代碑學書法研究》，台北：台北市立美術館，1993。
趙吉士，《牧愛堂編》，1673年序言。
趙汝泳，〈明清山西俊秀之士何以「棄仕從商」〉，《山西大學學報》，1987年，第4期，頁45-49。
趙明誠著，金文明校證，《金石錄校證》，上海：上海書畫出版社，1985。
趙彥衛，《雲麓漫鈔》，收錄於《四庫全書珍本叢書》，冊171-173。
趙剛，〈康熙博學鴻詞科與清初政治變遷〉，《故宮博物院院刊》，1993年，第1期，頁90-96。
趙宧光，《說文長箋》，1633。
趙園，《明清之際士大夫研究》，北京：北京大學出版社，1999。
趙萬里，《漢魏南北朝墓誌集釋》，北平：國立中央研究院歷史語言研究所，1931。
趙爾巽編，《清史稿》，北京：中華書局，1976-1977。
趙儷生，《顧亭林與王山史》，濟南：齊魯書社，1986。
趙崡，《石墨鐫華》，收錄於《石刻史料新編》，冊25。
劉大杰，《明人小品集》，上海：北新書社，1934。
劉正成、高文龍合編，劉正成主編，《中國書法全集》，冊61、62，《清代：王鐸》，北京：榮寶齋，1993。
劉正成編及主編，《中國書法全集》，冊56，《明代：黃道周》，北京：榮寶齋，1994。
劉因，《劉靜修集》，收錄於《畿輔叢書》，冊101。

劉江、謝啓源，《傳山書法藝術研究》，太原：山西人民出版社，1995。
劉恆《中國書法史・清代卷》，南京：江蘇教育出版社，1999。
劉恒編，劉正成主編，《中國書法全集》，冊55，《明代：張瑞圖》，北京：榮寶齋，1992。
————————，《中國書法全集》，冊57，《明代：倪元璐》，北京：榮寶齋1999。
劉葉秋，《字典史略》，北京：中華書局，1992。
劉濤，《中國書法史・魏晉南北朝卷》，南京：江蘇教育出版社，2002。
劉濤編，劉正成主編，《中國書法全集》，冊18、19，《魏晉南北朝：王羲之、王獻之》，北京：榮寶齋，1991。
劉體仁，《七頌堂詩集》，1868。
暴鴻昌，〈清代金石學及其史學價值〉，《中國社會科學》，1992年，第5期，頁209-223。
歐陽修，《歐陽修全集》，北京：中國書店，1986。
潘耒，《遂初堂集》，1710。
——，《遂初堂詩集》，1710。
潘良楨，〈學王管見—兼論晉唐書法文化背景之差異〉，《九州學刊》，第5卷，第2期（1992年10月），頁107-116。
潘雲傑，《秦漢印範》，1605-1607。
鄭元惠，〈傳山書風研究〉，台灣師範大學美術研究所碩士論文，1995。
鄭振鐸，《西諦書畫》，北京：生活讀書新知三聯書店，1983。
鄧之誠，《清詩紀事初編》，上海：上海古籍出版社，1984。
鄧玉函（Johann Terrenz）編著，王徵譯，《遠西奇器圖説錄最》，《守山閣叢書》本，上海：商務印書館，1936。
盧輔聖等編，《中國書畫全書》，冊1-13，上海：上海書畫出版社，1992-1998。
蕭統編，李善註，《文選》，上海：上海古籍出版社，1986。
——，《潛研堂文集》，長沙：龍氏家塾重刊本，1884。
錢實甫，《清代職官年表》，北京：中華書局，1980。
錢熙祚編，《守山閣叢書》，1843。
錢謙益，《牧齋有學集》，上海：上海古籍出版社，1996。
閻若璩，《困學紀聞箋》，揚州書局，1870。
——，《尚書古文疏證》，1745。
——，《潛邱劄記》，1745。
鮑廷博編，《知不足齋叢書》，1872。
儲方慶，《儲遯庵文集》，康熙年間刊本。
戴本孝，《餘生詩稿》，康熙年間刊本。
戴名世撰，王樹民編校，《戴名世集》，北京：中華書局，1986。
戴廷栻著，劉霖編，《半可集》，1853。
薛尚功，《歷代鐘鼎彝器款識法帖》，海城于氏，1935。
謝方，〈艾儒略及其《職方外紀》〉，《中國歷史博物館館刊》，總15期（1991），頁132-

139。

謝正光，〈顧炎武曹溶論交始末——明遺民與清初大吏交遊初探〉，《香港中文大學中國文化研究所學報》，第4期（1995），頁205-222。

謝國楨，《明末清初的學風》，北京：人民出版社，1982。

———，《明清黨社運動考》，北京：中華書局，1982。

謝肇淛，《五雜俎》，上海：上海書店出版社，2001。

韓天衡編，《天衡印譚》，上海：上海書店，1993。

————，《歷代印學論文選》，再版，杭州：西泠印社，1999。

叢文俊，《中國書法史・先秦、秦代卷》，南京：江蘇教育出版社，2002。

———，《揭示古典的眞實－叢文俊書學、學術研究論集》，收錄於張嘯東主編，《當代中　國書界學人文存》，鄭州：中州古籍出版社，2003。

魏一鼇，《雪亭詩文稿》，1648年序言，中國國家圖書館藏鈔本。

魏宗禹，《傅山評傳》，南京：南京大學出版社，1995。

魏宗禹、尹協理，〈論傅山對理學的批判〉，收錄於山西省社會科學院編，《傅山研究文集》，太原：山西人民出版社，1985，頁135-157。

魏裔介，《兼濟堂集》，收錄於《四庫全書珍本叢書》。

羅常培，〈耶穌會士在音韻學上的貢獻〉，《國立中央研究院歷史語言研究所集刊》，第1輯，第3號（1928），頁267-338。

羅福頤，《秦漢南北朝官印徵存》，北京：文物出版社，1987。

蘇軾，《蘇軾文集》，北京：中華書局，1986。

蘇軾，《東坡集》，台北：中華書局，1967。

顧炎武，《金石文字記》，收錄於《石刻史料新編》，冊12。

———，《音學五書》，1667。

———，《顧亭林詩文集》，再版，北京：中華書局，1982。

———，黃汝成校釋，《日知錄集釋》，長沙：嶽麓書社，1994。

顧起元，《懶眞草堂集》，晚明刊本。

顧野王，《玉篇》，台北：國立故宮博物院，1984。

顧藹吉，《隸辨》，1718。

龔鼎孳著，龔士稚編，《龔端毅公奏疏》，收錄於沈雲龍主編，《近代中國史料叢刊續編》，輯33，台北縣：文海出版社，1976

顏眞卿，《宋拓多寶佛塔感應碑》，北京：文物出版社，1962。

西文參考書目

Adshead, S. A. M. "The Seventeenth Century General Crisis." *Asian Profile* 1, no. 2 (Oct. 1973): 271-80.

Atkinson, Alan Gordon. "New Songs for Old Tunes: The Life and Art of Wang Duo." Ph.D. diss.,

University of Kansas, 1997.

Atwell, William. "From Education to Politics: The Fu She." In Wm. Theodore de Bary, ed., *The Unfolding of Neo-Confucianism*, pp. 334-65. New York: Columbia University Press, 1975.

— "International Bullion Flows and the Chinese Economy Circa 1530-1650." *Past and Present* 95 (May 1982): 68-90.

Bai,Qianshen. "The Artistic and Intellectual Dimensions of Chinese Calligraphy Rubbings: Some Examples from the Collection of Robert Hatfield Ellsworth." *Orientations* 30, no. 3 (Mar. 1999): 82-88.

— "Calligraphy for Negotiating Everyday Life: The Case of Fu Shan (1607-1684)." *Asia Major* n.s. 12, no. 1 (1999): 67-125.

— "Chinese Letters: Private Words Made Public." In Robert E. Harrist, Jr., Wen Fong, et al., *The Embodied Image: Chinese Calligraphy from the John B. Elliott Collection at Princeton*, pp. 380-99. Princeton: The Art Musuem, Princeton University, 1999.

— "Illness, Disability, and Deformity in Seventeenth-Century Chinese Art." In Wu Hung and Katherine R. Tsiang, eds., *Body and Face in Chinese Visual Culture*. Cambridge, Mass.: Harvard University Asia Center, forthcoming.

—"Notes on Fu Shan's *Selections from the Zuozhuan Calligraphy Album,*" *Record of Princeton University Art Museum*, vol. 61 (2002), pp. 3-23.

—"Turning Point: Politics, Art, and Intellectual Life during the *Boxue hongci* Examination (1678-1679)." Paper presented at the symposium "The Qing Formation in Chinese and World Time," University of Indiana, Bloomington, June 12, 1999.

Barnhart, Richard. "Dong Qichang and Western Learning." *Archives of Asian Art* 50 (1997/98): 7-16.

—"*Streams and Hills Under Fresh Snow* Attributed to Kao K'o-ming." In Alfreda Murck and Wen C. Fong, eds., *Words and Images: Chinese Poetry, Calligraphy, and Painting*, pp. 223-46. New York: Metropolitan Museum of Art; and Princeton: Princeton University Press, 1991.

Barnhart, Richard, et al. *The Jade Studio: Masterpieces of Ming and Qing Painting and Calligraphy from the Wong Nan-p'ing Collection.* New Haven: Yale University Art Gallery, 1994.

Barrass, Gordon S. *The Art of Calligraphy in Modern China.* Berkeley: University of California Press, 2002.

Baxandall, Michael. *Painting and Experience in Fifteenth-Century Italy*. 2nd ed. Oxford and New York: Oxford University Press, 1988.

—*Patterns of Intention: On the Historical Explanation of Pictures*. New Haven: Yale University Press, 1985.

Beattie, Hilary J. "The Alternative to Resistance: The Case of T'ung-ch'eng, Anhui." In Jonathan Spence and John Wills, eds., *From Ming to Ch'ing: Conquest, Region, and Continuity in Seventeenth-Century China*, pp. 239-76. New Haven: Yale University Press, 1979.

Birdwhistell, Anne D. *Li Yong (1627-1705)and Epistemological Dimensions of Confucian Philosophy*. Stanford: Stanford University Press, 1996.

Bloom, Harold. The *Anxiety of Influence: A Theory of Poetry*. New York: Oxford University Press,

1997.

Brokaw, Cynthia. "Yuan Huang (1533-1606) and Ledgers of Merit and Demerit." *Harvard Journal of Asiatic Studies* hereafter cited as *HJAS* 47, no. 1 (June 1987): 137-95.

Brook, Timothy. *The Confusions of Pleasure: Commerce and Culture in Ming China*. Berkeley: University of California Press, 1998.

Burnett, Katharine Persis. "A Discourse of Originality in Late Ming Chinese Painting Criticism." *Art History* 23, no. 4 (Nov. 2000): 522-58.

—"The Landscapes of Wu Bin (c. 1543-c. 1626) and a Seventeenth-Century Discourse of Originality." Ph.D. diss., University of Michigan, 1995.

Cahill, James. *The Compelling Image: Nature and Style in Seventeenth-Century Chinese Painting.* Cambridge, Mass.: Harvard University Press, 1982.

— *Fantastics and Eccentrics in Chinese Painting*. New York: Asia House Gallery, 1967.

— *The Painter's Practice: How Artists Lived and Worked in Traditional China*. New York: Columbia University Press, 1994.

Chang, Chun-shu, and Shelley Hsueh-lun Chang. *Crisis and Transformation in Seventeenth-Century China: Society, Culture, and Modernity in Li Yu's World.* Ann Arbor: University of Michigan Press, 1992.

Chang, Ch'ung-ho, and Hans H. Frankel, trans. and annots., with an introduction. *Two Chinese Treatises on Calligraphy: Treatise on Calligraphy (Shu pu) [by] Sun Qianli; Sequel to the "Treatise on Calligraphy" (Xu shu pu) [by] Jiang Kui.* New Haven: Yale University Press, 1995.

Chang, Joseph, et al. *Brushing the Past: Later Chinese Calligraphy from the Gift of Robert Hartfield Ellsworth.* Washington, D.C.: Smithsonian Institution, 2000.

Chang, Kang-i Sun. *The Late-Ming Poet Ch'en Tzu-lung: Crises of Love and Loyalism.* New Haven: Yale University Press, 1991.

Chang, Leon Long-yien, and Peter Miller. *Four Thousand Years of Chinese Calligraphy*. Chicago: University of Chicago Press, 1990.

Chartier, Roger. *The Cultural Uses of Print in Early Modern France.* Trans. Lydia G. Cochrane. Princeton: Princeton University Press, 1987.

Chaves, Jonathan. "The Expression of Self in the Kung-an School: Non-Romantic Individualism." In Robert E. Hegel and Richard C. Hessney, eds., *Expressions of Self in Chinese Literature*, pp. 123-50. New York: Columbia University Press, 1985.

—"The Legacy of Ts'ang Chieh: The Written Word as Magic." *Oriental Art* 2 (Summer 1977): 200-215.

Cheng, Pei-kai, "T'ang Hsien-tsu, Tung Ch'i-ch'ang and the Search for Cultural Aesthetics in the Late Ming." In Wai-ching Ho, ed., *Proceedings of the Tung Ch'i-ch'ang International Symposium*, pp. 2.1-2.12. Kansas City, Mo.: Nelson-Atkins Museum of Art, 1992.

Chia, Lucille. "Commercial Publishing in Ming China: New Developments in a Very Old Industry." Paper presented at the 49th Annual Meeting of the Association for Asian Studies, Chicago, March 15, 1997.

—"Of Three Mountains Street: The Commercial Publishers of Ming Nanjing." Revised paper for the volume from the conference on printing and book culture in late Imperial China, June 1-5, 1998, Timberline Lodge, Oregon.

—*Printing for Profit: The Commercial Publishers of Jianyang, Fujian (11th-17th Centuries).* Cambridge, Mass.: Harvard University Asia Center, 2002.

Chiang Yee. *Chinese Calligraphy: An Introduction to Its Aesthetic and Technique.* Cambridge, Mass.: Harvard University Press, 1973.

Ch'ien, Edward T. "Chiao Hung and the Revolt Against Ch'eng-Chu Orthodoxy." In William T. de Bary, ed., *The Unfolding of Neo-Confucianism*, pp. 271-303. New York: Columbia University Press, 1975.

Ching, Dora. "The Aesthetics of the Unusual and the Strange in Seventeenth-Century Calligraphy." In Robert Harrist, Jr., and Wen Fong et al., *The Embodied Image: Chinese Calligraphy from the John B. Elliott Collection at Princeton*, pp. 342-59. Princeton: The Art Museum, Princeton University, 1999.

Chou,Ju-hsi. "The Cycle of *Fang*: Tung Ch'i-Ch'ang's Mimetic Cult and Its Legacy." In Tse-tsung Chow, ed., *Wenlin*, vol. 2, pp. 243-76. Hong Kong: Hong Kong Chinese University; Madison: University of Wisconsin-Madison, 1989.

Chow, Kai-wing. *The Rise of Confucian Ritualism in Late Imperial China.* Stanford: Stanford University Press, 1994.

Chu, Hui-liang. "The Chung Yu Tradition (a.d. 151-230): A Pivotal Development in Sung Calligraphy." Ph.D. diss., Princeton University, 1990.

— "Exploration of Free-Copying: One Aspect of the Development of Calligraphy After Tung Ch'i-ch'ang." Paper presented at the "Tung Ch'i-ch'ang International Symposium," Kansas City, Mo.: Nelson-Atkins Museum of Art, Apr. 19, 1992.

Chuang, Shen. "Archaeology in Late Qing Dynasty Painting." *Ars Orientalis* 24 (1994): 83-104.

Clunas, Craig. *Superfluous Things: Material Culture and Social Status in Early Modern China.* Chicago: University of Illinois Press, 1991.

de Bary, Wm. Theodore, ed. *Learning for One's Self: Essays on the Individual in Neo-Confucian Thought.* New York: Columbia University Press, 1991.

— *The Unfolding of Neo-Confucianism.* New York: Columbia University Press, 1975.

de Bary, Wm. Theodore, et al. *Self and Society in Ming Thought.* New York: Columbia University Press, 1970.

Ecke, Tseng Yu-ho. *Chinese Calligraphy.* Philadelphia: David Godine, 1971.

Elman, Benjamin. *From Philosophy to Philology: Intellectual and Social Aspects of Change in Late Imperial China.* Cambridge, Mass.: Harvard University, Council on East Asian Studies, 1984.

— "Yen Jo-chu's Debt to Sung and Ming Scholarship." *Ch'ing-shih wen-t'i* 3, no. 7 (Nov. 1977): 105-13.

Fisher, Tom. "Loyalist Alternatives in the Early Ch'ing." *HJAS* 44, no. 1 (1984): 83-122.

Fong, Wen C. "Archaism as a 'Primitive' Style." In Christian F. Murck, ed., *Artists and Traditions:*

Uses of the Past in Chinese Culture, pp. 89-109. Princeton: The Art Museum, Princeton University, 1976.

— "Chinese Calligraphy: Theory and History." In Robert E. Harrist, Jr., Wen Fong, et al., *The Embodied Image: Chinese Calligraphy from the John B. Elliott Collection*, pp. 28-84. Princeton: The Art Museum, Princeton University, 1999.

Fong, Wen C., et al. *Images of the Mind: Selections from the Edward L. Elliott Family and John B. Elliott Collections of Chinese Calligraphy and Painting at the Art Musuem, Princeton University.* Princeton: The Art Museum, Princeton University, 1984.

Fu, Marilyn, and Shen C. Y. Fu. *Studies in Connoisseurship: Chinese Paintings from the Arthur M. Sackler Collection in New York and Princeton*. Princeton: The Art Museum, Princeton University, 1973.

Fu, Shen C. Y. "An Aspect of Mid-Seventeenth Century Chinese Painting: The Dry Linear Style and Early Work of Tao-chi." *Journal of the Institute of Chinese Studies of the Chinese University of Hong Kong* 8, no. 2 (1976): 579-618.

— "Huang T'ing-chien's Calligraphy and His Scroll for Chang Ta-t'ung: A Masterpiece Written in Exile." Ph.D. diss., Princeton University, 1976.

—"Periodization of Yen Chen-ching's Calligraphic Influence." In Executive Yuan, Council for Cultural Planning and Development, ed., *The International Seminar on Chinese Calligraphy in Memory of Yen Chen-Ch'ing 1200th Posthumous Anniversary*, pp. 103-48. Taipei: Chen Chi-lu, 1987.

— "Tung Ch'i-ch'ang and Ming Dynasty Calligraphy." In Wai-ching Ho, ed., *Proceedings of the Tung Ch'i-ch'ang International Symposium*, pp. 20.1-20.18. Kansas City, Mo.: Nelson-Atkins Museum of Art, 1992.

Fu, Shen C. Y., et al. *Traces of the Brush: Studies in Chinese Calligraphy.* New Haven: Yale University Art Gallery, 1977.

Gleysteen, Marilyn W. "Hsien-yu Shu's Calligraphy and His 'Admonitions' Scroll of 1299." Ph.D. diss., Princeton University, 1983.

Goldberg, Steve J. "Court Calligraphy in the Early T'ang Dynasty." Ph.D. diss., University of Michigan, 1981.

Gombrich, Ernst Hans. "The Logic of Vanity Fair: Alternatives to Historicism in the Study of Fashions, Style and Taste." In idem, *Ideals and Idols: Essays on Values in History and in Art*, pp. 60-92. Oxford: Phaidon Press, 1979.

Gong, Jisui. "*Yingchouhua*: A Study of Chinese Gift Painting." Unpublished ms.

Goodrich, L. Carrington, and Chaoying Fang, eds. *Dictionary of Ming Biography, 1368-1644.* 2 vols. New York: Columbia University Press, 1976.

Goody, Jack. *The Interface Between the Written and the Oral*. New York: Cambridge University Press, 1987.

— *The Logic of Writing and the Organization of Society*. New York: Cambridge University Press, 1986.

Goody, Jack. ed. *Literacy in Traditional Societies*. Cambridge, Eng.: Cambridge University Press, 1968.

Harrist, Robert E., Jr. "The Artist as Antiquarian: Li Gonglin and His Study of Early Chinese Art."

Artibus Asiae 55, no. 3/4 (1995):237-80.

— "Eulogy on Burying a Crane: A Ruined Inscription and Its Restoration." *Oriental Art* 44, no. 3 (Autumn 1998) : 2-10.

— "A Letter from Wang Hsi-chih and the Culture of Chinese Calligraphy." In idem, Wen Fong, et al., *The Embodied Image: Chinese Calligraphy from the John B. Elliott Collection,* pp. 240-59. Princeton: The Art Museum, Princeton University, 1999.

— "Record of the Eulogy on Mt. Tai and Imperial Autographic Monuments of the Tang Dynasty." *Oriental Art* 46, no. 2 (2000) : 68-79.

Harrist, Robert E., Jr., Wen Fong, et al. *The Embodied Image: Chinese Calligraphy from the John B. Elliott Collection*. Princeton: The Art Museum, Princeton University, 1999.

Hay, John. *Kernels of Energy, Bones of Earth*. New York: China Institute in America, 1985.

— "Subject, Nature, and Representation in Early Seventeenth-Century China." In Wai-ching Ho, ed., *Proceedings of the Tung Ch'i-ch'ang International Symposium*, pp. 4.1-4.22. Kansas City, Mo.: Nelson-Atkins Museum of Art, 1992.

Hay, Jonathan. "Culture, Ethnicity, and Empire in the Work of Two Eighteenth-Century 'Eccentric' Artists." *Res* 35 (Spring 1999) : 201-23.

— "Ming Palace and Tomb in Early Qing Jiangning: Dynastic Memory and the Openness of History." *Late Imperial China* 20, no. 1 (1999) : 1-48.

— *Shitao: Painting and Modernity in Early Qing China*. Cambridge, Eng., and New York: Cambridge University Press, 2001.

— "The Suspension of Dynastic Time." In John Hay, ed., *Boundaries in China*, pp. 171-97. London: Reaktion Books, 1994.

Hegel, Robert E. *Reading Illustrated Fiction in Late Imperial China*. Stanford: Stanford University Press, 1998.

Henderson, John B. "Ch'ing Scholars' Views of Western Astronomy." *HJAS* 46 (June 1986) : 121-48.

Ho,Wai-ching, ed. *Proceedings of the Tung Ch'i-ch'ang International Symposium*. Kansas City, Mo.: Nelson-Atkins Museum of Art, 1992.

Ho,Wai-kam, and Dawn Ho Delbanco. "Tung Ch'i-ch'ang's Transcendence of History and Art." In Wai-kam Ho and Judith G. Smith, eds., *The Century of Tung Ch'i-ch'ang 1555-1636*, vol. 1, pp. 3-41. Kansas City, Mo.: Nelson-Atkins Museum of Art, 1992.

Ho,Wai-kam, and Judith G. Smith, eds. *The Century of Tung Ch'i-ch'ang 1555-1636*. 2 vols. Kansas City, Mo.: Nelson-Atkins Museum of Art, 1992.

Hoover, Emily. "A New Look at Fu Shan: A Set of Twelve Hanging Scrolls of Calligraphy in the Collection of H. Christopher Luce." Senior essay, Yale University, 1988.

Huang, Ray. *1587: A Year of No Significance*. New Haven: Yale University Press, 1981.

Huang, Zongxi. *The Records of Ming Scholars*. Ed. and trans. Julia Ching. Honolulu: University of Hawaii Press, 1987.

Hucker, Charles O. *A Dictionary of Official Titles in Imperial China*. Stanford: Stanford University, 1985.

— "The Tung-lin Movement of the Late Ming Period." In John K. Fairbank, ed., *Chinese Thought and Institutions,* pp. 133-62. Chicago: University of Chicago Press, 1957.

Hummel, Arther W., ed. *Eminent Chinese of the Ch'ing Period (1644-1912).* 2 vols. Washington, D.C.: United States Government Printing Office, 1944.

Jensen, Lionel M. *Manufacturing Confucianism: Chinese Traditions and Universal Civilization.* Durham, N.C.: Duke University Press, 1997.

Johnson, David, et al., eds. *Popular Culture in Late Imperial China.* Berkeley: University of California Press, 1985.

Kemal, Salim, et al. *The Language of Art History*. New York: Cambridge University Press, 1991.

Kessler, Lawrence. "Chinese Scholars and the Early Manchu State." *HJAS* 31 (1971): 179-200.

— *K'ang-hsi and the Consolidation of Ch'ing Rule, 1661-1684.* Chicago: University of Chicago Press, 1976.

Kim, Hongnam. "Chou Liang-kung and His 'Tu-Hua-Lu' (Lives of Painters): Patron-Critic and Painters in Seventeenth Century China." Ph.D. diss., Yale University, 1985.

— *The Life of a Patron: Zhou Lianggong (1612-1672) and the Painters of Seventeenth Century China.* New York: China Institute in America, 1996.

Ko, Dorothy. *Teachers of the Inner Chambers: Women and Culture in Seventeenth-Century China.* Stanford: Stanford University Press, 1994.

Kris, Ernst, and Otto Kurz. *Legend, Myth, and Magic in the Image of the Artist: A Historical Experiment.* New Haven: Yale University Press, 1979.

Kuo, Jason C. *Word as Image: The Art of Chinese Seal Engraving.* New York: Chinese House Gallery, 1992.

Ledderose, Lothar. "An Approach to Chinese Calligraphy." *National Palace Musuem Bulletin* 7, no. 1 (1972): 1-14.

— "Chinese Calligraphy: Art of the Elite." In Irving Lavin, ed., *World Art: Theme of Unity in Diversity*, vol. 2, pp. 291-96. University Park: Pennsylvania State University Press, 1989.

— "Chinese Calligraphy: Its Aesthetic Dimension and Social Function." *Orientations* 17, no. 10 (Oct. 1986): 35-50.

— *Mi Fu and the Classical Tradition of Chinese Calligraphy.* Princeton: Princeton University Press, 1979.

— "Some Taoist Elements in the Calligraphy of the Six Dynasties." *T'oung Pao* 70 (1984): 246-78.

— *Die Siegelschrift (chuan-shu) in der Ch'ing-Zeit: Ein Beitrag zur Geschichte der chinesischen Schriftkunst.* Wiesbaden: Franz Steiner, 1970.

Legeza, Laszlo. *Tao Magic: The Secret Language of Diagrams and Calligraphy*. London: Thames and Hudson, 1975.

Li, Chu-tsing, and James C. Y. Watt, eds. *The Chinese Scholar's Studio: Artistic Life in the Late Ming Period.* New York: Asia Society Galleries, 1987.

Li, Chu-tsing, et al., eds. *Artists and Patrons: Some Social and Economic Aspects of Chinese Painting.* A publication of the Kress Foundation Department of Art History, University of Kansas. Kansas

City, Mo.: Nelson-Atkins Museum of Art; Seattle: University of Washington Press, 1989.

Liang, Ch'i-ch'ao. *Intellectual Trends in the Ch'ing Period*. Trans. Immanuel Hsu. Cambridge, Mass.: Harvard University Press, 1959.

Lin, Li-chiang. "The Proliferation of Images: The Ink-Stick Designs and the Printing of the *Fang-shih mo-p'u* and the *Ch'eng-shih mo-yan.*" Ph.D. diss., Princeton University, 1998.

Liscomb, Kathlyn Maurean. "Social Status and Art Collecting: The Collections of Shen Zhou and Wang Zhen." *Art Bulletin* 78, no. 1 (1996): 111-36.

Little, Stephen, et al. *Taoism and the Arts of China*. Chicago: Art Institute of Chicago, 2000.

Liu, Cary. "Calligraphic Couplets as Manifestations of Deities and Markers of Buildings." In Robert E. Harrist, Jr., Wen Fong, et al., *The Embodied Image: Chinese Calligraphy from the John B. Elliott Collection*, pp. 360-79. Princeton: The Art Museum, Princeton University, 1999.

Liu, Cary, et al., eds. *Character and Context in Chinese Calligraphy*. Princeton: The Art Museum, Princeton University, 1999.

McNair, Amy. "Engraved Calligraphy in China: Recension and Reception." *Art Bulletin* 160, no. 1 (Mar. 1995): 106-14.

— "The Engraved Model-Letters Compendia of the Song Dynasty." *Journal of the American Oriental Society* 114, no. 2 (Apr.-June 1994): 209-25.

— "Texts of Taoism and Buddhism and Power of Calligraphic Style." In Robert E. Harrist, Jr., Wen Fong, et al., *The Embodied Image: Chinese Calligraphy from the John B. Elliott Collection at Princeton*, pp. 224-39. Princeton: The Art Museum, Princeton University, 1999.

— *The Upright Brush: Yan Zhenqing's Calligraphy and Song Literati Politics*. Honolulu: University of Hawaii Press, 1998.

Meyer-Fong, Tobie. "Making a Place for Meaning in Early Qing Yangzhou." *Late Imperial China* 20, no. 1 (June 1999): 49-84.

Michael, Franz. *The Origin of Manchu Rule in China: Frontier and Bureaucracy as Interacting Forces in the Chinese Empire*. New York: Octagon Books, 1965.

Miyazaki, Ichisada. *China's Examination Hell: The Civil Service Examinations of Imperial China.* Trans. Conrad Schirokauer. New York and Tokyo: Weatherhill, 1976.

Mok, Harold. "Seal and Clerical Scripts of the Song Dynasty." In Cary Liu et al., eds., *Character and Context in Chinese Calligraphy*, pp. 174-98. Princeton: The Art Museum, Princeton University, 1999.

Mote, Frederick W. *Intellectual Foundations of China*. 2nd ed. New York: McGraw Hill, 1989.

Mote, Frederick W., et al. *Calligraphy and the East Asian Book*. Boston: Shambhala, 1989.

Murck, Christian F., ed. *Artists and Traditions: Uses of the Past in Chinese Culture*. Princeton: The Art Museum, Princeton University, 1976.

Murck, Alfreda, and Wen Fong, eds. *Words and Images: Chinese Poetry, Calligraphy, and Painting.* New York: Metropolitan Museum of Art; Princeton: Princeton University Press, 1991.

Nakata, Yujiro, et al. *Chinese Calligraphy*. Trans. Jeffery Hunter. New York: John Weatherhill, 1983.

Nylan, Michael. "The *Chin Wen/Ku Wen* Controversy in Han Times." *T'oung Pao* 80 (1994): 83-170.

Oertling, Sewall. *Painting and Calligraphy in the "Wu-tsa-tsu": Conservative Aesthetics in Seventeenth-Century China*. Ann Arbor: University of Michigan, Center for Chinese Studies, 1997.

Owen, Stephen. "Place: Meditation on the Past at Chin-ling." *HJAS* 49, no. 2 (Dec. 1990): 417-57.

—*Remembrances: The Experience of the Past in Classical Chinese Literature*. Cambridge, Mass.: Harvard University Press, 1986.

Panofsky, Erwin. *Meaning in the Visual Arts*. Chicago: University of Chicago Press, 1982.

Percival, Sir David, ed. and trans. *Chinese Connoisseurship: The Ko Ku Yao Lun, The Essential Criteria of Antiquities*. New York and Washington, D.C.: Praeger, 1971.

Peterson, Willard. *Bitter Gourd: Fang I-chih and the Impetus for Intellectual Change in the 1630s*. New Haven: Yale University Press, 1979.

— "Fang I-chih: Western Learning and the 'Investigation of Things.'" In Wm. Theodore de Bary, ed., *The Unfolding of Neo-Confucianism*, pp. 369-411. New York: Columbia University Press, 1975.

— "The Life of Ku Yen-wu, 1613-1682." *HJAS* 28 (1968): 114-56; 29 (1969): 201-47.

Plaks, Andrew H. "The Aesthetics of Irony in Late Ming Literature and Painting." In Freda Murck and Wen Fong, eds., *Words and Images: Chinese Poetry, Calligraphy, and Painting*, pp. 487-500. New York: Metropolitan Museum of Art; Princeton: Princeton University Press, 1991.

— *The Four Masterworks of the Ming Novel—Ssu ta ch'i-shu*. Princeton: Princeton University Press, 1987.

Proser, Adriana. "Moral Character: Calligraphy and Bureaucracy in Han China (206 b.c.-a.d. 220)." Ph.D. diss., Columbia University, 1995.

Rawski, Evelyn. "Economic and Social Foundations of Late Imperial Culture." In David Johnson et al., eds., *Popular Culture in Late Imperial China,* pp. 3-33. Berkeley: University of California Press, 1985.

— *Education and Popular Literacy in Ch'ing China*. Ann Arbor: University of Michigan Press, 1979.

Realms of Memory: Rethinking the French Past. 3 vols. Under the direction of Pierre Nora; trans. by Arthur Goldhammer. New York: Columbia University, 1996-98.

Ricci, Matteo, and Nicolas Trigault. *China in the Sixteenth Century: The Journal of Matthew Ricci: 1583-1610*. Trans. Louis J. Callgher. New York: Random House, 1953.

Riely, Celia Carrington. "Tung Ch'i-ch'ang's Life (1555-1636): The Interplay of Politics and Art." Ph.D. diss., Harvard University, 1995.

—"Tung Ch'i-ch'ang's Life." In Wai-kam Ho and Judith G. Smith, eds., *The Century of Tung Ch'i-ch'ang 1555-1635*, vol. 2, pp. 385-457. Kansas City, Mo.: Nelson-Atkins Museum of Art, 1992.

—"Tung Ch'i-ch'ang's Seals on Works in *The Century of Tung Ch'i-ch'ang.*" In Wai-kam Ho and Judith G. Smith, eds., *The Century of Tung Ch'i-ch'ang 1555-1636*, pp. 285-316. Kansas City, Mo.: Nelson-Atkins Museum of Art, 1992.

Sargent, Stuart H. "Colophons in Countermotion: Poems by Su Shih and Huang T'ing-chien on Paintings." *HJAS* 52, no. 2 (June 1992): 263-302.

Shang, Wei. "*Jin Ping Mei* and Late Ming Print Culture." In Judith T. Zeitlin and Lydia H. Liu, eds., *Writing and Materiality in China*, pp. 187-236. Cambridge, Mass.: Harvard University Asia Center,

2003.

—"Prisoner and Creator: The Self-Image of the Poet in Han Yu and Meng Jiao." *Chinese Literature, Essays, Articles, Reviews* 16 (1994): 19-40.

Shanghai Museum Chinese Painting and Calligraphy Exhibition. N.p., n.d.

Smith, Richard J. "Mapping China's World: Cultural Cartography in Late Imperial Times." In Wen-hsin Yeh, ed., *Landscape, Culture and Power in Chinese Society*, pp. 52-109. Center for Chinese Studies Research Monograph 49. Berkeley: University of California Berkeley, Institute of East Asian Studies, 1998.

Spence, Jonathan D. *Emperor of China: Self-Portrait of K'ang-hsi.* New York: Knopf, 1974.

— *The Search for Modern China*. New York: W. W. Norton & Co., 1990.

Spence, Jonathan D., and John E. Wills, Jr., eds. *From Ming to Ch'ing: Conquest, Region, and Continuity in Seventeenth-Century China*. New Haven: Yale University Press, 1979.

Starr, Kenneth. "An 'Old Rubbing' of the Latter Han: *Chang Ch'ien Pei*." In David Roy and T. H. Tsien, eds., *Ancient China: Studies in Early Civilization*, pp. 283-313. Hong Kong: Chinese University Press, 1978.

Struve, Lynn. "Ambivalence and Action: Some Frustrated Scholars of the K'ang-hsi Period." In Jonathan Spence and John E. Wills, eds. *From Ming to Ch'ing: Conquest, Region, and Continuity in Seventeenth-Century China*, pp. 323-65. New Haven: Yale University Press, 1979.

— *The Ming-Qing Conflict, 1619-1683: A Historiography and Source Guide*. Ann Arbor: Association for Asian Studies, 1998.

— *The Southern Ming (1644-1662)*. New Haven: Yale University Press, 1984.

Struve, Lynn, ed. and trans, *Voices from the Ming-Qing Cataclysm.* New Haven: Yale University Press, 1993.

Sturman, Peter Charles. "The Donkey Rider as Cultural Icon: Li Cheng and Early Landscape Painting." *Artibus Asiae* 15, no. 1/2 (1995): 43-97.

— *Mi Fu: Style and the Art of Calligraphy in Northern Song China.* New Haven: Yale University Press, 1997.

— "Wine and Cursive: The Limits of Individualism in Northern Sung China." In Cary Liu, et al., eds., *Character and Context in Chinese Calligraphy*, pp. 200-231. Princeton: The Art Museum, Princeton University, 1999.

Sullivan, Michael. *Art and Artists of Twentieth-Century China*. Berkeley: University of California Press, 1996.

Teng, Ssu-yu. "Wang Fu-chih's View on History and Historical Writing." *Journal of Asian Studies* 28, no. 1(Nov. 1986): 11-123.

Thern, K. L. *Postface of the "Shuo-wen Chieh-tzu": The First Comprehensive Chinese Dictionary.* Madison, Wisconsin: University of Wisconsin, Department of East Asian Languages and Literatures, 1966.

Tseng, Yuho (Yu-ho Tseng Ecke). *A History of Chinese Calligraphy.* Hong Kong: Chinese University Press, 1993.

Tsiang, Katherine R. "Monumentalization of Buddhist Texts in the Northern Qi Dynasty: The Engraving of Sutras in Stone at the Xiangtangshan Caves and Other Sites in the Sixth Century." *Artibus Asiae* 56, no. 3/4 (1996): 233-59.

von Hallberg, Robert, ed. *Canons*. Chicago: University of Chicago Press, 1983.

Wakeman, Frederic, Jr. *The Great Enterprise: The Manchu Reconstruction of Imperial Order in Seventeenth-Century China*. 2 vols. Berkeley: University of California Press, 1985.

— "The Price of Autonomy: Intellectuals in Ming and Ch'ing Politics." *Daedalus* 101, no. 2 (Spring 1972): 35-70.

Wang, Fangyu, and Richard Barnhart. *Master of the Lotus Garden: The Life and Art of Bada Shanren (1626-1705)*. New Haven: Yale University Art Gallery, 1990.

Wang, Shen(王珅)."The Intellectual Climate of the Early Qing and Zhu Yizun's Clerical Script Calligraphy," M.A. thesis., Boston University, 2003.

Watson, Burton, trans. *Chuang Tzu: Basic Writings*. New York: Columbia University Press, 1964.

— *Courtier and Commoner in Ancient China: Selections from the "History of the Former Han" by Pan Ku*. New York: Columbia University Press, 1974.

Watt, James C. Y. "The Literati Environment." In Chu-tsing Li and James C. Y. Watt, eds., *The Chinese Scholar's Studio: Artistic Life in the Late Ming Period*, pp. 1-13. New York: Asia Society Galleries, 1987.

Wicks, Ann Barrott. "Wang Shimin's Orthodoxy: Theory and Practice in Early Qing Painting." *Oriental Art* 29, no. 3 (1983): 265-74.

Widmer, Ellen. "The *Huanduzhai* of Hangzhou and Suzhou: A Study in Seventeenth-Century Publishing." *HJAS* 56, no. 1 (June 1996): 77-122.

Wilhelm, Hellmut. "The *Po-Hsueh Hung-Ju* Examination of 1679." *Journal of the American Oriental Society* 71 (1951): 60-66.

Wu, Hung. "The Competing *Yue*: Sacred Mountains as Historical and Political Monuments." Paper presented at the conference "Mountains and Cultures of Landscape in China," University of California at Santa Barbara, Jan. 1993.

—"On Rubbings: Their Materiality and Historicity." In Judith T. Zeitlin and Lydia H. Liu, eds., *Writing and Materiality in China*, pp. 29-72. Cambridge, Mass.: Harvard University Asia Center, 2003.

—"Ruins in Chinese Art: Site, Trace, and Fragment." Paper presented at the symposium "Ruins in Chinese Visual Culture," University of Chicago, May 17, 1997.

—*The Wu Liang Shrine: The Ideology of Early Chinese Pictorial Art*. Stanford: Stanford University Press, 1989.

Wu, Nelson I. "The Intellectual Aristocrat and Justice in Art." *Art News* 61, no. 8 (Dec. 1962): 38-41, 68-70.

—"The Toleration of Eccentrics," *Art News* 56, no. 3 (May 1957): 26-29, 52-55.

—"Tung Ch'i-ch'ang (1556-1636): Apathy in Government and Fervor in Art." In Arthur F. Wright and Dennis Twitchett, eds., *Confucian Personalities*, pp. 261-383. Stanford: Stanford University Press, 1962.

Wu, Pei-yi. *The Confucian's Progress: Autobiographical Writings in Traditional China.* Princeton: Princeton University Press, 1990.

—"Varieties of the Chinese Self." In Vytautas Kavolis, ed., *Designs of Selfhood*, pp. 107-53. London: Associated University Press, 1984.

Wu, Silas. *Passage to Power: K'ang-hsi and His Heir Apparent, 1661-1722*. Cambridge, Mass.: Harvard University Press, 1979.

Xu, Bangda. "Tung Ch'i-ch'ang's Calligraphy." In Wai-kam Ho and Judith Smith, eds., *The Century of Tung Ch'i-ch'ang 1555-1636*, vol. 1, pp. 105-32. Kansas City, Mo.: Nelson-Atkins Museum of Art, 1992.

Xue,Yongnian. "Declining the Morning Blossom and Inspiring the Evening Bud: The Theory and the Practice of Tung Ch'i-ch'ang's Calligraphy." In Wai-ching Ho, ed., *Proceedings of the Tung Ch'i-ch'ang International Symposium,* pp. 6.1-6.30. Kansas City, Mo.: Nelson-Atkins Museum of Art, 1992.

Yang, Lien-sheng. "The Concept of 'Pao' as a Basis for Social Relations in China." In John K. Fairbank, ed., *Chinese Thought and Institutions*, pp. 291-309. Chicago: University of Chicago, 1957.

Yang, Xin. "'On Calligraphy Has to Be Skillful, then Raw.'" In Wai-ching Ho, ed., *Proceedings of the Tung Ch'i-ch'ang International Symposium*, pp. 19.1-19.32. Kansas City, Mo.: Nelson-Atkins Museum of Art, 1992.

Zeitlin, Judith T. *Historian of the Strange: Pu Songling and the Chinese Classical Tale.* Stanford: Stanford University Press, 1993.

Zhang, Yiguo, "The Meaning of Wang Duo's Line: A Study of A Scroll of the 'Tang Poem'," Ph.D. dissertation of Columbia University, 2001.

索引

1劃

八大山人　204註166　205註188　251　268註212

八分書　238　251　256-257　267註188　326

2劃

丁度《集韻》98　181　215

《十竹齋印譜》見「胡正言」

3劃

山西　反清活動116-118　130-131　145　藝術收藏家112-113　天主教在山西的發展114-115　仕清漢官133-143 210-211 259註30　傅山的客戶132-133 244 287-288　對書法的需求288　滿州征服時的破壞132　經濟110　學術圈208-214 216 218 225　文人116-118　李自成的軍隊130　商人110　287-288　明代官員116-117　宗教團體114-115　三立書院116-117　碑161

《山海經》56

三立書院　見「山西」

「三教合一」45　225

《三體石經》見「碑」

《大清一統志》336-337

《千字文》81-82

4劃

天主教　中國的信徒53　114　晚明的天主教46　傳教士46　53-54 114-115　119註34　214

天壽山 236

太原　傅山繫獄138　傅山的藥鋪132　李自成的軍隊130　145　滿州的征服131　學者209-210

《太原段帖》223

支離　清初美學中的支離166-170　金石銘文中的支離104-107　233-234　254　書法中的支離254-256　傅山美學中的支離163-171　傅山書法中的支離165 303　傅山繪畫中的支離165-166　《莊子》中的支離164　晚明文化中的支離171　文學中的支離170　繪畫中的支離165-168　政治隱喻中的支離164　167-168　170　顏真卿書法中的支離163　247-248

方于魯　44　87　192

方文　251　269註225

方元素　93　123註106

《方氏墨譜》192　241

方以智　108

介休　161　184-185　221

《孔宙碑》218　241

《水牛山文殊般若經碑》159　161　163　202註124註127

《水經注》見「酈道元」

《日知錄》見「顧炎武」

少室山 232

王士禛　269註221 279　281

王夫之　282　336

王世貞　44

王弘撰　在北京時279-281　博學鴻詞特科考試276　王弘撰與傅山279-280 328註51　對漢代書法的看法244-247　與漢族官員的關係260註45 280-281　與其他學者的關係87 210　217　碑刻的收集241-242　印章的收藏87　對隸書的研究244-247　對鄭簠的評價252-254

王如金　117 131 145

王守仁　見「王陽明」

王俅《嘯堂集古錄》186

王冕　86

王陽明　46　48　115

王廙　265註164

王徵　53

王羲之 草書書法306 308 311 318 關於醉書的軼事304-305 書法中的情緒285-286 影響58 66 84 148 154 楷書書法246 被臨摹的作品73-74 110 121註77 122註83 178 傅山臨摹的作品156-157 179 291 308 311 318

（作品）《安西帖》311 《冬中帖》314 《二書帖》311 《樂毅論》110 178 285 《伏想清和帖》308 311《家月帖》74 《東方朔畫像贊》156《吾唯辨辨帖》73-74

王獻之《豹奴帖》73-74 關於醉書的軼事304-305 影響58 84 被臨摹的作品73-74 110

王鐸 異體字94 101-102 書法風格83-84 154 171 201註109 書法63-65 83-84 106-107 隸書書法94 240 254 314 拼湊法帖73-74 76 78 80 84 臨摹古作73-74 76 121註77 179 草書書法64-65 106 307 314 臨72-74 76 84 對傅山的影響314 王鐸與耶穌會士53 291 篆刻的影響106-107 對草書的觀點64-65 酒和書法306 331註122 雜書卷/冊179

（作品）《贈單大年》106 《河陽渡詩》240 《臨米芾跋歐陽詢書法》74 76《臨二王帖》73 74 《臨顏真卿八關齋會記》101 《贈張抱一行書》65《憶過中條語》64〈草書頌〉64 286《贈郭一章詩》65《延壽寺碑》314

王顯祚 211

文玄錫 115

文彭 86 88 91 154

文徵明 82 86 106 154 173 248 332註138 《谿石記》248

《五鳳刻石》233-234 324

元結 163

「支離疏」164 167

毛筆 254-256 268註219

5劃

白孕彩 117 131 134 196註37

包世瀛 《周文歸》序 97

古文（作為古代字體）99 101 真偽222 字書94-95 102-104 181 222 傅山使用的異體字184 222 311

《古文四聲韻》見「夏竦」

《古林金石表》見「曹溶」

《古文奇字》見「朱謀㙔」

《古文尚書》222 262註84 註86

古古 203註149 277

《石門頌》324

《石鼓文》217 240

《石墨鐫華》見「趙崡」

石濤 書法254-256 《巢湖圖》254 用紙255-256 《梅》167 關於篆刻的詩256 畫作中的醜168

《印史》見「何通」

印章在信件中的使用 93 124註130

印譜 歷史88-91 主題印譜91 個人印譜88-92

平定117 130-131 133-135 138-139 142 161

丘兆麟 49 56

「生」58-60 171

《史記》見「司馬遷」

申涵光 210-250

司馬相如〈子虛賦〉215

司馬遷 對傅山的影響 144-146 《史記》145-146 228

司馬談 145

《玄儒婁碑》234

《玉篇》見「顧野王」

《左傳》222

6劃

艾儒略《職方外紀》53

「朱衣道人案」見「傅山」

《字彙》見「梅膺祚」

《汗簡》見「郭忠恕」

江暉 96
江瓖 145
考據學 108-109 216 218-223 225-226 241 280 337
米芾《跋歐陽詢度尚庾亮二帖》74 76 對唐代草書的評論286 305-306 影響58 303 對傅山書法的影響303 山水畫80 篆刻123註103
米友仁 80
全祖望 168
曲阜 漢碑 231-233 252 264註128
自我實現 48-51
自發性表現 書法中的59 106 254-255 草書書法中的64-65 傅山書法中的242-328 文學中的49-50 64 篆刻中的88 理論49-50
羊祜 230
朱之俊 330註98
朱元璋 見「明太祖」
朱振宇 143
朱棡 113 126註172
朱察卿 124註130
朱謀垔 103
朱謀㙔 《古文奇字》103
朱簡 86 89 92 113-114 123註102 126註180註181
朱彝尊 在北京時280 博學鴻詞特科考試276 280-281 事業210-211 漢碑上的題識217 257註63 《曝書亭金石跋尾》217 關於傅山236 250 隸書名家的名單251 學問225 276 對隸書的研究244-246 248 251 267註188 訪碑與探訪史跡216-217 229 233 241 265註154
「名利場邏輯」（Logic of Vanity Fair）57 101

7劃
伯夷 168
佛教 傅山對佛教的興趣115 225 263註97 晚明的佛教45 僧侶131 佛經159 161 186 236
杜甫 170〈望嶽〉232 〈飲中八仙歌〉309
杜從古《集篆古文韻海》94 181
何通《印史》91 105
何震 44 84 86-89 92 105
何鏜《高奇往事》52
宋徽宗 82 88 227
狂草 狂草所表現的情緒306 傅山的狂草293 303-304 307-308 311 318 狂草大師325註1 起源286 清代的狂草340 唐代的狂草286 應酬之作284-289 291-292
李日華《行楷六硯齋筆記》178-179
李因篤 216 220 博學鴻詞特科考試276 281 326註23 傅山和李因篤229 278 與其他學者的關係211 謁明十三陵229 230
李自成 108 115 130 134 145-146
李宗孔 278
李建泰 130
李流芳 87 123註113
李時珍 44
李陵 145
李煜 227
李顒 277
李贄 48-49 58 60 101 115 187 239 305 325
李攀龍 44
呂留良 170
利瑪竇 44 46 52 54 87 93 114-115 214
阮孚 87
沈度 174
沈野 86-87 104
沈粲 174
宋克 174 283《趙孟頫蘭亭十三跋》174
宋犖 89 267註188 279 331註39
宋謙 137-138
汪琬 221 254 268註218
吳三桂 208 258註6 272
吳甡 116-117

吳彬 54 120註36註41註47 123註110
《十六羅漢》54
吳琦 209
吳棫 214 222
辛全 115
忻州 110 132 135 138
邢澍 337

8劃

拙 隸書的拙242-244 304 傅山美學中的拙163 168 170 189 202註138 政治隱喻中的拙168-170 **也請見「支離」**
《易經》184 210 280
《金石文字記》見「顧炎武」
《金石錄》見「趙明誠」
《金石錄補》見「葉奕苞」
金石學 美學價值218 目錄186 216-217 222-223 字書102-103 清初的金石學216-218 234 280 291 337 所涉及的情感世界226-231 傅山對金石學的興趣165 186 217-218 發展史216 234 對書法的衝擊292 碑刻239-241 主要學者216-217 251 **也請見「碑」**
金尼閣 114-214 《西儒耳目資》114-115
金光先 93
《金剛經》159
《金瓶梅》83 192
金農 95 341
金聖歎 187
東方朔 168
東林運動 45
《東觀餘論》見「黃伯思」
明太祖 229
明史 209 282
《明史輯略》209
明神宗 44
明遺民 對清政府的接受度272-273 博學鴻詞特科考試276-278 280-281 336 佛教僧侶131 忠孝之間的衝突131 凋零336 傅山的朋友117 內心世界166 哀傷141-142 230-231 詩229-231 與仕清漢官的關係133-143 277-278 280-281 與清政府的關係136-137 反抗130-131 137-138 145 208-209 272 282 325註2 退隱136 277-278 學者209-210 被資助的學者210-211 子嗣272-273 336 謁陵229 訪碑230-236
《兩漢書姓名韻》見「傅山(寫作)」
林侗《來齋金石學考略》251
孟浩然〈與諸子登峴山〉230
帖學 也請見「董其昌」
奇 書法中的奇60 78 101 307-308 不斷變動的本質57 晚明文藝評論中「奇」的概念49-51 奇的社會文化背景51-57 奇的表現51 海外諸奇46 52-54 傅山書法中的奇303-304 324 339 文人對奇的使用51-52 文學中的奇49 物質文化中的奇54 奇的意義50-51 57-58 詩中的奇170 通俗文化中的奇54-56 奇的出現50-51 對奇的追求54 56-57 101-102 171 256 307-308 奇和古的關係256
屈大均 對明代的忠誠208 258註2 〈耒陽觀諸葛武侯碑〉230 探訪史跡229-230 謁陵229
《尚書古文疏證》見「閻若璩」
叔齊 168
《拍案驚奇》見「凌濛初」
《性史》見「傅山(寫作)」
盂縣 117 131 144-145 148 161 293
周亮工 對古文的看法94 隸書251 對文徵明的評論248 髡殘贈周亮工的畫168 尚質的文學觀250 碑刻的收集251 學問217

9劃

范鄗鼎 273-274
范翼〈謁傅公他先生歸,賦此就正〉274
洪适 185 218 242 《隸釋》185 215 218 242

家庭日用類書 56 119註16 287
胡正言 89-90 96 126註179註182《十竹齋印譜》96
胡庭 230
胡渭 336
耶穌會士 46 119註33註34 130 260註41
柳公權 66 147 154 200註106
南京 反清運動208 傅山的到訪208 學術圈210 251 明皇陵229 南京的繪畫256 篆刻86-92
施清〈芸窗雅事〉104 125註149 205註178
泰山 231-233 264註138
泰州學派 46
《音學五書》見「顧炎武」
俞和〈六體千字文〉173-174 203註152
祝允明 154 175 203註157

10劃
追本溯源 43 214 237-238 244 260註38 268註205 324
〈訓子帖〉見「傅山(文章)」
酒 和書法的關係305-307 醉後書法303 傅山贈魏一鼇十二條屏139-140 303
班固《漢書》110 144 228
《淳化閣帖》73-74 122註79註83 308 311 314
《草訣百韻歌》287
草篆 85-86 114 181 186 223 311
段玉裁 260註44 337
段絳《太原段帖》223 262註87
高士奇 279-280
《高奇往事》 見「何鐙」
高珩 280-281
高閑 83 286 305
高鳳翰 337
海瑞 44-45
凌稚隆《漢書評林》144
凌濛初 82《拍案驚奇》54 82
馬世奇 90 117
夏允彝 150
《夏承碑》241-242 266註177註178
夏竦《古文四聲韻》
倪元璐 異體字94 98-99 101 書法63 65 與韓霖的友誼113 《飲酒自書詩》98-99
容城 133 140
時大彬 44 46 87 124註127
師宜官 331註123
孫川 137-138 198註54 281
孫奇逢 滿州入主中原的影響133-134 146 對明代的忠誠211 學生133-134 140 212 259註29 對劉因的看法141
孫枝蔚 251
孫茂蘭 134 137-138 196註35 198註53 註54 201註121 281
孫星衍 337
孫過庭 285-286 305《書譜》238 285 305
孫穎韓 117 131
索靖 238 314 322
韋偃 234
徐元文 211 259註27 280 282
徐介 272
徐世溥 44-48 84 87 118註1註2 120註37 212 214 220
徐光啓 44 46 87 90 114
徐秉義 211
徐乾學 211-212 259註27 336 341註6
徐渭 44 107 303《觀潮詩》303
徐鉉 234
唐宣宗 245-248 264註138 266註181 267註198 《石臺孝經》245-246 267註188
袁中道 58
袁宏道 44 49 58 119註21
袁宗道 58
袁黃 44-46 48註6
袁繼咸 116-118 130-131 134 145 195註14

11劃

理學　傅山對理學的評論140　127註191　理學對清初的影響337註150　**也請見「孫奇逢」**
《**曹全碑**》94　179　217　240-242　244　266註168註169註176　267註188
曹良直 117
曹溶　138　199註60　《古林金石表》216　詩217　231-232　和傅山的關係210　261註63　碑刻收藏216　訪碑216
陳上年 210-211 215 258註6　259註23註24　260註45
陳子龍 108
陳洪綬 94 96
陳師道 203註140
陳第 214
陳彭年　215《廣韻》181　187　215　217　221　260註45註47　268註205
陳僖 276 280 326註22　327註39
陳謐 172 293　330註109
陳繼儒　81 90 190
基督教　見「天主教」
章草　從隸書衍生而來246　特徵314 318　掭112 章草元素與其他書體的融合62　傅山的章草151 293 314 318 章草大師 314
郭泰（郭有道）184-185
《**郭有道碑**》184-186　204註165
郭忠恕《汗簡》96 101 165 181 217 224
郭宗昌　隸書書法94 240 254　碑刻收藏94 217 印章收藏87-88 94　對金石學的研究88 234
康有為 339
康萬民 235
康熙皇帝 276 280-282 336
崑山 209 211 213-214 251
梁清標 280
梁檀 115
《**梁鵠碑**》241-242
陸子剛 44 46 87
陸治 248
梅膺祚《**字彙**》102
陶淵明 116 172
許友 325註1
許慎《**說文解字**》101 181 184 215 222 241 276 337
《**許馘碑**》234
張中《**桃花幽鳥**》175
張旭　書法68 121註71 286　醉後書法305　《郎官壁石記》68
張仲 136
張芝 64 314 322
張岱 87
張居正 45
張泮 110
張炎 229–230
張風《**讀碑圖**》236
張孫振 117
張純修 254
張煌言 208
張溥 108
張瑞圖　60 62-63 65 《孟浩然詩》60
《**張遷碑**》106 241 244 267註202
張錡 143
張懷瓘 286
張獻忠 108
張灝《**學山堂印譜**》90-91 96
莊子 82
《**莊子**》傅山的研究225　故事164 181 329　傅山的抄錄157 180 181 186 189
莊廷鑨 明史案　209 282
都穆　234 262註177

12劃
博學鴻詞特科考試 198註54 272 276-284 336
《**絳帖**》113
《**程氏墨苑**》54 114 192 240
程君房 44 54 87 192
程邃 92 251 254

童心 48-50 60 101 305
《集古録》見「歐陽修」
《集篆古文韻海》見「杜從古」
《集韻》見「丁度」
揚州八怪 337
馮行賢 246 252 256 268註214 328註53〈隸字訣〉252 256
馮班 249 268註214
馮溥 280-281 318註56註57註58
傅山 出生109 博學鴻詞特科考試272 276 278-281 「朱衣道人案」137-138 143 186 196註35 198註54註56 身為鑒藏家112-113 133 身為山西文化領袖209 身為道士115 131 195註11 224-225 去世336 341註2 思想上的多元115-116 225-226 對杜甫的看法170 教育110 112 116-117 改朝換代的影響132-133 家庭109-110 131-132 276 交遊115-117 132-133 209-211 196註37 影響42 酒鋪132 對明代的忠誠131 136-137 147-148 168 170 211 225 行醫與藥鋪132 135 137 母親131 186 204註167 繪畫165-166 331註39 人格226 273-274 325 參與政治117-118 138 與兒子的關係318 322 與魏一鼇的關係 133-143 341註2 與漢官的關係137-143 210-211 259註30 280-281 328註56 與其他學者的關係117 209-210 212 220 278-279 碑拓收藏218 241 261註63 266註176學術上的興趣114-115 117 215 217-218 225 276 學問115 143-146 209 212 268註205 篆刻112 所用印章144-145 行旅131-132 208 210 236 264註131 273 318 訪碑與探訪史跡161 232-236 264註131 265註154 妻子110 125註163 318
（書法）美學163 168 170-171 用筆技巧314 324 隸書181 183-186 242-243 250 314 應酬278 對古代作品的臨摹110 112 203註149 242 308 311 草書112 223 284 288-289 291-294 302-304 307-308 311 314 318 322 受贈者287-288 292 書法中的支離163 165 303 美學中的支離163-166 168 170 章草書法151-152 293 314 318 324 早年的書法112 怪異250 307-308 339 碑學取徑257 314 324-325 臨308 311 代筆人274 289 影響238 顏真卿的影響147-148 154-159 161-163 303 其他人事物的影響114 303 308 324-325 啓發的源頭306 最後的作品318 322-324 傅山發明的新字181 183 哲學307 政治面向146-148 劣質作品288-289 書法中的奇303-304 324 339 楷書148 156-157 161 179-181 223 名望257 274 288 追本溯源238 碑刻112 223 262註87 行草150-152 293-294 302 行書158 181 223 鸞書132 238 287-288 篆書112 186 223 226 266註173 311 對古文字的研究184 186 246 266註173 314 324 對隸書的研究204註165 242-244 250 254 318 322 324 對顏真卿書法的研究147-148 風格的發展150-152 154 156-157 172 223 訓練110 112 157 242 324 異體字181 223 226 狂草293 302 311 318 322 應酬書法135 262註93 274 284 287-289 291-292 雜書卷/冊172 179-181 183-184 193-194 204註159
（書作）《阿難吟》161 163 《小楷禮記》157 《臨曹全碑》242 《臨王羲之安西帖》311 《臨王羲之伏想清和帖》308 311《臨王羲之東方朔畫像贊》156-157《臨顏真卿麻姑仙壇記》156-157 《贈魏一鼇行草書》138-140 154 302-303 307 318 《晉公千古一快》318 《丹崖墨翰》134-136 148 150-152 197註37 《篆書妙法蓮華經》186 《夜談三首》311 《贈陳謐草書詩冊》293-294 302 《小楷行書詩詞》 148 《草書雙壽詩》318 《上蘭五龍祠場圃記》 112 重書《郭有道碑》185 《遊仙詩》 223-224 《左錦》冊頁158 《論漢隸》 250 《五峰山草書碑》

293 307 331註126 《哭子詩》322 324 《嗇廬妙翰》: 見「嗇廬妙翰」 《小楷莊子》157 《柳家汀詩》289 《章草冊》318 《臨王羲之諸懷帖》291

（寫作）〈訓子帖〉146-147 154 163 168 200註107 201註111 251 傳記136-137 145-146 200註100〈汾二子傳〉145〈如何先生傳〉116 127註193 文集336 340註1〈碑夢〉227-228 編史143-144《性史》115 127註192 〈辭世帖〉336《兩漢書姓名韻》115 143-144 詩131 146-148 172 232-234 256 278 293-294 306-307 341註2〈喻都賦〉118 〈哭子詩〉126註171 322 〈山寺病中望村僑作〉143〈蓮蘇從登岱嶽謁聖林歸信手寫此教之〉232-233〈病極待死〉278

（畫作）山水冊頁165-166

傅之謨 109-110

傅仁 131 144 273 292 326註10 身為代筆人262註91 274

傅止 109 117

傅庚 109 131 148 273

傅眉 125註163 在北京時280 332註144 書法112 148 243 266註173 292 322 去世126註171 318 教育318 322 332註143 身為代筆人262註91 274 文學天賦318 322 對明代的忠誠144 318 322 婚姻135 行醫與藥鋪132 195註20 273 318 和傅山的關係115 143 318 篆刻112 行旅131 278 寫作200註88

傅蓮寶 198註54 276

傅蓮蘇 198註54註59 在北京時278 書法242-244 編纂傅山文集336 **教育**215 276 篆刻112 伴隨傅山旅行232

傅震 110

傅霈 110

傅霖 110

復社 108 113 116 279

《華山碑》 217 242 244 279

華淑《閑情小品》189

黃伯思《東觀餘論》238-239 265註164

黃易 337

黃宗羲 144 241 257 282-283 336

黃庭堅《廉頗與藺相如傳》65 106 書法64-65 306 臨作178 《瘞鶴銘》106 對酒的觀點306

黃道周 63 121註59 書法63 121註66 與韓霖的友誼 113 《答孫伯觀詩》63 異體字 94 98-99 101

絳州 161 天主教的發展 114-115 126註175

焦竑 44 46 48 58 118註8

提按 65 204註166 294 314 324 332註137

湯若望 53 119註34 291-292

湯斌 212 對通俗文化的討伐 283-284

湯顯祖 44 48-51 56 58 64 83 87 90 101-102 119註21

順治皇帝 198註56

童昌齡《史印》280 327註48

嵇康 87 199註68

《閑情小品》見「華淑」

陽曲 109-110 116 131 135-136 161 198註54 217 224 262註82 278 293

《堯天樂》 122註91 193

13劃

碑 與朝代轉換的關聯228-231 書家的興趣233-234 《三體石經》173 讀碑和懷古230-231 碑的漫漶233 讀碑的情緒230 傅山對碑刻書法的臨摹242 漢碑184-185 218 231 233-235 240-245 252 作為史跡236-237 傅山的題跋185 作為紀念物228 明皇陵的碑碣229 讀碑圖234 236-237 楷書銘文68 對碑刻的研究337 山西的碑碣161 對漢碑隸書的研究94 訪碑229-236 341 **也請見「金石學」**

碑學 清初的碑學42 339 身為碑學先鋒的傅山324-325 311 314 339 興趣280 流行339 學術243-244 251-252 280 刻石

書蹟159 161 163
《**詩經**》214-215 220 228 268註205
褚遂良 152 204註166
道教 身為道士的傅山115 131 195註11 224-225 傅山對道教的研究225 符224 道教在晚明的復興45
董其昌 美學58-62 書法風格58 147 171 175 178 書法59-65 98 280 和晚明其他書家的比較65 對古代作品的臨摹58 66 68 70 83 175 178 傅山對董其昌的意見336-337註149 對通俗文化的興趣83 董其昌和李贄48 生平58 繪畫107 為印譜寫序90 學生113 對草書的觀點286 徐世溥談及董其昌44 46 應酬之作286 （作品）《行草書》59 《楷書自書誥命》59 《臨顏真卿爭座位帖》68 《臨張旭郎官壁石記》68 《戲鴻堂法書》74 《行草詩》60
髡殘 167-168 202註135
遊仙詩 223-224
嵩山 232 264註131註132註133
萬經 251 267註190
溫體仁 117
《**嗇廬妙翰**》關於紀年170 202註130 《嗇廬妙翰》中的支離165 202註138 創作《嗇廬妙翰》193-194 形制180 183-184 194 批註181 187 189 文字的次序180 閱讀186 194 受贈者170 字體180
楊方生 116 136 170 197註44 202註130
楊思聖 137 197註49註50
楊慎 234 267註202
楊蕙芳 137
楊凝式 60 68 72 178
葉奕苞 216 251 261註55 280 328註53 《金石錄補》216 251 280
鄒元標 44-46 118註4
鄒迪光 93

14劃

《**說文解字**》見「**許慎**」
漢武帝 168 232
《**漢書**》見「**班固**」
《**漢書評林**》見「**凌稚隆**」
篆刻 美學104-107 使用的古文字96-97 篆刻者作為無名氏88-89 評論90-91 在印章中模仿殘崩104-106 171 傅山的篆刻112 對書法的衝擊94-107 112 186 對傅山書法的影響112 165 晚明的篆刻84-94 96-97 171 256 作為文人藝術84-94 96-97 112 337 市場86 92 篆刻的過程87 清代的篆刻337 藝術家的識別88-91 邊款88 92 影響篆刻的社會與文化因素92-94 石材86
趙孟頫 書法風格174 248 董其昌對趙孟頫的看法59 傅山對趙孟頫的意見147 163 168 對傅山的影響112 126註169 154 172 203註149 294 仕元147
（作品）《香山詩》146 《湖州妙嚴寺記》59 《蘭亭十三跋》174 《六體千字文》173
趙明誠 204註164 234 《金石錄》185 204註164 234
趙南星 44-45
趙彥衛 234
趙宧光 草篆85 114 186 315 對傅山的影響114 181 生平84 114 《說文長箋》85 96 104 220 為印譜作序114 學問44 85 220 239 篆刻84 86
趙崡《石墨鐫華》234-235

15劃

蔡玉卿《山居漫詠》99
蔡邕 184
蔡懋德 130
「**墮淚碑**」230
《**增廣鐘鼎篆韻**》95
《**廣韻**》見「**陳彭年**」
劉因 140-141 199註65註67註71註73註74

劉沛先 278
劉禹錫 142
劉珵（超宗）277
劉熙載 306
劉體仁 212 259註29
歐陽修《集古錄》204註164 220 234 學問 218 220
歐陽詢 書法風格175 《度尚帖》74 被臨仿的作品58 74 76 《庾亮帖》74
潘耒 209 博學儒詞特科考試276-278 281 顧炎武與潘耒209 《李天生詩集》序250-251〈寫懷〉277-278 學問216
潘檉章 209
《篇海》216 223 262註89
《潛邱劄記》見「閻若璩」
鄧玉函 53
《嘯堂集古錄》見「王俅」
鄭成功 208
鄭法士 234
鄭樵 217
鄭簠 隸書書法252 254 256 332註134 337 名聲251-252 257 《楊亘源詩》254 碑刻的收集252 256
鄭燮 337
諸葛亮 263註107

16劃
醜 146 163-171 242-243 247 250-251 256
《隸辨》見「顧藹吉」
《隸釋》見「洪适」
《歷代鐘鼎彝器款識法帖》見「薛尚功」
龍華民 53
穆斯林 115
錢謙益 90 257
歙縣 92
蕭峰 143
謝肇淛 268註221
《學山堂印譜》見「張灝」
閻若璩209-210 在北京時278 280 328註52 博學鴻詞特科考試276-277 對顧炎武的評論221 《尚書古文疏證》210 222 家人210 277 閻若璩與傅山216-218 222 257 278 280 當代聖人名單257 《潛邱劄記》218 碑刻的收集241 訪碑231 學問216 222 225 241
閻修齡 208 210 277
閻爾梅 208
燕文貴 137 197註51

17劃
《禮記》81 157 329註76
儲方慶 259註30
戴本孝 125註147 195註20 280 327註46
戴名世 272
戴廷栻 藝術收藏133 210 280 在北京時145 280 327註46〈石道人別傳〉272 事業133 210 336 家人133 136 與傅山的友誼116 133 137 145 210 232 273 280 292 與仕清漢官的關係137
戴運昌 136-137
戴夢熊 278
臨 66-80 308-311
薛尚功《歷代鐘鼎彝器款識法帖》103 181 217 222
薛宗周 117 131 145
應酬之作284-293 草書285-288 291 需求287-289 291 傅山的應酬之作287-289 291-292 使用的字體287 292
鍾惺 44 89-90
鍾會 265註164
鍾繇《宣示表》246 楷書148 154 179 238 246

18劃
韓雲 113-114
韓愈 286
韓霖 89 113-115 126註175註179 註181註182

127註188 130 197註51
《曝書亭金石跋尾》見「朱彝尊」
魏一鼇133 事業133-134 傅山給魏一鼇的書札134-136 148 150-152 154 傅山贈魏一鼇的條屏138-141 156 292 302-303 詩142 與傅山的關係133-143 和明遺民的關係142-143 老師133-134 259註29
魏忠賢 45 63
魏象樞 263註93 281 341註2
魏裔介 197註37 212
顏之推 95 201註124
顏真卿 書法風格170 247-248 303 傅山對顏真卿書法的研究148 154 158 163 168 170 248 影響147 對傅山的影響147-148 151-152 154 156 158 -159 165 179 楷書書法147 154 被臨摹的作品58 68 72 101 156-157 178
（作品）《八關齋會記》101 《祭姪文稿》158 《爭座位帖》68 112 《大唐中興頌》72 163 170 247 《顏氏家廟碑》112 125註165 159 163 202註129 247 《多寶塔感應碑》163 246-247 《麻姑仙壇記》156-157 203註149 247
雜書卷/冊172-173 早期173-175 清初189-190 337 形制194 傅山的作品172 179-189 194 204註159 晚明175 178-179 前人的作品173 製作189 文字內容172-173 189
《職方外紀》見「艾儒略」

19劃
懷素 58 68 72 83 121註71 123註98 178 286 306
羅汝芳 46 48
《麒麟墜》80
譚元春 44 89-90 118註2
《韻補正》見「顧炎武」

20劃
《警世通言》82
蘇州 書家154 學者251 篆刻84 86 92 出版92 213 通俗文化213
蘇軾178 203註146 305-306

21劃
顧炎武209 博學鴻詞特科考試277 326註23 評論221-222 去世336 對傅山的看法214-215 221 226 對明代的忠誠229 273 理學對顧炎武的影響333註150 姪甥211 272 282 336 給傅山的詩273 與仕清漢官的關係211-212 283 建置書堂計劃210-211 製作碑拓231 學問209 214-218 225 241 244 關於《詩經》用韻的研究215 268註205 對晚明文化的批判81 213-214 283-284 訪碑與探訪史跡229-231 233 236 朋友209-210
（作品）《韻補正》214-215 《日知錄》218 220-221 《音學五書》215 《金石文字記》216-217 240 〈重謁孝陵〉229 〈與胡處士庭訪北齊碑〉230 〈汾州祭吳炎潘檉章〉209 〈寄潘節士之弟耒〉209 〈書吳潘二子事〉209 《聖安紀事》283
顧苓 251
顧起元 57 120註41
顧野王《玉篇》 98-101 181 215 217
顧憲成 44-45 118註4
顧靄吉《隸辨》251
鰲拜 282

22劃
《歡喜冤家》81
《讀碑窠石圖》234
龔鼎孳 89 138 199註60
酈道元《水經注》185 204註164

傅山的世界：十七世紀中國書法的嬗變／白謙慎作；
孫靜如，張佳傑初譯.— 臺北市：
石頭，2004〔民93〕
面：　公分
參考書目：面
含索引
譯自：Fu Shan's world:the transformation of Chinese calligraphy in the seventeenth century

ISBN 957-9089-36-1（精裝）

1.（清）傅山 - 作品評論 2. 書法 - 中國 - 歷史

942.092　　93014115